D0419183

ONSCHULD

David Hosp

Onschuld

H&W
VAN HOLKEMA & WARENDORF
Unieboek BV, Houten/Antwerpen

Oorspronkelijke titel: *Innocence*
Oorspronkelijke uitgave: Warner Books
Copyright © 2007 by David Hosp

Copyright © 2007 Nederlandstalige uitgave:
Uitgeverij Unieboek BV,
Postbus 97, 3990 DB Houten

www.unieboek.nl
www.hwspanning.nl

Vertaling: Rogier van Kappel
Omslagontwerp: Edd, Amsterdam
Omslagfoto: Corbis / C. Lyttle
Opmaak: ZetSpiegel, Best

ISBN 978 90 475 0262 3/ NUR 332

Proloog

September 1992

Madeline Steele keek door de met regendruppels bespatte glazen ruit naar de bar aan Columbus Avenue in Roxbury, en om boven het dreunen van haar eigen hartslag uit nog iets te kunnen horen, drukte ze de hoorn van de munttelefoon hard tegen haar oor. De telefoon ging over. Een keer. Twee keer. Vijf keer. Waar was hij nou? Toen de telefoon voor de zevende keer overging hoorde ze eindelijk een stem aan de andere kant van de lijn.

'Wat?'

'Ik ben het.'

'Wat is er aan de hand?'

'Ze zijn er. Volgens mij hebben we ze.' Ze keek naar de winkelpui om er zeker van te zijn dat er niemand naar binnen of naar buiten ging.

'Niet dat we ze nu al kunnen oppakken, maar het is een begin.'

'Dit is meer dan een begin, Koz,' zei ze. 'Wat kunnen ze hier nou anders uitspoken? Weet je hoeveel mensen hierbij betrokken moeten zijn? Hoeveel geld? Als dit is wat het lijkt, dan is het groter dan ik ooit heb gedacht.' Het bleef stil aan de andere kant van de lijn. 'Koz?' Nog steeds geen reactie. 'Koz, ben je daar nog?'

'Zorg dat je daar wegkomt, Maddy.'

'Hoezo?'

'Dit is undercoverwerk en daar ben je niet voor opgeleid. We handelen dit morgen wel af, maar ik wil dat je daar nú weggaat.'

'Dat méén je toch niet? Ik moet hier blijven wachten om te zien wie er verder nog komt opdagen. En wie er verder nog naar buiten komt.'

'Maak dat je daar wegkomt. Dat is een bevel.'

'Jij bent mijn chef niet in deze zaak, Koz.'

'Nee, maar ik ben je vriend. Maak dat je daar wegkomt, nu.'

Ze haalde diep adem en tuurde naar de regendruppels, waarin het kleurige neonlicht van de kleine avondwinkel aan de overkant van de straat uit elkaar viel in talloze splinters. 'Best. Maar het is nog steeds mijn zaak. Ik heb het voetenwerk gedaan. Ik heb het verdiend.'

'Het is jouw zaak,' stelde hij haar gerust. 'Laten we alleen wel zorgen dat we het ook goed doen. We praten er morgenochtend wel over, oké?'

'Precies. En Koz?'

'*Ja?*'

'*Dank je.*'

Ze hing op, maar ze wilde zo wanhopig graag weten wat zich afspeelde achter die neonreclames voor tabak, loterijen en bier dat ze nog een paar minuten in de telefooncel bleef staan om naar de winkel te kijken. Toen duwde ze de deur open en stapte het noodweer in.

Ze stak over en liep een eindje door de straat. Toen ze langs de winkel kwam, hield ze haar pas in en probeerde door de scheuren in de vuile kartonnen reclameborden te kijken. Iedereen die haar zo zag, zou denken dat ze alleen maar etalages aan het kijken was. Ze had heel goed opgelet dat ze niet de aandacht trok.

Zodra ze de winkel voorbij was, versnelde ze haar pas weer. Ze was ervan overtuigd dat ze niet gevolgd was, maar om er zeker van te kunnen zijn dat er niemand de winkel uit kwam om te kijken wat ze hier uitspookte, hield ze goed in de gaten wat er achter haar gebeurde.

Ze glimlachte. Er liep niemand achter haar en dat wilde zeggen dat ze haar werk goed gedaan had. Haar vader en haar broers hadden zich altijd afgevraagd of ze dit werk aan zou kunnen. Maar vanavond was in ieder geval bewezen dat het bij haar paste.

Ze glimlachte nog steeds en bleef aandachtig luisteren met haar hoofd schuin naar achteren, toen ze langs een steegje kwam. De donkere gedaante achter de hoge stapel dozen bij de ingang van het steegje zou ze nooit zien; de man die snel naar haar toe liep evenmin; en dat gold ook voor de opgeheven hand die snel omlaag werd gebracht en het heft van het lange mes dat op haar hoofd neerkwam.

Vincente Salazar liep over de trap naar de flat op de derde verdieping aan de rand van Dorchester, niet ver van de Roxbury-lijn. Voor hem rook het hier naar thuis. De geuren van *platanos rellenos* en *nuegadios en miel* vermengden zich met de uit verschillende appartementen afkomstige dampen van de alomtegenwoordige *pupusas* die rondslierden in de hal.

Hij liep het appartement binnen, trok zijn jasje uit en hing het aan de achterkant van de deur.

'Hola,' zei zijn moeder van achter het aanrecht. Ze stond tot aan haar ellebogen in allerlei potten, en op het fornuis stonden pannen met gevulde pepers. '*Cómo te fue tu dia?*'

'Engels, mama,' zei hij vriendelijk. 'Hier in huis spreken we Engels.'

'Ach,' gromde ze terwijl ze dat met een handgebaar wegwuifde. '*How was your day?*' herhaalde ze met een zwaar Spaans accent.

'*It was fine,*' antwoordde hij, en hij knikte om te laten merken dat hij haar linguïstische overgave op prijs stelde. 'De winkelmanager zegt dat ik meer verantwoordelijkheid krijg.'

'Mooi zo. Gaat hij je ook meer betalen?'

Hij schudde zijn hoofd. 'Maar toch is het goed om vertrouwd te worden.'

'Voor vertrouwen hoor je meer betaald te krijgen.'

Zwijgend liep hij naar het haveloze wiegje naast het raam en tilde zijn dochtertje eruit. 'En hoe gaat het met jou, kleintje?' vroeg hij terwijl hij haar hoog voor zijn gezicht hield. Hij schudde het kindje op en neer en bracht haar toen langzaam naar zich toe, drukte haar tegen zich aan en gaf haar een kus op haar hoofdje terwijl ze door haar brede glimlach heen zachte gorgelende geluidjes maakte en een beetje begon te kwijlen. 'Heb je dat gehoord, Rosita? Je vader krijgt nu meer respect.'

'Ook voor respect horen ze meer te betalen,' zei zijn moeder van achter het fornuis, terwijl ze met haar rug naar hen toe stond.

'We zijn hier beter af, mama. Hier kunnen we een eigen bestaan opbouwen.'

'In El Salvador had iedereen respect voor je. Daar was je een belangrijk man.'

'In El Salvador was ik opgejaagd wild. Het was alleen maar een kwestie van tijd. En bovendien, mijn dochter is Amerikaanse. Zij zal hier in Amerika opgroeien.'

'Als we kunnen blijven.'

'Maak je maar niet ongerust, mama. Ik zei toch dat ik het wel zou regelen?'

'*Sí.* Ja.'

'Is Miguel al terug van school? vroeg hij.

'Nee. Volgens mij gaat het niet goed met hem. Ik denk dat hij zich zorgen maakt over school. Je moet eens met hem praten.'

'Dat zal ik doen. Heeft de baby al gegeten?'

Zijn moeder schudde van nee.

'Kom,' zei hij tegen zijn dochtertje, 'je moet eten.' Hij glimlachte en gaf haar nog een kus voordat hij haar in de kinderstoel zette en haar een slabbetje omdeed. Hij was net haar voeding aan het klaarmaken toen er op de deur werd gebonsd.

'Vincente Salazar?' riep een stem vanuit het trappenhuis.

Hij liep naar de deur en luisterde. 'Ja?' antwoordde hij zonder open te doen.

'Politie! Doe open!'

Een golf van angst sloeg over hem heen en plotseling voelde hij zich misselijk worden van de lucht van de zoete pepers die op het fornuis stonden te bakken. 'Wat is er aan de hand?'

7

Dit kon niet gebeuren. Niet met háár.

Er ging een scheut van paniek door Madeline Steele toen ze weer bij bewust-zijn kwam en voelde hoe haar voorhoofd tegen het cement werd gedrukt. De stank van olie, straatvuil en asfalt uit het steegje in Roxbury brandde in haar neusgaten, en alle geluid werd overstemd door de ongenadig neerstortende regen.

'Alsjeblieft! Nee!'

'Cállete, la ramoa!' siste de stem achter haar. Hij greep haar bij haar haren en trok haar hoofd hard omhoog, zodat haar nek zo ver achterover werd gebogen dat ze er zeker van was dat die elk ogenblik kon breken. 'Abru tus ojos!'

Ze keek op en zag het kwikzilver glimmen voor haar ogen, regendruppels die dansten op een lang en breed lemmet dat langzaam voor haar gezicht langs werd getrokken. Toen werd het lemmet op haar keel gezet en voelde ze een scheut van pijn, die een volkomen verlammende uitwerking op haar had. Het kapmes gleed zachtjes over haar huid.

Een ogenblik later, dat een eeuwigheid geduurd leek te hebben, lag ze weer met haar gezicht plat op het asfalt, terwijl ze voelde hoe haar rok van achteren omhoog werd geduwd en haar broekje van haar lijf werd gerukt. In de regen was het moei-lijk uit te maken: huilde ze nou wel of niet? En als ze huilde, maakte dat nog wat uit?

Met haar ogen dicht zag ze het antwoord voor zich op de gezichten van haar familieleden, die voor haar zweefden. Het maakte wel degelijk iets uit. Het maakte uit vanwege degene die ze was. Het maakte wat uit omdat zij degene was tot wie zij haar gemaakt hadden.

Ze dwong zich om rustiger te ademen en zich te concentreren. Vanuit haar ooghoeken zag ze een halve meter verderop haar tasje liggen. Dat moest zijn ge-vallen na die eerste klap op haar achterhoofd. Als ze dat kon zien te bereiken...

Het beest achter haar werd afgeleid omdat het hem moeite kostte een positie te vinden waarin hij bij haar kon binnendringen. Dat zou ze niet toelaten. Zonder enige waarschuwing draaide ze zich om en klauwde naar hem. Haar vingernagels gleden van zijn gezicht en drongen diep in het vlees op het punt waar zijn schou-der overging in zijn nek. Hij schreeuwde het uit toen ze hem nog steviger vast-greep, en ze voelde hoe haar vingernagels zijn huid openscheurden.

Hij schreeuwde nog eens, luider deze keer, en rukte zich los. Het zou misschien net genoeg zijn. Ze liet zich opzij rollen en graaide naar haar tasje. Ze voelde haar pistool al, trok het, draaide zich razendsnel om naar haar belager en probeer-de te mikken en de trekker over te halen voordat hij kon reageren.

Maar hij was te snel. Hij sloeg met de handgreep van zijn machete op haar pols, zodat haar arm opzij werd geslagen. Daarna greep hij haar hand vast en toen lagen ze samen te worstelen. Het was hopeloos, besefte ze. Hij was groter en sterker, en doordat hij boven op haar lag was hij in het voordeel. Langzaam werd het pistool naar haar toe geduwd, naar haar middenrif toe.

Toen het schot klonk, wist ze niet eens zeker wie van hen beiden de trekker had overgehaald. Het enige wat ze voelde was een scheurende pijn in haar maag en een dof gevoel in haar benen. Ze hoorde voetstappen, voelde hoe de warmte zich onder haar verbreidde en snoof de onmiskenbare geur op van ijzer dat zich vermengde met regenwater.

Dit was beter, dacht ze. Haar armen en benen voelde ze niet meer, en terwijl de gevoelloosheid zich door haar romp verbreidde, was ze heimelijk opgelucht. Ze had de schaamte niet goed kunnen verdragen, en haar familie al evenmin. Op de dood waren ze allemaal voorbereid. Maar op schaamte?

Ze sloot haar ogen en terwijl ze de sirenes hoorde naderen, liet ze zich langzaam wegzweven. Ja, dacht ze. Dit was ongetwijfeld een stuk beter.

'We willen praten. Doe open!' Vincente Salazar stond bij zijn voordeur, dacht koortsachtig na en besloot dat hij geen keus had. Hij maakte de veiligheidsketting los en opende de deur op een kier. 'Laat me je politiepenning zien,' zei hij.

Zonder enige waarschuwing gingen ze helemaal los. De deur werd hard ingetrapt, zodat hij achteruit het armzalige flatje in struikelde en tegen de kinderstoel aan liep. De baby smakte tegen de vloer. Hij struikelde en terwijl hij viel, zag hij Rosita's hoofdje tegen het linoleum slaan. Hij keek op en zag de in kogelvrije vesten gehulde politiemensen zijn kamer binnen rennen, keek opnieuw om en zag hoe zijn dochtertje het uitschreeuwde van angst en pijn. Op dat ogenblik voelde hij de eerste schoen tegen zijn ribben beuken en werd hij hard tegen de muur geduwd.

'Alstublieft! Mijn dochtertje!' zei hij smekend, maar het had geen zin. Daar waren de schoenen weer. 'Politie! Verroer je niet, klootzak!'

'Rosita!' hoorde hij zijn moeder schreeuwen en hij zag haar naar de baby toe lopen, maar een van de stormtroepers hield haar tegen en smeet haar tegen het brandende fornuis. 'Staan blijven!' commandeerde de man, terwijl hij haar een pistool in het gezicht duwde.

Het kindje bleef huilend op de vloer liggen.

'Alstublieft, ik begrijp het niet!' riep Salazar smekend, maar hij kreeg opnieuw een harde schop, deze keer in zijn gezicht.

'Verroer je niet, zei ik, klootzak!'

Half versuft door de pijn en zonder dat hij zijn dochtertje kon zien, stak Vincente wanhopig zijn handen uit en probeerde op de tast zijn jammerende dochtertje te vinden totdat er een hak op zijn onderarm neerkwam en hij een bot hoorde knappen. Overal om hem heen klonk gegil en geschreeuw. Hij kon zijn moeder horen, maar verstond niet wat ze zei.

Terwijl Salazar zich krimpend van de pijn half overeind wist te werken, knielde een van de politiemannen naast hem neer. 'Jij zit diep in de stront, vuile kankerhond.' En hij greep Vincent bij zijn haar en rukte zijn hoofd hard naar achteren.

'Alstublieft! Laat me mijn dochtertje helpen! Ik ben arts! Dit is een vergissing!'

'Ja hoor, reken maar dat dit een vergissing is, en die heb jij gemaakt!' De man lachte. 'Nu ziet hij er lang niet meer zo stoer uit, hè, jongens?'

Vincente probeerde zijn hoofd te draaien om te zien hoe Rosita eraan toe was, maar de man bleef zijn haar vasthouden.

'Weet je die vrouw nog die je gisteravond hebt aangevallen?' vroeg de man met zijn mond dicht bij zijn oor.

'Nee, alstublieft…'

'De vrouw die je hebt neergeschoten en voor dood hebt achtergelaten in een steegje?'

'Nee…'

'Die was van de politie!' De man duwde Vincente met zijn gezicht hard tegen de keukenvloer, zette zijn hand op diens achterhoofd en begon hard te duwen.

Vincent krabbelde weer overeind, maar de politieman stond schrijlings over hem heen, en greep hem opnieuw bij zijn haar. Hij trok Vincentes hoofd ver achterover. 'Vind je dat leuk, kankerhond?' brulde hij en hij duwde Vincente opnieuw hard met zijn gezicht tegen de grond.

'Kalm aan, Mac,' klonk een andere stem achter hem.

Vincente voelde het bloed over zijn gezicht druipen. Zijn arm was nu volkomen gevoelloos, maar dat kon hem niet schelen. Het enige waar hij nog aan kon denken was zijn dochtertje, het enige wat hij nog hoorde was haar gehuil.

Hij voelde hoe zijn hoofd opnieuw naar achteren werd getrokken, hoe hij opnieuw hard met zijn gezicht tegen de vloer werd geslagen, en hij voelde bloed en snot zijn neus uit lopen. 'Vind je het leuk om een vrouw zo te behandelen?' brulde de man achter hem.

'Kom op, Mac, dat is wel genoeg!' Salazar hoorde iets van wanhoop in de stem van de andere politieman, en dat maakte hem doodsbang.

'Vuile kankerhond!' brulde de agent opnieuw terwijl hij Vincente voor de laatste keer keihard met zijn gezicht tegen het linoleum sloeg.

Half bewusteloos lag Vincente op de vloer. Hij wist niet goed meer hoe lang hij hier al lag, maar het maakte hem ook niet uit. Hij hoorde zijn moeder nog steeds schreeuwen, maar dat klonk angstaanjagend ijl en ver weg. Er waren nu ook andere stemmen, mannenstemmen, vol woede en onverschilligheid. Terwijl hij daar lag, zonder zich te kunnen bewegen, zonder te kunnen praten, drong het tot hem door dat hij in al dat lawaai om hem heen iets miste, een geluid dat hem net zo vertrouwd was als zijn eigen hartslag, en de afwezigheid daarvan vervulde hem met afschuw. Hij begon te snikken en de tranen liepen over zijn gezicht; hij huilde niet om zichzelf, maar om het geluid dat hij niet meer horen kon.

Rosita huilde niet meer.

Deel I

1

Maandag, 10 december 2007

Mark Dobson ging zitten op de harde houten bank achter in de kleine rechtszaal op de elfde verdieping van de rechtbank van Suffolk County. Zijn vlinderstrikje zat strak om zijn dunne, dertig jaar oude nek, en hij had het jasje van zijn zuiver scheerwollen, van dubbele naden voorziene Oxford-pak dichtgeknoopt tegen de kou in dit verouderde gebouw. Het was nooit behaaglijk in de rechtszaal. Of de verwarming stond uit, zodat zich ijsbloemen vormden op de ruiten, óf de verwarming stond juist te loeien, zodat iedereen die zich had gekleed op een Bostonse winterdag, hevig zat te zweten. Al met al had hij dan toch maar liever dat het koud was, besloot hij.

Een meter naast hem zat een oude, verfomfaaide zwerver, die hier was neergestreken om even van de straat te zijn. Hij had een vettige krant van de vorige dag naast zich liggen en hij verdeelde zijn aandacht tussen de krantenkoppen van gisteren en de gebeurtenissen in het voorste deel van de rechtszaal.

'Ik heb jou hier nog niet eerder gezien,' fluisterde de oude man in de pauze tegen Dobson.

'Ik kom hier niet vaak,' zei Dobson. Hij probeerde beleefd te zijn, maar toen de oude man zich naar hem toe boog, drong een smerige lucht zijn neusgaten binnen, en hij besefte dat het waarschijnlijk niet verstandig was om hem aan te moedigen.

Met gestrekte duim prikte het mannetje in zijn eigen borst. 'Ik zit hier elke dag,' zei hij. 'Ik heb een bed in het veteranentehuis in State Street, maar elke ochtend ga ik hiernaartoe. De bodes kennen me en ze weten dat ik geen problemen maak, dus die laten me met rust. Ik heb mijn land gediend, dus ik vind dat ik nu wel het recht heb om de vruchten van mijn werk te bewonderen. En daar komt bij dat het hier heel wat beter is dan op straat; hier is het in ieder geval warm, over het algemeen dan.'

'Er zijn waarschijnlijk ook wel rechtszalen waar de verwarming het wel doet,' opperde Dobson in een poging om zowel behulpzaam te zijn als van de man verlost te worden.

'Reken maar,' zei de man instemmend. 'Maar ik kijk elke ochtend op de rol.' Hij wees naar een van de advocaten voor in de rechtszaal. 'Finn, die vent daar. Als die ergens verschijnt, ga ik ernaartoe. Ik kom hier al bijna tien jaar, en ik durf te wedden dat ik elke advocaat heb gezien die hier ooit wel eens een zaak gehad heeft. En neem van mij aan dat hij een van de weinigen is die ook maar een knip voor de neus waard is.'

Dobson knikte. 'Ik kom hier ook voor hem.' Hij keek de dakloze veteraan nog even strak aan en richtte zijn aandacht toen weer op het voorste deel van de rechtszaal, waar Scott Finn bezig was met een getuigenverhoor.

'Dus u was tweeënvijftig toen u met mevrouw Slocum trouwde? Is dat correct, meneer?' vroeg Finn aan de kale man met de speknek die in het getuigenbankje stond. Om de indruk te wekken dat hij niet allang wist hoe het antwoord luiden zou, keek de lange jurist met het donkere haar even in zijn aantekeningen. Hij was mager, en de manier waarop hij de getuigen ondervroeg, gaf blijk van een rustig zelfvertrouwen. Het was een hoorzitting voor de onderzoeksrechter in een echtscheidingskwestie, en voor zover Dobson kon zien was het een onaangename zaak. Omdat deze hoorzitting alleen maar betrekking had op een verzoek van een van de partijen, nog voordat de eigenlijke zaak zou beginnen, was er geen jury aanwezig.

'Inderdaad,' verklaarde de man.

Finn liep terug naar zijn tafeltje en legde zijn hand op de schouder van zijn cliënte, een aantrekkelijke vrouw die zo te zien een jaar of dertig was. 'En mevrouw Slocum was destijds zesentwintig?'

'Dat zou wel eens kunnen kloppen.'

'Dan was ze half zo oud als u.'

De advocaat van de getuige sprong overeind. 'Bezwaar, edelachtbare. Is dat een vraag?'

Finn dacht even na. 'Ik zou het eerder als een rekenkundige observatie willen beschouwen, edelachtbare, maar als de getuige erop wil reageren, ben ik bereid hem aan te horen.'

Rechter Harold Maycomber leunde ontspannen achterover in zijn stoel en grijnsde. Hij was een man met een bierbuik en een nogal wilde bos haar, wat hem binnen de rechtbank de bijnaam 'rechter Comb Over' ofwel 'rechter Nog Eens Goed Kammen' had opgeleverd.

'Bezwaar afgewezen, meneer Dumonds. De opmerking lijkt voldoende op een vraag om de getuige erop te laten antwoorden.'

Slocum, de getuige, liep rood aan en wierp Finn een woedende blik toe. 'Ja, ze was half zo oud als ik,' antwoordde hij na een lange aarzeling.

Finn lette niet op de moordzuchtige blik en ging verder: 'Was u al in goeden doen toen u trouwde?'

Slocums dikke lippen krulden zich in een ijdele grijns. 'Dat hangt ervan af hoe je het bekijkt.'

'Ach, niet zo bescheiden,' zei Finn aanmoedigend. 'U stond destijds toch al bekend als de "cementkoning van Massachusetts"? U bent toch al meer dan tien jaar de grootste cementleverancier in de hele staat? Of niet soms?'

'Ik was toen al in goeden doen,' gaf Slocum toe.

Finn liep terug naar het podium. 'En omdat u destijds al in goeden doen was, eiste u dat uw vrouw met u trouwde op huwelijkse voorwaarden, of niet soms?'

'Ik ben te oud om naïef te zijn, meneer,' antwoordde Slocum, terwijl hij zijn armen voor zijn ingevallen borstkas over elkaar sloeg.

'Kan ik dat als een ja beschouwen, meneer Slocum?'

Weer zo'n woedende blik. Dobson kon het geweld daarin voelen. 'Ja, ik heb haar gevraagd om met me te trouwen op huwelijkse voorwaarden, zoals elke verstandige man in mijn positie had gedaan.'

'Dank u wel. Heeft zij de voorwaarden zelf opgesteld?'

'Doe niet zo idioot,' zei Slocum minachtend. 'Dat heb ik door mijn advocaat laten doen om er zeker van te zijn dat er niets over het hoofd werd gezien.'

'Mijn excuses. Ik zal proberen mijn idiote gedrag tot een minimum te beperken. Heeft mevrouw Slocum de voorwaarden dan in ieder geval even laten lezen door een eigen advocaat?'

'Nee, dat kon ze zich niet veroorloven. En bovendien zei ze dat ze me niet om mijn geld trouwde, en dat het haar dus niet kon schelen wat erin stond. Dat was in ieder geval wat ze me destijds wijsmaakte.' Slocums aandacht was inmiddels verschoven naar diens cliënt, maar de haat in zijn ogen was gebleven.

'Natuurlijk. Ik begrijp het,' zei Finn. 'Uit liefde doen de mensen soms domme dingen.'

'Bezwaar.' Slocums advocaat was weer opgesprongen.

'Een beetje tempo graag, meneer Finn,' zei rechter Maycomber, al leek hij eerder geamuseerd dan geërgerd.

Finn knikte. 'Nog één vraag, edelachtbare.' Hij pakte een document van tafel. 'Kan ik dit de getuige voorleggen?' De rechter maakte een wuivend gebaar en Finn liep naar het getuigenbankje toe. 'Dit document is voorafgaand aan deze zitting geïdentificeerd als het document met huwelijkse voorwaarden dat u door uw vrouw hebt laten ondertekenen. Op pagina twee, lid dertien, staat te lezen dat deze overeenkomst als nietig zal worden beschouwd als u in de loop van uw huwelijk seksuele omgang hebt met iemand anders dan uw echtgenote.' Hij liet zijn inleidende woorden even in de lucht hangen om de suspense wat op te bouwen, en de man in het getuigenbankje te laten stikken in een verontwaardiging waarmee hij op dat moment nog geen kant uit kon. Toen stelde Finn zijn vraag: 'Hebt u seksuele omgang gehad met iemand anders dan uw echtgenote?'

Tijdens het gehele getuigenverhoor had Slocums gezicht al rood gezien, maar nu werd het donkerpaars. 'Wat heeft dit godverdomme te betekenen...?' gromde hij.

'Excuses. Hebt u mijn vraag niet begrepen?' Finn liep naar het getuigenbankje toe, zodat hij vlak voor Slocum kwam te staan, en zei toen langzaam en overdreven nadrukkelijk: 'Hebt u tijdens uw huwelijk seksueel contact gehad met iemand anders dan uw vrouw?'

Slocum zag eruit alsof hij elk ogenblik op kon springen om Finn aan te vliegen. 'Nee,' zei hij na een lange stilte, en zijn stem trilde van de inspanning die het hem kostte om zijn laatste restje zelfbeheersing te bewaren. 'Nee, ik heb geen seksueel contact gehad met anderen.'

Finn glimlachte alsof ze oude vrienden waren die zojuist de laatste zetten hadden gedaan in een inspannende schaakpartij. 'Dank u wel, meneer Slocum. Verder geen vragen.'

Achter in de rechtszaal begon het oude mannetje met de krant te grinniken. 'Dat was de voorbereiding,' fluisterde hij tegen Dobson. 'Dadelijk maakt hij hem af.'

De rechter keek naar de advocaat van meneer Slocum, een mannetje met een smalle neus en schouders die zo mager en benig waren dat ze bijna door zijn pak heen leken te prikken. 'Meneer Dumonds, verder nog vragen?'

'Geen vragen, edelachtbare.'

'Prima. Meneer Finn?'

'Jawel, edelachtbare. Ik heb nog één getuige. Ik roep Abigail Prudet op om te getuigen voor deze rechtbank.'

Scott Finn genoot ervan om in de rechtszaal voor een beetje drama te zorgen, en dat was altijd al zo geweest. Zelfs nu er geen jury aanwezig was, wist hij dat hij om de aandacht van de rechter vast te houden voor een deel ook entertainer moest zijn. Dat was een van de aspecten waarin hij zich van andere advocaten onderscheidde, en die hem tot een van de meest succesvolle advocaten in Boston maakten: zijn vermogen om zijn publiek te boeien. Zoals hij zijn cliënten al vaak had uitgelegd: een argument kan nog zo effectief zijn, maar als de mensen niet luisteren heb je er niks aan.

Dat was een van de redenen waarom hij ervan genoot om solo te werken. In deze positie kon hij zijn eigen veldslagen voeren en net zover de grenzen aftasten als hem zelf passend leek. Hij had een paar jaar bij de uiterst respectabele advocatenfirma Howery, Black & Longbottom gewerkt en dat was een waardevolle ervaring gebleken. Hij had er kunnen blijven als hij had gewild, maar hij had besloten de sprong te wagen. Soms, als hij een tijdje moeilijk aan opdrachten kon komen en moest terugvallen op kleine drugszaken, schadevergoedingen na valpartijen of duidelijk valse arbeidsongeschiktheidsclaims vroeg hij zich wel eens af of het nou werkelijk zo verstandig was geweest om een partnerschap bij zijn vroegere firma af te wijzen. Als hij daar nog had gezeten, zou hij inmiddels meer dan een half miljoen per jaar verdiend en een leven zonder enige financiële druk kunnen leiden, behalve dan de druk die hij uit vrije wil was aangegaan. In plaats daarvan moest hij een groot deel van de tijd erg zijn best doen om elke maand weer aan zijn persoonlijke en zakelijke verplichtingen te kunnen voldoen.

Maar toch had het werk dat hij bij Howery had gedaan in veel opzichten een verstikkende uitwerking op hem gehad, en het had hem nooit het drama opgeleverd waar hij in zijn solopraktijk zoveel energie aan ontleende. Zoals het drama dat hij nu hoopte te ontketenen.

Precies op het aangewezen moment zwaaiden de deuren van de rechtszaal open en werd Abigail Prudet binnengeleid door Tom Kozlowski. Die twee vormden een scherp contrast. Zij was jong en mooi, droeg een prachtig nieuw mantelpakje van een beroemde ontwerper, en haar heupwiegende loopje zorgde ervoor dat zelfs de rechter wat meer rechtop ging zitten. Kozlowski daarentegen was bijna vijftig en droeg een pak dat zo oud was dat het glimmen van de stof bij de ellebogen bijna het enige was wat de mouwen van zijn overhemd aan het zicht onttrok. Maar met zijn brede schouders, stevige lijf en het brede litteken over de hele rechterkant van zijn gezicht had de man desalniettemin een intimiderende uitstraling. Toen ze het voorste deel van de rechtszaal hadden bereikt, wees hij Prudet waar het getuigenbankje stond en deed toen zelf snel een paar stappen naar achteren.

Slocum liet zijn hoofd zakken toen ze langs hem liepen, draaide zich toen om naar zijn advocaat, greep Dumonds bij zijn revers, trok hem naar zich toe en begon panisch in zijn oor te fluisteren.

Prudet danste het getuigenbankje binnen en liet zich de eed afnemen.

'Wilt u alstublieft uw naam noemen voor de griffie,' zei Finn.

'Abigail Suellen Prudet,' zei ze met een scherp zuidelijk accent, dat niet alleen een beetje ordinair klonk, maar ook heel erg sexy.

'Mevrouw Prudet, wilt u de rechtbank vertellen wat u doet voor de kost?'

Ze sloeg haar benen over elkaar. 'Ik werk voor een escortservice.'

'U bent prostituee,' verbeterde Finn haar.

'Ik geef de voorkeur aan "escort girl",' antwoordde ze, terwijl ze Finn boos aankeek. 'Maar u hebt gelijk.'

Slocum had zijn advocaat inmiddels losgelaten en Dumonds stond op.

'Edelachtbare, ik hoop niet dat meneer Finn deze jongedame vragen gaat stellen die ertoe kunnen leiden dat ze verklaringen aflegt die belastend zouden kunnen zijn voor haarzelf. Deze dame heeft rechten, zelfs al is meneer Finn kennelijk niet bereid om haar daarvan op de hoogte te stellen.'

'Het is geen moment bij me opgekomen om haar verklaringen te laten afleggen die voor haarzelf belastend kunnen zijn, edelachtbare,' antwoordde Finn. 'Mag ik verdergaan?'

De rechter zat op het puntje van zijn stoel en kwijlde bijna terwijl hij neerkeek op de jonge vrouw in het getuigenbankje. Probeerde hij nou werkelijk in haar bloesje te gluren? 'Gaat uw gang,' zei de rechter bemoedigend tegen Finn.

'Mevrouw Prudet, waar werkt u?'

'Ik werk in Sylvester's Cathouse in Pahrump, Nevada.'

'Is prostitutie legaal in Nevada, voor zover u weet?'

'In elf provincies wel,' antwoordde ze uitdagend. 'Ik werk uitsluitend in bordelen met vergunning. Ik word elke week onderzocht op soa's, en die heb ik nog nooit gehad.'

'Dank u wel.' Finn draaide zich om en keek Dumonds met opgetrokken wenkbrauwen aan, alsof hij het mannetje wilde vragen of hij verder nog bezwaren had. Dumonds ging zitten en werd onmiddellijk vastgegrepen door zijn geagiteerde cliënt.

Finn richtte zijn aandacht weer op Abigail Prudet. 'Hebt u meneer Slocum ooit ontmoet? Die man daar aan tafel, bedoel ik,' vroeg hij, terwijl hij op meneer Slocum wees.

'Die heb ik ontmoet.'

'Wilt u de rechter vertellen onder welke omstandigheden u hem hebt ontmoet?'

Ze knikte. 'Hij kwam bij Sylvester's. Het kan niet meer dan een paar maanden geleden zijn geweest. Hij wilde plezier maken en na een tijdje nam hij me mee naar een kamertje en daar hebben we seksueel verkeer gehad.' Finn kromp in elkaar toen hij haar hoorde spreken. In een poging de indruk te wekken dat ze uit een goed milieu kwam en een behoorlijke opleiding had genoten, sprak ze heel langzaam en afgemeten, maar dat leidde er alleen maar toe dat haar woorden er in een heel kunstmatig ritme uitkwamen – 'sehk-suu-eele vher-kheer' – en daarmee zou ze bepaald geen goede indruk maken op een jury. De rechter zou zich daar waarschijnlijk niets van aantrekken, want hij zat inmiddels zo naar de zwoegende borsten van de pratende vrouw te staren dat hij waarschijnlijk geen woord had gehoord, maar als het werkelijk tot een proces kwam, zou Finn haar flink moeten coachen.

'Mevrouw Prudet, voor alle duidelijkheid, u hebt toch met een heleboel mannen seks in ruil voor geld?'

'Zo is het,' antwoordde ze, een beetje in de verdediging gedrongen.

'Waarom kunt u zich meneer Slocum dan nog herinneren?'

'Hij was een speciale klant,' antwoordde ze. 'Die zijn altijd makkelijk te onthouden, want ze betalen meer.'

'Een speciale klant? Wat wil dat zeggen?'

'Hij wilde iets ongewoons.'

'Kunt u ons vertellen wat u als "iets ongewoons" beschouwt?' vroeg Finn.

'Nou, wat ik zeg, ongewoon. Sommige meisjes zeggen "gestoord", maar dat vind ik zo veroordelend. Hij wilde vastgebonden worden, en daarna wilde hij dat ik een vibrator omdeed, en dan had hij ook nog een...'

'Bezwaar!' Het leek wel alsof de aderen op Dumonds voorhoofd letterlijk zouden kunnen springen. 'Dit is schandalig! Edelachtbare, wat kán dit nou te maken hebben met de onderhavige...'

'Dat is prima, edelachtbare,' viel Finn hem snel in de rede. 'Ik heb er op het moment geen enkel belang bij om meneer Slocum in verlegenheid te brengen. Ik zal de vraag op andere wijze formuleren. Mevrouw Prudet, zou het correct zijn om te verklaren dat uw ervaringen met meneer Slocum ongebruikelijk genoeg waren om u zich te laten herinneren dat de man daar dezelfde is die u hebt ontmoet in het bordeel?'

Ze nam Slocum eens aandachtig op. 'Ja, dat zou correct zijn.'

'Verder geen vragen, edelachtbare,' zei Finn en hij liep terug naar zijn tafel. 'Nu is het uw beurt,' zei hij tegen Dumonds terwijl hij langs hem liep. Hij kon de verleiding gewoon niet weerstaan. Maar de advocaat merkte het niet eens op. Hij werd te zeer in beslag genomen door zijn cliënt, die hem nu woedend in zijn gezicht zat te sissen.

'Meneer Dumonds?' zei de rechter een ogenblik later. 'Nog vragen?'

Dumonds keek op. 'Jawel, edelachtbare. Een moment graag.' Hij luisterde nog even naar zijn cliënt die met raspende stem woedend tegen hem zat uit te varen, en kwam toen eindelijk overeind. 'Mevrouw Prudet, een paar vragen. U hebt aangegeven dat deze vermeende ontmoeting een paar maanden geleden heeft plaatsgevonden. Is dat juist?'

'Dat is juist.'

'Kunt u iets nauwkeuriger zijn?'

'Nee, maar ik ben er vrij zeker van dat meneer heeft betaald met een creditcard, dus waarschijnlijk is dat nog wel ergens terug te vinden.'

'Dat zal niet nodig zijn,' zei Dumonds snel, terwijl zijn gezicht rood aanliep. 'Heeft de man in wiens gezelschap u verkeerde – ervan uitgaande dat het werkelijk meneer Slocum was – u erop gewezen dat hij niet meer samenwoonde met zijn vrouw, en dat dit al geruime tijd het geval was?'

'Volgens mij was hij niet zo'n prater. Hij was erg bezig met de seks. Zo te zien had hij het wel vaker gedaan.'

'Bezwaar, edelachtbare. Dat was geen antwoord op de vraag. Ik stel voor dat uit het zittingsverslag te schrappen.' Dumonds maakte ook nu weer een nerveuze en wat verwarde indruk.

'Schrap het maar,' zei de rechter, die nog steeds al zijn aandacht op Abigail Prudet gericht hield.

'Verder geen vragen,' zei Dumonds en hij ging weer zitten.

'Hebt u nog iets te vragen?' vroeg de rechter aan Finn. Er lag een hoopvolle klank in zijn stem.

'Nee, edelachtbare, verder geen vragen,' antwoordde Finn. Hij had met haar al bereikt wat hij wilde bereiken.

Prudet stond op, liep het middenpad op en ging ergens halverwege op een bankje zitten. De rechter liet een korte pauze vallen om aandachtig te kijken hoe ze wegliep voordat hij zich weer tot de advocaten richtte. 'Nog andere getuigen?'

'Meer hebben we er niet, edelachtbare,' zei Finn. Dumonds schudde alleen maar zijn hoofd.

'Uitstekend,' antwoordde de rechter. 'Meer Finn, het gaat hier om uw voorstel om de huwelijkse voorwaarden buiten deze scheiding te houden. Wilt u daar argumenten voor aanvoeren?'

'Zeker, edelachtbare,' zei Finn, en hij stond op. 'Ik wil niet al te veel van uw tijd hiermee verspillen. De bewoordingen van het huwelijkscontract zijn duidelijk: de overeenkomst is nietig als meneer Slocum met iemand anders naar bed gaat dan met mevrouw Slocum. Dat heeft hij gedaan. Dientengevolge dienen deze huwelijkse voorwaarden verder buiten beschouwing gelaten te worden, en heeft mevrouw Slocum recht op de helft van de gemeenschappelijke bezittingen en op voldoende alimentatie om in haar levensonderhoud kunnen voorzien in de stijl waaraan ze inmiddels gewend is geraakt. Volgens onze berekeningen komt haar aandeel in de gemeenschappelijke bezittingen op elf miljoen dollar, en haar maandelijkse alimentatie op 20.000 dollar.'

Maycomber keek naar Dumonds. 'Raadsman, ik neem aan dat u het daar niet mee eens bent?'

'Daar zijn we het inderdaad niet mee eens, edelachtbare. Meneer en mevrouw Slocum zijn al meer dan zes maanden uit elkaar. Zelfs als u waarde hecht aan de getuigenis van mevrouw Prudet, heeft die ontmoeting al vier maanden nadat meneer en mevrouw uit elkaar waren gegaan, plaatsgevonden. Niets in de huwelijkse voorwaarden suggereert dat het de bedoeling was dat deze bepaling over echtelijke trouw nog van kracht zou zijn nadat de scheiding eenmaal was aangevraagd. De huwelijkse voorwaarden zijn nog steeds van kracht en mevrouw Slocum heeft uitsluitend recht op de gelden die ze in het huwelijk heeft ingebracht, samen met een maandelijkse alimentatie van tweeduizend dollar, zoals afgesproken in de huwelijksovereenkomst.'

'Neemt u me niet kwalijk, edelachtbare,' zei Finn. 'Als ik even tussenbeide mag komen. In de huwelijksovereenkomst is maar al te duidelijk te lezen dat alle huwelijkse voorwaarden nietig zijn als meneer Slocum "gedurende het huwelijk" seks heeft met iemand anders dan zijn vrouw. Zoals u weet, zijn meneer en mevrouw ook vandaag nog voor de wet getrouwd. Of deze ontmoeting nu twee maanden of twee uur geleden heeft plaatsgevonden, maakt daarom niet uit, want de huwelijkse voorwaarden zijn hoe dan ook steeds nietig. Voor zover er sprake is van enige ambiguïteit heeft meneer Slocum toegegeven dat zijn eigen juristen deze huwelijkse voorwaarden hebben opgesteld, en het is een algemeen aanvaard onderdeel van de jurisprudentie dat alle onduidelijkheden in een contract worden uitgelegd ten nadele van de partij die de overeenkomst heeft opgesteld. Ze verliezen, edelachtbare. Hoe dan ook, ze verliezen.'

'Edelachtbare, dat is absurd!' zei Dumonds woedend. 'U kunt toch niet werkelijk denken dat het ooit de bedoeling van deze huwelijkse voorwaarden is geweest om...'

'Nou is het genoeg!' brulde de rechter. 'Ik heb nu wel genoeg gehoord.' Hij nam de twee advocaten met een vermoeide en van weerzin vervulde blik op en zei: 'Ik doe het volgende. Ik ga me hier eens rustig over beraden, en over een paar weken zal ik mijn beslissing bekendmaken. Maar als er intussen een redelijk schikkingaanbod ter tafel komt, meneer Dumonds, dan zou ik uw cliënt aanraden om daar heel ernstig over na te denken. Er is een goede kans dat mijn besluit u niet zal bevallen.'

'Edelachtbare, u kunt niet...'

'Ja hoor, meneer Dumonds, dat kan ik wel. Denkt u er maar eens goed over na. Elk redelijk bod.'

De rechter sloeg zijn handen voor zijn gezicht en schudde zijn hoofd. Toen pakte hij zijn hamer en gaf een harde klap op tafel. 'De zitting is verdaagd.'

2

Finn liep naar de deuren achter in de rechtszaal en bracht zijn cliënte naar de lift. De vrouw die binnenkort niet langer mevrouw Slocum zou zijn, straalde. 'Dank u wel,' zei ze en voordat ze de lift instapte, gaf ze Finn een kus op de hoek van zijn mond. Haar lippenstift had een lichte aardbeiensmaak.

'Wacht u daar nog maar even mee,' antwoordde Finn terwijl zijn cliënte achter de dichtschuivende liftdeuren uit het zicht verdween. 'We zijn er nog lang niet,' mompelde hij in zichzelf.

Meghan Slocum was bepaald niet het lieve slachtoffer met de reebruine ogen dat ze in de rechtszaal zo voorbeeldig kon spelen. Naar alle waarschijnlijkheid had Slocums bankrekening een heel belangrijke rol gespeeld bij haar besluit om op zijn huwelijksaanzoek in te gaan, en Finn was er bepaald niet gerust op wat er allemaal aan het licht zou kunnen komen als er eens een kijkje in het persoonlijke leven van mevrouw Slocum werd genomen. Maar haar zaak was legitiem en de luxe van onpartijdigheid kon hij zich niet veroorloven. En bovendien was het natuurlijk niet zo dat Slocum met een seksbom half zo oud als hijzelf was getrouwd vanwege haar charme of persoonlijkheid. Maar zolang beide partijen in een zaak als deze even fout waren, vond Finn zijn betrokkenheid hierbij tegenover zichzelf wel te verdedigen.

'Meneer Finn!' Hij draaide zich om en zag een keurig geklede man die haastig op hem af kwam lopen. Zo te zien was hij een jaar of acht jonger dan Finn, en dat wilde zeggen dat hij achter in de twintig of begin dertig was. Het gezicht van de man kwam hem bekend voor, maar Finn kon zich niet herinneren hoe hij heette of waar hij hem dan wel van zou moeten kennen.

'Meneer Finn,' zei de man. 'Mark Dobson.'

Finn knikte en stak de man zonder iets te zeggen zijn hand toe. 'Van Howery Black,' ging Dobson verder. 'Ik ben een associé op de afdeling Rechtszaken. We hebben nooit samengewerkt, maar volgens mij hebben we elkaar wel eens ontmoet. Ik was in mijn derde jaar toen u vertrok.'

'Maar natuurlijk,' zei Finn en hij deed of hij zich de man plotseling herinnerde.

Dobson knikte. 'Eén keer, tijdens een etentje van de hele firma. Wat leuk dat u zich dat nog herinnert.'

'Nou, over het algemeen werd er flink gezopen tijdens die etentjes,' zei Finn. De jongeman knikte opnieuw zonder iets te zeggen en Finn begon zich een beetje ongemakkelijk te voelen. 'Nou, wat brengt jou hier? Als je derdejaars was toen ik vertrok, ben je inmiddels vijfdejaars. Ben je dan nog steeds niet een beetje te jong om de bibliotheek uit gelaten te worden zonder toezicht van een partner?' Dat was een stekelige opmerking over het gebrek aan verantwoordelijkheid dat beginnende associés bij grote firma's over het algemeen kregen, en te oordelen naar de uitdrukking op Dobson gezicht had Finns opmerking zijn uitwerking niet gemist.

'Ik heb me beziggehouden met een pro-Deozaak,' zei hij. 'Hebt u tijd om even te praten?'

Voordat Finn daarop kon antwoorden, kwamen Slocum en zijn advocaat de hoek om. Toen Slocum Finn zag, kwam hij recht op hem af lopen, als een zwaargewicht die de hoek van de ring uit stormt zodra de bel is gegaan. Dumonds hield een hand voor zijn cliënt alsof hij hem wilde tegenhouden, maar zijn cliënt was zo veel groter en zwaarder dan hij dat het gebaar geen enkel effect had. 'Heb jij enig idee wie je probeert te naaien?' brulde Slocum met zijn mond vlak voor Finns gezicht.

Finn bleef rustig. Hij was het wel gewend om oog in oog met boze cliënten te staan, zowel zijn eigen cliënten als die van de tegenpartij. 'Ja hoor,' zei hij met een scheef lachje. 'U bent toch dat betonhoofd?'

'Wel godverdomme! Heb je enig idee wie mijn vrienden zijn?' Het klonk Finn in de oren als een dreigement. Hij draaide zich om naar Dumonds, die zijn cliënt inmiddels had ingehaald.

'Raadsman,' zei Finn, 'wilt u uw cliënt uitleggen dat het niet gepast zou zijn voor mij om met hem in gesprek te gaan? En herinnert u hem er dan ook meteen even aan dat u ons laatste bod hebt ontvangen. We zijn bereid om deze zaak voor acht miljoen dollar de wereld uit te helpen.'

'Arrogante klootzak dat je bent!' brulde Slocum. 'Wil jij mijn antwoord horen? Ik ram het recht in je reet.'

Dumonds stond zijn cliënt aan zijn mouw te trekken. 'Sal,' zei hij, 'hier schiet je niets mee op. Laat dit nou maar aan mij over.'

'Ja, Sal,' zei Finn. 'Laat dit nou maar aan Marty over.'

Slocum liet toe dat Dumonds hem van Finn wegtrok, maar voordat ze naar de lift toe liepen, draaide de grote man zich om en stak zijn vinger op. Finn reageerde daarop met een korte zwaai met zijn hand. Daarna richtte hij zijn aandacht weer op Dobson. 'Sorry, hoor,' zei hij. 'Je had het over een criminele zaak?'

'Inderdaad. Een criminele zaak waar ik nu al een hele tijd mee bezig ben.'

Finns gezicht betrok. 'Ben jij werkelijk al gekwalificeerd voor een criminele zaak?'

Het was Dobson nu duidelijk aan te zien dat hij zich in de verdediging gedrongen voelde. 'Ik ben al vier jaar werkzaam als advocaat, meneer Finn. Dat wil zeggen dat ik bevoegd ben om in criminele zaken als raadsman op te treden in de rechtszaal.'

'Bevoegd is iets anders dan gekwalificeerd.'

Dobson probeerde verontwaardigd te blijven kijken, maar Finn kon zien dat de man ook bang was, en even later liet Dobson alle schijn varen. 'Daarom ben ik hier. Dit is een zaak waarbij ik graag wat hulp zou hebben. Ik ben zelfs bereid om de hele zaak naar u door te verwijzen, zolang ik er maar op een of andere manier bij betrokken kan blijven.'

Finn glimlachte. 'Wat is er aan de hand? Gaan de partners van Howery niet meer naar de rechtszaal? Toen ik bij jullie wegging, waren er meer dan honderd advocaten die zich bezighielden met procesvoering.'

'Dat is ook zo, maar...' Dobson leek zijn best te doen om een antwoord te vinden dat voor Finn aanvaardbaar zou zijn, en Finn kon wel raden wat dat betekende.

'Maar niemand daar heeft zin om een lastige pro-Deozaak op zich te nemen, waar hij honderden declarabele uren aan kwijt kan raken?' raadde hij.

'Nee,' sputterde Dobson. 'Maar sommige mensen bij de firma zeiden dat dit nou echt iets voor u was.'

'Volgens mij was dat niet als compliment bedoeld.'

'Alstublieft, meneer Finn. Dat hebt u mis. Howery zou bereid zijn enige ondersteuning te bieden, maar iedereen is het erover eens dat u beter geschikt bent om de cliënt te vertegenwoordigen in de raadszaal.'

Finn nam Dobson aandachtig op en probeerde in te schatten wat diens beweegredenen waren. Maar voordat hij de kans kreeg om te reageren, kwam Abigail Prudet naar hen toe gelopen, met Tom Kozlowski in haar kielzog. 'Waar is mijn geld?' vroeg ze dringend. Haar stem klonk rustig maar vastberaden.

'Ze wilde je met alle geweld spreken,' zei Kozlowski. 'Ik heb geprobeerd het haar uit te leggen.'

'Mark,' zei Finn een beetje gegeneerd tegen Dobson. 'Dit is Abigail Prudet. En dit hier is Tom Kozlowski, een privédetective met wie ik vaak samenwerk. Koz, Abigail, dit is Mark Dobson, een advocaat bij mijn vroegere firma.' Hij hoopte dat Abigail haar toon wat zou matigen omdat iedereen zo beleefd aan elkaar werd voorgesteld. Maar dat had hij mis.

'Waar is mijn geld? vroeg ze ziedend.

Finn pakte haar bij haar elleboog. 'Heeft detective Kozlowski uitgelegd hoe dit werkt?'

Dobson schraapte zijn keel. 'Misschien kan ik jullie beter even alleen laten,' opperde hij. 'Ik kan hier misschien beter niet bij betrokken...' Zijn stem stierf langzaam weg.

Abigail wierp hem een woedende blik toe. Haar gezicht straalde verontwaardiging uit over deze vermeende belediging. 'Ik lieg niet, meneer.' Ze sprak heel duidelijk en keek Dobson recht in zijn verbaasde ogen. 'Maar ik spreek de waarheid ook niet gratis.'

'Ga terug naar je hotel, Abigail,' zei Finn. 'Geniet van de mooie avond. Ga uit eten, ga naar het theater. En kom morgenochtend met al je bonnetjes naar kantoor. Die bonnetjes heb ik echt nodig. Als ik die niet heb, kan ik je officieel geen cent uitbetalen. Op kantoor schrijf ik dan een cheque uit voor je reis- en verblijfskosten, en een andere cheque voor je verschijnen voor de rechtbank.' Hij richtte zijn aandacht weer op Dobson. 'We willen per slot van rekening niet dat de mensen een verkeerde indruk krijgen, of wel soms?'

Abigail Prudets boze gezicht werd nog bozer. 'Je kan maar beter niet proberen me te naaien,' zei ze zachtjes.

'Je bent al de tweede vandaag die dat zegt,' zei Finn. 'Maar volgens mij is dat in jouw geval buiten Nevada wettelijk niet toegestaan.' Hij knikte naar Kozlowski. De detective pakte Abigail bij de arm en bracht haar naar de lift. De liftdeuren schoven open en de jonge vrouw stapte de lift in, draaide zich om en keek Finn strak aan.

'Morgen,' zei ze.

'Ik zou het voor niets ter wereld willen missen,' antwoordde Finn. De drie mannen keken toe hoe de liftdeuren langzaam dicht schoven. De ogen van de vrouw bleven voortdurend op Finns gezicht gericht, totdat ze uit het zicht was verdwenen. Nu was het Finns beurt om zijn keel te schrapen. 'Zoals je ziet is mijn praktijk heel wat kleurrijker geworden sinds ik bij de firma weg ben,' zei hij tegen Dobson. 'Nou, volgens mij wilde je me spreken over een doorverwijzing?'

'Inderdaad.' Dobson knikte. Hij keek Finn aan met een combinatie van weerzin en afgunst. 'Ja, volgens mij bent u precies de advocaat die ik zoek.'

3

'Hij heet Vincente Salazar.'

Dobson haalde een dossiermap uit zijn koffertje en schoof die over tafel naar Finn toe. Ze bevonden zich nog steeds in het rechtbankgebouw en waren in een van de voor advocaten en hun cliënten gereserveerde vergaderkamers gaan zitten. Het was een kaal hokje, met egaal zachtgroen geschilderde wanden, houten stoelen, en een stevige tafel met een blad van laminaat: een ruimte die in alle opzichten berekend was op de eindeloze hoeveelheden stress en ellende die iedereen over zich uitgestort kreeg die tussen de raderen van de Amerikaanse rechtshandhaving verzeild raakte. Finn, die tegenover Dobson zat, sloeg het dossier open.

'Misschien herinnert u zich deze zaak nog,' ging Dobson verder. 'Die heeft in het begin van de jaren negentig veel stof doen opwaaien. Salazar was een illegale immigrant uit El Salvador. Hij maakte deel uit van een groep immigranten die in het laatste jaar van de burgeroorlog daar de Verenigde Staten binnen stroomden. Op de grens tussen Dorchester en Roxbury had zich een behoorlijk grote Salvadoraanse gemeenschap gevormd. In 1992 werd een taakgroep gevormd om de illegalen daartussen op te sporen en uit te zetten. Het was een gemeenschappelijk programma van de immigratie- en naturalisatiedienst en de gemeentepolitie van Boston. Salazar was op de uitzetlijst geplaatst.'

'Ik kan het me nog herinneren.' Finn knikte. 'Hij had toch iemand van de politie neergeschoten? Een vrouw?'

'Daar is hij voor veroordeeld,' antwoordde Dobson. 'Volgens het OM heeft hij geprobeerd haar te verkrachten en heeft hij haar daarna neergeschoten met haar eigen pistool. Madeline Steele heette ze, en ze maakte deel uit van de taakgroep. Ze waren gestationeerd op bureau B-2, en zij was degene die achter Salazar aan zat. Dat was het motief dat de officier tijdens het proces heeft voorgelegd. Ze heeft Salazar geïdentificeerd en zijn vingerafdrukken stonden op haar wapen... Dat is het bewijsmateriaal op grond waarvan hij is veroordeeld. Hij heeft vijftig jaar gekregen, zonder mogelijkheid tot vervroegde vrijlating.'

Finn keek even naar Kozlowski. 'Jij hebt toch een tijdje op bureau B-2 gewerkt?'

Kozlowski knikte. Zijn gezicht leek wel uit graniet gehouwen.

'Heb je Steele gekend?'

Kozlowski knikte nogmaals.

'Lijkt me een heel duidelijke zaak,' zei Finn tegen Dobson. 'Wat is dan het probleem?'

'Het probleem is dat een groot deel van het andere bewijsmateriaal niet met de beschuldigingen overeenstemt. Salazar had een alibi – een deugdelijk alibi. En bovendien heeft een andere getuige de dader zien wegrennen van de plaats delict, en verklaard dat het Salazar niet was.'

Finn haalde zijn schouders op. 'Daar hebben we toch jury's voor? Als de jury het anders heeft gezien, wie ben ik dan om die mensen tegen te spreken?'

'Er is destijds een standaard verkrachtingsonderzoek gedaan. Ze hebben geen lichaamsvloeistoffen gevonden, maar kennelijk wel monsters genomen van het bloed en de huid onder Steeles nagels.'

'En?'

'Die zijn nooit onderzocht Er is zelfs nooit aan de verdediging gemeld dat die monsters bestonden.'

'Ik zie nog steeds geen reden voor een nieuw proces,' zei Finn. 'DNA of niet, zo te horen was die vent de meest aannemelijke kandidaat voor de schietpartij. Waarom zou ik daar vijftien jaar later bij betrokken willen raken? Waarom zou jíj er trouwens bij betrokken willen raken?'

Dobson leunde achterover. 'Ik doe een hoop pro-Deowerk voor een organisatie die het New England Innocence Project heet.'

Finn liet zijn ogen rollen. 'Daar heb ik wel eens van gehoord. Een stelletje softies die proberen veroordeelde criminelen uit de gevangenis te krijgen.'

'Nee, meneer Finn. Een stel weldenkende mensen die proberen onschuldig veroordeelde mensen uit de gevangenis te krijgen. We proberen zaken te vinden waarin fysiek bewijsmateriaal bestaat aan de hand waarvan de schuld of onschuld van de veroordeelde eenduidig vastgesteld kan worden. Als het bewijsmateriaal aangeeft dat de betrokkene schuldig is, sluiten we de zaak. Maar als blijkt dat hij of zij onschuldig is…'

'En in dit geval wijzen de huid- en bloedmonsters die onder de nagels van agent Steele zijn aangetroffen uit dat Salazar onschuldig is?'

Dobson haalde zijn schouders op. 'Dat zullen we pas weten nadat ze zijn onderzocht.'

Finn schoof het dossier naar de jonge advocaat terug. 'Laat die dan onderzoeken. Waarom hebben jullie mij daarvoor nodig?'

'We zouden ze maar al te graag laten onderzoeken, maar het Openbaar Ministerie en de gemeenten weigeren de monsters aan ons over te dragen. Ze zeggen dat de zaak gesloten is en dat ze niet bereid zijn het onderzoek opnieuw te openen. Over twee dagen verschijnen we voor de rechter met ons verzoek om de gemeente en het OM te dwingen het bewijsmateriaal voor te leggen, zodat we er zelf onderzoek naar kunnen laten doen.'

Finn schudde zijn hoofd. 'Ik snap nog steeds niet waarom jullie mij daarvoor nodig hebben.'

Dobson slaakte een diepe zucht en vouwde zijn handen. 'Het voorstel wordt voorgelegd aan rechter Cavanaugh.'

'Ah,' zei Finn. Plotseling was het hem duidelijk waarom Dobson hiermee naar hem toe was gekomen. 'Je gaat nu toch niet doen alsof je verbaasd bent als je van mij te horen krijgt dat Cavanaugh mijn mentor was toen hij aan de Suffolk Law School doceerde?'

Dobson schudde zijn hoofd. 'Het zou beledigend zijn om te doen alsof ik uw intelligentie zo onderschatte.'

'Denk je nou echt dat de rechter welwillender zal reageren als het verzoek afkomstig is van een kennis van hem? Van iemand die hij vertrouwt?'

'Die gedachte was inderdaad bij me opgekomen.'

Finn wuifde dat minachtend weg. 'Dat meen je niet. Cavanaugh zal dit onmiddellijk doorzien en uiteindelijk zal hij mij daardoor minder welwillend tegemoet treden dan iemand die hij niet kent. Waarschijnlijk voelt hij zich zelfs zo beledigd dat hij me onmiddellijk de rechtszaal uit schopt.'

'Maar wat hebt u in dat geval te verliezen?' vroeg Dobson.

'Behalve mijn geloofwaardigheid bedoel je?' antwoordde Finn. 'Wat heb ik daarbij te winnen? Dat lijkt me een betere vraag.'

'Een kans om een goede daad te doen?' opperde Dobson.

Finn moest zo hard lachen dat hij er bijna in stikte. 'Je hebt duidelijk niet genoeg onderzoek naar mij gedaan.'

Dobson dacht er even over na. 'U bent toch nog steeds bevriend met Preston Holland?' Finn gaf een vaag knikje dat vrijwel alles kon betekenen. 'Hij was degene die me naar u toe heeft gestuurd. Hij is vorig jaar met pensioen gegaan, maar doet zo nu en dan nog wel eens een klusje voor ons. Hij zei dat hij u al een tijdje niet gesproken had, maar hij beweerde dat u in de rechtszaal een van de beste advocaten bent die hij ooit had gezien. Preston is niet iemand die snel overdrijft. Hij zei dat, met de juiste zaak, u een van de grootste advocaten aller tijden zou kunnen worden.' Dobson liet zijn blik over de eenvoudige vergaderkamer dwalen. 'Bent u gelukkig met wat u nu doet? Hoeren betalen om belastende verklaringen af te leggen over een echtgenoot die in scheiding ligt, zodat een vrouw die hem alleen maar om zijn geld heeft getrouwd, in haar dure huis in een chique buurt kan blijven wonen? Ervoor zorgen dat drugshandelaren en andere zware jongens op borgtocht worden vrijgelaten, zodat ze door kunnen gaan met hun handel terwijl ze op een gevangenisstraf zitten te wachten? Ervoor zorgen dat een of andere rijke stinker onder een veroordeling wegens rijden onder invloed uitkomt? Is dat nou werkelijk uw roeping?'

Finn voelde zich alsof hij een draai om zijn oren had gekregen, en hij reageerde boos. 'Ik werk niet meer bij Howery Black,' zei hij fel. 'Principes kunnen een hoop geld kosten, en mijn schoorsteen moet ook roken.'

Dobsons gezichtsuitdrukking werd harder. 'Goed,' zei hij. 'Als blijkt dat Salazar onschuldig is, zal ik ervoor zorgen dat u als advocaat kunt functioneren bij de civiele procedure die hij dan aanspant wegens onrechtmatige vrijheidsberoving. Tegenwoordig wordt in dergelijke zaken over het algemeen uitgegaan van maximaal vijfhonderdduizend dollar voor elk jaar dat de cliënt in de gevangenis heeft gezeten. Salazar heeft vijftien jaar vastgezeten. Dat zou dus iets van zeven miljoen dollar kunnen worden. Misschien zelfs meer als u het proces weet te winnen in plaats van te schikken. Op basis van *no cure, no pay* zou dat meer dan twee miljoen dollar opleveren. Dat is geen slecht honorarium.' Hij schoof het dossier naar Finn toe.

Finn sloeg het open en terwijl hij zich op zijn achterhoofd krabde, bladerde hij het nog eens door. Hij moest toegeven dat hij dit wel een verleidelijk aanbod vond, niet alleen vanwege het geld maar oòk vanwege de uitdaging. Daar stond tegenover dat hij maar al te goed besefte dat dit een hopeloze zaak zou kunnen worden, waarbij hij eindeloos lang door een doolhof moest dwalen zonder dat hem dat ooit iets zou opleveren. Hij kon zich niet veroorloven om zijn diensten net zo royaal 'om niet' te verlenen als de juristen van de grote firma's dat soms deden. En dan was er Kozlowski. De privédetective had tot nu toe niets gezegd, maar wel toegegeven dat hij Madeline Steele had gekend. Kozlowski werkte zo nauw met Finn samen dat ze soms bijna zakenpartners leken, en Finn kon zich niet veroorloven om zijn nauwe zakenrelatie met de man te bederven. En bovendien, hoewel geen van beiden dat snel zou toegeven, waren ze vrienden, en vrienden had Finn maar heel weinig.

Hij keek op van het dossier. 'Een vraag,' zei hij.

'Vraagt u maar,' antwoordde Dobson.

'Waarom betekent deze zaak zoveel voor jou?'

'Dat heb ik al gezegd. Ik werk voor het Innocence Pro…'

'Flauwekul,' viel Finn hem in de rede. 'Er zijn wel honderd zaken waarin de veroordeelde mogelijk onschuldig is. Waarom zo veel tijd en inspanning aan deze ene zaak besteden terwijl jullie net zo goed verder kunnen gaan met de volgende?'

Dobson dacht daar even over na. Toen stond hij op, trok zijn jas aan en pakte zijn koffertje van tafel. Hij liep naar de deur en duwde die open. Toen hij omkeek naar Finn, zei hij: 'Die vraag kunt u morgen zelf beantwoorden.'

'Hoe dan?' vroeg Finn.

'Het is bezoekdag in Billerica. U gaat met mij mee naar Vincente Salazar.'

★★★

'Ben je boos?'

Finn stuurde zijn gehavende MG Convertible door de straten van Boston naar de rivier toe en daarna de Monsignor O'Brian Highway op, in de richting van Charlestown. De lucht boven hen was volkomen grijs, het soort donker, alles doordringend grijs dat je alleen in New England ziet. De gebouwen, de straten en de grauwe hemel vloeiden in elkaar over tot een leistenen wand toen Finn het uitzonderlijk onpraktische autootje om allerlei bevroren plassen en diepe gaten in het wegdek heen manoeuvreerde, en er zwarte smurrie aan de wielen bleef hangen.

'Waarover?' vroeg Kozlowski.

Finn wist dat Kozlowski het vreselijk vond om in dit autootje te moeten zitten, dat zo klein was dat hij er met zijn enorme lijf nauwelijks in paste. Het leek wel alsof hij elk ogenblik met zijn schouders door de stoffen kap kon barsten, en de wind floot door de kieren waar het canvas net niet helemaal om het metaal sloot.

'Oké,' zei Finn. 'Dan doe ik het niet.'

'Die beslissing is aan jou.'

Finn wendde zijn blik even van de weg af en keek eens naar de man naast hem. Het dikke litteken dwars over Kozlowski's gezicht was in het halfduister niet te zien; en terwijl Finn zijn profiel zag, drong het tot hem door dat de privédetective ooit een knappe man geweest moest zijn. 'Ik neem aan dat je je de zaak-Steele nog wel herinnert?'

'Ja,' zei Kozlowski terwijl hij aandachtig naar de straten aan de andere kant van het glas zat te turen. En daar liet hij het bij.

'Is dat alles?' vroeg Finn. 'Ja? Meer niet? Wil je daar misschien nog iets aan toevoegen?'

Kozlowski sloeg zijn armen over elkaar. 'Het was een slechte tijd voor de politie. Maddy – agent Steele – was zeer geliefd. Ze was een goede jonge agent. Ze was een vrouw.'

'En?'

'Als politieman kun je niet toelaten dat je collega's zomaar worden neergeknald, en al helemaal niet als het om vrouwelijke collega's gaat. Als Salazar wordt vrijgelaten, zal dat heel zwaar zijn voor de politiemacht. Het zal een hoop oude wonden weer openrijten.'

'Je vindt dat ik me hier niet mee moet bemoeien?'

'Dat heb ik niet gezegd. Ik werk niet meer bij de politie. Ze hebben me gedwongen mijn ontslag te nemen, weet je nog wel? De enige met wie ik werkelijk te doen zou hebben, is Maddy. De rest kan doodvallen wat mij betreft.'

'Ze heeft het toch overleefd, hè?'

'Inderdaad. Maar het is een lange strijd voor haar geweest, en een heel moeizame. De kogel heeft haar ruggenmerg geraakt; ze zit nu in een rolstoel en daar komt ze nooit meer uit. Het was niet makkelijk voor haar om zich daarmee te verzoenen.'

Finn trok zijn wenkbrauwen op. 'Zo te horen heb je haar behoorlijk goed gekend.'

'We waren bevriend.'

'Bevriend?'

Ze keken elkaar even aan.' We waren gewoon bevriend.'

'Oké. Wat wil je dat ik doe?'

'Zoals ik al zei, het is niet aan mij om daarover te beslissen.'

Finn draaide het autootje een parkeerplaats op, recht voor een klein bakstenen gebouwtje met twee verdiepingen aan Warren Street. Het voegwerk tussen de rechthoekige blokken gebakken klei was aan het verkruimelen en het hele bouwsel hing nogal uit het lood. Op een kleine plaquette van de Historical Society die naast de deur hing, stond te lezen: CIRCA 1769; en op een groter bord naast de ingang stond: SCOTT T. FINN, ADVOCAAT EN PROCUREUR, en daaronder: DETECTIVEBUREAU KOZLOWSKI.

Finn trok de handrem aan en keek Kozlowski nog eens aan. 'Dat is flauwekul, Koz en dat weet je best. Ik ben niet bij deze zaak betrokken... nog niet, in ieder geval. Maar het zou een interessante zaak kunnen zijn en als Salazar werkelijk onschuldig is, zou het ook een smak geld kunnen opleveren. Maar ik kan deze zaak net zo makkelijk laten rusten. Ik heb er geen enkel belang bij om jou tegen de haren in te strijken, en vooral niet omdat ik bij het voetenwerk waarschijnlijk jouw hulp nodig zal hebben. Dus zeg jij het maar: wat zal ik doen?'

Kozlowski duwde het portier open en stapte uit; Finn deed hetzelfde. De oudere man leunde met zijn ellebogen op het dak van de auto, zodat Finn zich heel even bang was dat hij er dwars doorheen zou zakken. 'Ga die man opzoeken,' zei Kozlowski een ogenblik later. 'En kijk hoe je er dan over denkt.'

Finn keek Kozlowski lang en indringend aan en probeerde te doorgronden wat er in de man omging. 'Dus jij vindt dat ik met hem moet gaan praten?'

Kozlowski knikte. 'Maar op één voorwaarde.'

Finn stond te wachten totdat de bijl zou vallen. 'En wat mag dat dan wel zijn?'

'Ik wil hem ook spreken.'

★★★

Finn duwde de deur van zijn appartement open, stapte naar binnen en liet zijn koffertje op de vloer vallen. Het kwam met een doffe klap neer. Zoals zijn gewoonte was, vroeg hij zich even af of hij het licht uit zou laten en op de tast naar zijn bed zou stommelen. Hij was niet van plan nog iets te eten en de aanblik van zijn flat vond hij alleen maar deprimerend. Maar hij besefte ook dat leven in een wereld vol ontkenning en vermijding hem nog veel depressiever zou maken.

Het licht floepte gretig aan toen hij op de knop drukte, alsof de lampen erop hadden zitten wachten om hem te kwellen. De schaduwen van de meubels deden hem het meeste verdriet: de bank die hij samen met haar had gekocht en die ze met zo veel moeite door het nauwe trapgat de flat binnen hadden weten te manoeuvreren, terwijl ze tijdens het hele gedoe voortdurend in de lach waren geschoten; de antieke wereldbol die ze al sinds haar studietijd had gehad en waarop ze de routes van alle reizen die ze samen hadden willen maken met hun wijsvinger hadden uitgetekend; de aquarel die ze had gekocht op hun eerste vakantie samen, op de Cape. Hij beschouwde die nu allemaal als tegenstanders en bekeek ze met het respect en de grimmige vastberadenheid die je aan waardige tegenstanders verschuldigd was. Hij had erover gedacht om ze allemaal weg te doen, ze naar de kringloopwinkel te brengen of gewoon op straat te zetten of te verbranden. Maar daarmee zou hij toegeven dat het allemaal voorbij was en hij weigerde om met de witte vlag te zwaaien.

Het scherpe, metalige geluid van de telefoon aan de wand onderbrak zijn eeuwige gepieker en hij stond vol argwaan naar het ding te kijken. Zonder op het schermpje te kijken wist hij al wie er belde. Op een of andere manier klonk de beltoon anders als zij het was.

Na de vierde piep sprong zijn oude antwoordapparaat aan. Toen de meldtekst afgelopen was en de piep klonk, stond Finn met ingehouden adem te luisteren of ze een bericht zou inspreken. Een paar seconden bleef het doodstil in de flat, en hij dacht dat ze misschien had opgehangen. Maar toen, eindelijk, zei ze iets.

'Finn? Met Linda.' Er viel opnieuw een lange stilte. 'Finn, alsjeblieft, neem op. Ik wil met je praten.'

4

DINSDAG 11 DECEMBER 2007

De penitentiaire inrichting Billerica lag in onregelmatig gevormde hopen baksteen en beton naast een doodlopende afslag van Route 3 in een afgelegen voorstad vijfenveertig kilometer ten noordwesten van Boston. Billerica was gebouwd in de jaren twintig van de vorige eeuw om onderdak te bieden aan driehonderd gevangenen, en was daarmee een van de oudste gevangenissen van Massachusetts.

Inmiddels waren er bijna twaalfhonderd gevangenen gehuisvest. Degenen die de pech hadden om het gevangenissysteem goed te leren kennen, beschouwden Billerica als een van de ellendigste oorden waar je na een veroordeling naartoe gestuurd kon worden. De roodbruine, op het eerste gezicht volkomen levenloze gebouwen, die een flinke lap grond in beslag namen, leken nog het meest op het architectonische equivalent van een op de snelweg doodgereden knaagdier. Gelukkig lag de gevangenis ver uit het zicht van het verder tamelijk pittoreske stadje waar voornamelijk leden van de gegoede burgerij van New England woonden. Die mensen waren al lang gewend aan de wat zenuwachtige manier waarop ze de gevangenis opzettelijk negeerden, en het bestaan ervan eigenlijk alleen maar onder ogen zagen als ze niet anders konden. Dat was de ongemakkelijke ruil die alle plaatsjes met een gevangenis maken in ruil voor een hoop goede banen en overheidssubsidies.

Dobson liep met Finn en Kozlowski door de beveiligingszone. Het proces werd vergemakkelijkt door het feit dat zowel Dobson als Finn hun identiteitsbewijzen van de orde van advocaten van Massachusetts bij zich hadden, en dat op Kozlowski's identiteitsbewijs te zien viel dat hij vroeger rechercheur was geweest. Even door een metaaldetector lopen en je laten fouilleren was alles wat er van ze werd gevergd, en doordat Kozlowski zijn pistool in het afgesloten dashboardkastje had achtergelaten, leverde dat geen problemen op.

Het was druk in de grote bezoekruimte. De gevangenen en hun familieleden zaten aan tafels en werden in de gaten gehouden door verschillende bewakers die door het vertrek verspreid stonden. Voor zich zag Finn een breed scala aan menselijke emoties, die werden uitgebeeld in grijstinten. Echtgenotes en vriendinnen die over tafels gebogen zaten om de handen van mannen in gevangeniskleding vast te houden, deden hun uiterste best om hun wanhoop, woede en eenzaamheid in bedwang te houden. Kinderen, van wie sommigen verlegen waren, anderen bang en weer anderen zo te zien volstrekt onbekommerd, zaten op schoot van vaders die ze slechts zelden zagen, onder de waakzame ogen van bewapende cipiers. Ouders en grootouders van de gevangenen deden hun best over koetjes en kalfjes te praten. Ze deden alsof er niets aan de hand was en ze gewoon wat zaten te babbelen met de volwassen kinderen van wie ze altijd zouden blijven houden, wat ze ook gedaan hadden.

'Daar zit hij,' zei Dobson, en hij wees naar de hoek aan de overkant van de grote zaal.

Finn zag hem zitten. Zijn lange zwarte haar, dat hij achterover had gekamd vanaf een grote V-vormige haarlok in het midden van zijn lichtbruine voorhoofd, was beter verzorgd dan dat van de meesten, en het overhemd van zijn gevangenisuniform was keurig in zijn broek geduwd, maar verder onderscheidde hij zich op het eerste gezicht in niets van de andere gevangenen. Als je beter keek, zag je echter dat de man kracht en zelfvertrouwen uitstraalde. Finn kon zijn vinger er niet op leggen wat het nou precies was, maar iets in de stand van Salazars schouders of algehele lichaamshouding had een zeer imponerende uitwerking.

Een tienermeisje naast hem boog zich naar hem toe terwijl ze zaten te praten. Aan de andere kant van de tafel zat een oudere vrouw, die zowel in haar manier van bewegen als qua gezichtsuitdrukking strenger en zwaarder was dan de twee anderen, zwijgend toe te kijken terwijl Salazar met het jonge meisje praatte.

Finn deed een stapje naar de tafel toe, maar Dobson stak zijn hand op om ze tegen te houden. 'Dat zijn Salazars moeder en dochter,' zei hij. 'Salazar krijgt ze maar drie kwartier per maand te spreken. Wij zijn zijn advocaten, dus we kunnen nog blijven nadat het bezoekuur is afgelopen. Laten we nog een paar minuten wachten.'

'Ik ben zijn advocaat nog niet,' merkte Finn op, en hij had daar onmiddellijk spijt van.

Dobson keek hem boos aan. 'Een paar minuten maar.'

Finn keek even naar Kozlowski, die knikte, en ze gingen alle drie naast elkaar met hun rug tegen de muur staan. Terwijl hij daar stond te wachten keek Finn aandachtig naar het gesprek tussen Salazar en zijn dochter. Het was niet moeilijk om te zien dat het meisje, al was ze dan nog zo jong, snel zou uitgroeien tot een mooie vrouw. Ze bevond zich in het wat ongemakkelijke laatste stadium van de adolescentie en hield haar hoofd een beetje gebogen, waardoor ze een pijnlijk verlegen en ongeïnteresseerde indruk maakte, maar haar gezicht beschikte over een verfijnde Spaanse gratie en haar gelaatstrekken waren vrijwel volkomen regelmatig. Zodra ze eenmaal voldoende zelfvertrouwen had opgedaan om de wereld met een wat evenwichtiger houding tegemoet te treden, dacht hij, zouden maar weinig jongemannen in staat zijn om weerstand te bieden aan haar verleidelijke uiterlijk.

Nadat hij nog even had staan kijken, besefte Finn dat zijn eerste indruk niet helemaal klopte. Die eigenschap van haar die hem was opgevallen, was geen onhandigheid, maar iets anders, iets veel uitgesprokeners. Haar bewegingen waren verkrampt en behoedzaam en ze leek al even los te staan van alles om haar heen als haar vader.

Finns gezicht betrok. 'Wat is er met haar aan de hand?'

Dobson nam Finn aandachtig op en richtte zijn aandacht daarna weer op de tafel waaraan drie generaties van de familie Salazar verwikkeld waren in het enige gesprek dat hun die maand vergund zou zijn, zodat ze daar gevangen waren in een ongemakkelijk en kunstmatig moment van hopeloos verlangen. Finn keek ook weer naar de familie Salazar en toen hij zijn aandacht op de man zelf richtte, was het enige wat hem volkomen duidelijk leek dat elke beweging die de man maar maakte, blijk gaf van liefde en tederheid voor zijn dochter.

Dobson liet Finn nog even kijken voordat hij antwoord gaf. 'Ze is blind.'

***

'Mijn vrouw Maria was de mooiste vrouw van de hele wereld.'

Salazar sprak beter Engels dan de meeste juristen met wie Finn over het algemeen te maken had. Hij had niet meer dan een licht accent en bij hem wekte dat eerder de indruk van Europese verfijning dan van het hulpeloze gestamel van iemand die in een vreemde taal moet spreken.

'Als ze naar me glimlachte of als ik in haar ogen keek, had ik altijd het gevoel dat alles plotseling klopte, alsof mijn leven doel en zin had omdat zij daar deel van uitmaakte.' Hij ging rechtop zitten en nam even de tijd om te herstellen van dat moment van introspectie voordat hij verder ging.

'Haar familie maakte deel uit van de elite van El Salvador, de verschillende oligarchieën die hun afstamming konden terugvoeren op de eerste golf Europeanen die de inboorlingen onderwierpen en zich op hun land vestigden. Grondbezit is in mijn land altijd de belangrijkste economische factor geweest. Ik was de zoon van een vooraanstaande handelaar die in de jaren vijftig en zestig goed had verdiend met de export van koffie en timmerhout, maar mijn afstamming kon ik alleen maar terugvoeren op de overwonnen inboorlingen. Ondanks al het onderwijs dat mijn ouders me hadden kunnen bieden, zou ik door Maria's familie nooit aanvaard worden als hun gelijke in rang en stand. Voor hen vormde onze romance een schandaal. Ik was arts en dacht dat dat misschien zou helpen, maar dat bleek niet het geval. Maar Maria was koppig, en ze hield van me, en toen ik om haar hand vroeg, zei ze ja. Haar vader, een van de rijkste landeigenaren van El Salvador, gaf met tegenzin zijn toestemming en dat deed hij alleen maar omdat hij besefte dat het geen zin had om zijn dochter tegen te houden. Hij organiseerde een prachtige bruiloft voor ons en zorgde zelfs voor een soort bruidsschat – een nieuw huis in een keurige buurt, op een fatsoenlijke afstand van hun eigen huis – maar hij liet er geen misverstand over bestaan dat we verder vrijwel niets meer van de familie en het familiefortuin hoefden te verwachten.'

'Leuke schoonfamilie,' merkte Finn op.

Salazar schudde zijn hoofd. 'Dat was heel verstandig,' zei hij. 'En ik had ook niets anders verwacht. U zou dat misschien niet verwachten, maar in de hogere lagen van de maatschappij is El Salvador nog steeds een land waarin de verschillende rassen en maatschappelijke standen sterk van elkaar gescheiden leven. En bovendien viel het ons niet zwaar. Als ik was toegelaten tot de kringen waarin haar familie zich bewoog, zou dat tot veel gefluister hebben geleid en ik was maar al te blij dat dat me nu bespaard bleef. Ik was een jonge arts en ik kon heel behoorlijk in mijn onderhoud voorzien. Maria en ik waren samen, en ze zei dat dat het enige was wat voor haar werkelijk van belang was. En daar had ik genoeg aan.'

'Als het allemaal zo fantastisch was, waarom bent u dan weggegaan?' De vraag kwam van Kozlowski en de toon waarop hij die stelde, had iets uitdagends.

'In mijn land is alle geluk een illusie.'

'De oorlog?' vroeg Finn.

'De oorlog,' beaamde Salazar. 'Ik heb me nooit met politiek bemoeid, maar ik was wel arts. Ik behandelde de zieken. Ik behandelde de gewonden. Ik heb mijn patiënten nooit gevraagd naar hun politieke richting. Ik dacht dat ik daarbuiten stond. Ik was naïef.'

'U hebt de verkeerde mensen behandeld?'

'Ik behandelde alle mensen. Wat mij betrof waren er geen goede of verkeerde mensen.' Terwijl hij dat zei, verscheen er een intense blik in Salazars ogen, en voor het eerst voelde Finn iets van woede in de stem van de Salvadoraan. Maar het volgende moment was die woede alweer verdwenen. 'Ik heb nooit iemand weggestuurd, en dat wil zeggen dat ik strijders van beide partijen behandelde.' Hij keek Finn eens aan. 'Hoeveel weet u eigenlijk over de oorlog in El Salvador?'

Finn dacht daar even over na. 'Niet veel,' gaf hij toe. Eigenlijk bijna niets, besefte hij toen hij er nog even over nadacht. Hij meende zich een paar krantenkoppen te herinneren, maar wat die inhielden, was hem inmiddels ontschoten.

'In de jaren tachtig was het bestuur in handen van een groep militairen en leden van de rijke burgerlijke elite. Van tijd tot tijd werden er pogingen gedaan om de overheid te hervormen, maar meer dan een façade is dat nooit geweest.'

'De zoveelste illusie?' vroeg Finn.

'Precies. De rebellen waren marxistische communisten, die voornamelijk werden ondersteund door de boeren en de kleine, goed opgeleide middenklasse. Het ontbrak hun aan de middelen om een goed georganiseerde frontale aanval uit te voeren. Om toch te laten merken dat ze er waren, hielden ze zich bezig met ontvoeringen en zo nu en dan wat aanslagen, die met grof geweld werden uitgevoerd en grotendeels op de elites in steden als San Salvador waren gericht.'

'Terrorisme,' gromde Kozlowski minachtend.

'Ja, terrorisme,' gaf Salazar zonder enige aarzeling toe en voor het eerst keek hij Kozlowski rechtstreeks aan. 'Het was niet mijn bedoeling goed- of afkeuring te laten blijken over de tactieken waarvan beide zijden in deze burgeroorlog zich hebben bediend. Ik probeerde alleen maar de gewonden te redden.'

'Ik neem aan dat de militairen zich van grof geweld hebben bediend bij het neerslaan van opstand?' kwam Finn tussenbeide, omdat hij voelde dat de spanning tussen Salazar en Kozlowski steeds groter werd.

Salazar bleef Kozlowski strak aankijken. 'In zekere zin wel,' zei hij na een tijdje. 'Hoewel de overheid geprobeerd heeft haar strijd tegen links vooral niet al te opvallend te voeren. De overgrote meerderheid van de Salvadoraanse bevolking – ongeveer negentig procent – leefde in die tijd in grote armoede, en velen van hen koesterden sympathie voor de rebellen. De regering wist maar al te goed dat ze op een kruitvat zat en dat alles wat ze maar deed de vonk zou kunnen zijn die alles zou kunnen vernietigen. Om dat te vermijden werd een groot deel van het vuile werk uitbesteed.'

'Aan wie?' vroeg Finn oprecht geïnteresseerd.

'Aan de doodseskaders.'

'Doodseskaders?'

Salazar knikte. 'Kleine paramilitaire eenheden – huurmoordenaars, bandieten – die speciaal voor het allersmerigste werk waren ingehuurd.

Ze werden aangevoerd door militairen en gefinancierd door de rijke landeigenaren, de elites die wilden voorkomen dat de linkse opstandelingen ook maar een poot aan de grond zouden krijgen.'

'Ik kan me herinneren dat ik daar iets over gelezen heb,' merkte Finn op.

'Dat kan kloppen. In 1980 hebben ze drie Amerikaanse nonnen vermoord die samenwerkten met de hulpverlening op het platteland. Dat heeft de Amerikaanse regering in grote problemen gebracht, want die steunde de regering van El Salvador, en het was algemeen bekend dat die een bondgenoot vormde van de doodseskaders.'

'Nonnen?' Finn voelde een diepe weerzin in zich opkomen. 'Waarom zouden ze nonnen vermoorden?'

'Zo'n beschermd leven kunt u toch niet geleid hebben, meneer Finn?' zei Salazar met een vreugdeloze lach. 'Tijdens een oorlog gaan fatsoen en medemenselijkheid snel verloren, zelfs in de omgang met de geestelijkheid. En bovendien steunde de katholieke kerk in El Salvador de opstandelingen, of was ze in ieder geval voorstander van ingrijpende hervormingen. Een groot deel van degenen die naar ons land kwamen als missionarissen, onderkenden dat hervormingen, of zelfs revolutie, de enige manier vormden waarop de overgrote meerderheid van de bevolking ooit uit haar ellendige omstandigheden verlost zou kunnen worden. Zelfs de aartsbisschop van San Salvador was een fel criticus van de regering, en hij drong aan op werkelijke hervormingen… totdat hij werd vermoord.' Finn besefte dat er afgrijzen op zijn gezicht te lezen was. 'Jawel, meneer Finn. U ziet, dit was El Salvador, en de dood kwam daar voor iedereen.'

'En wat is er met u gebeurd?' vroeg Kozlowski, zo te horen niet onder de indruk.

'Op een avond werd er bij me aan de deur geklopt. Toen ik opendeed zag ik daar een oude vriend van me staan, Alberto Duerte. Hij stond tegen de deurpost geleund en het bloed droop uit zijn schouder. Hij zei dat hij was overvallen en dat hij hulp nodig had. Ik wist dat hij loog, maar zoals mijn gewoonte was, stelde ik geen vragen. Ik nam hem mee naar mijn kliniek en verbond zijn wonden. Diezelfde avond nog is hij weer weggegaan, en ik heb hem nooit meer teruggezien.'

'En?' drong Finn aan.

'Naderhand kwam ik te weten dat hij gewond was geraakt tijdens het plegen van een bomaanslag. Een terreuraanslag dus,' zoals uw vriend hier ongetwijfeld zal opmerken,' zei Salazar met een handgebaar naar Kozlowski. 'Alberto had een bom geplaatst waarmee een rijke industrieel en zijn echtgenote om het leven werden gebracht. Hij had zijn berekeningen echter niet goed uitgevoerd, en toen de bom ontplofte was hij er nog niet ver genoeg vandaan om te ontkomen aan de granaatscherven. Binnen een week hadden de doodseskaders hem achterhaald.'

'Dat kan niet prettig voor hem geweest zijn,' merkte Kozlowski op.

'Nee, meneer Kozlowski, ik weet heel zeker dat dat niet prettig voor hem is geweest.' Salazar richtte zijn aandacht weer op Finn. 'Een paar dagen later stond mijn schoonvader plotseling bij me in de kliniek. Ik had hem al maanden niet gezien, dus ik wist dat er iets mis was toen hij onverwacht langskwam. Hij zei tegen me dat ik naar huis moest gaan, zijn dochter moest ophalen, mijn spullen moest pakken en moest maken dat ik wegkwam. Hij vertelde me dat Alberto was gemarteld voordat hij was vermoord, en dat hij de namen had genoemd van een groot deel van de mensen met wie hij had samengewerkt. Alberto had ook verteld dat ik degene was geweest die zijn wonden had verbonden, en daarom hadden de doodseskaders mij nu ook als doelwit gekozen. Die avond zouden ze komen.'

'Wat hebt u toen gedaan?' vroeg Finn.

'Eerst probeerde ik mijn schoonvader uit te leggen dat ik niets met Alberto's activiteiten te maken had en dat ik helemaal niet geïnteresseerd was in politiek. Volgens mij geloofde hij me wel, maar hij zei dat hij niet in staat was ze tegen te houden, en dat hij door het te proberen alleen maar de rest van zijn familie in gevaar zou brengen. Hij vertelde me dat hij zich zorgen maakte om zijn dochter, en dat hij had geregeld dat we het land uit konden.'

'Hoe kon hij dat nou regelen als de overheid wist dat u het doelwit vormde van de doodseskaders?' vroeg Kozlowski nadrukkelijk.

Salazar haalde zijn schouders op. 'Zo moeilijk was dat niet. Mijn schoonvader kende mensen die ons konden helpen. In het begin van de jaren tachtig, toen de jeugdbendes in Los Angeles – de Crips en de Bloods – op hun hoogtepunt waren, ontstond in het oosten van Los Angeles een nieuwe misdaadbende. Dat deel van de stad werd voornamelijk bevolkt door vluchtelingen uit El Salvador, en veel leden van die criminele organisatie waren ooit lid geweest van de doodseskaders. *Vengaza del Salvadoran* heette die bende, en hoewel ze kleiner was dan sommige andere gangs, wist ze zich snel een reputatie te verwerven als de meest gewelddadige van allemaal. In de loop der jaren werden sommige bendeleden uitgezet naar El Salvador, en toen ze terug waren, hebben ze daar een bende opgericht die betrekkingen onderhield met de bende in Los Angeles. Ze rekruteerden nieuwe leden en deden zo nu en dan ook een klusje voor de doodseskaders. Naarmate ze zich steeds verder ontwikkelden, breidden ze hun activiteiten uit naar andere terreinen. De productie en smokkel van drugs en wapens bijvoorbeeld, en afpersing, zowel hier als in andere landen. Ze maakten gebruik van hun banden met de bendes in de Verenigde Staten om een smokkelroute van El Salvador en andere landen door Centraal Amerika en Mexico naar de Verenigde Staten op te zetten. Mijn schoonvader kende die mensen wel en hij wist dat ze alles deden voor geld. Politiek interesseerde hen niet en hij betaalde ze goed om Maria en mij het land uit te smokkelen en naar Amerika te brengen'

'Illegaal,' merkte Kozlowski op.

'Ja,' zei Salazar instemmend. 'Had ik een keuze? Wat zou u gedaan hebben?'

'En toen u eenmaal hier was, dacht u veilig te zijn,' zei Finn.

'Inderdaad.' Salazar ging rechtop zitten en keek om zich heen. Daarna liet hij zijn hoofd hangen en gaf een diepe zucht. 'Dat had ik mis.'

★★★

Josiah 'Mac' Macintyre zat aan zijn bureau op de derde verdieping van het hoofdbureau van politie in Roxbury. Het in 1997 voltooide gebouw vormde een monument van moderne politiemethoden en beschikte over een computerinfrastructuur die veel geavanceerder was dan die van de meeste andere politiemachten, plus kantoren voor psychologen en sociologen om de politie te helpen bij het oplossen van misdrijven en het omgaan met de gevolgen ervan.

Mac had er een hekel aan. Hij had zich nooit op zijn gemak gevoeld met moderne politiemethoden, en er ook nooit enig nut van gehad. Hij was voor honderd procent iemand van de oude stempel en hij dacht vol weemoed terug aan de tijden waarin de politie zelf mocht uitmaken hoe ze haar werk deed.

Moet je mij nu eens zien, dacht hij. Hij liep tegen de vijftig en elke dag wanneer hij weer aan zijn bureau ging zitten, zag hij dat zijn dikke buik weer een stukje verder over zijn broeksriem hing. Zijn haar, dat hij altijd in militaire stijl had laten millimeteren, was boven op zijn schedel vrijwel verdwenen. Zijn kapper ging nog steeds met de tondeuse over zijn schedeldak, maar dat was meer uit beleefdheid dan uit noodzaak en Mac vermoedde dat de man alle pretenties al lang had laten varen als hij niet zo bang voor hem was geweest. Was dit dan werkelijk waar Mac al die jaren voor had gevochten?

'Brigadier?' riep een vrouwenstem door een ruimte vol met bureaus. Het was rechercheur Sarah Koenitz. Toen hij Sara's achternaam voor het eerst hoorde, had Mac dat hartstikke geinig gevonden, omdat hij door die maar een klein beetje verkeerd uit te spreken, maar al te duidelijk kon laten blijken wat hij van vrouwelijke politiemensen dacht, zonder daar ooit voor berispt te kunnen worden. 'Ik heb iemand voor je aan de lijn,' zei ze. 'Het is een vergissing want hij moet jou hebben. Ik verbind je door.' Prima, dacht Mac. De telefoon aannemen en doorverbinden was precies wat vrouwen bij de politiemacht hoorden te doen, en ook niet meer dan dat. Hij duwde de hoorn tegen zijn oor en drukte op een knop op zijn telefoon.

'Met Mac.'

'Mac, met Dave Johnson.'

'Johnson,' bromde Mac. Jaren geleden hadden ze samen gesurveilleerd. Mac had Johnson altijd als een softie beschouwd en ze waren nooit vrienden geweest. 'Hoe bevalt het je om met pensioen te zijn?' Johnson was na twintig dienstjaren met pensioen gegaan, een beslissing die Mac als verraad had beschouwd. Hij was er behoorlijk zeker van dat Johnson inmiddels een andere baan had aangenomen, zoals de meeste voormalige politiemensen deden als ze erachter kwamen dat hun pensioen voor een man van in de veertig niet lang toereikend zou zijn.

'Pensioen.' Johnson lachte nerveus. 'Prima, hoor. En als ik niet moest werken voor de kost, zou het zelfs geweldig zijn. Organiseer je nog steeds elke week een pokeravondje? Ik kan wel wat geld gebruiken.'

'Tegenwoordig is het meestal een keer in de twee weken, maar inderdaad.' Het was nog net geen uitnodiging aan Johnson om mee te doen. Wat hem betrof waren zijn pokeravondjes uitsluitend bestemd voor politiemensen.

'Laat maar weten als jullie weer eens bij elkaar komen. Het zou leuk zijn om jullie weer eens te zien. En zoals ik al zei, ik zou jullie geld goed kunnen gebruiken.'

'Wat wil je, Johnson?' Mac nam niet eens de moeite om beleefd te blijven.

Het was even stil aan de andere kant van de lijn. Toen liet Johnson een geforceerd lachje horen. 'Die Mac toch, nog steeds geen spat veranderd! Hoor eens, jij was toch een van degenen die in de jaren negentig betrokken waren bij het onderzoek naar het neerschieten van Madeline Steele?'

Mac spitste zijn oren. 'Dat was voordat ik tot brigadier werd benoemd, dus ik had niet de leiding over het onderzoek,' zei hij. 'Maar inderdaad, ik was er wel bij betrokken.'

'Dacht ik het niet! Dat is de reden waarom ik je bel. Ik zit hier in Billerica. Ik ben nu assistent-supervisor van de reclasseringsmedewerkers hier.'

Hij zei het alsof hij vond dat Mac daar wel van onder de indruk mocht zijn. Dat was hij niet, maar Johnson had nu wel zijn onverdeelde aandacht. 'Ja?'

'Ja. Zo beroerd is het hier niet. Wat mij betreft is het beter dan de hele dag op straat rondhangen. In ieder geval is het hier een stuk eenvoudiger om de goeien van de slechten te onderscheiden; over het algemeen zijn de slechteriken degenen die een gevangenispakkie aan hebben.'

'Dat is een goeie.' Er klonk bepaald geen lach door in Macs stem, alleen ongeduld. 'Die moet ik onthouden.'

'Maar goed, luister eens. Vincente Salazar heeft bezoek. Advocaten zo te zien. Het gerucht gaat dat hij op een nieuw proces aanstuurt.'

'Elke veroordeelde wil een nieuw proces,' merkte Mac behoedzaam op.

'Ja, dat weet ik. Salazar schrijft nu al vijftien jaar iedereen aan die maar wil luisteren, zo is het toch? Dus het heeft waarschijnlijk niets om het lijf. Maar het ziet er wel naar uit dat een paar mensen nu eindelijk aandacht aan hem besteden. Ik dacht gewoon dat je dat wel zou willen weten. Het zou een verdomde schande zijn als een of andere kut-Salvadoraan ervoor kan zorgen dat een agent voor de rest van haar leven in een rolstoel moet zitten, en dan zelf een paar jaar later weer als vrij man over straat loopt, vind je ook niet?'

Mac liet dat even tot zich doordringen. 'Nee, dat zou inderdaad niet kunnen,' zei hij instemmend. Elke synaps in zijn hersenen was aan het vuren, maar hij zorgde ervoor dat zijn stem gelijkmatig bleef. 'Het heeft waarschijnlijk niets om het lijf. Geen enkele rechter zal zo'n vent als Salazar ooit vrijlaten, niet na wat hij heeft geflikt.'

'Ja, daar heb je waarschijnlijk gelijk in.' Zo te horen had Johnson plotseling spijt dat hij had gebeld. 'Ik dacht gewoon dat je het wel zou willen weten, omdat jij bij het onderzoek betrokken was. Ik wilde je niet over de rooie jagen, hoor.'

'Je hebt me niet over de rooie gejaagd, Johnson,' zei Mac. 'En ik stel het altijd op prijs om te horen hoe het met een oude klant gaat, vooral als het iemand is die een van onze mensen heeft neergeschoten.'

'Ja, nou, dat dacht ik al. En zoals je al zei, waarschijnlijk heeft het niets om het lijf.'

'Waarschijnlijk niet.'

'Oké. Nou, leuk om je weer eens te spreken, Mac. Het is hier wel uit te houden, maar het is niet hetzelfde als bij de politie. Soms mis ik de sfeer op het bureau, weet je? Doe de jongens maar de groeten van me, wil je?'

'Doe het zelf maar,' zei Mac. 'Volgende week woensdag gaan we pokeren bij Hendersons. Ik weet zeker dat niemand er bezwaar tegen zou hebben als je meedoet.'

'Echt?' Die sukkel klonk werkelijk opgetogen. Het was gewoon zielig. 'Dat lijkt me hartstikke leuk. Tot ziens dan maar.'

'Ja leuk, tot ziens.' Mac hing op voordat Johnson nog iets kon zeggen. Hij kon die vent gewoon niet meer aanhoren.

Zwijgend zat hij aan zijn bureau en dacht na over wat hij zojuist te horen had gekregen. Het grootste deel van wat hij tegen Johnson had gezegd, was waar. Het had waarschijnlijk niets om het lijf. De meeste veroordeelden probeerden voortdurend een nieuw proces te krijgen. Per slot van rekening hadden ze toch niets beters te doen. En de kans dat een rechtbank ooit zou ingaan op een verzoek om een nieuw proces voor een vent die veroordeeld was voor zoiets als waar Salazar nu voor in de gevangenis zat, was oneindig klein. Dus hij had werkelijk geen enkele reden om zich druk te maken.

Maar toch zat het hem niet lekker. Hij had het soort gevoel dat politiemensen krijgen als ze weten dat er iets misgaat. Intuïtie. Naar de hel met al die computers. Siliconenchips hadden geen onverwachte invallen, en onverwachte invallen waren nou juist waar een politieman het van moest hebben.

Hij nam de hoorn op en toetste uit zijn geheugen een nummer in. 'We moeten eens praten,' zei hij toen er aan de andere kant van de lijn was opgenomen.

★★★

'Maria was zwanger toen we de Verenigde Staten binnenkwamen,' zei Salazar. 'Ze was zo gelukkig. Het was voor ons allebei zwaar om ons vaderland achter te laten, maar we vonden het heel opwindend om in Amerika te zijn en een nieuw begin te kunnen maken, weg van al het geweld.'

Terwijl Salazar vertelde, zat Finn geboeid te luisteren. Omdat Finn zijn jeugd had doorgebracht in weeshuizen, bij pleegouders en op straat, wist hij wat het was om het zwaar te hebben. Zeker, hij had iets van zijn leven weten te maken, maar toch voelde hij zich nog steeds alleen. Salazar daarentegen was door een heel ander soort hel gegaan: hij was weggerukt uit zijn eigen huis en had daarna vijftien jaar opgesloten gezeten in iets wat nog het meest deed denken aan een conservenblik, maar toch leek hij innerlijke vrede te kennen. Hij deed op geen enkele manier eenzaam aan en hij had de uitstraling van iemand met een onverzettelijke geestkracht. Het verschil, vermoedde Finn, was een gezin. Salazar had een gezin en Finn niet.

'Toen Maria's vader ons vertelde dat we het land uit moesten, heb ik hem gevraagd ervoor te zorgen dat mijn moeder en mijn broer Miguel ook het land uit zouden kunnen. Als ik ze alleen achterliet, zouden de doodseskaders hen binnen de kortste keren te pakken hebben gekregen. Mijn vader was een jaar na ons trouwen overleden, en mijn broer was nog maar zeventien, daarom woonden mijn moeder en mijn broer in bij Maria en mij.

Vengaza del Salvadoran, de bende die ons het land uit heeft gesmokkeld, en ons daarna door Mexico heeft gereden en de grens met Amerika over heeft geholpen, is heel strak georganiseerd. Ze hebben een groot deel van de drugssmokkel vanuit centraal Amerika in handen en beschikken over contacten in veel Amerikaanse steden: Los Angeles, New York, Washington, Boston. Met een deel van mijn eigen geld heb ik geregeld dat ze ons naar Boston brachten.'

'Waarom Boston?' vroeg Finn.

'Er is hier een grote Salvadoraanse gemeenschap. Bovendien ben ik arts en wist ik dat Boston bekendstaat als een centrum van de medische wetenschap. En ik was jong en dom. Ik dacht dat het me wel zou lukken om een baan in een ziekenhuis te vinden. Ik hoopte zelfs dat ik daar misschien zelfs een chef zou weten te vinden die als een soort sponsor zou willen fungeren, en die me zou helpen een vergunning te krijgen om hier als arts te werken.'

Kozlowski lachte minachtend. 'Je moet Amerikaans staatsburger zijn, of in ieder geval een legale buitenlander, om hier als arts te kunnen werken.'

'Zoals ik al zei, meneer Kozlowski, ik was dom en naïef. In landen als El Salvador wordt Amerika nog steeds gezien door een waas van romantiek: over de moeilijkheden waarmee immigranten hier te kampen krijgen, krijg je daar niet veel te horen. Natuurlijk had ik niet door dat de ziekenhuizen hier heel voorzichtig zijn bij het inhuren van mensen. Ze willen ordentelijke verblijfsvergunningen en identiteitsbewijzen zien, en als je die niet hebt, vind je daar nooit een baan, zelfs niet als portier. Daarom zag ik me genoodzaakt om bij een klein buurtwinkeltje te gaan werken, voor minder dan het minimumloon.' En met een snelle blik op Kozlowski voegde hij eraan toe: 'In ieder geval hoefde ik daar geen belasting af te dragen.'

Kozlowski knikte. 'Dat klopt.'

'We woonden in een klein flatje in Roxbury, maar we waren heel blij met de baby, en ik wist wat bij te verdienen door andere immigranten te behandelen.'

'Een artsenpraktijk uitoefenen zonder vergunning is een misdrijf,' merkte Kozlowski op. Finns gezicht betrok. Hij begon zich af te vragen of het wel zo verstandig was geweest om de privédetective mee te nemen.

'En zieke mensen niet behandelen is een zonde,' antwoordde Salazar. 'Bovendien schreef ik geen medicijnen voor waar je een recept voor nodig had. Het enige wat ik deed was mensen onderzoeken en medicijnen voorschrijven die gewoon bij de drogist te koop waren.'

'Als de mensen meer behandeling nodig hadden dan ik kon verzorgen, zei ik dat ze naar de eerste hulp moesten.' Hij zuchtte. 'Dat deden ze natuurlijk nooit. Als je illegaal bent en je gaat naar de eerste hulp, loop je altijd het risico dat iemand de vreemdelingenpolitie belt. En dan kun je uitgezet worden. Veel mensen hadden het gevoel dat ze meer kans hadden om te overleven met een ziekte dan als ze uitgezet zouden worden.'

'Maar Mark vertelde ons dat dit de manier is waarop de politie u gevonden heeft,' zei Finn. 'Toen u Maria naar het ziekenhuis bracht.'

'Ja. In veel opzichten ging het heel goed. Met mijn baan in de winkel en het beetje geld dat ik verdiende door arme mensen te behandelen, wisten we ons aardig te redden. Mijn broer, Miguel, deed het goed op school – een van de weinige plekken waar emigranten kennelijk mogen meedoen zonder dat dat repercussies heeft. Net als ik had hij Engels geleerd op een particuliere school in El Salvador, en hij was altijd de beste van de klas. Maar niet lang na Maria's eerste weeën begon alles mis te gaan.'

Salazar haalde eens diep adem voordat hij verderging. 'Maria was in haar zevenendertigste week toen ze pijn kreeg. Dat is niet zo ongebruikelijk in dat stadium van een zwangerschap, en dus maakte ik me geen zorgen. Ik zei tegen haar dat ze zo veel mogelijk moest rusten. We wilden niet naar het ziekenhuis omdat we bang waren. Ik dacht dat alles vanzelf wel goed zou komen. Ik wist het niet, maar ze had een vleesboom in haar baarmoeder die het geboortekanaal blokkeerde. Niet lang na het begin van de weeën scheurde haar baarmoeder. Er was zo veel bloed...' Zijn stem stierf weg en hij werd stil. Niemand zei iets.

'Ik reed zo snel als ik maar kon met haar naar de eerste hulp, maar het was al te laat. Ze heeft de keizersnede nog overleefd, en zelfs Rosita nog horen huilen voordat ze doodbloedde. Ik neem aan dat ik daar enige troost aan kan ontlenen.'

'En je dochtertje is blind geboren?' vroeg Finn.

'Nee, toen ze werd geboren was ze helemaal gezond.'

'Hoe is dat dan gekomen?'

'Dat gebeurde toen ik werd gearresteerd,' legde Salazar uit. 'Ziet u, toen ik met Maria naar de eerste hulp ging, kwamen de autoriteiten erachter dat we illegaal in het land verbleven. Een paar maanden lang gebeurde er niets, maar toen begon de politie met een programma om illegale immigranten te identificeren en uit te zetten, en dan met name immigranten uit Zuid- en Midden-Amerika. Mijn naam werd op een lijst gezet en er werd een onderzoek gestart. Het doel daarvan was onze uitzetting. Agent Steele, de vrouw die is aangevallen, was degene die de leiding had over mijn zaak.'

'Dus u wist dat u niet lang meer in het land kon blijven tenzij Steeles onderzoek een halt toe werd geroepen,' merkte Kozlowski op. 'Dat is een heel goed motief om haar uit de weg te ruimen.'

'Dat zei de officier van justitie ook,' bevestigde Salazar. 'Maar uiteindelijk zou ik waarschijnlijk helemaal niet uitgezet zijn. Ik was bezig om asiel aan te vragen. Als ik kon bewijzen dat ik het risico liep in El Salvador om politieke redenen vervolgd te worden, zou ik toestemming krijgen om hier in Amerika te blijven. Gezien mijn omstandigheden geloof ik dat mijn asielaanvraag gehonoreerd zou zijn.'

Finn was daar minder zeker van. 'Dat weet ik nog zo net niet. Ik heb begrepen dat de voorwaarden voor politiek asiel heel streng zijn. Het zou moeilijk zijn geweest om te bewijzen dat u werkelijk in gevaar verkeerde.'

'Misschien wel,' gaf Salazar toe. 'Maar in asielzaken kan de procesgang heel lang duren, had ik te horen gekregen. En bovendien, wat zou ik ermee zijn opgeschoten om agent Steele "uit de weg te ruimen", zoals meneer Kozlowski het zo kleurrijk formuleerde? Denkt u nou werkelijk dat haar zaken niet aan iemand anders overgedragen zouden zijn?'

'Daar hebt u gelijk in.'

'Maar hoe dan ook, ik was bezig met een legale asielaanvraag en over de aanval op agent Steele had ik niets gehoord. Op een avond viel de politie onze flat binnen. Gelukkig was Miguel niet thuis. Hij was achttien en hij zat vol met puberale woede. Waarschijnlijk zou hij zich verzet hebben en dat had de zaken er alleen maar erger op gemaakt. Ik bood geen enkele weerstand en toch hebben ze mijn arm en mijn neus gebroken en me heel erg geschopt en geslagen. Maar Rosita was degene die het ergst geleden heeft.'

'Wat is er gebeurd?'

Salazar liet zijn hoofd hangen en wreef over zijn slapen. Toen hij weer opkeek, zagen zijn ogen rood. 'Ze was destijds nog maar een baby. Toen de politiemensen onze flat binnen stormden, liepen ze haar kinderstoel omver, zodat ze met haar hoofd tegen de vloer sloeg. Ik probeerde naar haar toe te gaan. Ik probeerde te zeggen dat ik arts was en dat ze hulp nodig had, maar ze wilden niet luisteren.' Hij wreef over zijn ogen en moest even zijn keel schrapen voor dat hij verderging. 'Ze heeft hersenletsel opgelopen, van het soort dat vergelijkbaar is met wat er gebeurt als je een baby heel hard heen en weer schudt. Ze is haar gezichtsvermogen kwijtgeraakt en ze heeft leer- en ontwikkelingsstoornissen opgelopen. Maar toch is ze een fijne meid geworden en over het algemeen is ze gelukkig, godzijdank.'

'Hoe heeft uw gezin het gered nadat u was opgepakt?' vroeg Finn. 'Met een kind dat medische hulp nodig had, en zonder geld?'

'Dat was de ironie van het hele geval. Want ziet u, Rosita was in dit land geboren... Ze is Amerikaanse. En daarom kwam ze in aanmerking voor medische zorg en andere sociale voorzieningen. Toen de maatschappelijk werkers erachter kwamen wat er was gebeurd, hebben ze er samen met mensen van de IND voor gezorgd dat mijn moeder en mijn broer mochten blijven. En dan was er Miguel. Hij was altijd al de slimste van de familie. Toen hij op school zat, had hij er twee baantjes naast en toch is hij geslaagd met de beste cijfers van de hele klas. Hij kreeg zelfs een beurs voor de Universiteit van Massachusetts. Hij is nu arts en genaturaliseerd Amerikaans staatsburger.' Terwijl hij over zijn broer vertelde, begon Salazar te stralen. 'Hij is een geweldig Amerikaans succesverhaal.'

'U zult wel verbitterd zijn,' zei Kozlowski.

Salazar trok zijn wenkbrauwen op. 'Waarom zegt u dat?'

Kozlowski keek naar Finn, maar Finn was degene die antwoordde. 'Als ik denk aan alles wat u had kunnen worden, aan alles wat uw dochter is overkomen, hoe zou u dan niet verbitterd kunnen zijn?'

Salazar keek van de een naar de ander. 'U hebt zeker geen kinderen?' Beide mannen schudden hun hoofd. 'Toen de politie mijn appartement binnenstormde, zag ik Rosita met haar hoofd tegen de vloer slaan. Ik hoorde haar gillen en daarna stil worden. Ik ben arts en ik weet hoeveel schade een dergelijke val kan aanrichten bij een klein kind. Ik dacht dat ze dood was.'

Finn en Kozlowski bleven hem niet-begrijpend aankijken.

'Als je een kind hebt en je denkt dat dat kind dood is, dan sterf je zelf ook. Ik kon me niet voorstellen hoe mijn leven eruit zou zien zonder mijn dochter; van het ene moment op het andere was alles voor mij volkomen betekenisloos geworden. Toen ik te horen kreeg dat ze na die klap nog leefde, en ook in leven zou blijven, was het net alsof ik herboren werd. Ben ik boos op de mannen die ervoor gezorgd hebben dat mijn dochter blind werd? Ja. Ben ik boos op de mannen die ervoor gezorgd hebben dat ik hier in de gevangenis zit? Ja. Maar bitter?' Hij schudde zijn hoofd. 'Mijn dochter leeft. Ze is blind, ja, maar ze is ook een gelukkig, gezond en heel mooi meisje. Ze is veilig en ze weet hoeveel ik van haar hou. Zolang ze dat weet, zal ik me niet laten leiden door verbittering.'

Hij leunde voorover en keek Finn zo strak aan dat Finn het gevoel kreeg dat die intense blik hem zou kunnen doorboren. 'Nou, meneer Finn,' zei Salazar. 'Wilt u misschien meer horen over de details van mijn zaak?'

Finn voelde Kozlowski op de stoel naast hem verstijven, maar hij weigerde de privédetective aan te kijken en zei zonder aarzelen: 'Ja, meneer Salazar. Ik denk van wel.'

5

'Een heel bijzondere man, hè?' zei Dobson, toen hij samen met Finn en Kozlowski de penitentiaire inrichting Billerica uit liep.

'Hij is geen doorsnee figuur, dat geef ik zonder meer toe,' antwoordde Finn.

'Vanwege zijn medische achtergrond heeft hij in de gevangenis corveediensten gekregen als helper op de ziekenzaal. Volgens de artsen hier is hij een van de beste medici die ze ooit hebben gezien. Omdat hij een gevangene is en omdat hij in de Verenigde Staten niet over een medische bevoegdheid beschikt, moeten ze natuurlijk "toezicht houden" op zijn doen en laten. Maar er loopt hier geen arts rond die niet door hem behandeld zou willen worden.'

'Heel indrukwekkend.'

'Indrukwekkend genoeg om deze zaak op u te nemen?'

Finn keek even naar Kozlowski, die sinds zijn afscheid van Salazar nog geen woord had gezegd. 'Daar moet ik nog even over denken,' zei hij toen. 'Ik bel je vanmiddag om te laten weten wat ik doe.'

Dobson keek teleurgesteld maar hield zijn mond. 'Ik wacht op je telefoontje,' was het enige wat hij zei voordat hij naar zijn auto liep.

Finn liep de andere kant op, naar het uiteinde van de grote parkeerplaats waar hij zijn auto had achtergelaten. De wind joeg over de open velden rondom de gevangenis en Finn voelde dat zijn ogen begonnen te prikken. Kozlowski liep zwijgend naast hem. 'Wat denk jij ervan?' vroeg Finn.

Kozlowski zei niets. Hij bleef gewoon naast Finn lopen, zonder hem zelfs maar aan te kijken.

'Ik bedoel, dat die vent alles heel goed op een rijtje had, daar kom je niet onderuit. Ik weet dat dat niet wil zeggen dat hij in het verleden geen nare dingen gedaan zou kunnen hebben, maar als je me nu vraagt of ik denk dat deze vent heeft geprobeerd een agente te verkrachten en te vermoorden, moet ik zeggen dat ik dat niet geloof. En wat ik net allemaal te horen heb gekregen, geeft mij wel de indruk dat er een paar flinke gaten in dat onderzoek zitten.' Finn keek snel even opzij naar de lange en brede privédetective. 'Je zei toch dat je bevriend was met Steele?'

'Dat heb ik gezegd, ja.'

Finn wachtte even om te horen of Kozlowski misschien nog meer wilde onthullen, maar proberen om informatie uit de man los te krijgen was net zoiets als geld zien los te krijgen van een ouderwetse heer van stand uit Boston. 'Juist. Dus jij hebt misschien een ander beeld van die vent. En ik? Ik probeer er alleen maar achter te komen of dit mijn tijd waard is. Ik bedoel, als die man onschuldig is, zou ik hem graag willen helpen. En daar komt bij dat als ik hem vrij weet te krijgen, we echt de jackpot zouden kunnen winnen door een civiele procedure om schade-vergoeding aan te spannen tegen de gemeente. Ik bedoel, vijftien jaar in dat ellendige oord? Op hoeveel zal een jury dat waarderen? Tien mil-joen? Of vijftien misschien?'

Finn liet opnieuw een korte stilte vallen om te horen of Kozlowski die zou verbreken, maar zonder resultaat. 'En als hij toch schuldig blijkt te zijn, en ik neem deze zaak, dan blijkt dat vanzelf uit het DNA-onder-zoek, en dan kunnen we die man natuurlijk onmiddellijk laten vallen. Dan houden we hier altijd nog het prettige gevoel aan over dat we weten dat de politie destijds de juiste persoon heeft opgepakt, en zijn we allemaal blij.' Hij vroeg zich af of Kozlowski besefte hoe graag hij deze zaak wilde aannemen.

Kozlowski sloeg de kraag van zijn regenjas op. Het was een oud en vormeloos kakikleurig geval, dat uitstekend geschikt was om te doen alsof je inspecteur Colombo was, maar dat geen enkele bescherming bood tegen de koude winters in New England. De afgelopen kerst had Finn een nieuwe jas voor hem kocht, een mooie, donkergrijze jas van zuiver scheerwol, maar die was de kast van de privédetective nooit uit geweest. Kozlowski duwde zijn handen diep in zijn zakken en bleef bij het rechterportier van Finns auto staan.

Finn maakte het linkerportier open, bleef even staan en keek op naar Kozlowski, die in elkaar gedoken tegen de sterke winterse wind naast de auto stond. 'Ik neem de zaak niet,' zei hij. 'Het is heel duidelijk dat dit jou niet lekker zit. Ik snap niet helemaal waarom niet, maar een ruzie met jou is het me niet waard. En bovendien, ik zou jouw hulp hierbij nodig hebben en als je hart er niet in ligt, is dat niet eerlijk tegenover Salazar. Het is beter voor hem dat er mensen achter hem staan die wer-kelijk gemotiveerd zijn.'

'Neem die zaak nou maar,' zei Kozlowski.

Finn zweeg even. 'Weet je dat zeker?'

'Ja. Maak dat portier open, verdomme. Het is koud.'

'Waarom?'

'Dat heb ik net gezegd. Het is koud hier.'

'Nee. Waarom wil je dat ik deze zaak op me neem?'

Kozlowski schudde zijn hoofd. 'Ik ben niet zo onder de indruk van die vent als jij. Goed, het lijkt nu een rustige en prettige man, maar zelfs als hij Maddy niet heeft neergeschoten, zit hij daar inmiddels al vijftien jaar gevangen, en niemand zit zolang in zo'n oord als dit en blijft daar dan zo rustig en vredig onder als die Salazar ons wil doen geloven. Op een of andere manier neemt hij ons in de maling, hoe dan ook.'

'Maar...?'

'Ik was bevriend met Madeline Steele. Ik mag er dan niet van overtuigd zijn dat Salazar onschuldig is, maar ik ben ook niet overtuigd van zijn schuld. En als Salazar Maddy niet heeft neergeschoten, dan loopt de klootzak die het wel heeft gedaan nog steeds rond. Dat zit me helemaal niet lekker, en dat zal me niet lekker blijven zitten totdat ik hier wat meer over te weten ben gekomen.' Hij zette zijn woorden kracht bij met een strakke blik, waarmee hij Finn maar al te duidelijk liet merken dat hij het niet moest wagen om nog meer vragen te stellen. 'En doe nou eindelijk dat verdomde portier eens open, anders dan ruk ik dit waardeloze stukje zeildoek dat jij een dak noemt eraf en maak ik hem zelf open.'

Finn ging aan het stuur zitten en leunde opzij om Kozlowski's portier open te maken. Terwijl hij zijn grote lijf op het lage, smalle stoeltje liet zakken, maakte Kozlowski een grommend geluid. 'Weet je,' zei Finn terwijl hij de contactsleutel omdraaide en de motor sputterend tot leven kwam, 'jij bent werkelijk een heel vreemde man.'

'Nee,' zei Kozlowski, 'Ik heb het vooral heel erg koud.'

★★★

Onderweg stopten Finn en Kozlowski bij een restaurant in Charlestown om te lunchen. Kozlowski bestelde worst met aardappelpuree, en Finn een broodje zuurkool. Het eten was heerlijk, maar de bediening verliep nogal traag, en het was dan ook bijna twee uur toen ze de deur van het oude gebouw openduwden waarin ze allebei kantoor hielden. Finn had een aanbetaling op het pand gedaan met het geld van de royale gouden handdruk die hij had gekregen van de partners van Howery; Kozlowski betaalde een symbolische huur voor het gebruik van twee kamers achter in het gebouw.

'Jezus christus, waar hebben jullie gezeten?' riep Lissa Krantz toen ze door de voordeur naar binnen liepen. Finn moest nog steeds een beetje

wennen aan de manier waarop de vrouw haar conversatie met kracht-
termen doorspekte. Voor door de wol geverfde advocaten was het niet
ongebruikelijk om elke zin te kruiden met een paar pittige vloeken,
maar Finn vond het shockerend om te horen dat Lissa dat ook al deed.
Lissa was een kleine en nogal tengere vrouw van tweeëndertig die rechten studeerde aan Northwestern University, en haar ranke lijf werd op
en top in vorm gehouden door eindeloze uren op tredmolens en Stair-
Masters, terwijl haar donkerbruine haar en olijfkleurige huid zorgvuldig
in model werden gehouden door regelmatige bezoeken aan dure
schoonheidssalons in Newbury Street. Bovendien was Finn er zeker van
dat haar schoenen en kleren bij elkaar meer gekost hadden dan zijn auto.
Ze werkte nu al acht maanden voor Finn als stagiaire, en omdat in die
tijd was gebleken dat ze over een formidabele wetskennis en fantastische
organisatorische vaardigheden beschikte, had Finn besloten dat hij maar
moest wennen aan dat gevloek van haar.

'We hebben geluncht. Dank je wel voor de belangstelling,' antwoordde hij. 'Hoezo? Heb je ons gemist?'

'Ik mis jullie altijd.' Ze liet haar ogen knipperen in een nadrukkelijk
overdreven flirt. Kozlowski gaf haar een knikje, liep zijn eigen kantoor
binnen om daar zijn jas op te hangen en sloeg de deur achter zich dicht.

'Heb je weer een probleem met je contactlenzen?' vroeg Finn.

'Ik probeer gewoon een beetje verlegen te doen.'

'Probeer het maar een beetje meer. Ik ben al bezet.'

'Wonder Woman in Washington zeker? Leuk voor je. Dat lijkt me
echt een verdomd fijne relatie. Ik werk hier nu al acht maanden, en ik
heb het mens nog geen enkele keer gezien.'

Finn voelde zijn maag samentrekken en tuurde nadrukkelijk naar de
post die op zijn bureau lag. 'Maar toch ben ik bezet.'

'Zoals ik al zei: leuk voor je. Het is erg verwaand van je om ervan uit
te gaan dat jij degene bent naar wie ik stond te lonken. Je bent mijn type
niet.'

Finn keek op van zijn post. Hij wees naar zichzelf, hield toen zijn
hoofd schuin en wees met zijn vinger naar de deur van Kozlowski's kantoor. 'Dat geloof ik niet,' zei hij. 'Dat is toch zeker een geintje?'

Ze haalde haar schouders op. 'Sommige vrouwen vallen nou eenmaal
op oudere mannen.'

'Ja, maar hij is geen gewone man. Hij is een of ander soort prehisto-
risch schepsel dat de politie enkele tientallen jaren geleden in bevroren
toestand heeft aangetroffen in een gletsjer binnen de poolcirkel, en die
weer tot leven is gebracht om het op te nemen tegen de boeven van
Boston.'

'Hou op, dat doe je alleen maar om me op te geilen. En bovendien, littekens zijn sexy.'

'Begrijp me niet verkeerd: op dit moment is Kozlowski de beste vriend die ik heb, als ik hem tenminste een vriend mag noemen, en als ik dacht dat kogels hem konden deren, zou ik zonder meer bereid zijn een kogel voor hem op te vangen. Maar Kozlowski en een flirt? Dat gaat niet samen.

'Gelul,' zei Lissa en ze keerde zich naar haar bureau toe, tilde er een stapel papier van af en dumpte die op Finns bureau. 'Hier is de research waar je om had gevraagd.'

'Nu al klaar? Dat is snel.'

Ze trok haar wenkbrauwen op. 'Had je dat dan niet verwacht?' Ze liep terug naar haar bureau en draaide zich toen snel weer om. 'Ga je die vent werkelijk als cliënt nemen? Heb je enig idee hoe lastig het is om een veroordeling door een jury in een strafzaak ongedaan te maken?'

'Nee, eigenlijk niet. Daarom wilde ik dat jij daar wat research naar deed.'

'En dat heb ik gedaan. Het is echt verdomde moeilijk. Je moet zien aan te tonen dat er sprake is van manifest onrecht. Besef je hoe verdomde moeilijk het is om manifest onrecht aan te tonen?'

'Echt verdomde moeilijk?'

Kozlowski kwam zijn kantoor weer uit. Lissa keek hem aan. 'Ben jij het eens met wat de baas gaat doen?'

'Hij is mijn baas niet,' zei Kozlowski.

'Best,' zei ze. 'Wie ben ik om te klagen? Volgens mij ben ik hier in dit pand veruit de grootste progressieveling. Ik had jullie twee gewoon niet ingeschat als het soort mensen dat het graag opneemt tegen windmolens.'

Finn keek eerst naar Lissa, toen weer naar Kozlowski en trok zijn wenkbrauwen op. 'Volgens mij zitten we vandaag allemaal vol verrassingen.'

'Sodemieter op jij,' zei Lissa.

'Meer zeg ik niet.'

'Jezus christus, en meer zeg ík niet.'

Finn begon zijn post door te bladeren. 'Je zou eigenlijk een beetje voorzichtiger moeten zijn als je de naam van andermans Heer ijdel gebruikt. Stel je voor dat ik moslim was, zou je het dan leuk vinden als ik de naam van Mozes in de mond nam?'

'Mozes komt uit het oude testament en hoort dus officieel bij ons allebei, dus dat zit waarschijnlijk wel goed.'

Finn maakte een brief open. 'Barbara Streisand dan?'

'Pas op jij!'

'Zie je wat ik bedoel?'

'Best. Zolang als je maar begrijpt dat je je hiermee echt een enorme berg moeilijkheden op de hals haalt, en bij "berg" zou ik dan maar aan een soort van Mount Everest denken. Ik heb elke zaak doorgenomen waarin Cavanaugh om heropening is gevraagd. Hij heeft in twaalf zaken uitspraak gedaan over iets dergelijks. En moet je eens raden hoe vaak hij aanvullend bewijsmateriaal heeft toegelaten.'

'Dat wil ik zeker niet weten, hè?'

'Precies. Nada. Nooit.'

'Het is maar goed dat dertien mijn geluksgetal is.'

'Dat kan het maar beter zijn ook.' Ze pakte haar tasje. 'Ik ga even iets te eten halen. Sommigen van ons hier hebben geen kans gezien om lekker uitgebreid te lunchen. Ik kom nog wel terug... als jullie mazzel hebben.'

De deur viel met een klap achter haar in het slot toen Finn de stapel papier oppakte die ze op zijn bureau had gelegd. 'Haar werk is goed,' zei hij na een korte stilte.

'Dat neem ik zonder meer aan,' zei Kozlowski. 'Maar toch zou ik maar uitkijken met dat mens.'

'Ik heb Linda, en dat weet je best.'

Kozlowski knikte sceptisch. 'Je hebt iets met haar gehad. Dat weet ik. Maar nu weet ik niet meer wat er daar nog van over is.'

'Ze is hier weggegaan omdat ze een baan kreeg in Washington, niet omdat ze bij mij wegging.'

Kozlowski stak zijn handen op. 'Ik wil hier niet bij betrokken raken. Toen ik dit kantoor huurde, heb ik je al gezegd dat ik niets te maken wil hebben met wat er tussen jullie tweeën voorvalt. Toen we allebei nog bij de politie zaten, is ze vijf jaar lang mijn partner geweest, dus je zult mij nooit zover krijgen dat ik partij tegen haar kies.'

'Wie zegt dat er partij te kiezen valt? Voor zover ik weet zijn we nog steeds samen.'

'Wanneer heb je haar voor het laatst gesproken?'

'Ze heeft gisteravond gebeld,' gaf Finn toe.

'Heb je opgenomen en ook echt met haar gepraat?'

Finn schudde van nee. 'Maar ik heb er wel over gedacht.'

'Je hebt erover gedacht? Echt waar? Dat lijkt me een relatie met een stevige basis.'

'We komen er wel uit.'

'Prima. Als ik jou was zou ik toch maar niets met je stagiaire beginnen voordat je erachter komt hoe je tegenover Linda staat.'

'Bedankt voor de goede raad, maar ik ben niet degene die dat risico loopt met haar.' Finn wierp de privédetective een boosaardige glimlach toe.

Kozlowski lachte. 'Hoe oud is ze nu? Halverwege de twintig? Ik zou haar vader kunnen zijn.'

'Ze is begin dertig. Je bent nog maar net oud genoeg om haar foute oom te kunnen zijn.'

'Goed om te weten. Ik zal het in gedachten houden.'

'En bovendien is ze misschien wel op zoek naar een vaderfiguur.'

'Als dat zo is, dan denk ik toch dat ze eerder een aantrekkelijke bankier met een grote nieuwe Mercedes op het oog heeft, en niet een of andere verlopen oud-politieman met een tien jaar oude Lincoln. Ik weet heel zeker dat ik wel veilig ben.'

Finn haalde zijn schouders op. 'Je weet maar nooit, hè?'

6

Woensdag 12 december 2007

De edelachtbare John B. Cavanaugh was achtenzeventig en had last van zijn rug en van opgezwollen kniegewrichten, zodat het moeilijk voor hem was om lang achter elkaar te blijven zitten. Tijdens rechtszittingen had dat ertoe geleid dat zijn toch al prikkelbare stemming inmiddels was uitgegroeid tot een vrijwel permanente staat van dodelijke irritatie. Alle geduld waarover hij als jongeman had beschikt, was allang opgebruikt. Zijn een meter negentig lange lijf was altijd indrukwekkend geweest, en zijn lichtgekromde bovenrug versterkte de indruk dat hij voortdurend neerkeek op de advocaten die voor hem verschenen – een indruk die in de meeste gevallen terecht was.

Op dat moment richtte hij al die neerbuigendheid op Finn en Dobson, die voor hem zaten. Finn begon zich af te vragen of zijn besluit om Salazar te vertegenwoordigen misschien wat overhaast was geweest.

'Heren,' zei Cavanaugh langzaam, terwijl hij heen en weer keek tussen Finn en Dobson aan de ene kant, en de adjunct-officier van justitie Albert Jackson aan de andere. Finn kende Jackson goed van de verschillende criminele zaken die de man in het verleden had gedaan, en hij mocht hem graag. De adjunct-officier was bijna een meter tachtig lang, maar woog ook nog bijna honderddertig kilo. Hij werd daar vaak mee gepest, maar kon er goed tegen, en hij was een van de betere juristen van het Openbaar Ministerie.

Cavanaugh schraapte zijn keel voordat hij vervolgde: 'Ik heb het verzoekschrift gelezen, en ook het verweer van het OM, maar ik ben bereid uw argumenten aan te horen. Meneer Finn, dit is uw verzoek; bent u bereid ons verder te leiden?'

'Dank u wel, edelachtbare,' zei Finn en hij stond op. 'Zoals u zich bewust bent, zijn we hier vandaag aanwezig met het verzoek om een rechterlijk bevel aan de officier van justitie om wat huid- en bloedmonsters aan ons over te dragen. Het gaat hierbij om de huid- en bloedmonsters die zijn aangetroffen onder de nagels van agent Madeline Steele op de avond waarop ze is aangevallen. We hebben er alle vertrouwen in dat

DNA-onderzoek van deze monsters duidelijk zal aantonen dat onze cliënt niet degene was die agent Steele heeft aangevallen.'

'Werkelijk, meneer Finn? Hebt u daar alle vertrouwen in?' Cavanaugh leunde voorover. 'En waarop is dat vertrouwen van u gebaseerd? Naar ik heb begrepen, omvatte het bewijsmateriaal dat tijdens het proces is voorgelegd, positieve identificaties, zowel door middel van een ooggetuigenverklaring van het slachtoffer zelf als door middel van vingerafdrukken. Waar komt dat vertrouwen van u dan zo plotseling vandaan?'

'Nou, edelachtbare, het feit dat het OM zich tegen dit verzoek verzet bijvoorbeeld. Als meneer Salazar werkelijk schuldig is, kan het door ons opgevraagde bewijsmateriaal zijn schuld alleen maar aantonen. Waarom zou het Openbaar Ministerie er dan zo tegen gekant zijn dat er een DNA-onderzoek wordt uitgevoerd? Bovendien heeft meneer Salazar een alibi. Ten tijde van de aanval verleende meneer Salazar, die in zijn eigen land arts is geweest, medische zorg aan een vrouw die destijds in dezelfde straat woonde als hij. Een getuige die dat alibi kan bevestigen, is bereid om ter zitting een verklaring af te leggen. Dientengevolge is het onmogelijk dat meneer Salazar degene is geweest die agent Steele heeft aangevallen. Het Openbaar Ministerie beschikt over bewijsmateriaal aan de hand waarvan duidelijk en eenduidig zou kunnen worden vastgesteld of onze cliënt schuldig of onschuldig is. Het is dus in het belang van de rechtsvinding, en ik vind het erg lastig om een reden te bedenken waarom dit bewijsmateriaal niet zou worden vrijgegeven.'

Cavanaugh liet dat tot zich doordringen. 'Meneer Jackson?'

Albert Jackson stond op. 'Ja, edelachtbare. Wat meneer Finn niet begrijpt, is dat meneer Salazar al een eerlijk proces heeft gekregen, en dat hij tijdens dat proces alle kans heeft gehad om zijn onschuld aan te tonen. Onze weigering om alsnog aanvullend bewijsmateriaal toe te laten, is niet gebaseerd op ook maar de geringste angst dat de verkeerde man zich in de gevangenis bevindt. Dat meneer Salazar schuldig is, is zelfs al definitief bevestigd door een jury van twaalf gezworenen. Een noodzakelijk kernprincipe van ons rechtsstelsel is dat met een jurybesluit een zaak definitief is afgedaan. Als we dat principe verlaten, zou het hele systeem bezwijken onder de last van alle herzieningen.'

Cavanaugh ging wat meer rechtop zitten; hij had duidelijk veel last van zijn rug. Hij keek neer op Finn. 'Ik moet zeggen, meneer Finn, dat ik na lezing van de documenten geneigd ben met het Openbaar Ministerie mee te gaan. Ik zie niets buitengewoons aan deze zaak, en als ik zou toelaten dat uw cliënt nogmaals de kans krijgt om zijn verdediging te voeren, hoe zou ik diezelfde gelegenheid dan kunnen onthouden aan willekeurig welke andere veroordeelde die de rechtszaal binnen stapt met een soortgelijk verzoek?'

'Ten eerste, edelachtbare, is deze zaak niet hetzelfde als willekeurig welke andere zaak. We hebben een getuige die bereid is om het alibi van meneer Salazar te bevestigen.'

'En waar was die getuige vijftien jaar geleden dan, toen meneer Salazar terechtstond? Ik neem aan dat de beklaagde zich destijds toch ook wel bewust is geweest van de identiteit van degene die zijn alibi kon bevestigen. Of zie ik dat verkeerd?'

'Nee, edelachtbare, dat ziet u niet verkeerd, maar vijftien jaar geleden was de getuige bang om voor de rechter te verschijnen. Ze bevond zich destijds illegaal in ons land en was bang om uitgezet te worden. Sindsdien is ze echter genaturaliseerd tot Amerikaans staatsburger en daarom is ze niet langer bang om een getuigenverklaring af te leggen.'

'Meneer Finn,' zei Cavanaugh hoofdschuddend, 'een soortgelijke bewering zou waarschijnlijk verzonnen kunnen worden door elke andere veroordeelde die zich op dit moment achter de tralies bevindt. Het lijkt me nog steeds dat ik een precedent zou scheppen voor iedereen die in de gevangenis zit en die beweert dat DNA-onderzoek hem vrij zou pleiten.'

'En wat zou daar zo slecht aan zijn?' vroeg Finn abrupt. Hij was niet van plan geweest om op dit niveau de confrontatie aan te gaan, maar het kwam er gewoon uit, en hij zag de uitdrukking op het gezicht van de rechter harder worden toen zijn gezag op deze wijze werd aangevochten. Finn kwam in de verleiding om terug te krabbelen, maar waarschijnlijk had hij toch niets meer te verliezen. 'Als mensen onschuldig gevangen zitten, is het dan niet onze verantwoordelijkheid om dat duidelijk en eenduidig vast te stellen? We vragen de staat niet om ook maar een cent aan dit onderzoek uit te geven, en bovendien gaat het om een type onderzoek dat ten tijde van meneer Salazars veroordeling in Massachusetts nog niet eens als bewijsmateriaal werd toegelaten. DNA-onderzoek is inmiddels in honderden zaken gebruikt om de onschuld van ten onrechte veroordeelden te bewijzen. Ik zie geen reden waarom het Openbaar Ministerie verzet zou moeten bieden tegen de gelegenheid om voor eens en altijd duidelijk vast te stellen dat iedereen die zich in hechtenis vindt daadwerkelijk schuldig is, en al helemaal niet als het de staat zelf geen cent kost.'

'Meneer Jackson?' zei Cavanaugh uitnodigend.

'Geen cent kost?' zei Jackson minachtend. 'Het OM dient dan te reageren op al die onzinnige voorstellen. Alleen deze hoorzitting kost de staat al duizenden dollars aan arbeidsloon voor mij en voor u, edelachtbare.'

'Daar heeft Jackson gelijk in,' zei Cavanaugh tegen Finn. 'En bovendien, uw cliënt is veroordeeld op basis van de verklaring van een ooggetuige en vingerafdrukken. Hoe verklaart u dat?'

'Ten eerste, edelachtbare, wat de kosten die de staat hiervoor dient te maken betreft, de enige kosten waarover meneer Jackson en zijn bazen bij het OM zich werkelijk zorgen maken, zijn de kosten van een civiele procedure als blijkt dat meneer Salazar ten onrechte is veroordeeld. Wat het andere belastende bewijsmateriaal betreft: er is herhaaldelijk aangetoond dat verklaringen van ooggetuigen het minst betrouwbare bewijsmateriaal vormen waarvan het Openbaar Ministerie zich kan bedienen. We verzoeken tevens om vrijgave van de vingerafdrukken die als bewijsmateriaal zijn gebruikt, zodat we die eveneens aan een onderzoek kunnen laten onderwerpen. Maar zoals u heel goed weet, is de analyse van vingerafdrukken bepaald geen exacte wetenschap. DNA-analyse daarentegen is voor negenennegentig procent betrouwbaar gebleken.'

'Edelachtbare!' protesteerde Jackson, 'gaan ze nu proberen om de hele zaak opnieuw te laten doen?'

'Niet zo melodramatisch, meneer Jackson,' zei Cavanaugh spottend. 'Dat is nergens voor nodig. Ik heb heel goed in de gaten wat er aan de hand is.'

Hij richtte zijn aandacht weer op Finn. 'U hebt me nog steeds geen enkele reden gegeven om te denken dat u niet zomaar iets aan het proberen bent. Ik zie niet in waarom wie dan ook hier zijn tijd mee zou moeten verdoen.'

'Edelachtbare, in de rechtbankverslagen staat nergens vermeld dat de verdediging ervan in kennis is gesteld dat er ten tijde van het proces DNA-materiaal beschikbaar was. Dat zijn we nog maar kort geleden te weten gekomen, en dat alleen al vormt een uitstekende rechtvaardiging voor deze hele exercitie.'

Cavanaughs ogen vernauwden zich. 'Wilt u daarmee suggereren dat het Openbaar Ministerie potentieel ontlastend bewijsmateriaal heeft achtergehouden, meneer Finn? Ik hoop dat u beseft dat dit een ernstige beschuldiging is.'

'Dat wil ik inderdaad suggereren, edelachtbare.' Finn had besloten alles op alles te zetten. 'Laat ik daar wel meteen aan toevoegen dat we voorlopig niemand beschuldigen van een ambtsmisdrijf. Maar het DNA-bewijsmateriaal is afkomstig van de vingernagels van het slachtoffer. Toen agent Steele werd aangevallen, heeft ze zich heftig verzet en kennelijk heeft ze haar aanvaller daarbij ernstig gekrabd. Er zijn bloed en stukjes huid onder haar vingernagels weggehaald. Dat feit is nooit bekendgemaakt aan de verdediging, terwijl dat toch ontlastend bewijsmateriaal had kunnen zijn. Alleen al op die gronden zou goed te verdedigen zijn dat meneer Salazar recht heeft op een nieuw proces. Maar zover zijn we op dit moment nog niet. We willen alleen maar dat het DNA-materiaal wordt onderzocht.'

'Het was geen ontlastend bewijsmateriaal, edelachtbare,' zei Jackson snel. 'Toen de officier erachter kwam dat dit materiaal niet aan de rechtbank was voorgelegd, is er onderzoek naar gedaan. Het paste bij de bloedgroep van meneer Salazar.'

'O-positief, edelachtbare,' zei Finn. 'De meest voorkomende bloedgroep. En bovendien heeft het Openbaar Ministerie destijds geen DNA-onderzoek laten doen.'

'Dit is schandalig,' zei Jackson boos. 'DNA was destijds nog niet eens toegelaten als bewijsmateriaal, zoals meneer Finn zojuist al heeft opgemerkt. En het bloed en de stukjes huid van onder de vinger nagels van agent Steele zijn door het Openbaar Ministerie nooit aan de rechtbank voorgelegd als bewijsmateriaal!'

'Precies,' zie Finn. 'Degene die agent Steele heeft aangevallen, wie dat ook mag zijn, moet duidelijk zichtbare schrammen op zijn huid hebben gehad, en nergens is vermeld dat op het lichaam van meneer Salazar dergelijke schrammen zijn aangetroffen ten tijde van zijn arrestatie. Had de verdediging geweten van het bloed en de huid onder Steeles vingernagels, dan had men die discrepantie onder de aandacht van de jury kunnen brengen.'

'Misschien heeft de politie nooit naar schrammen gezocht,' opperde Jackson.

Dat was een fout. Hiermee had Jackson een gat in zijn verdediging laten vallen. Nu had Finn een schot voor open doel. Zowel Finn als Cavanaugh keken de officier met opgetrokken wenkbrauwen aan. 'Edelachtbare,' zei Finn op een rustige en redelijke toon, 'kunt u zich iets absurders voorstellen? Een agent wordt aangevallen en neergeschoten, en de politie maakt geen gebruik van al het beschikbare bewijsmateriaal om haar aanvaller veroordeeld te krijgen? Als het onderzoek inderdaad zo slordig verricht is, zou dat alleen al een goede reden zijn om het vonnis aan te vechten. Er zijn te veel open vragen. De antwoorden daarop vormen het enige waar wij op uit zijn en het DNA-materiaal waarover het Openbaar Ministerie beschikt, zou daar antwoorden op kunnen verschaffen.'

Cavanaugh staarde zwijgend voor zich uit.

'Edelachtbare,' begon Jackson, maar Cavanaugh stak zijn hand op.

'Stil, meneer Jackson. Tenzij u denkt dat u een goede reden kunt geven voor het feit dat de politie tijdens het proces niets over die schrammen heeft gezegd.' Jackson hield zijn mond. Cavanaugh leunde onge-makkelijk achterover in zijn grote zwartleren stoel, tuurde eerst even naar het hoge plafond van de rechtszaal en keek toen op Finn neer. 'Ge-feliciteerd, meneer Finn, u hebt mijn nieuwsgierigheid weten te prikke-len. U krijgt uw DNA-monster.'

'Edelachtbare!' protesteerde Jackson.

'Rustig nou maar, meneer Jackson. Voor u heb ik ook goed nieuws.' En tegen Finn ging hij verder: 'Ik ben niet helemaal gerust op de deug-delijkheid van het bewijsmateriaal. Het zou heel goed kunnen dat het inmiddels te oud of te verontreinigd is om nog bruikbaar te zijn. Ik zou niet willen suggereren dat de staat Massachusetts de taak heeft om al het bewijsmateriaal van alle rechtszaken die hier ooit gevoerd zijn, voor on-bepaalde tijd in onberispelijke toestand te bewaren. Daarom geef ik u weliswaar toegang tot alles wat nog beschikbaar is, maar ik zeg u daar-mee op geen enkele wijze toe dat ik uitsluitend en alleen op basis van de resultaten van dit DNA-onderzoek opdracht zal geven tot een nieuw proces.' Hij leunde voorover en keek Finn strak aan. 'Hoe lang gaat dat DNA-onderzoek duren?'

Finn had geen idee. Hij keek Dobson vragend aan. 'Het onderzoek zelf duurt een dag of twee, maar het laboratorium heeft een wachtlijst. Een week of twee, als we haast maken, edelachtbare,' zei die.

'Uitstekend heren, dan geef ik u twee weken.' De rechter keek in zijn agenda. 'De volgende hoorzitting zal plaatsvinden op maandag 24 de-cember, de dag voor kerst. Ik neem aan dat u tegen die tijd wel een paar redelijke antwoorden voor me zult hebben. Een van u gaat dat dan een fraai kerstcadeau opleveren.' Hij keek Finn opnieuw strak aan. 'Ik wil er zeker van zijn dat ik heel duidelijk ben geweest, meneer Finn. DNA-onderzoek alleen is in mijn rechtszaal niet voldoende. Tenzij u me een of andere verklaring kunt geven voor het feit dat de vingerafdrukken van uw cliënt op het dienstwapen van agent Steele zijn aangetroffen, en waarom de verklaring van de ooggetuige er was tegen meneer Salazar, blijft uw cliënt in de gevangenis.'

7

Finn en Dobson stonden in de gang naast de rechtszaal op de lift te wachten. Ze keken elkaar niet aan.

'In ieder geval hebben we het DNA-materiaal,' zei Dobson.

'Ja,' zei Finn. 'Een pyrrusoverwinning is altijd nog beter dan een nederlaag, neem ik aan.'

'Je weet maar nooit. We hebben nog twee weken om te zien wat we kunnen vinden.'

Finn keek de jonge advocaat ongelovig aan. 'Het is toch zeker een geintje? Hoor eens, Dobson, je lijkt me een geschikte kerel en ik weet zeker dat je het heel opwindend vind om hier "voor gerechtigheid te strijden" of wat je ook denkt dat we hier aan het doen zijn, maar je moet nu echt weer met beide benen op de grond komen te staan.'

'En wat bedoel je daarmee?'

'Daar bedoel ik mee dat we zojuist verloren hebben en dat er vrijwel geen kans meer is dat Salazar wordt vrijgelaten. Heb je gehoord wat Cavanaugh zei?' Finn gebaarde met zijn gestrekte duim over zijn schouder naar de rechtszaal achter hem. 'Hij zei dat zelfs als het DNA in die monsters niet van Salazar afkomstig blijkt te zijn, hij nog steeds geen opdracht zal geven voor een nieuw proces. Tenzij we agent Steele zover zien te krijgen dat ze haar getuigenverklaring intrekt, én we met een redelijke verklaring komen voor het feit dat Salazars vingerafdrukken op Steeles dienstwapen zijn aangetroffen, blijft die cliënt van jou tot aan zijn dood achter de tralies zitten. En weet je? Dat gaat ons niet lukken.'

'En dus geef je dan maar gewoon op?'

'Weet jij soms iets beters?'

'Reken maar. We beginnen ons eigen onderzoek. We kammen dat hele dossier uit en dan zien we wel wat we te weten komen. We hebben nog twee weken de tijd, en als we hier genoeg tijd aan besteden, wie weet wat we dan vinden.'

'Dat weet ik wel, Mark. Dan vinden we helemaal niks. En intussen stapelen de rekeningen zich zo hoog op dat ik waarschijnlijk mijn praktijk zal moeten sluiten. Want weet je wat het probleem is? Ik heb geen grote advocatenfirma achter me die bereid is om me een paar weken door te betalen vanwege mijn goeie bedoelingen. Ik moet werken voor de kost, en dat betekent dat ik betalende cliënten nodig heb. Om maar te zwijgen van het feit, en dat zeg ik niet lichtvaardig, dat hij waarschijnlijk toch schuldig is.'

Dobson leek van zijn stuk gebracht. 'Wie is er toch schuldig?'

'Salazar.' Finn kon zien dat Dobson alleen de suggestie al kwetsend vond. 'Het spijt me dat ik degene ben die dit moet zeggen, Mark, en neem nou maar van mij aan dat ik die vent maar al te graag zou willen geloven, maar de realiteit is nou eenmaal dat hij het waarschijnlijk gewoon gedaan heeft.' Finn leunde voorover en drukte met zijn duim een paar keer op de liftknop.

Dobson stond hem vol ongeloof aan te gapen. 'Waarom heb je dan de moeite genomen om hier vandaag naartoe te komen?' vroeg hij. 'Waarom heb je hier dan tijd aan besteed?'

Finn dacht even na. Het antwoord was hem zelf eigenlijk niet duidelijk. Uiteindelijk haalde hij zijn schouders op. 'Ik weet het niet. Ik heb het zwaar gehad in mijn jeugd en ik had best achter de tralies kunnen belanden. Misschien vind ik het een prettige gedachte dat als het zover gekomen zou zijn, er iemand naar me geluisterd zou hebben. Misschien is die Salazar wel zo'n goeie verhalenverteller dat ik hem zelfs een beetje ben gaan geloven.' Hij tuurde naar zijn schoenen en schudde zijn hoofd. 'Of misschien had ik gewoon zin om een paar dagen tegen windmolens te vechten.'

De deur schoof eindelijk open en de twee mannen stapten de lift in. 'Je doet maar wat je niet laten kunt,' zei Dobson uitdagend. 'Maar ik laat deze zaak niet schieten. Dat kán ik niet.'

'Ik bewonder je vastberadenheid,' zei Finn. 'Maar dat kan ik niet zeggen over je beoordelingsvermogen.'

'Wil je één ding voor me doen?' vroeg Dobson. Finn keek hem afwachtend aan. 'Wacht nog even met je briefje aan de rechter dat je je uit deze zaak terugtrekt. Geef me één week. Dan weet ik wel iets te vinden, wat dan ook. Beloof je dat je daarnaar kijkt voordat je een definitief besluit neemt?'

Finn vond het erg verleidelijk om nee te zeggen, om deze hele zaak gewoon achter zich te laten en verder te gaan. Maar Dobson was zo wanhopig en gaf duidelijk zo veel om deze zaak, dat het net zoiets zou zijn als een jong hondje een schop geven, en tegenwoordig was Finn er de man niet meer naar om jonge hondjes te schoppen. En trouwens, wat maakte het nou uit om een weekje te wachten? Hij drukte op de knop voor de begane grond. 'Best,' zei hij. 'Ik geef je een week.'

'Dank je wel,' zei Dobson opgelucht. Finn benijdde hem om zijn optimisme.

Ze stonden naast elkaar, met hun gezicht naar de opening terwijl de deuren met een krakend geluid dichtschoven. Net voordat de deuren elkaar raakten, werd er een dikke hand met ongewassen, stompe vingers tussen geduwd die ze weer opengetrokken.

'Sorry,' gromde de eigenaar van de hand terwijl hij de lift binnen stapte. Hij was ongeveer net zo lang als Finn, maar een heel stuk ouder, en zijn dikke bierbuik puilde over zijn broeksriem. Het weinige haar dat hij nog over had, was zilvergrijs van kleur en heel kortgeknipt, en zijn pak zag eruit alsof hij het had gekocht toen hij minstens tien kilo minder woog. Hij hield een dossiermap onder zijn arm.

Terwijl hij zijn dikke lijf de nauwe ruimte binnen wurmde en daarbij dichter bij Finn ging staan dan nodig was, nam de man hem ongegeneerd op. Het gaf Finn een ongemakkelijk gevoel en hij was bijna opgelucht toen de kerel iets zei. 'Ben jij Finn?'

'Ja,' zei Finn. 'Ik ben Scott Finn. Kennen we elkaar?' En hij stak de man zijn hand toe.

De man keek naar de hand, maar drukte die niet. 'Nee, we kennen elkaar niet.' Hij boog zich nog dichter naar Finn toe en nam hem met samengeknepen ogen op. 'Weet je wel zeker dat jij Finn bent? Ik had een groter iemand verwacht.'

'Nou, dan zult u wel teleurgesteld zijn. Wat kan ik voor u doen?'

De man bleef hem strak aankijken. 'Ja, ik zou gedacht hebben dat jij een heel stuk groter was. Ik bedoel, als je een vent gaat verdedigen die iemand van de politie heeft neergeschoten, moet je volgens mij wel een hele piet zijn. Ik had niet gedacht dat zo'n mager mannetje als jij het prettig zou vinden om de politie bij zoiets dwars te zitten.'

Finn voelde dat zijn hoofdhuid begon te prikken, net als vroeger in zijn jeugd in de straten van Boston als iemand hem had uitgedaagd. 'En u bent?'

'Macintyre. Mijn vrienden noemen me Mac. Zeg jij maar rechercheur.'

'Aangenaam, rechercheur.' Finn glimlachte zonder enige warmte. 'Kan ik u ergens mee van dienst zijn bij deze zaak?'

Macintyre bleef hem strak aankijken. Zijn oogjes waren klein en donker. 'Nee,' zei hij. 'Ik dacht dat ik misschien wel iets voor je zou kunnen doen. Iets wat je misschien een heleboel tijd en narigheid kan besparen.'

'Nou, zoiets kan ik altijd gebruiken,' zei Finn. 'Over het algemeen ben ik helemaal vóór alles wat me tijd en narigheid kan besparen.'

'Blijf uit de buurt van die Salazar,' zei Macintyre. Zijn stem klonk nu zacht en raspend. 'Het is het niet waard.'

'Bedankt voor de goede raad,' zei Finn. 'Die is echt heel nuttig. Ik zal er rekening mee houden.'

Macintyre prikte met zijn vinger in Finns middenrif. 'Ik méén het. Die vent deugt niet.'

Hij stak zijn hand onder zijn arm en hield Finn het dossier voor. 'Ik mag je dit eigenlijk helemaal niet laten zien, maar vijftien jaar geleden hielden we die vent in de gaten. Heb je wel eens gehoord van de VDS? Die straatbende?'

Finn keek Dobson snel even aan. 'Ja, die naam komt me bekend voor.'

'Geteisem was het. Echt hele nare klootzakken. Dat zijn die lui die een paar jaar geleden dat invalide meisje hebben verkracht op Porter Square, en die Salazar van jullie was een van hun leiders hier in Boston. We hebben nooit genoeg bewijsmateriaal bij elkaar weten te krijgen om een vervolging tegen hem in te stellen, maar hij was de spin in het web. Dus hij heeft niet alleen iemand van de politie neergeschoten, maar hij is ook verantwoordelijk voor een heleboel andere shit.' Macintyre sloeg het dossier open. 'Kijk maar eens. Je mag het niet houden, maar ik wilde je toch even laten weten wie je probeert vrij te krijgen.'

Finn keek de eerste bladzijde even door en zag daar een reeks aantekeningen die zo te zien betrekking hadden op een aantal geheime observatieacties. Hij keek naar Dobson. 'Mark, laat ik je even voorstellen aan rechercheur Macintyre. Macintyre, dit is Mark Dobson. Mijn betrokkenheid bij deze zaak zal zeer minimaal zijn, rechercheur, als ik hier hoe dan ook al bij betrokken zal zijn. Degene die u op dit moment moet zien te overtuigen, is deze meneer hier.' Hij wees op Dobson en zag de angst op diens gezicht.

Macintyre keek heen en weer tussen de twee advocaten. 'Serieus?' vroeg hij. 'Je doet niet meer mee?'

'Ik doe niet meer mee,' zei Finn. 'Al gaat het nog een week duren voordat ik dat officieel bekendmaak. Onze jonge vriend Mark hier zal de leiding van dit onderzoek op zich nemen. Als u werkelijk van mening bent dat meneer Salazar geen tweede kans verdient, dan is meneer Dobson degene die u moet hebben.' Ze hadden inmiddels de begane grond bereikt en de liftdeuren schoven open. Finn gaf Dobson een schouderklopje. 'Dus die Salazar van jou was toch geen gewone dokter,' zei hij. 'Hij was leider van de VDS. Ik krijg een steeds hogere dunk van jouw beoordelingsvermogen, Mark. Veel geluk.' En hoofdschuddend liep hij weg.

'Finn,' riep Dobson hem na. Finn draaide zich om. Dobson liep achter hem aan, weg van Macintyre, zodat de politieman hem niet kon horen. 'Je hebt het mis over Salazar. En deze rechercheur hier ook. Geef me een week, en dan bewijs ik je dat.'

Finn knikte. 'Ik heb je een week tijd gegeven en ik ben een man van mijn woord. Maar verwacht niet te veel van jezelf. Hoe hard je ook je best doet, je kunt niet de hele wereld verbeteren.'

Finn liep weg. Toen hij de deur naar buiten had bereikt, trok hij zijn jas om zich heen en keek nog eens achterom. Macintyre was naar Dobson toe gelopen en de twee mannen bladerden aandachtig door het dossier dat de rechercheur mee had genomen. Finn duwde de deur open en stapte naar buiten. Soms wilde hij dat hij nog jong genoeg was om in wonderen te geloven.

8

Die avond liep Tom Kozlowski een rondje om de Boston Common. Dat werkte therapeutisch. Het sneeuwde licht, zodat de meer dan vijf centimeter dikke laag die zich sinds Thanksgiving had opgehoopt nog wat dikker werd en de laatste sporen van de herfst definitief werden uitgewist. Hij hield ervan om in december door Boston te zwerven. Als hij zich wat somber voelde, knapte hij daar altijd weer van op. En op dit moment zat hij wanhopig om zo'n opkikkertje verlegen.

Eerder die dag had Finn hem verteld dat ze zich niet langer met de zaak-Salazar zouden bezighouden, en nadat Kozlowski te horen had gekregen hoe hoog rechter Cavanaugh de lat voor hem had gelegd, kon Kozlowski daar eigenlijk niets meer tegen inbrengen. Als alleen het DNA-bewijsmateriaal voor Cavanaugh niet voldoende was om de man vrij te laten, was hij gewoon niet van plan zijn vrijlating zelfs maar te overwegen, en dat beseften Finn en Kozlowski maar al te goed. Er kon niet van Finn verwacht worden dat hij zonder enige kans op succes veel tijd en inspanning aan deze zaak zou gaan besteden, en zoals Finn tegen Kozlowski had gezegd: 'Ik zou ook niet van jou willen vragen om je tijd zo te verspillen.'

'Oké,' had Kozlowski gezegd. 'De beslissing is aan jou.' Dat was iets waarbij hij de laatste tijd wat al te vaak zijn toevlucht had gezocht: De beslissing is aan jou. Hoe had hij het zover kunnen laten komen? Daar stond tegenover dat hij zich opgelucht zou moeten voelen over het feit dat Finn de beslissing voor hen allebei had genomen. Waar zou het nou goed voor zijn om al die ouwe koeien uit de sloot te halen? Ze zouden er iemand verdriet mee doen: een vrouw om wie hij ooit veel gegeven had, een vrouw die hij in de steek had gelaten, een vrouw die het toch al zo afschuwelijk zwaar had gehad. Hij kon haar dat niet allemaal nog eens laten doormaken.

Maar ondanks dit alles kwam hij toch sterk in de verleiding om Finn te vertellen wat hij wist. Toen Finn hem uitlegde dat hij de zaak liet schieten, had Kozlowski zijn mond stijf dichtgehouden uit angst dat als hij zijn lippen ook maar even van elkaar zou halen, hij onmiddellijk het geheim zou verraden dat hij al die tijd had bewaard. En toen hij eindelijk zijn mond open had gedaan, was het enige wat eruit was gekomen zijn nieuwe mantra geweest: 'De beslissing is aan jou.'

Terwijl hij over het voetpad naast Beacon Street liep, bleef hij even staan, en keek neer op de al wekenlang dichtgevroren Frog Pond. De bomen hier waren afgezet met lampjes, en het schijnsel daarvan vermengde zich met de glinstering van de door de straatlantaarns beschenen sneeuwvlokken. Hij dwong zich om zijn malende gedachten even tot rust te brengen en bleef staan luisteren naar de stemmetjes van de kinderen die aan het schaatsen waren op de hel verlichte vijver onder hem. Hun vrolijke geroep had een hartverwarmende uitwerking op hem, al was het dan maar even.

Zijn eigen jeugd was heel anders geweest dan die van de kinderen naar wie hij nu stond te kijken. Hij was het kind van twee immigranten die waren gevlucht voor de communistische onderdrukking die in de jaren vijftig en zestig de geest van het Poolse volk bijna had verpletterd. Zijn ouders hadden echter naar Amerika weten te vluchten en in Boston een moeizaam bestaan voor zichzelf opgebouwd. In Boston was alle macht en bezit verdeeld tussen de Ieren, de Italianen en de nakomelingen van de oorspronkelijke Engelse kolonisten, de Brahmins, die samen de drie tektonische schalen vormden waar de stad op steunde. En de Polen werden vaak tot moes geperst in de diepe kloven tussen die verschillende schalen. In Polen was zijn vader een geschoolde staalarbeider geweest, maar in Boston was niemand bereid hem zo'n goedbetaalde baan te geven en dus hadden alle leden van het gezin uit werken moeten gaan. Tom Kozlowski had zijn eerste baantje gekregen toen hij zes jaar was en hij moest helpen bij het schoonmaken van de viskraampjes op de Northern Market, waar zijn moeder voor een paar cent per stuk jonge kabeljauw en schelvis verkocht. 'Als hij kan lopen, kan hij ook werken.' Hij hoorde het zijn vader nog zeggen, in zijn gebroken Engels, toen de eigenaar van het kraampje vroeg of het wel in de haak was om zo'n jong kind al aan het werk te zetten.

Toen zijn vader op zijn vijfenveertigste bezweek aan een hartkwaal – Koz was toen nog maar zeventien geweest – had iedereen getwijfeld of de familie dat zou overleven. De nacht nadat zijn vader was begraven, was Koz, die zelf nooit vroom was geweest, in de parochiekerk gaan zitten en had daar om raad gebeden, zodat hij zou weten wat hem te doen stond. Zijn gebed was verhoord in de vorm van een jonge kapelaan, wiens broer brigadier was bij de gemeentepolitie van Boston. Die broer had medelijden met Kozlowski gehad, en geregeld dat hij bij de politie kon gaan werken zodra hij achttien was geworden. Hoewel hij nooit voor honderd procent een ware gelovige was geweest, was Kozlowski sindsdien over het algemeen trouw gebleven aan de kerk van Rome. Wie was hij per slot van rekening om vragen te stellen bij een gebed dat zo prompt verhoord werd?

En in het kosmische spel van voor-wat-hoort-wat had zijn toewijding aan de politiemacht meer dan opgewogen tegen zijn tekortkomingen als katholiek. Voor hem was het motto van de Amerikaanse politie – 'Wij dienen en beschermen' – meer geweest dan alleen maar een motto; voor hem was het een roeping geweest. En telkens als het hem had dwarsgezeten dat al dat werk ten koste ging van zijn persoonlijke leven, was hij gaan kijken naar tafereeltjes zoals dat van die schaatsende kinderen op de vijver onder hem. Dat herinnerde hem eraan dat het aan zijn werk te danken was dat er een bepaald niveau van openbare veiligheid en onderling vertrouwen bestond waardoor kinderen konden genieten van een jeugd die hemzelf niet vergund was geweest, en dat had hem dan altijd wel voldoende geleken. Meer dan voldoende over het algemeen. Per slot van rekening kun je niet missen wat je nooit gehad hebt.

Maar toch deed die geruststellende gedachte vandaag onwerkelijk aan. De zaak-Salazar vrat aan hem. Finn had waarschijnlijk gelijk. De man was waarschijnlijk schuldig. Die beredenering had Kozlowski in ieder geval in staat gesteld zijn schuldgevoel vijftien jaar lang begraven te houden, maar nu was de aarde van het ondiepe graf ruw van zijn geweten geschopt, en het zag ernaar uit dat de rotting ook zijn ziel begon aan te tasten.

Hij keek nog een keer naar de kinderen, die in grote cirkels over het helverlichte ijs aan de voet van de heuvel zwierden, terwijl hun gelach en gejoel naar hem toe zweefde. En op dat ogenblik vroeg hij zich af hoe de lach van Rosita Salazar zou klinken. Hij probeerde die gedachte van zich af te zetten, maar dat lukte hem niet. Tegen zijn wil vroeg hij zich af hoe het moest zijn geweest voor haar om op te groeien zonder haar vader te kennen, en hoe het moest zijn geweest om blind door het leven te gaan. In de schaduw van die grimmige overpeinzingen lag de werkelijke vraag die hij al die tijd had ontweken: had hij hier goed aan gedaan?

Gekweld door die vraag duwde hij zijn handen diep in zijn jaszakken, draaide zich om en liep weg. Het was niet zijn schuld, hield hij zichzelf voor. Per slot van rekening was de beslissing niet aan hem geweest.

9

VRIJDAG 14 DECEMBER 2007

Finn had geen moment meer aan de zaak-Salazar gedacht. Per slot van rekening had hij rechter Cavanaugh zover weten te krijgen dat hij opdracht had gegeven om het DNA-materiaal vrij te geven voor onderzoek, en dat was geen geringe prestatie. Dat was wat hem gevraagd was en hij kon er natuurlijk ook niets aan doen dat de rechter duidelijk had gemaakt dat het er eigenlijk niet toe deed wat het DNA-materiaal allemaal aan het licht zou brengen, en dat hij niet van plan was om Salazar vrij te laten. Als Mark Dobson zich nog een paar weken wilde bezighouden met volstrekt zinloze bezigheden, moest hij dat zelf maar weten. Finn was een realist en hij had te veel andere dingen aan zijn hoofd.

In de rechtszaal was Finn altijd buitengewoon goed geweest, en als hij voor een jury kwam te staan, kon hij soms wonderen verrichten, maar hij had vreselijk het land aan de zakelijke kanten van een advocatenpraktijk. De administratieve krachttoeren die vereist waren om er zeker van te zijn dat rekeningen aan cliënten met enige regelmaat werden verstuurd, en vervolgens door de cliënten ook daadwerkelijk werden betaald; om ervoor te zorgen dat zijn eigen huisbaas en stroomleverancier zo tevreden met hem waren dat het licht bleef branden en de computers bleven zoemen, en om ervoor te zorgen dat Kozlowski, Lissa en hijzelf in ieder geval over een minimale ziektekostenverzekering beschikten, vergde meer van zijn vermogen om zich bezig te houden met lullige details dan hij werkelijk kon opbrengen. Hij had een parttime assistente die twee dagen per week op kantoor kwam om hem met het hele proces te helpen, maar dit was ongetwijfeld het ergste deel van eigen baas zijn. Bij zijn oude firma was hij alleen verantwoordelijk geweest voor het bijhouden van zijn declarabele uren; de firma had over hele afdelingen beschikt die zich uitsluitend bezighielden met het regelen van al die alledaagse pietluttigheden, maar destijds was het nooit werkelijk tot hem doorgedrongen wat een zegen dat was.

Die week was Finn vrijwel de hele donderdag en vrijdag druk met allerlei administratieve klusjes. Na wat onderhandelen besloot hij een paar cliënten die niet blij waren met de rekening, wat korting te geven;

hij controleerde of er geen rekeningen langer dan dertig dagen waren blijven liggen en was daarna twee uur bezig om ervoor te zorgen dat een duur stuk nieuwe software dat speciaal was ontworpen om hem efficienter te kunnen laten werken ook werkelijk iets deed. Aan het eind van de vrijdagmiddag was hij doodop en had hij eigenlijk geen zin meer om nog aan iets nieuws beginnen. In plaats daarvan bood hij aan om het eerste rondje te betalen bij O'Doul's.

'Klinkt goed,' had Lissa gezegd op dat aanbod. Een biertje sprak haar duidelijk meer aan dan het taaie onderzoek waar ze al de hele dag mee bezig was geweest.

'Koz!' riep hij.

'Wat?' Het klonk nogal bars, en Finn herinnerde zich weer dat de privédetective de afgelopen dagen in een bijzonder slecht humeur was geweest.

'We gaan een biertje drinken. Ik dacht dat je misschien wel mee zou willen, als je er tenminste in slaagt om nog een paar woorden uit te brengen.'

Kozlowski liep zijn kantoor uit en leunde tegen de deur. Het leek wel alsof hij tegenwoordig altijd met een diepe frons op zijn voorhoofd rondliep. 'Alleen meisjes drinken bier. Mannen drinken whisky.'

'Ik ben een meisje,' zei Lissa terwijl ze Kozlowski strak aankeek. De nadruk waarmee ze dat zei, was voor Finn maar al te duidelijk, maar leek volkomen langs Kozlowski heen te gaan.

'En hij kennelijk ook.' Kozlowski knikte naar Finn.

'Oooo,' zei Finn. 'Ik snap het. Ik drink bier... en dus ben ik een meisje. Dat is een goeie. Weet je, als ik in een rothumeur ben, ben ik in ieder geval nog grappig.'

'Nog?'

'Dat is al heel wat beter.' Finn pakte zijn jas. 'Waarom ga je niet mee? Ik trakteer wel op een whisky, en we zullen ons best doen om je niet te laten merken dat je met twee meisjes aan de bar zit, oké?'

Kozlowski schudde zijn hoofd. 'Ik kan niet. Ik heb nog wat werk te doen.'

'Weet je dat zeker?' drong Lissa aan. 'Hij trakteert op een whisky en ik zal mijn uiterste best doen om te laten zien dat ik een meisje ben.'

Hoe doorzichtig dat ook mocht zijn, Kozlowski had het nog steeds niet in de gaten. 'Straks,' zei hij. 'Misschien dat ik over een uurtje nog even kom.'

Hij liep zijn eigen kantoor weer in.

'Ja hoor.' Lissa zuchtte. 'Fuck.' Ze keek naar Finn. 'Fuck.' Ze zuchtte nog eens. 'Snap je wat ik bedoel? Ik bedoel...?'

'Ik weet het,' zei Finn. 'Fuck. Kom mee. Ik trakteer nog steeds.'

'Godsamme, natuurlijk trakteer jij nog steeds. Ik ga me laten vollopen.' Ze schudde vol ongeloof haar hoofd en pakte haar tasje.

'Klinkt goed,' zei Finn instemmend. 'Volgens mij heb ik jou nog nooit dronken gezien. Hoe ben je dan?'

Ze haalde haar schouders op. 'Niet heel anders dan nu. Al heb ik wel gehoord dat ik erg begin te vloeken als ik dronken ben.'

'Vergeleken waarmee?'

'In vergelijking met normaal, denk ik.'

Finn bleef staan en hield de deur voor haar open. 'Serieus?' En hij keek haar een beetje angstig aan.

'Godskolere.'

'Nee, serieus?'

'Kozlowski had gelijk,' zei ze minachtend. 'Je bent inderdaad een wijf.' Ze liep langs hem heen het donker in en hij liep haastig achter haar aan.

***

East Boston was een oord dat nooit echt bij Boston had gehoord. Het lag dicht tegen de internationale luchthaven Logan aan, troosteloos en eenzaam aan de overkant van de haven, door het water gescheiden van de binnenstad, Southie, Charlestown en alle andere delen van de stad die door nette mensen als onderdeel van de beschaving werden beschouwd. Er stonden voornamelijk lange rijen arbeidershuisjes zonder voortuin, en zoals bijna overal in Boston was daar in de loop der jaren een gestage maar wel voortdurend van samenstelling wisselende stroom immigranten doorheen gegaan. Het was begonnen met de Ieren, en verdergegaan met Italianen en Duitsers, maar de afgelopen jaren was er een nieuwe golf recente immigranten aangekomen die voor het grootste deel uit Azië en Zuid- en Midden-Amerika afkomstig waren.

Mark Dobson zat in zijn bmw325 tegenover de kerk van Saint Jude, een paar huizenblokken van het water en op niet meer dan een steenworp van de luchthaven. De ramen van het kerkgebouw waren dichtgespijkerd met grote platen hout, en de naam van de kerk, die was ontleend aan de beschermheilige van verloren zaken, leek hem dan ook nogal profetisch. De kerk was gebouwd in het begin van de vorige eeuw, met geld van de verarmde buurtbewoners, en had ooit aan de rand van de uiterwaarden hier gestaan en uitgekeken over de korte start en landingsbanen van de oorspronkelijke luchthaven, die waren aangelegd in het moerasland aan de rand van de haven.

In de loop der jaren was het gebied opgespoten en ontstonden er onder de invloed van de steeds groter wordende luchthaven overal grote opslagloodsen en industrieterreinen, die deze kleine buitenpost van het christendom nu aan alle kanten leken in te sluiten. De kerk had het heel lang weten vol te houden met de steun van haar parochianen, die geld gaven als ze zich dat konden veroorloven, en anders hun eigen zweet. In 2004 was het aartsbisdom Boston in grote financiële problemen geraakt als gevolg van mismanagement en de hoge schadevergoedingen die het moest uitkeren na een aantal verloren rechtszaken waarin geestelijken waren beschuldigd van pedofilie; en niet lang daarna was aangekondigd dat de kerk gesloten zou worden. Zakelijk gezien was dat een heel zinnig besluit. De bijdrage van de armen vormde onvoldoende economische rechtvaardiging voor het openhouden van de kerk, en er waren andere parochies in East Boston die onderdak konden bieden aan degenen die nog steeds regelmatig naar de kerk gingen. Boze buurtbewoners hadden gedemonstreerd en rechtszaken aangespannen, maar uiteindelijk hadden ze maar weinig kunnen bereiken en waren de deuren van de kerk gesloten. Nu stond het kerkgebouw eenzaam te wachten totdat het verkocht zou worden en zou worden verzwolgen door de wereldlijke belangen van de economische ontwikkeling. Dobson had geen idee wat hij hier uitspookte, maar dit was zijn enige aanwijzing en hij weigerde om Salazar te laten vallen. Nadat hij zoveel uit het dossier in zich had opgenomen als hij maar kon, was Dobson naar Billerica gereden om te horen wat zijn cliënt daarop te zeggen had. En zijn cliënt had daar iets over te zeggen gehad. Het was een verklaring die hij niet had verwacht en hij was er niet zeker van of hij het wel moest geloven. Maar hij kon dit niet laten rusten. Hij zou hiermee doorgaan tot het bittere einde, zelfs als dat wilde zeggen dat hij hier in deze verlaten straat naar deze verlaten kerk moest blijven kijken totdat hij was doodgevroren. Merkwaardig genoeg vond hij dat een opwindend idee. Hij had een paar jaar opgesloten gezeten in de bibliotheek van de firma, en daar alleen maar onderzoek gedaan en pleitinstructies opgesteld over beleggingstransacties en belastingkwesties, en het gaf hem een goed gevoel om weer eens in de echte wereld rond te lopen en echt werk te doen voor een cliënt van vlees en bloed.

Terwijl hij zat te glimlachen, begon hij te klappertanden, en hij trok zijn jas wat strakker om zich heen. Misschien was advocaat zijn toch wel wat hij met zijn leven wilde doen. En bovendien, zo dacht hij, van een beetje kou zal ik heus niet doodgaan.

★★★

Finn was nog steeds met zijn eerste biertje bezig toen Lissa haar tweede glas al neerzette. Ze dronk in het tempo van iemand die twee keer zo groot was als zij en leek er beter tegen te kunnen. Even overwoog Finn om geshockeerd te zijn, maar toen drong het tot hem door dat er inmiddels niet veel meer aan haar was wat hem nog zou kunnen verrassen.

'What the fuck?' zei ze terwijl ze hem aankeek en voorover ging hangen op haar barkruk. Ze stak haar hand op om nog een biertje te bestellen.

'Sorry, ik had niet in de gaten dat het een wedstrijd was,' zei Finn en hij pakte zijn glas, sloeg de laatste slok bier achterover, knikte naar de barkeeper en hield zijn glas op.

Ze schudde haar hoofd. 'Ik heb het niet over je drankgebruik, maar nu je het zegt, als je niet wilt dat de zoom van je rok in de modder hangt, dan kun je die misschien beter een eindje optrekken. Nee, ik ben gewoon nijdig op de Neanderthaler die bij jou in de achterkamer zit.

'Koz?'

'Nee, die andere, genie dat je bent.' Ze rolde met haar ogen, klemde haar elegante handje om een nieuw glas bier en goot een derde daarvan in haar keel. Toen ze het glas neerzette, veegde ze met de rug van haar hand over haar mond. Het was een fraai mondje, dacht Finn, ook al kwam er soms nog zulke gore taal uit. 'Ik bedoel, shit, what the fuck moet ik nou doen? Moet ik mezelf soms op die kerel storten?'

'Nog meer dan je al gedaan hebt, bedoel je?'

'Fuck you.' Ze keek hem woedend aan, maar toen stond ze op en trok haar trui en rokje strak tegen haar lijf. 'Kijk eens naar me,' zei ze. Ze stak haar armen omhoog om haar atletische rondingen beter te laten uitkomen.

Finn hield zijn hand voor zijn ogen. 'Volgens mij zou ik daarmee ik weet niet hoeveel wetten over de betrekkingen tussen werkgever en werknemer schenden.'

'Krijg de kolere jij, ik ga heus geen rechtszaak tegen je aanspannen. Ik heb je debiteurenrekening gezien, en dat is echt mijn tijd niet waard. Kijk nou maar gewoon naar me,' zei ze bevelend. 'Is er soms iets mis met me of zo? Ben ik lelijk?'

'Zeker niet,' zei Finn terwijl hij door tussen zijn vingers door tuurde.

Ze liet haar handen zakken en zette die op haar heupen, en liet die zachtjes heen en weer wiegen terwijl ze een verleidelijke Marilyn Monroe-pose aannam. Ze lachte en likte verleidelijk haar lippen. 'Zou je naar waarheid kunnen verklaren dat er ook maar één heteroseksuele man aan deze kant van Southport rondloopt die geen moord zou doen om hier dichtbij in de buurt te kunnen komen?'

Finn zag verschillende mannen aan de bar rusteloos bewegen terwijl ze naar haar keken. 'Nee, dat kan ik niet verklaren,' zei hij. 'Maar ik kan wél verklaren dat een paar andere mannen hier aan de bar eruitzien alsof ze op dit moment al een moord zouden willen doen om dicht bij je in de buurt te komen, en ik heb er weinig zin in om degene te zijn die ze straks uit de weg gaan ruimen om dat te bewijzen.'

Ze ging rechtop staan, plofte weer op de barkruk en liet haar schouders hangen. 'Dus wat is er dan mis met die stomme Tom Kozlowski? Waarom wil hij het niet eens met mij proberen?' Ze pakte haar biertje. En toen, alsof ze plotseling een inval kreeg, leunde ze naar hem toe en zei op vertrouwelijke toon: 'Hij is toch geen homo?'

Finn schrok zo van die gedachte dat hij zich verslikte en al hoestend een mond vol bier om zich heen sproeide, wat hem een geërgerde blik van de barkeeper opleverde. Terwijl hij met een servetje het bier van zijn gezicht veegde, begon hij zich af te vragen of hij straks de uitgang zou kunnen bereiken zonder dat iemand probeerde hem te grazen te nemen. 'Homo? Koz? Nee, hij is beslist geen homo.'

'Nou dan, verdomme!'

Finn legde een hand op haar schouder. 'Het heeft niets met je uiterlijk te maken,' zei hij geruststellend. 'Neem dat maar van mij aan. Het is gewoon zo dat Koz een negentiende-eeuwse man is die probeert zich te handhaven in een eenentwintigste-eeuwse wereld. Zeggen dat hij traditioneel ingesteld is, doet hem beslist geen recht. Eer, eerlijkheid en respect, en dan ook nog heel stoïcijns zijn daarover, daar gaat het bij hem allemaal om. Zo zit hij nou eenmaal in elkaar.'

'Dat weet ik,' zei Lissa instemmend. 'Dat is nou juist wat ik zo leuk aan hem vind. Hij is solide. Andere mannen proberen een beeld van zichzelf te scheppen, en als je ze dan werkelijk leert kennen, krijg je veel te laat in de gaten dat het allemaal niet meer is dan een soort luchtspiegeling. Als je met je hand zwaait, dan ga je daarmee dwars door het beeld heen dat ze van zichzelf hebben opgehangen. Maar Tom Kozlowski doet nooit alsof. Hij is helemaal authentiek.'

'Alsjeblieft, kunnen we hem niet Koz noemen? Als je hem Tom noemt, lijkt het net of dit gesprek werkelijk plaatsvindt.'

'Ik zeg alleen maar dat hij volgens mij precies is wie hij lijkt.'

'In werkelijkheid is hij nog veel meer zichzelf dan hij al lijkt,' zei Finn.

'Precies, maar wat doe ik dan verkeerd, godverdegodver?'

'Je moet begrijpen dat in zijn wereld bijna alles zwartwit is. Volgens mij werkt het bij hem echt wel op het "ik jongen, jij meisje"-niveau, maar ik weet niet zeker of hij wel weet wat hij van iemand als jij moet denken.'

'Wat bedoel je daar nou weer mee, verdomme? "Iemand zoals ik", dat is behoorlijk lullig van je.'

'Je weet precies wat ik bedoel. Je bent een intelligente, onafhankelijk ingestelde, moderne vrouw. En ik weet niet zeker of zijn hersenen erop berekend zijn om daarmee om te gaan.'

'Wie zei nou dat ik geïnteresseerd was in zijn hersenen?'

'Zie je wel. Dat is precies wat ik bedoel. Ik weet bijvoorbeeld helemaal niet zo zeker of hij wel toe is aan de gedachte dat een vrouw over een libido beschikt.'

Ze schudde van nee. 'Dat heb je mis. Een vrouw voelt zoiets gewoon. Daar is hij meer dan klaar voor.'

Finn haalde zijn schouders op. 'En dan is er natuurlijk je woordkeuze.'

'Jezus, waar héb je het over?'

'Precies.'

Ze liet een korte stilte vallen en Finn kon gewoon zien hoe ze in gedachten nog eens afspeelde wat ze zojuist had gezegd. Toen pakte ze haar bierglas en nam peinzend en slokje. 'Val dood jij. Volgens mij onderschat je hem.'

'Dat is al mijn hele leven het probleem,' zei een stem achter hen. 'De mensen onderschatten mij gewoon.'

Ze keken allebei om en Kozlowski kwam tussen hen in staan. Finn zag Lissa's gezicht wit wegtrekken. 'Koz,' zei hij. 'Hoe lang sta je hier al?'

'Ik kom net binnen. Hoezo? Hoelang hebben jullie al over me zitten roddelen?'

Lissa's witte gezicht werd op slag knalrood, en hoe ongemakkelijk dit moment ook was, het kostte Finn moeite om niet te lachen. 'Min of meer zolang als we hier zitten.'

'Echt waar? Is er iets belangrijks wat ik moet weten?'

'Nee hoor. We zaten ons gewoon af te vragen of je geen homo bent,' zei Finn. Lissa schopte hem hard tegen zijn schenen, zodat hij onwillekeurig een piepend geluid maakte.

'Dat zou je ongetwijfeld maar al te graag willen,' gromde Kozlowski tegen Finn, maar voor deze ene keer klonk hij goedgehumeurd, al moest je dan wel weten waar je naar moest luisteren.

'Ongetwijfeld,' zei Finn instemmend.

'Wat wil je drinken?' vroeg Lissa, die duidelijk stond te springen om van onderwerp te veranderen.

'Scotch,' antwoordde Kozlowski.

'Nog een bepaald merk?'

Hij keek Finn eens aan. 'Deze zak hier betaalt?'

Finn knikte.

'Doe dan maar de allerduurste.'

10

Ze zaten met z'n drieën nog een uurtje te drinken aan de bar voordat Finn besloot dat het tijd was om ervandoor te gaan. Hij moest nog even langs kantoor om wat werk op te halen voordat hij naar huis ging en hij was niet van plan het vanavond laat te maken. Hij was ervan uitgegaan dat hij degene was die het bindende element tussen hen drieën vormde, en dat zijn vertrek onmiddellijk het einde van de bijeenkomst zou vormen, maar dat had hij mis.

'Zullen we er nog eentje nemen?' vroeg Lissa aan Kozlowski toen Finn opstond. Volgens Finn was dat een veel te agressieve zet en hij voelde een plaatsvervangende schaamte terwijl hij stond te wachten op de lange reeks excuses die onmiddellijk uit de mond van de privédetective zouden komen rollen: 'Ik moet naar huis, want anders bederft mijn diepvriesmaaltijd. Op het History Channel is vanavond mijn favoriete aflevering uit Weapons of the First World War. Het is vanavond mijn beurt om als gastheer op te treden voor de boekenclub van rechercheurs Moordzaken in ruste.'

'Best,' was het antwoord

'Serieus?' Finn was niet in staat zijn verbazing verborgen te houden, en Lissa keek hem strak aan.

'Is dat een probleem?' vroeg Kozlowski.

'Nee.' Plotseling voelde hij zich hoogst opgelaten.

'Prettig weekend dan maar.'

'Prima. En jullie ook een prettig weekend.' Finn keek nog even schaapachtig voor zich uit, draaide zich toen zonder verder nog iets te zeggen om en liep naar buiten.

Hoofdschuddend liep hij terug naar kantoor. Was het mogelijk dat hij zich had vergist in Kozlowski? Het idee dat de rechercheur iets zou beginnen met Lissa was zo bizar dat zijn geest het niet kon bevatten, maar waarom eigenlijk niet? Goed, Kozlowski was ouder dan zij, maar nou ook weer niet zo heel veel ouder. In veel opzichten zouden ze goed bij elkaar passen. Maar toch had die gedachte iets heel merkwaardigs. Het zou toch niet werkelijk kunnen klikken tussen die twee?

Finn worstelde nog steeds met dit merkwaardige denkbeeld toen hij zijn kantoor bereikte. In New England gaat de zon in december al vroeg onder en hoewel het nog maar net zes uur was geweest, was het dan ook al pikdonker. Toen hij zijn sleutel tevoorschijn haalde en die in het slot duwde, kwam er een donkere gedaante tevoorschijn om de hoek van het gebouwtje.

'Meneer Finn?' Finn keek op. De man stond nu recht voor een straatlantaarn, zodat het lastig was om meer te zien dan zijn silhouet. Wel een behoorlijk groot silhouet trouwens.

'Dat ben ik.'

'Ik wil u spreken.'

'Waarover?'

'Over een zaak. Maar niet hier, binnen.'

Finn kneep zijn ogen halfdicht om de man beter te kunnen zien. Eigenlijk wilde hij het liefst zeggen dat hij maandag tijdens kantooruren maar terug moest komen, maar de afgelopen twee dagen was hij zo veel tijd kwijtgeraakt aan administratieve kwesties dat hij zich schuldig voelde. Een paar jaar als eigen baas had hem maar al te duidelijk gemaakt dat je zonder aarzelen op potentiële nieuwe klanten af moest gaan. Je wist nooit waar je volgende opdracht vandaan zou komen, en zeventig procent van het overleven van een advocaat met een eigen bedrijfje bestond uit acquisitie. 'Oké,' zei hij. 'Dan praten we binnen wel verder.' Hij deed de deur open, stapte naar binnen en hield de deur open om de man binnen te laten.

'Dus u hebt een advocaat nodig?' Finn trok zijn jas uit en smeet die over een haakje aan de muur.

'Niet echt,' zei de man.

Finn draaide zich om en nam de man eens goed op. Op straat had hij ook wel fors geleken, maar niet zo'n kolos als hij nu bleek te zijn.

De man was minstens een meter negentig lang, maar niet mager en al evenmin slungelig. Hij had brede schouders waar een paar, massieve stukken spierweefsel aan vastzaten die uitliepen in handen zo groot als honkbalhandschoenen. Zijn nek, die oprees uit een borstkas zo groot als een wijnvat, was zo dik als een telefoonpaal, en zo te zien al net zo stevig. Toen hij zijn hoed afzette, werd er een bos rechtopstaand rood haar zichtbaar, en zijn huid was spookachtig wit. Hij zag er jong uit, niet meer dan begin twintig, maar de blik in zijn ogen was die van een heel wat ouder iemand.

'Je komt me bekend voor,' zei Finn. 'Kennen we elkaar?'

'Nee.'

Finn haalde zijn schouders op. 'Nou, als je geen advocaat nodig hebt, weet ik niet goed wat ik voor je kan doen.'

'Meneer Slocum heeft me gestuurd.'

Finn schrok. Dat was geen goed teken. 'Waarom?'

'Hij zei dat hij heeft nagedacht over dat aanbod tot schikking van u in die scheidingzaak van hem.'

Finn stond midden in de kantoorruimte, niet meer dan een meter van de reus vandaan. De man had een merkwaardig soort vastberadenheid over zich; zo te zien was hij niet nerveus en al evenmin opgewonden.

'En?' vroeg Finn. 'Heeft hij daar een antwoord op?'

De man knikte. Toen deed hij twee snelle stappen naar Finn toe – voor een man van zijn afmetingen waren het verrassend elegante, bijna balletachtige pasjes – haalde uit met een van zijn zware armen en stompte met een vuist als een voorhamer zo hard in Finns middenrif dat het voelde alsof hij tussen zijn organen door ploegde en tegen zijn ruggengraat stootte.

Finn klapte dubbel en zakte op zijn knieën terwijl de reus twee stappen naar achteren deed. Meer dan een minuut lang was Finn niet in staat om zich te bewegen of ook maar iets van geluid uit te brengen, en hij hield er ernstig rekening mee dat hij hier het loodje zou leggen. Hij was in zijn jeugd wel vaker in elkaar geslagen en had zelf ook een hoop rake klappen uitgedeeld, maar hij wist zeker dat hij nooit eerder zo hard geslagen was als nu. Hij had verhalen gehoord over mensen die na één slag op hun hoofd al dood waren geweest, en hij vroeg zich af of zoiets ook kon gebeuren na één stomp in je maag.

Geleidelijk aan merkte hij dat hij zich weer een beetje kon bewegen. Zijn longen wisten weer genoeg lucht binnen te krijgen om in ieder geval enig geluid te kunnen voortbrengen; zijn kaak bewoog en bracht uit waarvan hij aanvankelijk had verwacht dat het zijn geluidloze laatste adem zou worden. Als hij niet zo in beslag was genomen door zijn eigen kansen om deze confrontatie te overleven, zou Finn waarschijnlijk gefascineerd zijn geweest door de reactie van zijn belager. De man stond naar Finn te kijken met iets wat nog het meest op bezorgdheid leek, en hij keek opgelucht toen Finn weer enige tekenen van leven begon te vertonen.

Het duurde nog een paar minuten voordat Finn weer in staat was zich op te richten, maar hij zat nog steeds op zijn knieën. 'Ik neem aan dat je daarmee bedoelt dat hij niet op het aanbod ingaat,' zei Finn hoestend. Hij veegde met zijn hand over zijn mond en keek of er bloed op zat.

'Ik wil dit niet,' zei de jongeman zachtjes.

'Prima, ik ook niet,' zei Finn. Hij zette een voet op de grond, maar liet zijn gewicht nog grotendeels op zijn andere knie rusten.

'Ik meen het.'

Finn kon zien dat de man het inderdaad meende. 'Doe het dan niet,' suggereerde hij. Dat leek hem vrij eenvoudig.

'Ik heb geen keuze. Meneer Slocum wil dat deze zaak de wereld uit geholpen wordt. Hij is bereid het dubbele te betalen dat mevrouw Slocum volgens de huwelijkse voorwaarden zou moeten krijgen. Ik heb de opdracht ervoor te zorgen dat u op dat aanbod ingaat. Vanavond nog.'

Het zweet stond Finn op zijn voorhoofd en hij bracht zijn hand omhoog om het weg te vegen. 'Vierduizend per maand?' Hij dacht erover na.

'Dat is meer dan ik verdien,' zei de jongeman. 'En ze hoeft er niks voor te doen.'

Finn schudde zijn hoofd. 'Daar gaat ze niet op in.'

'Ik weet zeker dat u haar wel kunt overhalen. En als u het niet kunt, kan ik het wel.'

De jongeman sloeg zijn armen over elkaar. 'Het kan nou eenmaal niet anders. Als u nu toestemt, hoef ik verder niets meer te doen. Shit, dan loop ik zelfs even met u naar de bar op de hoek en dan trakteer ik op een biertje, gewoon om u te laten zien dat ik toch niet zo'n klootzak ben als ik misschien lijk.'

Finn knikte, zette zijn hand op zijn knie en leunde daar zwaar op met zijn bovenlijf. 'Help me eens opstaan,' zei hij terwijl hij luid uitademde.

De jongeman was zichtbaar opgelucht. Hij stapte naar voren en bukte zich om Finn omhoog te trekken. Toen Finns bovenlijf los van zijn knie kwam, bracht hij snel zijn hoofd omhoog en stootte dat toen naar voren, recht in het gezicht van de man die over hem heen gebogen stond. Strompelend deed de man een paar stappen naar achteren.

Finn was er zeker van dat het daarmee afgelopen zou zijn. Hij had genoeg gevechten meegemaakt om te weten dat een harde kopstoot in het gezicht voldoende was om zelfs de koppigste vechtersbazen neer te laten gaan. Soms moest je het nog even afronden: een snelle schop tussen de benen om de deal te bekrachtigen, of anders misschien een klap op het achterhoofd met iets zwaars en hards, maar dat was nooit meer dan een formaliteit.

Finn krabbelde overeind en hield de man goed in de gaten. Hij was van plan te wachten totdat de man voor hem op de vloer viel en dan een gemakkelijk doelwit zou vormen. Maar toen gebeurde er iets opmerkelijks: hij viel niet. Met zijn handen voor zijn gezicht deed hij een paar strompelende passen naar achteren, maar hij bleef overeind. Een paar seconden later trok hij zijn handen weg, maar het enige wat Finn kon zien, was een stroompje bloed dat uit zijn neus droop. Verder leek de man volkomen ongedeerd. Op dat moment drong het tot Finn door dat hij nu echt een probleem had.

'Dat had u niet moeten doen,' zei de man eenvoudigweg.

'Dat gevoel krijg ik ook,' antwoordde Finn.

'Dat had u nou echt niet moeten doen.'

'Ja, ik denk dat we het daar wel over eens zijn.'

Voor zo'n grote, forsgebouwde man was hij ongelooflijk snel. Zijn hand schoot uit, en hij greep Finn bij de keel. Een andere hand kwam naar voren, hechtte zich aan Finns overhemd en tilde Finn met beide voeten van de vloer.

'Wacht even,' protesteerde Finn. 'Je hebt mijn tegenbod nog niet gehoord.'

De jongeman smeet hem over het bureau, zodat hij tegen de bakstenen muur sloeg en daarna hard en onder een ongelukkige hoek op de grond smakte. Er schoot een felle pijn door zijn knie. Hij kreeg echter geen kans om de schade op te nemen, want zijn beul stapte om het bureau heen en bukte zich. Toen hij opnieuw werd opgetild, voelde Finn zich net een personage in een eng sprookje. Het enige wat er nog aan ontbrak was een bonenstaak.

De reus zeulde hem de hele kamer door en terwijl hij Finn met één hand tegen een gipsplaten muurtje gedrukt hield, haalde hij met zijn andere hand uit en liet een enorme vuist recht op Finns gezicht af schieten. Finn had alle kracht die hij nog in zich had nodig om zijn hoofd net zover opzij te rukken dat de vuist rakelings langs zijn oor schoot, het gipsplaten muurtje raakte en daar dwars doorheen ging.

Terwijl de jongeman zijn hand uit de muur trok, besefte Finn dat dit zijn laatste kans was. Hij stompte de man twee keer in zijn maag. Het was net alsof hij op een boksbal stond te hengsten. De man liet op geen enkele manier merken dat hij Finns inspanningen zelfs maar opmerkte. Hij trok Finns hoofd weer omhoog, maar hield hem nu stevig vast onder zijn kin. Terwijl hij zo werd vastgehouden, ving Finn vanuit zijn ooghoeken een glimp op van het gapende gat in de muur naast hem en hij huiverde toen het tot hem doordrong hoe groot de schade was die dadelijk zou worden aangericht. Plotseling had hij er spijt van dat hij zo'n goedkope ziektekostenverzekering had afgesloten.

De deur naar de straat zwaaide kreunend open en sloeg met een harde klap dicht. 'Wat is hier verdomme aan de hand?'

Nog nooit was Finn zo blij geweest om Tom Kozlowski's stem te horen.

De jongeman leek zich er niet bijster druk om te maken, maar liet zich er in ieder geval genoeg door afleiden om even zijn vuist in te houden. Dat was al iets, dacht Finn. 'Wegwezen ouwe,' zei hij tegen Kozlowski. 'Dit gaat jou niet aan.'

'We werken samen,' zei Kozlowski. 'Dus volgens mij gaat dit mij wel degelijk aan. En bovendien, ik heb mijn sleutels in mijn kamer laten liggen, en jij staat recht voor de deur. Dus reken maar dat dit mij aangaat.'

'Best,' zei de reus. Hij liet Finn op de grond vallen en sprong snel op de voormalige politieman af, zo snel dat Kozlowski geen kans zag zijn pistool te trekken. Dat was niet goed, dacht Finn. Koz was een stevige vent, maar zo te zien bijna twintig centimeter korter dan deze gigant, en bovendien minstens vijftig kilo zwaarder en tientallen jaren ouder. Als het tot een gevecht tussen hem en de reus kwam, leek het Finn nogal onwaarschijnlijk dat Kozlowski het langer zou volhouden dan hij.

Finn keek toe hoe de man uithaalde en zijn vuist op Kozlowski's hoofd af liet schieten. Koz dook zonder veel moeite weg, en trapte toen met zijn hiel hard tegen de binnenkant van de rechterknie van de reus. Finn hoorde een akelig knappend geluid en de man begon te brullen van pijn. Hij wankelde, viel recht voor Kozlowski op één knie en keek met een gekweld gezicht naar hem op. Kozlowski aarzelde geen moment. Met opmerkelijke efficiency haalde hij uit en stompte de man hard op zijn adamsappel. De gigant hield abrupt op met kreunen, zijn ogen werden groot en rond van angst en terwijl hij met een harde klap tegen de vloer sloeg, schoten zijn handen naar zijn keel. Terwijl Kozlowski over hem heen gebogen stond, lag hij volkomen machteloos heen en weer te schudden, als een haai die op het droge is geraakt.

Finn kwam overeind en liep naar Kozlowski toe. 'Is hij dood?'

Kozlowski schudde zijn hoofd. 'Nog niet.'

'En straks?'

'Ik weet het niet. Ik denk van niet.' Hij bukte zich en probeerde de handen van de man van zijn nek te trekken. 'Eens kijken.' De man, die nog steeds panisch naar lucht lag te happen, duwde Kozlowski's handen weg.

Kozlowski trok zijn pistool en zette het tegen het voorhoofd van de man. 'Ik moet even kijken of jij een ambulance nodig hebt of niet,' zei hij. 'Handen weg of ik schiet je voor je kop.' De man gaf het op en haalde zijn handen van zijn keel. Kozlowski boog zich nog dichter naar hem toe om het beter te kunnen zien. 'Nee,' zei hij toen, en hij ging weer rechtop staan. 'Niets gebroken. Zijn luchtpijp zit gewoon even dicht.' En tegen de man op de vloer ging hij verder: 'Kalm aan. Als je zo tegenstribbelt, maak je het alleen maar erger. Over een minuut of twee krijg je weer lucht.' Kozlowski bleef staan met zijn pistool en zijn ogen op de man op de grond gericht, die zo te zien weer wat lucht begon te krijgen. 'Een ontevreden cliënt of een boze echtgenoot?' vroeg hij aan Finn.

Finn schudde zijn hoofd. 'Een boodschappenjongen van Slocum.'

Kozlowski knikte. 'Aha. Dus die gaat het hard spelen? Ik neem aan dat hij je laatste aanbod heeft afgeslagen?'

'Kennelijk wel,' zei Finn.

'En? Bellen we de politie of schiet ik hem gewoon dood? Dat zou een goeie manier zijn om Slocum te laten weten hoe we over zijn omgangsvormen denken.'

De man op de vloer was inmiddels weer voldoende op adem gekomen om zich steunend op zijn elleboog half overeind te werken en met verstikte stem: 'Nee, alsjeblieft!' te fluisteren.

Finn schudde zijn hoofd. 'Hij maakt maar een geintje.' En met een blik op Kozlowski voegde hij daaraan toe: 'Het was toch maar een geintje, hè?'

Kozlowski haalde zijn schouders op.

'Laten we eerst maar even met hem praten,' stelde Finn voor. 'Dan komen we er vanzelf achter wat we het beste met hem kunnen doen.'

'Mij best. Het is jouw muur waar hij een gat in heeft geslagen, en niet de mijne. Ik huur hier alleen maar.' Koz keek neer op de jongeman. 'Kun je opstaan en op die stoel daar gaan zitten?' De man knikte. 'Doe dat dan, maar pas op, als ik je ook maar iets zie uitspoken wat me zelfs maar een heel klein beetje zenuwachtig maakt, schiet ik je meteen helemaal lek. Begrepen?' De man knikte opnieuw. 'Prima. Opstaan dan maar. En langzaam.'

De man stond op en ging in een stoel tegen de muur zitten.

'Hoe heet je?' vroeg Finn, die tegen zijn werktafel geleund stond.

'Charlie.'

Finn schudde zijn hoofd. 'En je achternaam?'

Charlie aarzelde. 'Charlie O'Malley,' zei hij nadat hij even had nagedacht.

Finn grinnikte. 'Je kwam me al zo bekend voor. Zeker familie van Big Mike O'Malley?'

Charlie knikte. 'Herinner je je Big Mike O'Malley nog?' vroeg Finn aan Kozlowski. Die schudde zijn hoofd. 'Big Mike O'Malley,' herhaalde Finn, 'zat in Charlestown en van daaruit runde hij een ploegje. Een goeie vent. Toen ik als jongen in de jaren tachtig met Tigh McCluen optrok, heeft hij me wel tien keer uit hele moeilijke situaties gered.' Hij keek Charlie aan. 'Is dat je vader?'

Charlie schudde van nee. 'Mijn oom.'

'Hoe gaat het met hem?'

'Dood.'

Finns gezicht betrok. 'Shit. Hoe?'

'Kanker.'

'Jammer. Maar altijd nog beter dan een kogel door je kop, lijkt me. Dus jij zet de familietraditie voort? En je biedt je diensten aan als zware jongen?'

Charlie schudde zijn hoofd. 'Zoals ik al zei, zou ik dit liever niet doen, maar ik heb geen keus.'

'Waarom niet?'

Charlie sloeg zijn armen over elkaar. 'Drie jaar geleden ging ik een eindje rijden met een vriend van me. Eigenlijk niet eens een vriend, meer een kennis. Op de snelweg kregen we ruzie met iemand in een andere auto, en het draaide erop uit dat we door de politie tot stoppen werden gedwongen. Hij had een tas met een halve kilo heroïne in de kofferbak liggen, en ik heb twee jaar moeten zitten.'

'Waarom?'

'Het was mijn auto. Die jongen zei dat het zijn tas niet was. De politie wist het niet, en het kon ze ook niet schelen. Zolang er maar iemand werd opgesloten, maakte het ze niet veel uit. Ik ben op borgtocht vrijgelaten. Slocum was een van de weinige mensen die zo iemand als ik nog in dienst wilden nemen, en ik moet een baan hebben om uit de gevangenis te blijven. Slocum heeft een heleboel voorwaardelijk vrijgelaten gevangenen in dienst.'

'Zo te horen een weldoener,' merkte Kozlowski op.

Charlie knikte. 'Een echte weldoener. Maar daar staat wel het een en ander tegenover. Als hij tegen mij zegt dat ik iets moet doen, dan moet ik dat doen.'

Finn krabde aan zijn achterhoofd. 'Wie is je begeleider bij de reclassering?'

'Hector Sanchez.'

Finn keek Kozlowski eens aan. 'Zegt die naam jou iets?'

Kozlowski knikte. 'Ik heb weleens met hem te maken gehad. Geen slechte vent. Overwerkt, en soms nogal gestrest, maar over het algemeen wel voor rede vatbaar.'

Finn dacht na over de verschillende mogelijkheden. 'Zou je echt liever iets anders gaan doen, of is dat alleen maar bullshit?'

'Ik zweer het. Ik wil dit helemaal niet.'

'Wat wil je dan wel?'

Charlie keek verlegen. Finn vond dat maar een raar gezicht bij zo'n reus van een vent. 'Ik wil muzikant worden.'

'Muzikant?' Finn kon met moeite zijn gezicht in de plooi houden.

'Klinkt bizar, hè? Maar ik ben behoorlijk goed. Ik heb vroeger gezongen in de kerk, en toen ik klein was heeft mijn opa me een beetje gitaar leren spelen.'

'Onzin. Jij bent nooit klein geweest.'

'Het enige goeie aan in de bak zitten, was dat ik mijn gitaar bij me mocht houden, zodat ik kon oefenen. Ik hoef heus geen ster te worden of zo, maar ik zou het wel leuk vinden om in kroegen te spelen. Daar zou ik best goed in zijn.'

Finn wist echt niet hoe hij het had. Hij keek vragend naar Kozlowski, maar die haalde zijn schouders op. Uiteindelijk zei Finn: 'Oké, we gaan het volgende doen. Wij bellen met Sanchez. Ik zal ook een andere baan voor je zoeken. Maar jij blijft verder uit de buurt van die Slocum; je gaat niet meer terug naar je werk.'

'Waarom zou je dat allemaal voor me doen?'

'Zoals ik net al zei, die oom van jou heeft me toen ik jong was vaak uit beroerde situaties gered. Misschien is dit mijn kans om een deel van die schuld terug te betalen. En bovendien sta jij hier eigenlijk buiten. Dit is iets tussen Slocum en mij. Geef me je telefoonnummer, dan bel ik je morgen.'

Charlie keek van Finn naar Kozlowski. 'Serieus? Is dat alles? Ik kan nu gewoon weglopen?'

'Je kunt natuurlijk ook blijven, maar dat zou wel een beetje vreemde indruk maken.'

'Slocum is vast pissig. Hij stuurt iemand anders op je af.'

Daar dacht Finn even over na. 'Zijn er nog andere jongens zoals jij, die eigenlijk niet gelukkig zijn met wat ze van Slocum allemaal moeten doen?'

Charlie haalde zijn schouders op. 'Een paar, denk ik.'

'Dan wil ik dat je die aan me voorstelt. Daarna reken ik wel met Slocum af. Wacht maar gewoon tot ik je bel.'

Charlie stond op en liep naar de deur. 'Wat een bizarre toestand.'

'Naarmate je ouder wordt, zul je dat steeds vaker gaan denken. Wees maar blij dat het deze keer in je voordeel werkt.'

11

Zaterdag 15 december 2007

Het was zaterdagavond en Lucinda Gomez stak de kaarsen aan die in de vensterbank stonden van haar woonkamer op de eerste verdieping in een troosteloze straat in East Boston. Het was een ritueel van haar, een ritueel waar ze al meer dan een maand naar had uitgezien. Elk jaar weer hing ze op de tweede zaterdag voor kerst de kerstversiering op, en tot twee januari zou ze elke avond weer de kaarsen aansteken. Drie weken in kerstsfeer waren wat haar betrof wel voldoende; ze voelde niets dan afkeuring voor dat overdreven gedoe van die winkeliers die al medio november hun rode en groene kerstversieringen ophingen, en die daarmee de geboorte van de verlosser tot een commercieel spektakel maakten. Waarschijnlijk waren het niet eens echte christenen, en ze wist zeker dat Jezus ontzet zou zijn als hij het zag.

Ze leunde achterover in haar favoriete stoel met uitzicht op straat, en nipte even aan haar sherry. Het spul liet een warm gevoel achter in haar keel. Avonden als deze waren de laatste vreugden die deze achtenzeventig jaar oude weduwe in haar leven nog restten. Ze had het grootste deel van de dag in de kerk doorgebracht en voelde zich nu gelouterd. Als haar tijd vanavond zou komen – iets waar ze vaak om bad – zou ze de Heer tegemoet treden met het vertrouwen van iemand die er zeker van was dat ze haar laatste zonden al lang geleden had begaan en opgebiecht.

De BMW stond er nog steeds, merkte ze op terwijl ze achterover leunde en het zich gemakkelijk maakte. De jongeman die erin zat, dronk zijn zoveelste kop koffie. Hij zat daar al een paar dagen, elke avond weer. In ieder geval sinds donderdagavond, toen ze hem voor het eerst had opgemerkt. Overdag was hij weer verdwenen, maar zodra het donker werd, verscheen hij weer en in deze tijd van het jaar was dat niet veel later dan vier uur 's middags. Op de tweede avond was ze in de verleiding gekomen om de politie te bellen, maar nadat ze een tijdje naar hem had zitten kijken, had ze besloten dat ze eigenlijk nog nooit zo'n keurig nette jongen bij haar in de straat had gezien.

Op een wat merkwaardige manier gaf zijn aanwezigheid haar eigenlijk zelfs een veilig gevoel. Ze was hem gaan beschouwen als haar engelbewaarder, en ze vond het een geruststellende gedachte dat hij zijn aandacht zo strak op Saint Jude's aan de overkant van de straat gericht hield. Het huis van Satan. Dat donkere, dreigende bouwwerk, dat soms weken achter elkaar volkomen verlaten was en dan plotseling het middelpunt vormde van een hele reeks onheilige activiteiten. Ze miste de dagen waarin het gebouw nog een godshuis was geweest. Vijftig jaar lang was dat haar toevluchtsoord geweest en toen was het haar ontnomen. De clandestiene activiteiten die zich daar tegenwoordig leken af te spelen, bevestigden haar alleen maar in haar geloof dat het sluiten van deze kerk het werk van de duivel was geweest. Ze had al vaak geklaagd bij de politie, maar die leek daar weinig aandacht aan te besteden. Misschien, zo dacht ze, waren ze haar inmiddels wél serieus gaan nemen. Misschien was de jongeman een politieman, die hiernaartoe was gestuurd om een onderzoek in te stellen. Het leek haar niet waarschijnlijk, maar het zou wel prettig zijn.

Hoe dan ook, ze was blij dat hij bij haar in de straat in die auto zat, als een buffer tegen het kwaad dat zich daar afspeelde, wat dat dan ook precies mocht zijn. Terwijl ze nog een slokje van haar sherry nam, voelde ze plotseling gevaar. Niet voor zichzelf, maar voor de man in de auto. Het was niet meer dan een ouderdomswaan, gevoed door eenzaamheid en alcohol, en ze probeerde het beeld van zich af te schudden. Maar toch liet deze fantasie zich moeilijker verjagen dan de meeste andere. Hoofdschuddend dronk ze haar glas leeg en stommelde ze naar haar slaapkamer. Ze zou vanavond voor hem bidden. Misschien zou die man Gods hulp heel wat harder nodig hebben dan hij zelf besefte.

★★★

Mark Dobson geeuwde terwijl hij de beker naar zijn lippen bracht. Hij had te weinig slaap gehad en te veel cafeïne, en daardoor voelde hij zich nu zowel moe als gejaagd, en hij moest voortdurend zijn best doen om niet in slaap te vallen. Op de derde avond was het nieuwe van dit onderzoekswerk er wel af, en de eerste twijfels begonnen de kop op te steken. Misschien had Finn gelijk gehad, en was Salazar werkelijk schuldig. Dobson verzette zich tegen die gedachte. Hij had het nodig dat Salazar onschuldig was. Hij had Salazars onschuld meer nodig dan wie dan ook.

Hij geeuwde en trok een haar uit zijn onderarm om zichzelf wakker te houden. Dat was een truc die hij tijdens zijn studietijd had geleerd: pijn stimuleerde de adrenalineaanmaak, en dat leverde kleine energiestoten op die je kon gebruiken om wakker te blijven. Daarmee had hij zich door zijn examens heen weten te werken. Het enige probleem was dat adrenaline, net zoals elke andere chemische stof, bij ieder gebruik telkens iets van zijn kracht verloor, zodat het effect van die adrenalinestoten steeds korter en korter duurde. Hij was inmiddels zover dat hij al vijf minuten nadat hij een haartje uit zijn arm had getrokken weer instortte. Om nog maar te zwijgen van het feit dat hij inmiddels bijna geen haartje op zijn armen meer over had.

Hij dacht terug aan zijn studietijd, en voor de zoveelste keer peinsde hij over de nadelen van een goed gepland leven. Als enige zoon van een buitengewoon succesvol, uiterst gedreven echtpaar dat zich wanhopig vastklampte aan een klein beetje status, was hij er al vanaf zijn geboorte op geprogrammeerd om iets te bereiken in het leven, en om dat 'iets' te omschrijven in de uiterst beperkte termen van materiële rijkdom en erkenning door collega's in een passend beroep. Pas tijdens zijn studie was hij vraagtekens gaan zetten bij de prioriteiten die zijn ouders voor hem gesteld hadden en die inmiddels ook de zijne waren geworden, maar tegen die tijd was het al te laat. Het gevoel overal de beste in te willen zijn maakte toen al deel uit van zijn hele wezen. Hij had zijn best gedaan om zijn aandacht op andere dingen te richten, hij had zelfs geprobeerd om zijn studie te laten mislukken, maar niets van dat alles had gewerkt. Hij was als beste van zijn jaar afgestudeerd. Toen zijn opleiding erop zat, was hij aanvankelijk van plan geweest om voor een of andere non-profitorganisatie te gaan werken, een baan waarmee hij misschien niet veel zou verdienen, maar die hem de gelegenheid gaf invloed uit te oefenen op iets wat hij werkelijk van belang vond. Maar toen had Howery Black hem een aanbod gedaan. En wie zei er nou nee tegen zo'n grote en uiterst succesvolle advocatenfirma?

Nu stond hij op een keerpunt in zijn leven, en diep in zijn hart besefte hij dat dit wel eens de laatste kans zou kunnen zijn die hij ooit zou krijgen om een nieuw leven te beginnen. Na drie jaar voor zeer gefortuneerde en uiterst veeleisende cliënten gewerkt te hebben, was hij gaan beseffen dat hij zijn werk weliswaar niet spannend vond en er zelfs geen voldoening aan ontleende, maar dat hij er wel goed in was, dat het een veilig houvast bood en dat hij het daarom naar alle waarschijnlijkheid nog een jaar of veertig zou blijven doen. Toen was hij met de zaak-Salazar begonnen, en het was net alsof hij opnieuw verliefd was geworden. Hij had de hele zaak zo fascinerend gevonden dat hij die als een soort beproeving was gaan beschouwen. Hij had gezworen dat als hij erin zou slagen Salazars naam te zuiveren, hij zijn ontslag zou nemen bij de firma en helemaal opnieuw zou beginnen. Als hij daar niet in zou slagen... nou, dan kon hij in ieder geval rekenen op een gouden horloge en een huis in Florida waar hij na zijn pensioen zijn intrek kon nemen.

Hij zette zijn koffie op de armleuning tussen de twee voorstoelen en probeerde een aantekenboekje uit het koffertje op de achterbank te halen. Toen hij zich omdraaide, gooide hij de koffiebeker om, die op de stoel naast hem viel. Het dopje schoot van de beker en de helft van de koffie kwam op het nieuwe leer terecht. Dobson vloekte om zijn onhandigheid, trok snel een paar papieren servetjes uit het zijvak van het portier en boog zich over de stoel naast hem om zo veel mogelijk van het spul op te vegen.

Toen hij weer rechtop ging zitten, liet hij de koffie bijna opnieuw uit zijn handen vallen. Twee bestelwagens waren tot stilstand gekomen voor de kerk aan de overkant van de straat. Er was een man uitgestapt en die maakte de poort open. Na vier dagen was Dobson gaan denken dat al dat zitten hier nooit iets zou opleveren. Hij bleef zo stil zitten als hij maar kon, uit angst dat zelfs de geringste beweging deze luchtspiegeling als een zeepbel uit elkaar zou kunnen laten spatten. Het duurde even, maar toen drong het tot hem door dat de bestelwagens geen spookverschijningen waren. Hij keek toe hoe ze achter de kerk uit het zicht verdwenen en naar het parochiehuis en het lelijke gebouw met het platte dak reden dat ooit als katholiek kinderdagverblijf had gefungeerd. Er ging licht aan in de pastorie, en toen werd er snel een rolgordijn omlaag getrokken, en was het gebouw weer donker.

Dobson bleef een paar minuten zitten en vroeg zich af wat hij moest doen. Door wat Salazar had verteld, kon hij zich wel voorstellen wat zich in die kerk afspeelde, maar iets weten was één ding en het bewijzen was iets heel anders. Hij had eigenlijk niet goed nagedacht over wat zijn volgende stappen zouden moeten zijn, al had hij er wel voor gezorgd dat hij zijn mobieltje bij zich had, voor het geval hij de camera die daarop zat nodig zou hebben. Hij was ervan uitgegaan dat er wel iets bij hem zou opkomen als hij eenmaal duidelijk had vastgesteld dat zijn cliënt hem niet had voorgelogen. Nu het eenmaal zover was, wilde hij dat hij een wat samenhangender plan had opgesteld.

Hij wilde net uit de BMW stappen, toen er uit de andere richting nog een auto naar de kerk kwam rijden. Deze auto was een nogal hoekig, recent Amerikaans model en minderde vaart toen hij de ingang naderde. Het linkervoorportier ging open en er stapte een man uit die met zijn rug naar Dobson naar het hek liep en dat open duwde. Hij bleef even staan voordat hij zich omdraaide, en Dobson zijn gezicht goed te zien kreeg.

Dobson schrok zo erg dat hij zijn telefoon liet vallen voordat hij kans zag een foto te nemen. Dat kón toch gewoon niet?

Snel ging hij met zijn hand over de vloer van de cabine om het cameraatje te zoeken, maar toen hij het gevonden had, zat de man alweer aan het stuur. De auto reed door het hek en om de kerk heen, dezelfde kant op als de bestelwagens van daarnet.

Plotseling schoven alle stukjes van de puzzel in elkaar. Dobson stapte de auto uit, stak de straat over en klom over het hek.

★★★

Carlos Villages stond in de donkere kamer op de tweede verdieping en tuurde uit het raam aan de voorkant van de pastorie. Hij zag eruit als een valk, met een krachtige, grote neus onder een scherp voorhoofd. Zijn ogen keken aandachtig zoekend door de donkere nacht.

Hij had een telefoon aan zijn oor en nam een diepe trek van zijn sigaret. 'Wanneer brengen we ze weg?' vroeg hij.

'Over twee uur.'

'Mijn geld?'

'Tien per stuk. Honderdduizend in totaal. Het zal er zijn.'

'Het zijn er zeven. Geen tien.'

'Mijn mensen zeiden dat het er tien waren. Ben je er drie kwijtgeraakt?'

'Drie ervan gingen per contract,' zei Carlos. 'Zo wilden ze het nou eenmaal.'

'Is dat ook de manier waarop jij dat wilde?' Het was de stem van de duivel die dat zei, en de verleiding droop eraf.

'Zoals ik al zei, het waren contractklussen. Ik kom mijn contracten altijd na.'

Aan het andere eind van de lijn werd hard gelachen. 'Natuurlijk doe je dat. Niemand heeft ooit gezegd dat dat niet zo was. Maar dan krijg je wel dertig minder.'

'Zeventig. Dat is goed.' Carlos verbrak de verbinding en nam nog een trek van zijn sigaret. De twee andere mannen in het vertrek zeiden niets. Ze wisten wel beter. Als Carlos stond te denken, moesten zij hun mond houden. 'Is alles klaar?' vroeg hij.

'Si, *padre*,' antwoordde een van hen.

Padre. Was hij zó oud geworden? Het leek nog maar zo kort geleden toen dit allemaal begon. In de straten van het oostelijke deel van Los Angeles hadden ze moeten vechten om te overleven, tegen de Mexicanen – de Chicano's – in het oosten, en tegen de zwarten – de Crips – in het westen. Het was een gehaktmolen geweest, bijna net zo erg als El Salvador op het hoogtepunt van de opstand. Je kon daar alleen maar overleven door nog gestoorder te zijn dan alle anderen. *Loco*. Dat was destijds zijn bijnaam geweest, en die had hij ten volle verdiend. Al snel durfde niemand zijn bende nog voor de voeten te lopen. Het was al dat bloed gewoon niet waard. En zo waren ze net zolang met hun messen om zich heen blijven zwaaien en steken totdat ze niet langer hadden gevochten om te overleven, maar om de macht te krijgen over alle anderen.

En hier stond hij dan, twintig jaar later, de oude man. *Padre.* De leider van een van de meest gevreesde criminele organisaties ter wereld. Ze waren met meer dan honderdduizend man, van El Salvador tot Michigan. Niets was te moeilijk voor hen. Niets viel buiten hun bereik. En dat alles stond hem ter beschikking: een trouw bataljon huursoldaten en een onbeperkte stroom geld. Hij was, zo dacht hij, niet anders dan veel grote leiders uit de wereldgeschiedenis: Rockefeller. Kennedy. Fidel. Allemaal hadden ze hun macht verworven in de schaduw van de wet, totdat ze krachtig genoeg waren geworden om zelf de wet te maken. Hij volgde in hun voetsporen.

Niet dat wie dan ook een gelijkenis kon opmerken tussen hem en die anderen. Hij was maar net een meter tachtig lang en woog niet meer dan zeventig kilo, zeventig kilo pezen en spieren als staalkabels. De aderen lagen dik op zijn armen, zijn benen en zijn nek, en lieten de kunstwerken in beweging komen waarmee zijn hele lijf was versierd. Ze overdekten elke vierkante centimeter van zijn huid, van zijn tenen tot zijn kale kop. Slangen, draken en Azteekse goden kropen over zijn lijf, net zoals hij ze door zijn ziel voelde kruipen. Maar het enige kunstwerk dat er werkelijk toe deed nam zijn hele borstkas in beslag: een zeer fraai gestileerde uitvoering van zijn ware identiteit. VDS. Dat was degene die hij was. Dat was wát hij was.

Hij liet zijn blik over de voorgevel van het kerkgebouw gaan. Dat gaf hem troost. Op een merkwaardige manier had hij zichzelf altijd als een religieus mens beschouwd. De katholieke kerk was krachtig in El Salvador en zijn moeder was een vrome vrouw geweest, en ze had dan ook haar best gedaan om al haar kinderen op te voeden met respect voor de kerk en haar leer. Uiteindelijk waren het echter de radicaal-linkse geestelijken geweest die haar de dood in hadden gejaagd. Ze hadden de boeren in de frontlinie geplaatst van een oorlog waarover ze zelf nooit enige zeggenschap hadden gehad. Na haar dood had hij zijn woede op de communisten gericht en zich aangesloten bij de doodseskaders om die woede te kunnen uitleven, maar om een of andere reden had hij zich er nooit helemaal toe kunnen brengen om de kerk te haten... in ieder geval niet dat deel dat voor zijn moeder zo belangrijk was geweest.

Misschien was dat wel de reden waarom hij deze plek had gekozen. Hier voelde hij zich dichter bij haar dan hij zich in tientallen jaren had gevoeld. Het zou treurig zijn om hier weg te gaan, maar hij had al lang geleden geleerd dat het gevaarlijk kon zijn om lang op één plek te blijven. Over een week zouden ze verder trekken, maar die ene week was voor hem van groot belang. De bestelling van de volgende zaterdag zou hem meer geld opleveren dan hij ooit eerder ter beschikking had gehad. Daarna zouden zijn manschappen en hij ervandoor gaan en een nieuw hoofdkwartier zoeken, zoals ze dat al vijftien jaar lang deden. Maar hij zou deze plek missen.

Hij draaide zich om naar de anderen. 'Twee uur,' zei hij. 'We wachten.'

'Onze vriend is er,' meldde een van zijn ondergeschikten.

'We hebben veel met hem te bespreken.' Carlos keerde zich weer naar het raam en overdacht intussen alle invalshoeken en alle mogelijke strategieën. Hij was er altijd goed in geweest om dingen vanuit verschillende invalshoeken te bekijken; dat had hem in leven gehouden. Terwijl hij in gedachten het ene ingewikkelde scenario na het andere uitwerkte, zag hij vanuit zijn ooghoeken een schaduw over het cement voor de pastorie schuiven. Hij trok een hoekje van de gordijnen weg om het beter te kunnen zien en zijn pupillen vernauwden zich toen hij nóg een variabele toevoegde. 'Zo te zien hebben we vanavond meer dan één bezoeker.' Hij keek naar de twee andere mannen in het vertrek. 'We moeten onze gasten maar eens welkom gaan heten.'

***

Mark Dobson stond met zijn rug naar de buitenmuur van de pastorie. Tot nu toe ging alles goed, dacht hij. Hij bleef staan totdat zijn ademhaling weer normaal werd. Het parkeerterrein voor de kerk oversteken was het enige riskante deel van deze verkenningsmissie geweest, en zo te zien had hij die horde weten te nemen. Hij hoefde nu alleen nog maar een foto te maken. Hij wachtte nog een paar minuten om te zien of er iemand de pastorie uit kwam hollen om hem te grijpen. Hij was klaar om ervandoor te gaan, maar zo te zien was dat niet nodig.

Zo stil als hij maar kon sloop hij langzaam naar de achterkant van het gebouw. Twee keer kwam hij langs een raam op de begane grond en beide keren keek hij snel even op om te bepalen of hij genoeg kon zien om de foto te maken die hij nodig had, zodat hij snel weer terug zou kunnen naar zijn auto. Maar beide ramen waren verduisterd, en dus zag hij zich genoodzaakt verder te gaan.

Toen hij de hoek had bereikt, liet hij zich op zijn hurken zakken. De grond liep hier schuin omlaag naar een ondergrondse garage die plaats bood aan twee auto's. Nadat de bestelbusjes en de personenauto achter de pastorie uit het zicht waren verdwenen, waren ze over het pad naar deze garage gereden. Nu pas drong het tot hem door dat hij zich in groot gevaar bevond. Als het waar was wat Salazar hem had verteld, hadden deze mensen hun handel al tientallen jaren weten te beschermen. Van pottenkijkers zouden ze waarschijnlijk niet gediend zijn. Maar toch, wat konden ze eigenlijk doen? Hem een pak slaag geven? Dat risico leek Dobson, die aan het begin van een heel nieuw leven stond, wel de moeite waard.

Voorzichtig schuifelde hij de hoek om en verstopte zich achter een grote ton die daar tegen de muur stond. Van hieruit kon hij de bestelwagens zien. De achterluiken stonden open. Leeg. Maar toch niet helemaal. Er was nog iets blijven hangen van wat erin had gelegen: een stank van rotting en bederf. Maar stank zou op een foto niet te zien zijn. Hij had meer nodig. Hij ging op zijn tenen staan terwijl hij zijn bovenlijf gebukt bleef houden, zodat hij er elk moment snel vandoor kon gaan.

En toen zag hij haar.

Ze kon niet ouder dan een jaar of zes zijn en haar donkere haar hing in grote plukken voor haar gezicht. Haar kleren zaten vol met vuil en donkere plekken. Ze stond in de deuropening naast de garagedeuren en tuurde om de hoek. Ze zei niets, en in haar ogen lag de lege blik van een kind dat van haar jeugd was beroofd.

Hij bracht zijn vinger naar zijn lippen, en smeekte haar zo om haar mond te houden. Hij haalde zijn mobieltje uit zijn zak en hield het omhoog om het haar te laten zien. Ze fronste nieuwsgierig haar voorhoofd en stak haar hoofd nog wat verder om de deurpost heen. Hij richtte de camera en deed zijn uiterste best om die goed stil te houden. Zijn handen trilden. De camera flitste en hij hield het digitale display dicht voor zijn neus om er zeker van te zijn dat ze er goed op stond.

Ja, de foto was goed gelukt en zijn hart begon sneller te kloppen van voldoening. Nu had hij het bewijsmateriaal dat hij nodig had. Met deze foto en het verhaal van Salazar zouden ze misschien een kans hebben.

Terwijl hij daar op zijn knieën zat en naar het kleine meisje op de foto keek, het kleine meisje dat waarschijnlijk de sleutel tot de vrijlating van zijn cliënt zou vormen, viel hem iets merkwaardigs op. In de fractie van een seconde die het had gekost om die foto te maken, was de gezichtsuitdrukking van het meisje veranderd. Ze keek niet nieuwsgierig meer, maar was doodsbang. Haar ogen waren groot en rond van angst, en haar mond hing open, alsof ze getuige was van iets wat te verschrikkelijk was voor woorden.

Toen Mark aandachtiger keek, zag hij nog iets merkwaardigs: haar ogen leken niet langer op de camera gericht. In plaats daarvan keek ze naar iets anders. Iets boven de camera, schuin daarachter... schuin achter hém. Toen het tot hem doordrong wat er aan de hand was, schrok hij zo erg dat hij bijna voorover viel. Hij wilde zich omdraaien, maar kreeg daar de kans niet meer voor. Hij wierp een laatste blik op het schermpje. En toen werd alles zwart.

12

Maandag 17 december 2007

'Begint u maar, meneer Finn,' zei Dumonds. 'U bent degene die om deze bespreking heeft gevraagd.'

Finn zat aan een grote tafel in een chic ingerichte vergaderkamer in het kantoor van Dumonds firma. Ze bevonden zich hier hoog boven de stad, op de veertigste verdieping van een wanstaltige massa glas en staal. Dumonds had geëist dat de bespreking bij hem op kantoor zou plaatsvinden, en Finn begreep wel waarom. Dumonds wilde het voordeel van een thuiswedstrijd. Veel advocaten zwoeren daarbij. Ze deden hun uiterste best om het psychologische voordeel te behouden dat het opleverde om op eigen terrein de confrontatie aan te gaan. Dat gaf ze een gevoel van controle.

Daar had Finn geen bezwaar tegen. Hij was als weeskind opgegroeid en had nooit echt een thuis gehad. Het resultaat daarvan was dat hij zich nooit bijzonder geïntimideerd voelde doordat de ander een thuiswedstrijd speelde. Elke wedstrijd was voor hem een uitwedstrijd. Maar uitwedstrijden hadden ook iets heel bevredigends: als je iemand in zijn eigen huis wist te verslaan, was je hem voor altijd de baas.

Hij werd geflankeerd door Lissa en Kozlowski. Tegenover hen zaten Dumonds en Slocum. Finns gezonde aanblik leek Slocum nogal te verbazen, maar niet dat Finn om een schikkingsbespreking had gevraagd. Hij had de zelfvoldane blik in zijn ogen van een man die dacht dat niemand hem iets kon maken. En Finn stond op het punt hem van die illusie te beroven.

'Ja,' begon Finn. 'Ik wilde met uw cliënt en u overleggen over ons schikkingsaanbod. We hebben de situatie opnieuw geëvalueerd en we willen ons vorige schikkingsaanbod graag aanpassen.'

Er verscheen een brede grijns op Slocums gezicht.

'Nou, we zullen natuurlijk graag luisteren naar elk redelijk aanbod,' merkte Dumonds op met een stem waar de neerbuigendheid vanaf droop.

'Natuurlijk zult u daarnaar luisteren,' zei Finn instemmend. Hij stak zijn hand in de binnenzak van zijn jasje en trok er een enveloppe uit, legde die plat op tafel en schoof hem toen naar de tegenover hen zittende Slocum.

Toen hij de enveloppe pakte, werd de grijns op Slocums gezicht breder en breder. Finn vroeg zich af of zijn hele gezicht soms in die grijns zou verdwijnen.

Slocum maakte de envelop open en wierp Dumonds intussen een blik toe die zei: zie je wel, ik heb je toch gezegd dat ik dit wel zou afhandelen, waardeloze lul dat je bent. Hij hield de envelop omhoog alsof het een trofee was en trok er een velletje papier uit.

Terwijl hij naar Slocums gezicht bleef kijken, kostte het Finn moeite om niet in lachen uit te barsten. De grijns veranderde een aantal keren van vorm: van schrik ging hij over in verwarring, en van daaruit in woede, zodat Slocum er nu uitzag als een boze trol die zojuist in zijn kruis was getast. 'Wat is dit nou, verdomme?' vroeg de man op hoge toon terwijl hij het velletje papier op tafel smeet en er met zijn vlakke hand een harde klap op gaf.

'Dit is ons meest recente schikkingsaanbod,' antwoordde Finn. 'Ben ik niet duidelijk?'

Dumonds, die nog steeds niet in de gaten had wat zich hier afspeelde, pakte het vel papier en las was erop stond. 'Ik begrijp het niet,' zei hij een ogenblik later.

'Volgens mij begrijpt uw cliënt het wel.'

Dumonds draaide het papier om zodat Finn zelf kon lezen wat erop stond. Het leek bijna alsof de man vermoedde dat Finn hem het verkeerde briefje had gegeven. 'Meneer Finn, uw laatste schikkingsaanbod bedroeg acht miljoen dollar. Zo te zien is dit een aanbod om te schikken voor acht miljoen zeshonderdtweeënvijftig dollar.'

'En 32 cent,' voegde Finn daaraan toe.

Dumonds keek nog even op het velletje papier. 'Juist, ik zie het. En 32 cent.' Hij keek op en wist duidelijk niet hoe hij het had 'Wilt u me dit uitleggen?'

'Ja hoor. Ik heb gisteren een aannemer op bezoek gehad. Het gaat zeshonderdtweeënvijftig dollar en 32 cent kosten om de schade aan mijn kantoor te herstellen.'

'Neemt u me niet kwalijk?' zei Dumonds.

'Slijmerige onderkruiper dat je bent,' zei Slocum. 'Denk je soms dat ik jou niet weet te vinden?'

'Natuurlijk weet u mij vinden,' antwoordde Finn. 'Ik heb zelfs een advertentie in de gele gids. Maar mij intimideren lukt u niet.'

'O nee? Waar is die vuile sloerie die jou als advocaat heeft ingehuurd?'

'Past u nou maar een beetje op uw woorden, meneer Slocum. Ik heb een uitvoerig verslag tot mijn beschikking van uw ontmoeting met mevrouw Prudet in Pahrump. Ik weet niet zeker of het karakter van uw vrouw en u nou een onderwerp is waarop we in de rechtszaal moeten ingaan,' zei Finn. Slocums werd donkerrood van woede. 'Het leek me het beste dat mijn cliënte vandaag niet bij deze bespreking aanwezig zou zijn, zodat we wat openlijker over de zaak kunnen praten.'

Dumonds keek heen en weer tussen Finn en zijn cliënt. 'Zou iemand me alstublieft willen uitleggen wat hier aan de hand is?'

Finn keek naar Slocum. 'Wilt u dat uitleggen? Of hebt u liever dat ik de honneurs waarneem?' Slocum keek zwijgend voor zich uit en kookte duidelijk van woede. 'Uitstekend,' zei Finn. Vorige week vrijdag heb ik bezoek gekregen van een van de werknemers van meneer Slocum, Charles O'Malley. Hij kwam ons meneer Slocums reactie op ons vorige schikkingsaanbod overbrengen.'

Het gezicht van Dumonds werd bleek. Hij keek zijn cliënt strak aan. 'Sal, je hebt toch niet… niet na ons gesprek…'

'Kop dicht, Marty,' snauwde Slocum.

'Kijk, dat snap ik nou niet,' zei Finn terwijl hij Slocum strak aankeek. 'U betaalt die advocaat van u voor zijn adviezen. Wat zal het zijn, zeshonderd dollar per uur? En dan volgt u zijn goede raad niet op?' Hij schudde zijn hoofd. 'Deze keer gaat dat u een hoop geld kosten.'

'Gelul,' zei Slocum, en iets van zijn grijns van daarnet keerde weer terug. Maar deze keer had die grijns niets triomfantelijks; deze keer ging het om wraakzucht. 'Prima. Dus jullie hebben met O'Malley afgerekend. Denk je dat jullie daar iets mee opschieten? Ik stuur gewoon iemand anders. En je kunt nooit bewijzen dat ik daar ook maar iets mee te maken heb gehad. O'Malley zal nooit iets zeggen.'

'Volgens mij doet hij dat wel,' zei Finn. Hij pakte zijn koffertje, legde het op tafel en maakte het open, zodat het deksel voor Slocum omhoog klapte en deze de inhoud van het koffertje niet kon zien. Finn haalde er een document van vijf velletjes uit, keek het even door, en overhandigde het toen aan Slocum. 'Dit is een beëdigde getuigenverklaring waarin Charles O'Malley een nauwgezette beschrijving geeft van het "werk" dat hij voor u heeft gedaan sinds u na zijn voorwaardelijke vrijlating als zijn sponsor fungeert. De alinea's zeven tot en met vijftien hebben rechtstreeks betrekking op de instructies die hij van u heeft ontvangen met betrekking tot zijn bezoek aan mijn kantoor vorige week vrijdag.'

'Ik maak hem af,' gromde Slocum.

'Mijn cliënt bedient zich op dit moment van beeldspraak,' voegde de advocaat er snel aan toe. Slocum zat hen alleen maar woedend aan te kijken.

'U zult niets meer met meneer O'Malley te maken hebben, dat kan ik u verzekeren,' ging Finn verder. 'Mijn onderzoeksmedewerker, meneer Kozlowski – volgens mij hebt u hem wel eens eerder ontmoet – is rechercheur in ruste, en hij heeft een nieuwe baan voor de heer O'Malley geregeld.'

'Ik maak die O'Malley nog steeds af, verdomme!'

'Meneer Slocum spreekt nog steeds in overdrachtelijke zin.' Dumonds leek zijn uiterste best te doen om nog iets van het snel ineenstortende bestaan van zijn cliënt te redden, maar zonder resultaat.

'Ik begrijp hoe u zich voelt,' zei Finn. Hij haalde nog twee documenten uit zijn koffertje. 'Dit zijn eveneens beëdigde getuigenverklaringen. De ene is ondertekend door meneer Kozlowski en de andere door mij. In hun beschrijving van de gebeurtenissen van vorige week vrijdag komen ze in alle opzichten overeen met de getuigenverklaringen van meneer O'Malley.'

Slocum keek de documenten snel even door en smeet ze toen over tafel naar Finn toe. 'Denk je soms dat je me daar bang mee maakt? Jullie met z'n drieën? Ik heb dagelijks met grotere problemen te maken. Jullie hebben zojuist je eigen doodvonnis getekend.'

'Mag ik mijn cliënt even apart nemen?' zei Dumonds smekend. 'Sal?'

'Hou je kop, verdomme!

'Weet u,' ging Finn verder, 'de gedachte is bij ons opgekomen dat dit misschien niet voldoende zou zijn om u te overtuigen, en dus heb ik meneer Kozlowski dit weekend een tijdje met meneer O'Malley laten praten... om zijn neus in uw zaken te steken zullen we maar zeggen. Het blijkt dat u heel goede zaken doet met de reclassering. Voor zover wij kunnen achterhalen, hebben de verschillende bedrijven waarvan u de eigenaar bent in totaal zevenentwintig mensen in dienst die na een periode van gevangenschap proberen hun leven weer op de rails te krijgen. Zeer prijzenswaardig. We hebben met alle zevenentwintig contact opgenomen.'

Slocums gezicht werd krijtwit.

'Een groot aantal van hen – de meesten zelfs – weigerden ons te woord staan,' ging Finn verder. 'Zes van hen toonden zich echter uiterst behulpzaam.' Hij haalde nog vier documenten uit zijn koffertje. 'Dit zijn de beëdigde getuigenverklaringen van Jerome Jefferson, Randall Hess, Timothy Monroe en Salvatore Gonzales. Hoewel ze u natuurlijk dankbaar zijn omdat u hen hebt geholpen bij het voldoen aan bepaalde voorwaarden van hun invrijheidstelling, bleken ze niet tevreden met een groot deel van de opdrachten die u hun hebt gegeven. In de verklaringen geven ze gedetailleerde beschrijvingen van die opdrachten, en daarbij gaat het om activiteiten die variëren van afpersing en overtredingen van de wet op de kansspelen tot vandalisme en geweldsmisdrijven. Deze heren hebben het gevoel dat ze in een andere werkatmosfeer wellicht meer tot hun recht kunnen komen, en meneer Kozlowski heeft al contact opgenomen met de reclassering om een nieuwe baan voor ze te regelen.' Finn schoof de verklaringen naar Slocum toe, die inmiddels niet meer in staat was ook nog maar een woord uit te brengen.

Finn keek nog even in zijn koffertje. 'Ik heb hier ook getuigenverklaringen van twee andere personen. Deze twee waren bereid in hun huidige functie werkzaam te blijven, maar willen niet langer illegale activiteiten voor u verrichten – en in hun verklaring hebben ook zij een gedetailleerde beschrijving gegeven van deze activiteiten.' Hij haalde de getuigenverklaringen uit het koffertje en schoof ze in een geelbruine envelop, die hij dichtplakte en in zijn koffertje legde. 'Ik zal de identiteit van deze laatste twee niet bekendmaken. Ik wil echter wel dat u goed begrijpt dat als u ook maar een van de vrijgelaten veroordeelden die op dit moment voor u werkzaam zijn, dwingt zich met illegale activiteiten bezig te houden, u met een van deze twee individuen te maken zou kunnen hebben, die dat aan ons zullen doorgeven.'

Het bleef stil in het vertrek. 'Ik begrijp het niet,' zei Dumonds voorzichtig. 'U gaat geen aangifte doen?'

Er verscheen een geschokte uitdrukking op Finns gezicht. 'Natuurlijk niet.'

Dumonds en Slocum keken elkaar verward aan.

'Ben ik niet duidelijk geweest?' vroeg Finn. 'Ik vertegenwoordig deze personen. Ik ben hun advocaat. Ze hebben mij in de arm genomen om een conflict met u over hun arbeidsvoorwaarden op te lossen, en om hen te vertegenwoordigen in hun omgang met de reclassering. De informatie in deze beëdigde getuigenverklaring heeft betrekking op illegale praktijken waarmee mijn cliënten zich hebben ingelaten, zij het dan onder druk, die mij ter ore zijn gekomen omdat ik hen vertegenwoordigde als advocaat. Zoals u uw cliënt ongetwijfeld onophoudelijk hebt uitgelegd, meneer Dumonds, wil dat zeggen dat die informatie onder de regels valt die gelden voor de verhouding tussen advocaten en hun cliënten. Ik heb niet de vrijheid om zonder toestemming van mijn cliënten aan de autoriteiten bekend te maken wat ik allemaal te weten ben gekomen.'

'Wat gebeurt er nu?' vroeg Slocum.

'Kopieën van al deze getuigenverklaringen bevinden zich in een kluis ten kantore van een advocaat die ik daarvoor in de arm heb genomen. Als mij of Kozlowski iets overkomt, of een van de anderen die deze verklaring hebben ondertekend, zal de advocaat het gehele pakket overdragen aan de politie. Ik heb trouwens ook een beëdigde getuigenverklaring bijgesloten van mevrouw Prudet, waarin zij een gedetailleerde beschrijving geeft van uw ontmoeting met haar in Pahrump. Er is niets onwettigs aan de activiteiten die daarin worden beschreven, tenzij we het over de natuurwetten hebben misschien, maar het biedt wel fascinerende lesstof.'

Slocum dacht hier een paar minuten over na en al die tijd bleef Finn hem strak aankijken. 'En wat gebeurt er met mij?' vroeg Slocum toen.

'U, meneer Slocum, hebt nu de kans om uw zakenpraktijken grondig op te schonen. Ik stel voor dat u die kans met beide handen aangrijpt.'

Finn klapte zijn koffertje dicht, stond op en liep naar de deur. Kozlowski en Lissa liepen achter hem aan.

'Is dat alles?' Slocum klonk alsof hij het gewoon niet kon geloven.

Finn draaide zich om en keek de man nog eens aan. 'Nee, dat is niet alles. U stemt ook toe in een schikking voor acht miljoen zeshonderdtweeënvijftig dollar en 32 cent. Vandaag nog.'

★★★

'Dat was zo'n beetje het grappigste wat ik ooit heb gezien,' zei Lissa, die er bijna in bleef. Ze zaten weer op kantoor. Op de lange tafel tegen de muur lagen drie sandwiches en een paar zakken chips. Deze overwinning moest gevierd worden. 'Ik bedoel, godsamme zeg, heb je zijn gezicht gezien?'

Finn straalde. 'Jazeker.'

'Godskolere, ik dacht even dat hij er niet op in zou gaan en dat hij je al die verklaringen in je gezicht zou gooien. Wat had je dan gedaan?'

Finn schudde zijn hoofd. 'Dat kon hij niet. Hij had geen keuze. Een paar van ons had hij misschien wel aangekund, maar er was voor hem geen enkele manier om alle mensen die er inmiddels bij betrokken zijn uit de weg te laten ruimen zonder dat het zou opvallen. En bovendien komt hij er goedkoop van af. Voor zover wij hebben kunnen vaststellen heeft hij totaal minstens 22 miljoen in bezit, en als we echt een grondig onderzoek instellen, weet ik zeker dat we nog veel meer zullen vinden. Het grootste deel daarvan is verborgen bezit dat nooit is aangegeven bij de belastingdienst. Zelfs als hij acht miljoen moet ophoesten, heeft hij nog steeds ruim voldoende om zijn leven op de oude voet voort te zetten. Uiteindelijk had hij geen enkel alternatief.'

Kozlowski schraapte zijn keel. 'Zo is het altijd bij afpersing, hè?' zei hij. Het was geen vraag, eerder een opmerking.

'Is dit de manier waarop je ertegen aankijkt?' zei Finn. 'Afpersing? We hebben het hier al dagenlang over gehad, Koz. Het kon niet anders. We hadden niet voldoende om naar de politie te stappen, niet zonder de medewerking van de voorwaardelijk vrijgelaten gevangenen. En die waren niet bereid mee te werken als dat inhield dat ze zouden moeten bekennen wat ze allemaal voor die Slocum hadden uitgevreten. Dan zouden ze onmiddellijk weer achter de tralies zijn beland. En ik kon hier toch moeilijk blijven zitten wachten totdat Slocum nog iemand op me af stuurde?'

Kozlowski knikte. 'Dit was het beste wat we konden doen,' zei hij instemmend. 'Maar toch is het afpersing. Ik noem het beestje gewoon bij de naam.'

Finn schudde zijn hoofd en keek naar Lissa. 'Wat vind jij nou van die vrolijke meneer hier? Dat is toch niet te geloven? Dit is de beste dag in de korte geschiedenis van deze kleine firma en dan zit hij hier te zaniken. We hebben zeven cliënten uit de klauwen van Slocum weten te bevrijden; we hebben het een stuk moeilijker voor die man gemaakt om zijn illegale activiteiten voort te zetten; we hebben een belangrijk obstakel voor mijn persoonlijke veiligheid weten te elimineren, en o ja, we hebben voor een van onze cliënten een schikking kunnen regelen van meer dan acht miljoen dollar. En toch is Kozlowski nog niet tevreden.'

'Sorry,' gromde Kozlowski. 'Zoals ik al heb gezegd, was dit het beste wat we konden bereiken. Het is gewoon dat de regels overtreden, zelfs al doe je dat om de goede redenen, heel snel allerlei onverwachte gevolgen kan hebben.'

'Hé, ik heb geen enkele regel overtreden. Ik heb me tussen de regels doorgewurmd. Als een slang.'

'Ik luister niet meer, hoor.'

Kozlowski pakte de ochtendkrant en sloeg die open. Daarmee wierp hij letterlijk een barrière tussen Finn en hemzelf op. Finn trok het zich niet aan. Niets kon dit ogenblik voor hem bederven.

'Hoeveel hou jij hieraan over?' vroeg Lissa.

'Een derde.'

'Van acht miljoen?'

Finn knikte. Lissa floot zachtjes. 'Godallemachtig. Dat is…' Ze dacht even na. 'Dat is meer dan tweeënhalf miljoen.'

Finn knikte nog eens. 'Natuurlijk gaat daar ongeveer een miljoen van naar de belasting, en dan heb ik mijn overhead en ik moet Kozlowski en jou ook nog betalen, maar het zal wel voldoende zijn om deze praktijk een tijdje overeind te houden.'

'Ik hoop van wel,' zei Lissa. 'Zeg, misschien zou je van de zomer zelfs een fulltime associé kunnen inhuren.' Ze trok veelbetekenend haar wenkbrauwen op.

Finn zwaaide met zijn vinger. 'Zorg eerst maar dat je slaagt en dat je wordt aangenomen door de orde van advocaten. Als dat je allemaal lukt, zien we in augustus wel verder.'

'God zij dank,' zei ze. 'Ik deed het echt in m'n broek bij het vooruitzicht dat ik een baan moest gaan zoeken.'

Finn lachte haar vriendelijk toe, leunde achterover in zijn stoel en nam een hap van zijn sandwich. Dit was een van die momenten waar een advocaat voor leefde: de roes van de overwinning. Het geld was leuk natuurlijk, en het gevoel van veiligheid dat het zou opleveren – in ieder geval op de korte termijn – moest je vooral niet onderschatten, maar uiteindelijk was dat voor hem allemaal administratieve flauwekul. Net als de meeste andere advocaten beschouwde Finn zijn werk als een soort vechtsport en de kick van het overwinnen van de tegenstander vormde een groot deel van zijn motivatie. De landskampioenschappen zou hij nooit halen, maar zo heel ver zat hij niet vandaan, en dat gaf hem wel een heel goed gevoel, een gevoel dat voor geld niet te koop was.

Vergenoegd liet hij zijn blik over zijn bescheiden kantoor gaan. Nergens was ook maar iets van mahoniehout te bekennen. Er hing geen kunst aan de muur. Er lag geen dik tapijt en hij beschikte al evenmin over een fraaie hardhouten vloer. Het enige wat hij had bestond uit een paar grijze kasten om zijn dossiermappen in op te bergen, twee al even grijze bureaus, een tweedehands computer en wat elementaire kantoorbenodigdheden. En toch wist hij daarmee zijn praktijk draaiende te houden. Hij was de klassieke underdog, en niets was bevredigender dan underdog te zijn en toch te winnen.

Hij keek eens naar Kozlowski, die zich nog steeds schuilhield achter zijn krant, en grinnikte zachtjes. Soms was de voormalige rechercheur echt een zeikerd, maar hij was ook een van de besten in zijn vak. Als het tot een confrontatie kwam zou Finn Kozlowski en Lissa liever naast zich hebben dan een heel leger veel hoog opgeleide en peperdure advocaten die over veel te weinig praktijkervaring beschikten. Lissa en Kozlowski waren zijn geheime wapens.

Finn glimlachte weer terwijl hij zat te denken over zijn eigenaardige vriend achter de krant. Ach ja. Zelfs Kozlowski's vervelende gedrag kon zijn goede humeur niet bederven. Hij was vastbesloten van dit ogenblik te genieten en daar zou hij zich door niets van laten weerhouden.

Maar iets weerhield hem daar wel van. Niet het gemoraliseer van Kozlowski, maar iets wat hij zag staan op de voorpagina van de ochtendkrant die de privédetective gebruikte om zich achter te verbergen.

Het was een krantenkop. Niet dwars over de hele voorpagina, maar wel rechts bovenaan in vierentwintigpunts letters. De kop brulde hem toe vanaf de andere kant van het vertrek, en Finn voelde zich misselijk worden. Hij sprong uit zijn stoel, was in drie stappen de kamer door en rukte Kozlowski de krant uit handen.

'Wat?' zei Kozlowski nijdig. 'Ik heb toch gezegd dat het uiteindelijk het beste…' Maar Finn negeerde hem en toen Kozlowski Finns gezicht zag, hield hij abrupt zijn mond.

'Wat is er?' vroeg Lissa, en de gespannen uitdrukking op Finns gezicht vond weerklank in haar stem.

Finn had de eerste alinea doorgelezen. Dat was genoeg en nu kon hij geen lucht krijgen. Hij liet zich op een stoel naast de tafel zakken. De krant viel uit zijn handen en kwam met de voorpagina boven op de tafel terecht, zodat de anderen het ook konden zien.

BOSTONSE ADVOCAAT VERMOORD stond er.

DEEL II

13

De reden waarom krantenartikelen in het Engels *stories*, verhalen, worden genoemd, is dat het meestal inderdaad niet meer zijn dan verhaaltjes. Een journalist is uiteindelijk niet meer dan een verteller. Hij beschikt over een beperkt aantal feiten en daar moet hij een verhaal van zien te maken dat de aandacht van de lezer vasthoudt. Sommige feiten waarover de verslaggever beschikt, zijn juist en andere niet. Maar hoe dan ook, de feiten vormen samen nog geen verhaal. Het verhaal ligt in de gevolgtrekkingen die de journalist daaruit trekt, de kleur die hij aan de feiten geeft. Dat is waar journalisten voor betaald worden. Het is hun opdracht – hun heilige taak – ervoor te zorgen dat het nieuws swingt. Er moet echt muziek in zitten. Het moet spannend zijn. De kale feiten alleen zijn niet voldoende. Je moet er een bepaalde draai aan geven, anders beschouwt niemand het als nieuws.

Al vanaf de eerste regel van het artikel kon Finn zien dat de betreffende journalist een van de betere vertellers in de branche was. *Mark Dobson, vooraanstaand Bostons advocaat, is gisteren dood aangetroffen. Hij is op gruwelijke wijze vermoord.* Het was duidelijk, het was helder, het was accuraat. En toch gaf het artikel meteen al een draai aan de feiten. De lezer werd erdoor meegezogen.

De zinsnede 'vooraanstaand Bostons advocaat' bijvoorbeeld, was bedoeld om het verhaal wat gewicht te geven. We hebben het hier niet over zomaar iemand, maakte die eerste zin duidelijk, zelfs niet over een eenvoudig advocaat, nee, we hebben het over een vooraanstaand advocaat. Al in die eerste woorden was het verhaal belangrijker dan de kale feiten. Het deed er niet toe dat Dobson maar een derdejaars associé was – en dat hij in die hoedanigheid bij een firma als Howery Black nog minder te vertellen had dan de man die de koffieautomaat bijvulde. Zes jaar geleden was Finn zelf associé geweest bij Howery Black, in zijn derde jaar, en ook hij was toen beslist niet 'vooraanstaand' geweest in wat dan ook.

De zinsnede 'op gruwelijke wijze vermoord' maakte ook al het een en ander duidelijk. Finn wist genoeg van de kleine misdaad om te weten dat elke moord gruwelijk was. De ene misschien wat gruwelijker, sensationeler of verknipter dan de andere, maar elke moord was per definitie gruwelijk, ongeacht de manier waarop hij gepleegd werd. Als de verslaggever echte details had weten los te krijgen van de politie, zouden die in het artikel hebben gestaan. Maar er werd alleen maar aangegeven dat Dobson was overleden aan steekwonden, dus meer dan 'gruwelijk' kon de verslaggever er niet van maken zonder zijn geloofwaardigheid te verliezen.

'Shit,' mompelde Finn terwijl hij op een stoel zat en over de krant heen tuurde. Lissa en Kozlowski stonden aan weerszijden van hem, en alle drie lazen ze het artikel voor de derde keer door, zonder tot een samenhangende reactie in staat te zijn.

Kozlowski ging tegenover hem zitten. De frons die al een week lang op zijn voorhoofd lag, was dieper dan ooit, en de rimpels in zijn voorhoofd leken permanent in een bezorgde uitdrukking geëtst te staan. 'Shit lijkt me precies de juiste uitdrukking.'

'Je denkt toch niet dat dit iets te maken heeft met de zaak-Salazar waar jullie vorige week mee bezig waren?' vroeg Lissa.

Finn keek naar Kozlowski. Geen van beiden gaf antwoord.

'Te oordelen naar wat er in de krant staat, is hij lukraak aangevallen,' merkte Lissa op. 'Er staat hier niets wat erop wijst dat het ook maar iets met Salazar te maken had.'

'De krant laat er geen misverstand over bestaan dat er nog bijna niets bekend is,' verbeterde Finn haar. 'Als ze over werkelijke informatie beschikten, of zelfs maar verdenkingen hadden, had het erin gestaan. De politie heeft niets verteld.'

'Misschien weten ze bij de politie zelf ook niks,' opperde Kozlowski.

'Zou kunnen,' zei Finn.

Zwijgend keken ze een paar minuten voor zich uit, en alle drie waren ze met hun gedachten bij een dode jurist die ze vorige week voor het eerst hadden ontmoet. Hij was intelligent geweest, vriendelijk en een beetje te gretig; duidelijk niet een van hen. Ze hadden hem nooit goed leren kennen. En toch, daar zaten ze, volkomen verbijsterd door zijn dood.

'Wat wil je doen?' vroeg Kozlowski een hele tijd later.

Finn stond op en liep naar zijn bureau. Hij tuurde naar alle zinloze post die zich had opgehoopt in zijn bakje met inkomende post.

'Ik weet het niet.'

'Jullie hoeven helemaal niets te doen,' zei Lissa. 'Het is per slot van rekening jullie probleem niet, verdomme nog aan toe. Jullie wilden de zaak-Salazar eigenlijk helemaal niet aannemen. Jullie zijn niemand iets verplicht.'

'Dat is niet helemaal waar. Ik moet wel iets doen.'

'Hoezo?'

Finn hield een gerechtelijk bevel omhoog dat gisteren was bezorgd. In dat bevel kregen het Openbaar Ministerie en de gemeentepolitie van Boston officieel opdracht de vijftien jaar oude huid- en bloedmonsters die waren aangetroffen onder de nagels van Madeline Steele over te laten brengen naar het laboratorium waarvan Dobson Finn het adres had gegeven. 'Ik heb de rechtbank nog niet laten weten dat ik me terugtrok,' zei Finn, en hij zwaaide met het briefje dat de rechtbank hem had gestuurd. 'Nu Dobson dood is, ben ik de enige advocaat die zich officieel nog met de zaak bezighoudt. De rechter zou niet eens toelaten dat ik me zomaar terugtrek.'

'Je kunt de zaak niet laten vallen?' vroeg Lissa. 'Hoe kan dat nou?'

'Het is tegen de regels van de staat Massachusetts. Zodra ik de zaak eenmaal op me heb genomen, kan ik me niet terugtrekken, tenzij er een andere advocaat is die de zaak van me overneemt. Nu Dobson dood is, ben ik Salazars enige advocaat.'

Finn liet zich op zijn stoel vallen. Alle feestelijke gedachten waren verdwenen. Kozlowski zat hem maar aan te kijken. 'Wat ga je nu doen?' vroeg Kozlowski nog eens.

'Ik weet het niet,' antwoordde Finn. 'Ik weet het gewoon niet.'

***

Finn stond onder het afdakje boven de achterdeur van het gebouwtje waarin zijn kantoor was gehuisvest. De weerberichten hadden voorspeld dat het vandaag zonnig zou zijn, maar daarbij hadden ze geen rekening gehouden met het feit dat je in nieuw England altijd vijftig procent kans op regen had. Een ijzige regen kletterde neer op Charlestown, droop van het afdakje en vormde grote plassen op het oneffen grint achter het gebouwtje. Finn tuurde naar het gloeiende puntje van zijn sigaret en probeerde zijn gedachten te ordenen.

De achterdeur sloeg met een klap tegen de muur toen Kozlowski naar buiten stapte. 'Ik dacht wel dat je hier zou zijn.'

'Dat heb je dan goed gedacht.'

'Ik heb je al een hele tijd niet zien roken.'

Finn nam een lange haal van zijn sigaret en liet de rook door zijn neus en mond naar buiten zweven. 'Iemand heeft me wijsgemaakt dat het niet goed voor je is.' Hij tikte de as van zijn sigaret. 'Ik was van plan deze te roken om de Slocum-deal te vieren.'

'Het is een goede schikking,' zei Kozlowski. 'Het is een mooie deal voor alle betrokkenen. Ik wilde daarnet helemaal niet suggereren dat het dat niet was.'

'Dat weet ik.'

Ze stonden zwijgend naast elkaar terwijl de ijzige regendruppels in een onregelmatig ritme om hen heen op het grint tikten. Het zag eruit alsof de regen elk ogenblik in hagel kon overgaan, maar daar was het net niet koud genoeg voor.

Na een tijdje trok Kozlowski zijn jack wat dichter om zich heen en stak zijn handen in zijn zakken. 'Volgens mij zijn er drie mogelijkheden.'

Finn keek hem aan. 'En dat zijn?'

'Ten eerste kun je naar rechter Cavanaugh stappen en hem toestemming vragen om deze zaak te laten vallen. Zeg maar dat je gezien de recente gebeurtenissen niet bereid bent hiermee door te gaan.'

Finn schudde zijn hoofd. 'Zelfs als ik al zover was om mezelf publiekelijk tot lafaard uit te roepen, laat hij me toch niet zomaar gaan, zoals ik net al heb gezegd. Vorige week ben ik voor hem verschenen en heb ik vol overtuiging beweerd dat Salazar onschuldig was, en dat de rechter het OM en de politie opdracht moest geven om het DNA-materiaal aan ons over te dragen, zodat we dat konden bewijzen. Cavanaugh laat echt niet toe dat ik de cliënt nu laat zitten.'

'Dat ben ik met je eens. Dus heb je nog twee mogelijkheden.'

'Ik luister nog steeds.'

'Je kunt ook niets doen. Over een week verschijn je voor de rechter, je roept een paar keer dat Salazar onschuldig is en daar laat je het verder bij, zodat die vent de rest van zijn leven rustig blijft wegrotten in de gevangenis.'

'Dat zou niet erg eervol zijn, hè?'

'Niet echt, nee.'

'En de derde mogelijkheid?'

Kozlowski keek hem strak aan. 'Ga je er werkelijk in verdiepen. Zorg dat je erachter komt wat er is gebeurd. Probeer te weten te komen of Salazar werkelijk onschuldig is. Probeer te weten te komen wie Dobson werkelijk heeft vermoord. Doe je werk en wees niet zo'n mietje.'

Finn nam een laatste haal aan zijn sigaret en gooide de peuk in een plas. 'Heb je er wel eens over gedacht om maatschappelijk werk te gaan doen, Koz? Met jouw sociale vaardigheden ben je een natuurtalent.'

'Ik zeg het gewoon zoals ik het zie.'

Nu was het Finns beurt om zijn handen diep in zijn zakken te steken. 'Goed, geachte zenmeester. En wat gaan we doen?'

'Nu gaan we naar de politie om eens te kijken wat ze ons willen vertellen. Misschien kunnen we zelfs wel wat informatie ruilen.'

'En dan?'

'Dan ga jij je je cliënt opzoeken.'

14

De blinkende glazen huls van het hoofdbureau van politie in Roxbury was net een diamant op een modderveld. Het werd omgeven door gloednieuwe, schone trottoirs, afgezet met fraaie banen keurig gemaaid gras. Twee straten verderop zakte de hele buurt echter snel weg in wanhopige verloedering. De theorie was heel duidelijk geweest: als je het hoofdbureau midden in een van de gevaarlijkste gebieden van de stad neerzette, zou dat waarschijnlijk een ontmoedigende uitwerking hebben op de misdaad daar. Men had zelfs laten doorschemeren dat een paar percelen niet ver van het bureau eveneens voor stadsontwikkeling bestemd zouden worden.

Het was echter nooit meer dan een theorie geweest, en de praktijk wint het altijd van de theorie. Wat al die veel te hoog opgeleide criminologen buiten beschouwing hadden gelaten, was dat de omwonenden zo weinig keuze hadden. Het lag nogal voor de hand dat de regelmaat waarmee de mensen hier misdrijven pleegden iets zou afnemen door de zichtbare aanwezigheid van politie, maar daarbij ging je er wel van uit dat die criminelen een keuze hadden of in ieder geval dachten dat ze een keuze hadden. Als ze een mogelijkheid hadden gezien om ergens anders naartoe te gaan of fatsoenlijk werk te vinden in plaats van misdrijven te plegen, had de theorie zelfs kunnen werken. Maar geen van beide mogelijkheden leek voor de betrokkenen meer dan een illusie, en zowel de politie als de criminelen hadden al snel in de gaten gekregen dat er maar weinig zou veranderen. En daar volgde dan weer uit dat het neerzetten van een groot politiebureau eigenlijk niet meer effect had dan met een zaklantaarn in de mist schijnen. Het hele idee van grootschalige buurtontwikkeling was uiteindelijk maar voor onbepaalde tijd in de ijskast gezet.

Finn had Kozlowski meegenomen. Het kon nooit kwaad om een oud-politieman mee te nemen als je de medewerking van de politie wilde hebben. Lissa hadden ze achtergelaten op kantoor. Daar had ze de leiding over het onderzoek naar de zaak-Salazar: de coördinatie met het DNA-laboratorium; contact opnemen met Dobsons secretaresse om te regelen dat al zijn dossiers werden doorgestuurd; inlichtingen inwinnen over de diverse experts op het gebied van vingerafdrukken; en het elimineren van ambtelijke belemmeringen die het hun onmogelijk maakten alle benodigde informatie te verzamelen. Het was een berg werk om tegenop te klimmen, en hoe eerder ze hun wandelschoenen dicht hadden geregen, hoe eerder ze de top zouden bereiken.

Finn en Kozlowski liepen het politiebureau binnen en stapten naar de receptie in de lobby. Van achter de balie keek een jonge agente keek hen verveeld aan. 'Kan ik iets voor u doen?'

'Ik hoop van wel,' zei Finn. Volgens hem kon je als je met de overheidsbureaucratie te maken kreeg, altijd maar beter beleefd beginnen. De meeste ambtenaren waren veel beter in staat allerlei problemen op te lossen, zelfs al waren ze daar niet toe bevoegd, dan ze lieten merken. 'We komen voor de rechercheur die de leiding heeft over het onderzoek naar de moord op Mark Dobson.'

Ze trok haar wenkbrauwen op. 'In welke functie hebt u met het onderzoek te maken? Beschikt u over informatie die misschien van nut zou kunnen zijn?'

'Ik weet het niet,' zei Finn. 'Waarschijnlijk niet, maar ik werkte samen met meneer Dobson. Er stond niet veel informatie in de krant, en het zal een beetje afhangen van de richting die het onderzoek neemt, maar het is mogelijk dat wij kunnen helpen.'

'Hebt u een visitekaartje?'

Finn haalde er eentje tevoorschijn en ze keek er aandachtig naar, rommelde toen door een stapel formulieren totdat ze er een in drievoud had gevonden en maakte daar een paar aantekeningen op. Daarna niette ze Finns kaartje eraan vast en gaf hem het formulier. 'Als u hier een korte beschrijving geeft van de informatie waarover u beschikt en het dan weer bij me inlevert, wordt u teruggebeld.' En na een korte pauze voegde ze daaraan toe: 'Als dat noodzakelijk wordt geacht.'

Kozlowski stapte naar de balie toe, haalde zijn portefeuille tevoorschijn en klapte die open. Achter het doorzichtige plastic van het bovenste binnenvakje zat een kaartje met een foto van Kozlowski en het officiële wapen van de staat Massachusetts erop, dat aangaf dat hij een gepensioneerd rechercheur was. 'Agent,' zei hij, 'we zouden hier niet naartoe zijn gekomen als we niet dachten dat we op z'n minst van nut zouden kunnen zijn. Wilt u zo vriendelijk zijn om even te kijken of de rechercheur die de leiding heeft over het onderzoek misschien aanwezig is? Dat zou zowel ons als de recherche zelf waardevolle tijd kunnen besparen.'

Ze keek naar het pasje, las Kozlowski's naam en haalde haar schouders op om duidelijk te laten merken dat het haar niet uitmaakte. Ze nam de telefoon achter zich op en draaide zich om, zodat ze niet konden horen wat ze zei. Een minuut later hing ze op en draaide zich weer naar hen toe. 'Hij komt zo naar beneden. Als u even wilt wachten?'

'Ja hoor,' zei Finn. 'Dank u wel.'

***

Kozlowski had hier geen goed gevoel over. Hij was licht in zijn hoofd en had een vervelend onvast gevoel in zijn maag. De moord op Dobson had waarschijnlijk niets te maken met de zaak-Salazar. Er hadden geen details in de krant gestaan, dus het kon net zo goed een toevallige roofmoord zijn geweest. Er werden voortdurend mensen vermoord. Daar hoefde helemaal geen reden voor te zijn. De kans dat het alleen maar domme pech was, een kwestie van op het verkeerde moment op de verkeerde plek zijn, was meer dan vijftig procent. Maar meer dan vijftig procent was bij zoiets als dit voor Kozlowski lang niet voldoende.

Het was raar om weer op het hoofdbureau te zijn. Inmiddels al meer dan een jaar geleden had hij min of meer gedwongen afscheid genomen bij de politie. Hij was in zijn knie geschoten tijdens de uitoefening van zijn functie, en daarna had het management hem onder zware druk gezet om met pensioen te gaan. Hij had de daarvoor vereiste twintig dienstjaren meer dan vol gemaakt en was ook nog eens semi-invalide, maar toch had hij graag bij de politie willen blijven. Dat was het werk waarvoor hij in de wieg was gelegd en waar hij goed in was. Maar zijn superieuren hadden hem alleen maar een lastpost gevonden. En ze hadden van de schotwond gebruikgemaakt om hem eruit te bonjouren.

Toch was het lang niet zo erg geweest als hij had verwacht. Finn had hem redelijk druk aan het werk gehouden, en omdat er nog andere advocatenfirma's waren die een hoge dunk van hem hadden, deed hij van tijd tot tijd ook nog wat andere klussen. Het was een tweede salaris, in aanvulling op zijn pensioen. Maar toch miste hij de recherche, en sinds zijn pensioen was hij bewust niet meer teruggegaan naar het bureau. Hij hield nog steeds contact met zijn vrienden bij de politie, en gebruikte ze om informatie los te krijgen waar andere privédetectives over het algemeen niet aan konden komen. Maar in eigen persoon was hij sindsdien niet meer op het hoofdbureau geweest. Het gaf hem een vreemd gevoel, alsof hij te gast was in zijn eigen huis nadat hij dat had verkocht. Vrijwel alles was hetzelfde gebleven, maar nu moest hij toestemming vragen om naar het toilet te gaan.

Kozlowski stond bij de heldenmuur – de ruimte die was gereserveerd voor foto's van de mannen en vrouwen die hun leven hadden gegeven tijdens de uitoefening van hun functie. Hij had nooit begrepen waarom dat de heldenmuur werd genoemd. Als politieman was hij altijd weer diep geschokt geweest als er een collega werd neergeschoten tijdens de uitoefening van zijn functie. Hij had hun offer gerespecteerd. Hij had meebetaald aan de studie van hun kinderen. Maar eer betonen aan hun dood? Nee. De dood was niet eervol wat hem betrof. Het was zijn taak om criminelen op te pakken. Als het niet anders kon, was het zijn taak om criminelen neer te schieten voordat ze hem of iemand anders te grazen namen. En als hij dood was, was hij daar niet meer toe in staat.

'Meneer Finn.'

Kozlowski hoorde de stem en had die al herkend voordat hij zich omdraaide.

'Rechercheur Macintyre was het toch?' hoorde hij Finn zeggen, ongeveer een meter naast hem. 'Hebt u de leiding over het onderzoek naar de moord op Dobson?'

'Ja.'

Kozlowski draaide zich om. 'Mac,' zei hij. Hij lette er goed op dat zijn stem heel rustig klonk. Er was geen spoor van vriendschap in te bekennen, maar evenmin iets van vijandschap.

'Kozlowski,' zei Macintyre. 'Kom jij even op bezoek?' Ook zijn stem klonk heel rustig en gelijkmatig. Hij had duidelijk nog niet in de gaten dat Kozlowski en Finn bij elkaar hoorden.

Kozlowski knikte. 'Ik denk het wel, ja. Finn en ik werkten samen met Dobson aan een zaak.'

'Salazar,' zei Macintyre. 'Ik heb het er vorige week nog uitgebreid met Dobson over gehad. Ik heb geprobeerd hem duidelijk te maken dat hij daar maar beter wat afstand van kon nemen. Maar zo te zien is dat me niet gelukt. Ik had geen idee dat jij hier ook bij betrokken was.'

'Denkt u dat het iets te maken heeft met Dobsons werk voor Salazar?' vroeg Finn.

Macintyre keek om zich heen alsof hij bang was dat iemand hem zou kunnen horen. 'Laten we even ergens gaan zitten waar we rustig kunnen praten,' zei hij terwijl hij ze met een handgebaar naar een deur toe leidde. 'We kunnen wel een van de verhoorkamers gebruiken.'

Finn liep met de rechercheur mee en Kozlowski kwam achter hen aan. Hij kende de weg. Hij had als rechercheur zijn hele leven alleen maar in verhoorkamers gezeten en hij zag er niet reikhalzend naar uit om deze keer de ondervraagde te zijn in plaats van degene die de vragen stelde, maar het was wel de meest geschikte plek voor zo'n gesprek, en hij kon er moeilijk bezwaar tegen maken.

Macintyre keek naar hem om. 'Hoe bevalt het pensioen?' vroeg hij.

Kozlowski meende daar minachting in te horen. Hij haalde zijn schouders op. 'Het kan erger.'

'Hoe lang heb je bij de politie gezeten? Drieëntwintig jaar? Vierentwintig?'

'Zevenentwintig.'

Macintyre schudde zijn hoofd. 'Ik kan me niet voorstellen hoe het moet zijn om na al die tijd weer een burgermannetje te zijn. Dat zal wel heel beroerd voelen, hè? Net alsof je ballen eraf zijn?'

Kozlowski dacht even na. 'Ik zou het niet weten, Mac. Ik ben nooit gecastreerd. Hoe voelt dat?'

Macintyre keek opnieuw achterom, deze keer met een overdreven nadrukkelijke glimlach. Kozlowski had nog nooit zoiets onnatuurlijks gezien. Macintyres grote hangwangen waren nu hoog opgetrokken en opzij geperst om ruimte te maken voor een dubbele rij donkere, scheve tanden. 'Dat is een goeie. Jammer dat we niet meer mensen zoals jij over hebben. Het is tegenwoordig net alsof niemand meer gevoel voor humor heeft. Shit, je hoeft tegenwoordig maar iets te zeggen of je krijgt al een officiële berisping. Als iemand van de afdeling Fijngevoeligheid mij iets over "ballen eraf" had horen zeggen, had ik waarschijnlijk onmiddellijk een berisping wegens seksuele discriminatie gekregen. Klote is dat.'

'Tragisch,' zei Kozlowski laconiek.

Finn keek even om, maar Kozlowski wuifde hem weg. Of hij dat nou leuk vond of niet, dit was zijn territorium niet meer. Het huis was verkocht en hij was hier alleen maar op bezoek.

★★★

'Fijn dat u even langs kon komen, meneer Finn. U stond al op de lijst van mensen die we wilden spreken, dus u hebt me een ritje bespaard,' zei Macintyre.

Ze zaten in een verhoorkamer op de eerste verdieping. Het was een verhoorkamer zoals duizenden andere in politiebureaus overal in de Verenigde Staten, alleen was deze iets nieuwer en schoner dan de meeste. In het midden van het vertrek stond een stevige, onopvallende tafel met vier stoelen eromheen. De witte wanden waren volkomen kaal, op een grote spiegel aan een van de muren na, die vanuit de kamer ernaast een venster was. Finn kende het allemaal maar al te goed.

'Wat kunt u mij vertellen over de rol van Vincente Salazar bij de moord op meneer Dobson?'

Die vraag verraste Finn, en dat was duidelijk de bedoeling. Er is een aantal goed ontwikkelde methoden om potentiële getuigen te verhoren. Een daarvan bestaat eruit dat je langzaam informatie uit de betrokkene losweekt. Je begint het verhoor als een vriendelijk en op geen enkele wijze bedreigend gesprekje, en stukje bij beetje weet je op die manier allerlei informatie te bemachtigen, net als eindjes wol die loskomen uit een slecht gebreide trui. Soms heeft degene die wordt verhoord niet eens in de gaten wat hem overkomt voordat hij volkomen naakt is. Een andere methode is om onmiddellijk keihard de confrontatie aan te gaan: om de pijnlijkste vragen meteen aan het begin te stellen, zo recht voor z'n raap dat de mogelijke getuige meteen uit zijn evenwicht raakt. En het was niet aan te raden uit je evenwicht te zijn als je antwoord moest geven op vragen van de politie.

Finn haalde even diep adem voordat hij antwoord gaf. 'Laat ik eerst het een en ander duidelijk maken, rechercheur,' begon hij en hij lette er goed op dat zijn stem vriendelijk maar beslist klonk. 'Ik vertegenwoordig meneer Salazar, of u dat nou leuk vindt of niet. Ik zal u met alle genoegen zo goed mogelijk van dienst zijn als ik maar kan zonder inbreuk te maken op mijn verplichtingen tegenover mijn cliënt. Zoals ik al heb gezegd, heb ik geen reden om aan te nemen dat meneer Salazar ook maar iets te maken heeft met de moord op meneer Dobson.'

'Dat is flauwekul, meneer Finn, en dat weten we allebei maar al te goed.' Macintyre glimlachte. Dat was al de tweede keer die middag en Finn vond het geen aangename ervaring om die man te zien glimlachen. 'Als u geen reden hebt om aan te nemen dat Salazar ook maar iets met deze moord te maken heeft, waarom bent u hier dan?'

Dat was een goede vraag, en Finn had er geen goed antwoord op. 'Zoals ik al zei, heb ik Dobson vorige week een paar keer gesproken. Nu is hij dood. Als ik u op welke manier dan ook kan helpen zonder voorbij te gaan aan mijn plichten als advocaat, dan wil ik dat graag doen.'

Macintyre keek hem aan. Hij zei niets. Hij leek te wachten tot Finn daar nog iets aan toe zou voegen. Hij wilde zien wie de langste adem had. Ook dat was een beproefde techniek. 'U lijkt er zeker van te zijn dat de moord op Dobson iets te maken heeft met de zaak-Salazar,' ging Finn verder. 'Als u mij vertelt waarom heb ik misschien een beter idee van het soort informatie dat voor u van nut zou kunnen zijn.'

Macintyre leunde achterover en liet dat even tot zich doordringen. 'Het gaat om de manier waarop hij is vermoord...' zei hij.

Finn beantwoordde de blik van de rechercheur. Nu was het zijn beurt om zijn mond te houden en op die manier meer informatie los te krijgen. En het werkte.

Macintyre stond op, liep de kamer uit en deed de deur achter zich dicht. Finn keek Kozlowski vragend aan, maar die haalde zijn schouders op. Een minuut later was Macintyre weer terug met twee geelbruine dossiermappen. Een daarvan legde hij voor zich op tafel. Hij keek Finn strak aan en schoof hem toen de map toe.

Finn keek neer op de map en sloeg hem open. De bovenste foto schokte hem, zo erg dat hij bijna over zijn nek ging. Met moeite slaagde hij erin zijn ogen af te wenden en tuurde naar de vloer. 'Shit,' zei hij zachtjes. Hij hield zijn hand voor zijn mond en deed zijn best om de misselijkheid in bedwang te krijgen.

Kozlowski leunde naar hem toe en tuurde naar de foto. Hij liet een zacht gefluit horen.

Finn haalde eens diep adem, als een duiker die zich klaarmaakt om onder water te gaan. Toen bracht hij zijn hoofd omhoog en keek nog eens naar de foto.

Het was duidelijk dat dit Dobson moest zijn, maar dat viel alleen maar af te leiden uit de omstandigheden. Het lijk op de foto was onherkenbaar. Het was aan stukken gehakt. Het hoofd zat nauwelijks nog vast aan de romp, en er ontbrak op z'n minst een arm. De romp was letterlijk in stukken gehakt. Finn had nog nooit zoiets gezien. Verschillende gebroken ribben staken omhoog uit een massa rood en grijs vlees. Finn kon niet eens uitmaken of hij naar de voorkant van het lijk keek of naar de achterkant.

'Verschrikkelijk nietwaar?' zei Macintyre. Te oordelen naar de klank in zijn stem zat hij te genieten van de moeite die het Finn kostte om de foto's te bekijken. Ze waren genomen uit verschillende hoeken, maar lieten telkens weer hetzelfde zwaar verminkte lijk zien.

'Ik begrijp het niet,' zei Finn, met een stem die nauwelijks meer was dan gefluister. 'Waarom?'

'Omdat ze dat nou eenmaal zo doen,' zei Macintyre.

'Wie?'

De vds.' Macintyre leunde weer achterover in zijn stoel en zoog lucht tussen zijn tanden door alsof hij probeerde een stukje vlees van zijn vorige maaltijd los te krijgen. 'Een paar jaar geleden heeft zich ten noorden van Washington D.C. iets dergelijks voorgedaan. De bende is daar ook behoorlijk sterk. De FBI beschikte over een informant en het zag ernaar uit dat ze voldoende te weten zouden komen om de hele bende uit te schakelen, of in ieder geval de hoogste leiding daarvan. Toen was de informant plotseling verdwenen, samen met zijn begeleider van de FBI. Een paar dagen later zijn ze aangetroffen in een of ander bassin in Maryland. In dezelfde toestand als Dobson. Misschien nog wel erger zelfs, want de

vissen hadden ook een paar dagen de tijd gehad om ze aan te vreten.'
Macintyre leunde over tafel en pakte de bovenste foto van de stapel.
'Zien jullie die lange snijwonden hier? En de manier waarop die niet alleen dwars door de huid en het spierweefsel zijn gegaan, maar ook door
de ribben? Dat zegt iets over de kracht waarmee ze toegebracht zijn.'

Finn keek, maar moest zijn blik vrijwel onmiddellijk weer afwenden.
Vanuit zijn ooghoeken zag hij Macintyre grijnzen.

'En hier…' ging de rechercheur verder. 'Op deze foto is zijn gezicht
helemaal opengehakt. Drie of vier halen, hooguit, en toch is het grootste
deel van de huid en de botten verdwenen.'

Finn nam niet de moeite om te kijken. 'Dus?'

'Een machete,' antwoordde Kozlowski.

Zo te zien had Kozlowski daarmee de pret voor de rechercheur grondig bedorven. 'Inderdaad, een machete.' Hij keek Kozlowski woedend
aan. 'Ik vergeet de hele tijd dat jij vroeger ook rechercheur bent geweest.'

'Ach ja, je hebt ook veel aan je hoofd,' zei Kozlowski.

Ze bleven elkaar strak aankijken totdat Macintyre zijn ogen neersloeg
en zijn aandacht weer op Finn richtte. 'De machete is het favoriete
wapen van de VDS, zeker in zo'n geval als dit. Als ze drugs smokkelen, of
zich met alledaagse zaken bezighouden, gebruiken ze vuurwapens, maar
als ze een speciaal uitgekozen persoon uit de weg ruimen om iets duidelijk te maken, gebruiken ze bij voorkeur een machete.'

'Waarom?' wist Finn met moeite uit te brengen.

Macintyre haalde zijn schouders op. 'Dat heeft iets te maken met
Zuid-Amerikaans machismo. Ze jagen er de mensen de stuipen mee op
het lijf. Misschien is het een traditie. Misschien zijn het gewoon een stel
zieke, psychotische klootzakken. Wie weet? Wat we wel weten, is dat ze
Dobson als doelwit hebben gekozen.'

Finn haalde diep adem. Hij moest nog steeds zijn uiterste best doen
om zich te herstellen van de aanblik van die afschuwelijke foto's. En hij
moest nadenken, want hij begreep er geen barst meer van. 'Best,' zei hij
een hele tijd later. 'Laten we aannemen dat u gelijk hebt. Laten we aannemen dat Dobson door deze bende is vermoord. Wat heeft het dan met
Salazar te maken?'

'Zoals ik u laatst nog probeerde te vertellen, en zoals ik ook Dobson
heb verteld, was Salazar een van hen. Misschien stond hij zelfs heel hoog
in de organisatie. We weten dat Salazar toen hij nog op vrije voeten was,
de arts was die ze gebruikten als een van hen neergeschoten of -gesto-
ken was. En in Salvador had hij ook al connecties met de VDS. Daarom
is hij het land uit gevlucht.'

'Hoe weet u dat?' vroeg Finn.

Macintyre pakte de tweede map, sloeg die open en haalde een stel foto's tevoorschijn van Salazar die diep in gesprek was met een stel zwaar getatoeëerde mannen.

'Kijk maar eens naar die tatoeages. Typisch VDS. Het is heel zeker dat hij iets met die mensen te maken heeft. Op grond van alleen deze foto's zouden we nooit een veroordeling weten te krijgen, maar het lijdt geen twijfel dat hij connecties met ze had.'

Finn keek aandachtig naar de foto's en dacht weer even na. 'Is dat alles?'

Macintyre begon te lachen alsof hij wist dat hij in de maling werd genomen maar het spelletje meespeelde. 'Is dat alles?' zei hij Finn na, en hij begon nog veel harder te lachen. 'Nee, dat is niet alles, maar op zich is het al ruim voldoende. Dobson hield zijn dagindeling heel zorgvuldig bij. Op de computer van zijn firma voerde hij elke dag in hoeveel uren hij had gemaakt. Als het nodig was, deed hij dat zelfs vanuit huis. Het blijkt dat hij de afgelopen week uitsluitend bezig is geweest met de zaak-Salazar. Dag en nacht zo te zien – een paar keer tot achttien of negentien uur per etmaal. Tot op de dag waarop hij is vermoord.'

Finn dacht erover na. Toen schudde hij zijn hoofd. 'Dat klopt gewoon niet. Wat is uw theorie dan? Dobson probeerde Salazar uit de gevangenis te krijgen. Als Salazar bij de VDS zit, waarom zou de bende Dobson dan willen vermoorden? Waarom zou Salazar daar opdracht toe hebben gegeven?'

'O, ik wil niet zeggen dat ik er zeker van ben dat Salazar opdracht heeft gegeven om Dobson te laten vermoorden. Misschien hebben een paar van zijn maatjes dat wel gedaan, omdat ze liever niet hebben dat hij vrijkomt. Misschien willen ze niet dat hij straks zijn oude plek binnen de organisatie komt opeisen. Of misschien is Dobson iets te weten komen wat hij van Salazar en zijn jongens niet mocht weten. Misschien was hij achter de waarheid gekomen en moesten ze hem daarom wel uit de weg ruimen. Wie zal het weten? Het enige waar ik zeker van ben, is dat Salazar hier op een of andere manier iets mee te maken heeft.'

Macintyre leunde weer over de tafel. 'En nu, meneer Finn, zou ik graag een paar antwoorden van u horen.'

Finn schudde zijn hoofd.

'Nee?'

Finn schudde nog eens zijn hoofd.

Macintyre sloeg zijn armen over elkaar. 'Volgens mij heb ik u een heleboel informatie gegeven, maar is het allemaal eenrichtingsverkeer geweest. Op een of andere manier lijkt me dat niet in de haak.'

'Ik moet eerst mijn cliënt spreken,' antwoorden Finn. 'Het spijt me.'

Macintyre krabde achter zijn oor. 'Merkwaardig, dat zei Dobson ook al. Ik vertelde hem over Salazars banden met de VDS en toen zei hij dat het hem speet. Net zoals u.' Hij pakte de foto's en zwaaide die heen en weer voor Finns gezicht. 'Hoeveel spijt zou hij nu hebben? Mag ik u een goede raad geven? Blijf uit de buurt van die vent. Vertel me alles wat u weet en blijf daarna zo ver bij Salazar uit de buurt als u maar kunt. Die vent brengt ongeluk.'

En opnieuw zwaaide hij met de foto's van Dobsons verminkte lijk voor Finns gezicht heen en weer. 'Hoeveel meer bewijs hebt u nog nodig?'

Voor de derde keer schudde Finn zijn hoofd.

'Nou, als het zo moet...'

Er lag een dun, boosaardig glimlachje op Macintyres gezicht. Finn vond het nog steeds niet prettig om die man te zien glimlachen.

'Ja, zo moet het,' zei hij.

15

Het was bijna drie uur 's middags toen Finn wegreed van het parkeerterrein voor het politiebureau. In de kleine ruimte naast hem zat Kozlowski als een sardine in een blikje. Finn had nog tijd genoeg om naar
Billerica te rijden. Deze keer zou hij de man echter onder vier ogen
spreken. Omdat ze buiten de normale bezoekuren kwamen, zou Finn alleen maar toegang tot de man krijgen omdat hij zijn advocaat was en
Kozlowski zou er niet bij mogen zijn. Daarom hadden ze besloten dat
het handiger was om de privédetective af te zetten op kantoor, zodat hij
Lissa kon helpen het onderzoek op poten te zetten.

'Wat denk jij ervan?' vroeg Finn terwijl ze de Melnea Cass Boulevard
op reden.

'Een heleboel,' zei Kozlowski.

Finn draaide hard aan het stuur om een gat in het wegdek te ontwijken dat groter was dan zijn piepkleine autootje. 'Ik zou daar graag wat
meer over horen,' drong hij aan. In zijn vak was Kozlowski de allerbeste,
maar soms werkte de enorme zwijgzaamheid van de man Finn op de ze-
nuwen.

'Je hebt me niet verteld dat je Macintyre vorige week gesproken had.'

'Jawel,' zei Finn. 'Ik heb je gezegd dat een of andere politieman naar
ons toe kwam toen we de rechtbank uit liepen, en dat hij tegen ons zei
dat we die Salazar in de gevangenis moesten laten zitten.'

'Een of andere politieman,' zei Kozlowski. 'Dat is niet hetzelfde als
Macintyre.'

Finn keek naar Kozlowski. 'Maakt dat dan wat uit?'

Kozlowski tuurde door het zijraampje. 'Misschien wel.'

'Je kent hem dus?'

Kozlowski knikte. 'Twintig jaar geleden, of misschien nog wel langer,
hebben we een paar keer samengewerkt. Het is lang geleden dat we voor
het laatst enig noemenswaardig contact hebben gehad, maar we zijn een
hele tijd op hetzelfde bureau gestationeerd geweest.'

'Een goeie vent?'

'Alleen als je van klootzakken houdt.'

Finn dacht daar even over na. 'Ik trek een heleboel met jou op.'

'Grappig hoor.'

'Denk je dat het toeval is dat hij met de zaak-Dobson is belast?' Het leek Finn een opmerkelijk toeval, en om een of andere onduidelijke reden gaf dat hem een ongemakkelijk gevoel.

Kozlowski zuchtte. 'Officieel worden zaken lukraak toegewezen, tenzij bekend is dat een bepaalde zaak verband houdt met een lopend onderzoek. In werkelijkheid is het voor een ervaren rechercheur die belangstelling heeft voor een bepaalde zaak niet moeilijk om te regelen dat hij die toegewezen krijgt.'

'Dus waar staan we nu?'

'In een heel onduidelijk stadium, denk ik. Alles wat hij over Salazar zegt, zou waar kunnen zijn. Die Salazar zou best een enorme klootzak kunnen zijn. Als dat het geval blijkt, moet je zo snel mogelijk proberen van deze zaak af te komen, want dan gaat die hoe dan ook alleen maar ellende opleveren. Daar staat tegenover dat ik voldoende van Mac weet om er niet zonder meer van uit te gaan dat hij de waarheid spreekt. Zijn badge is een beetje bezoedeld, als je begrijpt wat ik bedoel.'

'Denk je dat hij corrupt is?'

Kozlowski keek hem schuin aan. 'Ik weet het niet. Maar ik ben er niet zeker van dat hij helemaal zuiver op de graat is. De laatste keer dat ik met hem heb samengewerkt, rekte hij de regels wat op. Niet heel ernstig. Lang niet zo ernstig als ik anderen heb zien doen, maar toch heb ik er daarna op gelet dat ik niet opnieuw samen met hem werd ingedeeld. Zodra je bij bepaalde regels de grenzen wat oprekt, of er zelfs overheen gaat, wordt het een stuk makkelijker om dat ook met andere regels te doen. En ik wilde niet meemaken dat hij mij zou vragen om hem te dekken met een valse getuigenverklaring.'

Daarna werd Finn een tijdje in beslag genomen door het verkeer. Hij draaide Storrow Drive op en reed daarna in oostelijke richting naar Charlestown. Het was net drie uur geweest en achter hen begon de zon al weg te zakken achter de horizon aan de overkant van de Charles-rivier. Het had opgehouden met sneeuwen, en het was een van die heerlijk frisse, koude winterdagen. De hemel was zo helder dat de verse laag sneeuw die de hele stad overdekte, zo veel zonlicht weerkaatste dat er nauwelijks naar te kijken viel zonder verblind te worden. De motor van de MG ging als een razende tekeer om voldoende warmte te produceren om de cabine van het kleine autootje warm te houden, maar toch kon Finn zijn eigen adem nog steeds als stoom uit zijn mond zien komen en hij was er niet zeker van of de rijp op de voorruit nu aan de binnen- of aan de buitenkant zat. Hij huiverde. Terwijl hij de wagen door het verkeer stuurde, dacht hij na over het gesprek met Salazar dat hij straks zou gaan voeren. Hij had het gevoel dat hij zichzelf danig in de nesten aan het werken was en hij merkte dat hij sterk de neiging had om Macintyres advies op te volgen: ga er als een haas vandoor en laat de rotzooi maar opruimen door iemand anders. Per slot van rekening had Lissa gelijk. Hij had deze zaak toch al niet willen doen. Maar eigenlijk had hij dat wél gewild. Als advocaat was Dobson slim genoeg geweest om te weten op welke knoppen hij bij Finn moest drukken om ervoor te zorgen dat hij zich bij deze zaak betrokken zou gaan voelen. Dobson was een ware gelovige geweest. Tijdens zijn rechtenstudie hadden de hoogleraren over het recht gesproken in termen van rechtvaardigheid. Vanuit hun hoge ivoren torens hadden ze het evangelie verkondigd van de wet als middel om het algemeen welzijn te bevorderen en het onrecht in de wereld uit te helpen. De meeste studenten, rechtstreeks afkomstig van dure kostscholen en chique universiteiten, hadden dat zonder meer geloofd. Maar Finn niet. Finn had zijn hele leven in de echte wereld doorgebracht en hij wist dat rechtvaardigheid een illusie was. De overwinning op Slocum was voor hem een uiterst bevredigende ervaring geweest, maar rechtvaardigheid, nee, dat was het niet. In de echte wereld bestond alles zozeer uit grijstinten dat rechtvaardigheid er geen grote rol speelde.

En toch, terwijl hij daar in die collegezalen had gezeten en inwendig had moeten grinniken om de naïviteit van al die predikers, had hij eigenlijk ook graag in rechtvaardigheid willen geloven. Net als een kind dat een spannend verhaal zit te lezen, had hij graag in een wereld van goed en kwaad willen leven, waar een overwinning behalen niet wilde zeggen dat je alleen maar voor je zelf iets gewonnen had, maar dat je daarmee ook een hoger principe had gediend. Op die eigenschap had Dobson zich gericht. En het was dat aspect van zijn karakter dat nu dat zachte stemmetje in zijn achterhoofd vormde dat hem toefluisterde dat dit zijn kans was, misschien wel zijn enige, om iets van rechtvaardigheid te vinden. Zo niet voor Vincente Salazar, dan in ieder geval voor Mark Dobson.

Hij reed Storrow Drive af en de Monsignor O'Brien Highway op, sloeg drie keer de bocht om en kwam slippend tot stilstand voor zijn kantoor. Kozlowski duwde het rechterportier open en hees zichzelf moeizaam uit de auto. Daarna stak hij zijn hoofd de cabine in. 'Zet 'm op,' zei hij.

'Nog een laatste goede raad?'

Kozlowski fronste. 'Wees voorzichtig,' was het enige wat hij kon bedenken. En daarna sloeg hij het portier dicht.

Finn draaide het parkeervak uit en reed naar het noordwesten, naar Billerica. De zon was inmiddels verdwenen achter de horizon en in de verte was alleen nog een ijle gloed zichtbaar. Het leek wel alsof de temperatuur al tien graden was gedaald.

En Finn had het gevoel dat het nog een stuk kouder zou worden.

16

Finn ijsbeerde door de verhoorkamer in Billerica. Zijn voetstappen lagen een volle cadans achter op zijn hartslag. Hij probeerde alvast op een rijtje te zetten wat hij straks tegen Salazar zou gaan zeggen – wat hij de man zou vragen – maar het wilde hem niet lukken. Zijn gedachten kwamen en gingen te snel, en lieten zich op geen enkele manier structureren.

Diep in het inwendige van de gevangenis hoorde hij een paar keer achter elkaar het geluid van staal dat met een harde klap op staal sloeg. De bonkende geluiden kwamen steeds dichterbij, totdat de deur van de verhoorkamer open zwaaide en Salazar met boeien om zijn polsen en enkels door twee zwaargebouwde cipiers de kamer binnen geleid werd. Toen hij Finn zag, bleef hij in de deuropening staan. Er lag een verbaasde uitdrukking op zijn gezicht. Daarna schuifelde hij naar het plastic stoeltje toe dat voor de tafel in het midden van de voorkamer stond.

De cipiers zagen erop toe dat hun geketende gevangene ging zitten en keken toen snel even naar de advocaat. 'Vijftien minuten,' zei een van hen. Ze draaiden zich om en liepen de kamer uit, waarbij ze de deur hard achter zich dicht sloegen, zodat Finn nu alleen achterbleef met Salazar.

De twee mannen keken elkaar strak aan. Geen van hen beiden bewoog zich. Finn stond met half opgeheven hand ongeveer een meter van de tafel waar Salazar aan zat, alsof hij tijdens het houden van een toespraak plotseling verstard was. Salazar keek Finn een beetje scheef aan, met een mengeling van nieuwsgierigheid en argwaan. Finn vroeg zich af wie als eerste de stilte zou verbreken.

'Meneer Finn,' zei Salazar na een tijdje, 'ik had de indruk dat u geen belangstelling had voor mijn zaak. Men heeft me verteld dat u mijn geval niet makkelijk genoeg vond. Bent u van mening veranderd?'

Het duurde even voordat Finn daar antwoord op gaf. 'Zou kunnen,' zei hij. Hij stond Salazar nog steeds roerloos aan te kijken.

Salazar legde zijn geboeide handen op tafel. 'Volgens meneer Dobson had u de hoop opgegeven. Hij zei dat u niet meer meedeed.'

'Wanneer hebt u hem voor het laatst gesproken?'

'Mark?'

'Dobson, ja.'

Salazar dacht even diep na. 'De dagen hier zijn soms moeilijk van elkaar te onderscheiden. Wat is het vandaag? Maandag?'

'Ja.'

Zo te zien voerde Salazar in gedachten een berekening uit. 'Dan moet het vrijdag zijn geweest.'

'En sindsdien hebt u hem niet meer gesproken?'

'Nee.'

Finn keek Salazar met een sceptische blik aan.

'We kunt het hem zelf vragen als u mij niet gelooft, meneer Finn,' zei Salazar.

'Dat zal helaas niet gaan,' zei Finn. 'Dat is de reden waarom ik hier ben.'

'O?' reageerde Salazar verbaasd.

'Hij is dood.' Finn hiéld Salazar nauwlettend in de gaten, maar diens gezicht verried geen enkele emotie. Het gezicht van de man leek wel uit graniet gehouwen. Hij knipperde zelfs niet met zijn ogen. Maar hoewel hij geen spier vertrok, meende Finn toch op te merken dat zijn ademhaling plotseling sneller ging.

'Hoe?' was het enige wat Salazar zei.

'In stukken gehakt.' En na een korte stilte voegde hij daar aan toe: 'Met een kapmes.'

Ook deze keer liet Salazar geen enkele emotie blijken. Hij bleef doodstil zitten en Finn had geen idee wat er in het hoofd van de man omging. Nadat ze zo een tijdje tegenover elkaar hadden gezeten, knikte Salazar naar hem en kwam toen overeind. 'Bedankt voor uw komst,' zei hij tegen Finn. Hij liep naar de deur. 'Cipier!'

'Wat doet u nou?' vroeg Finn.

'Ik ga terug naar mijn cel.'

Finn was met stomheid geslagen. 'Is dat alles?' vroeg hij verontwaardigd. '"Bedankt voor uw komst, ik ga terug naar mijn cel"? Is dat alles wat u mij te zeggen hebt?'

'Wat kan ik verder nog tegen u zeggen?'

'Ik wil een verklaring, verdomme nog aan toe!'

De deur werd van buitenaf geopend. Een van de cipiers verscheen in de deuropening en keek naar de veroordeelde en diens advocaat.

'Ik ben nog niet klaar met mijn cliënt!' riep Finn.

Er verscheen een zowel geërgerde als geamuseerde uitdrukking op het gezicht van de cipier. Hij keek naar Salazar en trok vragend zijn wenkbrauwen op.

Een ogenblik later knikte Salazar naar de cipier, die een stap naar achteren deed en de deur weer in het slot duwde: 'Ik dacht dat u geen belangstelling meer had voor mijn zaak, meneer Finn. Ik dacht dat u ontslag had genomen.'

'Ja, dat dacht ik ook. Maar ik heb de formulieren nog niet ingevuld, dus voorlopig zitten we met elkaar opgescheept.'

Salazar liet dat even tot zich doordringen. 'Ik stel uw toewijding zeer op prijs, meneer Finn. Maar alstublieft, het lijkt me voor ons allebei het beste als u nu teruggaat naar uw kantoor en die formulieren invult.'

'Waarom? Misschien wil ik u wel helpen, en ze staan heus niet achter me in de rij, hoor. Zonder mij blijft u hier levenslang gevangenzitten. Denkt u nou echt dat het handig is om mij zo snel de deur te wijzen?'

'Nu klinkt u net als Mark Dobson,' zei Salazar. 'En kijk eens wat er van hem geworden is. Die verantwoordelijkheid kan ik niet op me nemen.' Hij schudde zijn hoofd. 'Ik heb me hier al jaren en jaren weten te handhaven, en dat hou ik nog wel een tijdje vol. Ik heb niets meer wat ze me nog kunnen afnemen. Nogmaals bedankt voor uw komst, maar u kunt me niet helpen.'

'Dank u wel, maar dergelijke beslissingen neem ik liever zelf,' zei Finn. 'Maakt u zich over mij nou maar niet ongerust. Ik kan wel voor mezelf zorgen.'

Salazar keek hem aan met een zuur, gekweld glimlachje. 'Dat zei meneer Dobson nou ook.'

Finn sloeg zijn armen over elkaar. 'Weet u wie hem heeft vermoord? Weet u wie Dobson heeft vermoord?'

Salazar haalde eens diep adem, zo te zien met tegenzin, en knikte. 'Ja, meneer Finn, ik weet wie hem heeft vermoord.'

'Vertel op dan,' zei Finn boos. 'Ik heb Dobson maar kort gekend, maar hij had lef en hersens genoeg om mij hierbij te betrekken. Dat betekent iets voor me. Ik wil weten wie hem heeft vermoord.'

Salazar liet zijn schouders hangen en tuurde strak voor zich uit, zodat zijn blik recht door Finn heen leek te gaan. Hij zag eruit als een diepgekweld mens. 'Goed dan,' zei hij. 'Ik was het.'

Finn keek Salazar niet-begrijpend aan. 'Wát?'

'U hebt het goed gehoord, meneer Finn. Ik ben degene die Mark Dobson heeft vermoord.'

★★★

Kozlowski stond in de deuropening van Finns kantoor. Lissa Krantz zat woedend op haar toetsenbord te hameren en hield haar ogen strak op het beeldscherm gericht. Ze ging helemaal op in haar werk en had niet in de gaten dat hij binnenkwam. Diep in gedachten verzonken stond hij naar haar te kijken.

Finn had hem maar wat wijs willen maken, daar was hij zeker van. Het was gewoon niet mogelijk dat zo iemand als Lissa ook maar enige belangstelling zou hebben voor een vent als hij. Dat sloeg nergens op. Maar toch...

Hij wist niet zeker of hij ooit eerder goed naar haar had gekeken. Hij wist dat ze aantrekkelijk was – en jong. Dat was waarschijnlijk de reden waarom hij nooit goed had gekeken. Voor hem was ze net zoiets als een dure auto: hij wist dat een Maserati een heel fraaie wagen was, maar hij besefte ook dat hij zich er nooit een zou kunnen veroorloven, en daarom had hij nooit de moeite genomen om er aandachtig naar te kijken.

Maar hier stond hij dan, in de deuropening van zijn kantoor, en terwijl hij bewonderend naar deze aantrekkelijke jonge vrouw tuurde, drong het voor het eerst tot hem door hoe mooi ze was. Merkwaardig genoeg voelde hij zich een beetje verlegen worden. Geërgerd schudde hij zijn hoofd. Die verdomde Finn ook!

Hij schraapte zijn keel en stapte de kamer binnen. Lissa draaide zich om, keek hem even aan en ging toen verder met haar werk. 'Hoe gaat-ie, Koz?' vroeg ze verveeld.

'Niets.' Plotseling was hij zich ongemakkelijk bewust van elk woord dat er uit zijn mond kwam. Het leek wel of alles wat hij zei achterlijk klonk. Hij vervloekte zichzelf. 'Hebben we al een vingerafdrukkendeskundige gevonden?' Misschien zou hij zich meer op zijn gemak voelen als hij het gesprek naar de zaak-Salazar stuurde.

'Ik heb een paar mensen gebeld,' zei ze. 'Er is een zekere Jim Brannagh, die zo nu en dan wat freelance werk doet sinds hij ontslag heeft genomen bij het vingerafdrukkenlaboratorium en is gaan lesgeven aan de Universiteit van Boston. Dat lijkt me een veelbelovende kandidaat. Finn heeft ook de naam doorgegeven van Kelly LeBlanc, en dus heb ik een bericht ingesproken op haar antwoordapparaat. Ze is een stuk jonger, maar heeft wel vijftien jaar vingerafdrukkenonderzoek gedaan bij de politie.'

'Die twee hebben allebei toch voor de gemeentepolitie van Boston gewerkt?' vroeg hij.

'Ja,' zei Lissa. 'We moeten iemand hebben die op zijn vakgebied over gezag beschikt, en iedereen hier in de omgeving met een goede reputatie op dat gebied, heeft ooit voor de politie gewerkt.'

'Dan moeten we buiten Boston zoeken,' zei Kozlowski, terwijl hij probeerde te klinken als iemand met autoriteit. 'Als we met een deskundige uit Boston in zee gaan, is de kans op een belangenconflict te groot. Als we een deskundige inzetten die banden heeft met de politie, halen we misschien niet het onderste uit de kan.'

'Blauw dekt blauw?' vroeg Lissa.

Kozlowski knikte.

'Maar toch?'

'Het klinkt cynisch hè? Maar toch is het zo. Politiemensen beschermen elkaar, en al helemaal als ze elkaar kennen of bij dezelfde politiemacht werken.'

'Maar deze mensen zijn met pensioen.'

'Dat maakt niet uit. Eens politieman, altijd politieman.'

Ze draaide zich om en keek hem aan. 'En jij dan?'

Kozlowski merkte dat hij ongemakkelijk begon te draaien onder haar aandachtige blik. 'Hoe bedoel je?'

'Jij bent jarenlang rechercheur geweest. Zou jij andere rechercheurs in bescherming nemen?'

Slecht op zijn gemak verplaatste hij zijn gewicht van de ene voet op de andere. 'Dat hangt ervan af, denk ik.'

'Waar hangt dat van af?'

Hij haalde zijn schouders op. 'Van de situatie. En van de politieman.'

'Wat is er gebeurd met dat zwart-witdenken van jou waar je het daarnet met Finn over had? Of geldt dat alleen maar voor andere mensen?'

'Nee, dat niet. Maar voor politiemensen ligt het inderdaad net even anders. Het is als in het leger. Jij bent degene die zich in een oorlogszone bevindt en er zijn mensen die proberen je dood te schieten. De enige mensen die je rugdekking kunnen geven, zijn de collega's met wie je samenwerkt. Als je dat onderlinge vertrouwen gaat ondermijnen, wordt de wereld heel snel een erg gevaarlijk oord. Dat wordt er echt bij je in gehamerd, en het is moeilijk om dat later van je af te zetten.'

'En? Heb jij het inmiddels al van je af weten te zetten?'

Hij lachte haar voorzichtig toe. 'Volgens mij wel, maar ik ben wel natuurlijk een beetje een vreemde eend in de bijt.'

Ze richtte haar aandacht weer op de computer. 'Dat hoor je mij niet tegenspreken,' mompelde ze.

'Wat?'

'Niets.'

Ze zwegen allebei, en nog niet eerder had Kozlowski zo'n drukkende stilte meegemaakt. 'Maar goed,' zei hij, 'Ik heb wel een paar ideeën over mensen die we kunnen benaderen als we buiten Boston op zoek gaan naar vingerafdrukdeskundigen.'

'Ik ben een en al oor.'

'Ik heb een lijstje in mijn kamer liggen. Ik haal het even.' Hij draaide zich om en wilde zijn kamer binnen stappen, bleef in de deuropening staan, wilde opnieuw zijn kamer in lopen, en deed toen opnieuw een stap naar achteren. Hij keek haar aan. 'Ik moet hier nog een paar dingen afmaken, en het wordt al laat. Als je wilt kunnen we straks even wat gaan drinken. Dan gaan we daarna een hapje eten en dan praten we rustig verder.'

Ze keek hem strak aan.

'Ik bedoel, alleen als je wilt, hoor. Misschien heb je wel iets anders te doen, en we kunnen altijd morgen nog gaan. Maar als je zin hebt...'

Hij hoorde zijn stem langzaam wegsterven. Hij voelde zich geïntimideerd, en voor hem was dat een bizarre ervaring.

De verrassing stond op haar gezicht te lezen. 'Ja hoor,' zei ze. 'Wat maakt het verdomme ook uit, toch?'

'Prima. Over een uurtje of zo?'

'Dat klinkt goed.'

'Ik kom je wel halen.'

'Vanuit de andere kamer?'

'Ja, vanuit de andere kamer. Ik steek mijn hoofd wel om de deur.'

'Prima. Dan zie ik je straks wel.'

'Oké.' Hij draaide zich om en liep zijn kantoor binnen. Het was maar vier stappen, maar het voelde als een hele reis. Zodra hij zich weer veilig in zijn eigen domein bevond, liet hij zich met zijn rug tegen de muur zakken. Hij was uitgeput en in de war, maar tegelijkertijd kon hij zich niet herinneren zich ooit zo tintelend van leven gevoeld te hebben.

★★★

'Ik heb hem vermoord,' zei Salazar nog eens. Hij zat nu tegenover Finn aan tafel in de bezoekruimte voor advocaten met zijn hoofd in zijn handen en zijn ellebogen steunend op het afgebladderde fineer. 'Ik had net zo goed zelf met dat kapmes kunnen zwaaien."

'Wat is er gebeurd?'

'Ik wilde zo graag hier weg. Te graag. Ik wilde naast mijn dochter kunnen zitten zonder dat de cipiers meteen achterdochtig naar me kijken als ik maar even een arm om haar heen sla. Ik wilde op de veranda aan de achterkant van het huis van mijn broer zitten – die heb ik gezien op foto's, en in mijn dromen – en ik zou rustig met hem over ons vak willen praten. Ik probeer de medische tijdschriften bij te houden en op de hoogte te blijven van de nieuwe behandelingen, maar erover lezen is niet hetzelfde als er in de praktijk mee werken.' Hij woelde met zijn handen door zijn lange haar. 'Ik wilde het allemaal zó graag, dat ik bereid was Dobsons leven op het spel te zetten. Hij was de enige buiten mijn familie die ooit in mij – in mijn onschuld – heeft geloofd. En door mijn toedoen is hij nu dood.'

Finn nam Salazar aandachtig op en probeerde te bepalen of de man nou toneel speelde of niet. 'Ik ben vandaag op het politiebureau geweest,' zei hij. 'Daar geven ze u de schuld.'

Salazar keek op. 'Nou, dat is dan de eerste keer dat ik het met ze eens ben. Ik neem aan dat er voor alles een eerste keer is.'

'Nee,' zei Finn. 'Ze denken niet dat hij door uw toedoen vermoord is, ze denken dat u hem hebt laten vermoorden.'

Salazar wreef ongelovig in zijn ogen. 'Waarom?'

Finn leunde achterover. 'Volgens hen bent u lid van de VDS. Een leider zelfs.'

'Dat is allemaal *mierda*. Bullshit. Hebben ze u bewijsmateriaal laten zien?'

'Ze hadden foto's,' zei Finn.

'Van?'

'Een aantal VDS-leden met wie u zo te zien behoorlijk serieus aan het overleggen was.'

'Nee,' zei Salazar. 'Het is niet waar.'

'Ik heb de foto's gezien.'

'Natuurlijk hebt u die gezien. En ik weet zeker dat ze foto's hebben van mij in gezelschap van VDS-leden. Ik behandelde hen. Voor iedereen in die wijk was ik het beste alternatief voor een echte dokter. En dat gold ook voor leden van de VDS. Als ze ziek werden, behandelde ik ze. En ook als ze werden neergeschoten of zwanger raakten. Het kan niet zo moeilijk zijn geweest om foto's te vinden van mij in hun gezelschap.'

'Waarom hebt u die bandieten behandeld?' vroeg Finn verontwaardigd.

'Ik behandel iedereen,' zei Salazar, en zijn stem klonk even verontwaardigd als die van Finn. 'Dat heb ik u al gezegd. Ik heb in El Salvador altijd beide partijen behandeld. En ook de criminelen hier in dit godvergeten oord – wat ze ook misdaan hebben. En ja, ik heb die "bandieten" van de VDS dus ook behandeld. Het is mijn taak om mensen te behandelen, niet om ze te beoordelen.'

'Maar die mensen…'

'Precies, meneer Finn. Ménsen. Het zijn mensen. Zelfs de politiemensen die ervoor hebben gezorgd dat mijn dochter blind is geworden, zou ik nog behandelen als ze iets overkwam.' De ketting van de handboeien maakte een ratelend geluid toen Salazar zijn handen wrong. 'Maar denkt u eens na: zelfs als wat de politie zegt waar zou zijn, zelfs als ik lid zou zijn van de VDS, waarom zou ik dan mijn eigen advocaat laten vermoorden? Hij probeerde me uit de gevangenis te krijgen. Wat zou ik dan voor een motief kunnen hebben om hem te laten vermoorden?'

'Dat heb ik de politie ook gevraagd,' gaf Finn toe.

'En daar hadden ze geen antwoord op?'

'Geen antwoord dat me zinnig leek.'

'Omdat er geen zinnig antwoord op te geven valt,' zei Salazar. 'Ik zal mezelf voor de rest van mijn leven kwalijk nemen dat Dobson door mijn toedoen is vermoord: niet omdat ik zijn dood heb gewild, maar omdat ik heb toegelaten dat hij zich in gevaar begaf. Ik heb hem zelfs nadrukkelijk naar het gevaar toe geleid. Daar ben ik werkelijk schuldig aan.'

'Hoe hebt u hem dan naar het gevaar toe geleid?'

'Ik heb meer verteld dan ik hem had moeten vertellen.'

'Wat dan?' vroeg Finn.

'God kan me die vergissing misschien één keer vergeven, meneer Finn. Maar ik weet niet zeker of ik nog welkom ben in de hemel als ik Petrus moet begroeten met niet alleen Dobsons bloed aan mijn handen, maar ook dat van u.'

'Maar ik kan u helpen,' zei Finn. 'Als u me vertelt wat ik moet weten.'

Salazar schudde zijn hoofd. 'Het is te gevaarlijk.'

Finn dacht daar even over na. Toen leunde hij voorover in zijn stoel en keek Salazar recht in de ogen. 'Goed, dan vertelt u het niet,' zei hij. 'Maar kan ik ervan uitgaan dat wat u hem hebt verteld iets te maken had met de VDS?'

Salazar aarzelde voordat hij antwoord gaf. 'Ja,' zei hij toen.

'En het heeft ook iets te maken met de reden waarom u hier zit?'

Salazar aarzelde. 'Ik denk van wel. Ik weet het niet zeker. De enige informatie waarover ik beschik, heb ik de afgelopen vijftien jaar hier in de gevangenis weten te verzamelen, op grond van allerlei geruchten en roddels. Ik heb het stukje bij beetje aan elkaar moeten passen, maar het klopt allemaal wel.'

De twee mannen namen elkaar aandachtig op en probeerden in te schatten wat ze aan elkaar hadden. 'Ze hebben u opzettelijk voor die aanval op die politievrouw laten opdraaien, hè?' zei Finn. 'Dat was niet zomaar een vergissing. Het was niet zomaar pech. Iemand heeft u dit opzettelijk aangedaan.'

Salazars gezichtsuitdrukking verhardde zich. 'Vergissingen bestaan niet. Niet zulke vergissingen als deze, en niet in mijn geval.'

Finn sloot zijn ogen en dacht even na. 'Zoiets zou nooit gebeurd kunnen zijn zonder medewerking van iemand binnen de organisatie,' zei hij net zozeer tegen zichzelf als tegen Salazar. 'Politiemensen.'

'Zonder politiemensen zou dit niet gebeurd kunnen zijn,' zei Salazar instemmend.

'Hebt u enig idee wie het geweest zou kunnen zijn? Kunt u misschien namen noemen?'

'Nee,' zei Salazar. Hij keek Finn recht in de ogen. 'Maar u wel, hè?'

'Eén maar. En dat is niet meer dan een vermoeden.'

'Misschien kunt u dan tegenover mij die naam beter niet noemen totdat u zeker van uw zaak bent.'

'Dat dacht ik ook al.' Finn stond op en liep de deur uit. 'Cipier!' riep hij.

Salazar keek hem aan. 'Wat gaat u doen?'

Finn draaide zich om. 'Ik ben uw nieuwe advocaat,' zei hij. 'Ik ga mijn werk doen.'

'Ik kan niet nog meer mensen in gevaar brengen. Daarvoor wil ik niet verantwoordelijk zijn.'

'U bent helemaal nergens verantwoordelijk voor,' antwoordde Finn. 'U denkt dat Dobson is vermoord vanwege iets wat u hem hebt verteld, maar mij hebt u dat niet verteld, of wel soms? Ik ga me in eerste instantie niet bezighouden met deze moord. Ik ga bewijzen dat u de aanval op Madeline Steele niet gepleegd kunt hebben. Dat wil toch niet zeggen dat ik achter de VDS aan ga?'

'Maar de politie dan? Gaat u dan achter de politie aan?'

Finn glimlachte. 'Ik heb al eerder met de politie te maken gehad.'

De deur ging open. 'Bent u klaar?' vroeg de cipier.

Finn draaide zich om en keek hem aan. 'Nee, eigenlijk beginnen we nog maar net.' Hij stapte langs de cipier heen en liep naar de uitgang van de gevangenis.

17

Tom Kozlowski stond over de wastafel in het herentoilet van het Ritz-Carlton Hotel gebogen en plensde koud water in zijn gezicht. Hij liet het stromende water even van zijn neus en kin druipen voordat hij rechtop ging staan en in de spiegel keek.

Wat deed hij hier in vredesnaam? Waar was hij in godsnaam mee bezig? Dat was wat de man die hem vanuit de spiegel nu strak stond aan te kijken, van hem wilde weten. Wie probeerde hij nu eigenlijk voor de gek te houden?

Lissa Krantz, luidde het antwoord. Hij probeerde Lissa Krantz in de luren te leggen, en het meest verontrustende daaraan was nog dat het leek te werken.

De woorden waren zo achteloos uit zijn mond gekomen dat het leek alsof hij zulke dingen voortdurend zei. Hij was zijn kantoor uit gelopen om te kijken of ze al klaar was om een hapje te gaan eten en met hem over de vingerafdrukdeskundigen in de zaak-Salazar te overleggen. Ze was inderdaad klaar geweest en hij had zijn jas gepakt, maar voordat hij zelfs maar de deur naar zijn kantoor had weten te bereiken, had ze de vraag gesteld waar hij, tegen alle logische verwachtingen in, om de een of andere reden niet op verdacht was geweest: 'Waar wil je heen?'

Hij was stomverbaasd geweest. Hij zou nooit openlijk toegeven dat hij in paniek was geraakt, maar diep in zijn hart wist hij dat dat precies was wat er gebeurd was.

Ze gingen altijd naar O'Doul's, om de hoek van hun kantoor. Wie zou gedacht hebben dat er andere mogelijkheden waren? Maar zonder ook maar even na te denken, zonder blikken of blozen, had hij gezegd: 'Wat dacht je van de Ritz?'

Hoezeer zijn eigen antwoord hem ook had verrast, hij wist wel waar het vandaan was gekomen. Het Ritz-Carlton Hotel in Boston was een van die speciale plekken die voor andere mensen bestonden, maar niet voor hem. Tijdens zijn lange wandelingen om de Boston Common, op zoek naar innerlijke rust, was hij er maar al te vaak langsgekomen. Dan had hij voor de ramen gestaan en daarbinnen de vrolijke drukte gezien, maar hij was altijd een buitenstaander geweest die door het raam verlangend naar binnen keek. Als hij ooit van zijn leven nog de kans zou krijgen om zelfs maar even in die wereld rond te kijken, heel even maar, dan was het nu, samen met deze vrouw.

En hier was hij dan. Ze had een wenkbrauw opgetrokken toen ze zijn voorstel hoorde. 'God allemachtig,' had ze gezegd. 'Ik bedoel: hartstikke leuk.'

Ze hadden haar BMW op de parkeerplaats voor het gebouw laten staan en waren in zijn oude Crown Victoria de brug over de rivier over gereden. Ze waren om Beacon Hill en de Boston Common heen gereden en hadden uiteindelijk een parkeerplaatsje gevonden op Commonwealth Avenue, een paar straten van het statige hotel. De eetzaal binnen lopen was voor Kozlowski een surrealistische ervaring geweest. Het leek wel of hij plotseling in het leven van iemand anders verzeild was geraakt.

Het eten was heerlijk, dat wist hij zeker, maar hij proefde er bijna niets van. Hij had al zijn aandacht op haar gericht. In het begin was het gesprek wat vormelijk en ongemakkelijk geweest, maar hij had aantekeningen meegenomen over verschillende vingerafdrukdeskundigen en toen het ijs eenmaal gebroken was, was het gesprek van hun beroepspraktijk overgegaan op koetjes en kalfjes en daarna heel persoonlijk geworden. De avond was als in een roes voorbijgegaan. Hij was er nog steeds van overtuigd dat ze alleen maar aardig tegen hem was, en dat er geen enkele kans was dat dit afspraakje na het eten nog een vervolg zou krijgen, maar toch was het een van de beste avonden geweest die hij in zijn hele leven had meegemaakt.

Na het eten had hij bijna een half maandsalaris moeten neertellen, en daarna waren ze naar de bar gelopen. Die bar was legendarisch, een dik tapijt en luxueuze fauteuils die uitzicht boden op de brede Avery Street aan de andere kant van het grote venster. Bostoners die kerstinkopen hadden gedaan, kwamen opgewekt langs lopen te midden van dickensiaanse sneeuwvlagen, en voor het eerst van zijn leven was Kozlowski gaan begrijpen waarom sommige mensen zich zo afbeulden om het bestaan van de gegoede middenklasse deelachtig te mogen worden.

Hij nam een zachte handdoek aan van de beheerder van het herentoilet, veegde zijn gezicht droog en zocht toen in zijn zakken naar een dollar voor op het fooienschoteltje. Iemand anders een dollar geven omdat hij zojuist een plas had gedaan, was zo bizar voor hem dat hij er maar beter niet te lang over kon nadenken, maar verder was het een uiterst gedenkwaardige avond geweest.

Bij de deur bleef hij even staan en zoog zijn longen vol werkelijkheid. Doe nou niets stoms, hield hij zichzelf voor. Een enkele, ongewenste toenaderingspoging zou een van de beste ervaringen van zijn hele leven op slag kunnen veranderen in een van de naarste. Het was maar beter, dacht hij, om later tevreden op deze avond te kunnen terugzien, dan om straks met spijt terug te denken aan wat de avond niet had gebracht.

Hij blies zijn ingehouden adem uit, duwde de deur open en stapte de lobby van het hotel weer binnen.

★★★

Lissa zat in de bar te wachten tot Kozlowski terugkwam. Ze leunde achterover en liet zich verzwelgen door de zachte fauteuil. Die stond in een rechte hoek op de grote panoramaruit, zodat ze net zo'n goed uitzicht had op de straat als op de bar zelf. Dat laatste vond ze eigenlijk nog het fascinerends. Van zelfvertrouwen vervulde schepselen in onberispelijke jurken liepen de bar in en uit, vormden groepjes, gingen uit elkaar, en smolten dan net als balletjes kwik soepel weer samen tot nieuwe groepjes. Ze dobberden door het vertrek op zorgeloze golfjes, alsof niets lelijks hier ooit zou weten door te dringen.

Ze pakte haar glas op – een vingerhoedje Grans-Fassian dat veertig dollar had gekost – en nam een slokje. Het was lekker, dat moest ze toegeven. Ze zou zich schuldig hebben gevoeld om zoiets duurs te bestellen als Kozlowski er niet op had gestaan en zelf een nog veel duurder glaasje oude port had besteld. De hele avond door had hij haar telkens weer verrast. Zij was wel gewend aan dit soort restaurants; een heleboel van de rijkere – en saaiere – mannen met wie ze uitging, namen haar mee hiernaartoe, maar ze had ooit eens een kijkje genomen in Finns boekhouding en dus wist ze wat Kozlowski verdiende. Op een wat merkwaardige manier was het feit dat hij zich dit helemaal niet kon veroorloven, juist een van de dingen die deze avond zo bijzonder maakte. Ze keek hoe hij de bar binnen liep en moest haar best doen om niet te lachen toen ze zag hoezeer hij hier uit de toon viel. Alle andere mannen waren grondig gewassen en gestreken, en zo goed opgepoetst dat ze bijna licht uit leken te stralen. Maar lichamelijk viel de overgrote meerderheid in twee categorieën uiteen: de dikken en de verwijfden. Hier en daar werd weliswaar nadrukkelijk gepronkt met wat zorgvuldig in de sportschool opgekweekte spierballen, maar dat was allemaal tastbare nep. Er was helemaal niets onechts aan Kozlowski's stevige lijf, en die bruine wollen blazer van hem vond ze heel charmant. Als het ding het nog een paar jaar uithield, zou het misschien zelfs weer in de mode komen, dacht ze. Hij had een knappe man geweest kunnen zijn, in de stijl van al die filmsterren uit het Hollywood van de jaren veertig, met van die brede koppen, als hij niet zo'n groot litteken op de rechterkant van zijn gezicht had gehad, dwars van zijn ooghoek naar zijn oorlelletjes. Maar zelfs dat maakte hem voor haar gevoel juist karaktervol en sexy.

Al met al was ze er zeker van dat hij de meest aantrekkelijke man in de hele bar was.

Hij liep door de menigte en duwde daarbij verschillende in zichzelf verdiepte mannen uit de weg, wat hem een paar nijdige blikken opleverde. Maar zelfs degenen die zich duidelijk ergerden, besloten nadat ze hem even hadden opgenomen, dat ze maar beter hun mond konden houden.

Even later had hij hun tafeltje weer bereikt en liet zich in de stoel tegenover haar zakken. Hij pakte zijn eigen drankje en nam een slokje. 'Sorry hoor.'

'Waarvoor?'

Hij haalde zijn schouders op. 'Omdat ik je in de steek heb gelaten?'

'Om naar de plee te gaan?' Ze lachte. 'Wat waren de andere mogelijkheden?'

'Ik weet het, ik wilde gewoon…'

'Ik ben nog niet verlept, hoor,' stelde ze hem gerust.

'Nee, daar is geen sprake van,' gaf hij toe. 'Je lijkt me een overlever.'

'Volgens mij ben ik dat wel, ja. In ieder geval heb ik wel ergere dingen overleefd dan eventjes alleen gelaten worden in het Ritz-Carlton. En bovendien, zoals het gezegde luidt: "Alles wat me niet doodt, maakt me sterker."' Ze hield haar glas omhoog. 'Op het sterker worden.'

Hij hield zijn eigen glas omhoog en tikte het hare aan. 'Op het sterker worden.'

Ze namen allebei een slokje en keken elkaar aan. Ze leunde achterover en keek de bar nog eens rond. 'Vertel eens, Koz,' begon ze.

'Wat?'

'Kom je hier vaak?'

Hij draaide zich om in zijn stoel, om zelf ook de bar rond te kunnen kijken terwijl hij over die vraag nadacht. 'Ik neem aan dat het afhangt van hoe je "vaak" definieert.'

'In de zin van "ooit"?'

Hij keek haar weer aan. 'Oké, als je het op die manier definieert, dan is het antwoord: nee, ik kom niet vaak. En jij?'

'Zo nu en dan,' gaf ze toe. 'Maar volgens mij heb ik er nog nooit zo van genoten als vanavond. Nog een vraag?'

'Oké.'

'Heeft iemand je ooit wel eens anders genoemd dan Koz?'

'Ja hoor. Je moest eens weten waar ik allemaal voor uitgemaakt ben.'

'Je begrijpt best wat ik bedoel.'

Hij tuurde naar zijn handen. 'Ik heb ooit een zus gehad. Toen ik jong was. Ze was een paar jaar ouder dan ik. Zij noemde me Tom.'

'Doet ze dat niet meer dan?'

'Ze is dood.'

'O shit. Het spijt me.' Lissa kon haar tong wel afbijten. 'Het spijt me echt heel erg, hoor.'

'Nee hoor, het is niet erg. Het is al heel lang geleden. Een auto-ongeluk. Ze was zestien. Ze stak de straat over en iemand kwam veel te snel de hoek om. Ze zeiden dat ze niet geleden heeft.'

'O. Nou voel ik me echt heel lullig.'

'Dat is nergens voor nodig.'

'Hebben ze die vent ooit gepakt?'

'Ja, maar zo'n vangst was dat niet. Hij is niet doorgereden. Het was een jonge man, begin dertig, op weg naar huis, naar zijn vrouw en zijn drie kinderen. Misschien had hij na het werk wat gedronken, maar hij was beslist niet aangeschoten, en in die tijd waren mensen zich nog niet zo bewust van het verband tussen alcoholgebruik en verkeersongelukken. Hij is nergens voor veroordeeld.'

Lissa schudde haar hoofd. 'Ik weet niet of ik daarmee had kunnen leven. Dat die man daar helemaal geen straf voor heeft gekregen, bedoel ik. Ik heb nooit broers of zussen gehad, eigenlijk helemaal niets wat je een familie kunt noemen, maar als ik die wel had gehad, en ik had veel om ze gegeven, dan weet ik niet wat ik gedaan zou hebben.'

'Het was een ongeluk,' zei Kozlowski. 'Tegenwoordig lijken we soms te vergeten dat er ook nog gewoon ongelukken gebeuren. En bovendien heeft die man zichzelf heel zwaar gestraft. Hij was er echt helemaal kapot van. Hij is zijn baan kwijtgeraakt en gescheiden van zijn vrouw. Ik ben hem jaren geleden uit het oog verloren, maar het was heel triest allemaal. Zo nu en dan vraag ik me af wat er van hem geworden is. Ik hoop dat hij zichzelf geen kogel voor zijn kop heeft geschoten; eigenlijk kon hij er niets aan doen.'

Ze liet dat even tot zich doordringen. 'Je bent niet helemaal normaal, weet je dat?'

Hij glimlachte. 'Ja.' Ze keken elkaar aan zonder iets te zeggen. Toen sloeg ze het laatste beetje van haar dure drankje achterover. 'Reken jij even af?'

Toen hij zag hoe laat het was, verscheen er een teleurgestelde uitdrukking op zijn gezicht. 'Ja, je hebt gelijk We kunnen maar beter naar huis gaan. Maar ik vond het een hele leuke avond. Dank je wel.'

'Jammer nou, ik heb helemaal geen slaap. Ik woon een paar straten verderop. Ik had eigenlijk gehoopt dat je mee wilde om nog even een borreltje te drinken. Dat lijkt me wel het minste wat ik kan doen, nadat je de rekening hebt betaald.' Ze zag hem verbleken en dat vond ze heel innemend.

'Weet je dat zeker?'

Met gespeelde verontwaardiging sloeg ze haar armen over elkaar. 'Dat is de eerste keer dat iemand me ooit heeft gevraagd of ik het wel meende als ik hem vroeg of hij meeging naar mijn flat.'

'Nee, nee, nee,' stamelde hij. 'Ik vroeg me helemaal niet af of je het wel meende. Het is gewoon dat... Weet je het zeker?'

'Koz, doe me een lol, wil je? Reken nou maar af en hou je kop.' Ze stond op en pakte zijn hand vast terwijl hij een handvol bankbiljetten op tafel gooide, meer dan voldoende voor twee drankjes. Daarna liepen ze hand in hand naar buiten.

★★★

Vincente Salazar in zijn cel. De lichten waren net uit en zijn geest draaide op volle toeren. Er waren te veel variabelen in het spel en terwijl hij daar in het donker zat, voelde hij zich machteloos, omdat hij de risico's die zich nu ontvouwden niet op een behoorlijke manier kon inschatten. Hij moest een manier zien te vinden om op de hoogte te blijven, zodat fouten als die met Dobson zich niet zouden herhalen.

Snel keek hij even op zijn horloge. Half elf. Net toen hij opkeek, kwam de cipier langs. Dat consequente ritme was een van de weinige prettige dingen aan het gevangenisleven. Er werd een schema opgesteld en vervolgens hield iedereen zich daaraan. Net als de treinen in nazi-Duitsland: geen afwijkingen, geen uitzonderingen. Zo nu en dan was er een uitbarsting van geweld – een vechtpartij, een moord, een verkrachting – maar dat kwam betrekkelijk weinig voor, en over het algemeen werden ze door de gevangenisdirectie als interne aangelegenheden afgehandeld, met snelle en harde straffen, zonder proces en zonder mogelijkheden tot beroep. Afgezien daarvan was het hele gevangenisbestaan onderworpen aan een zeer streng regime. Achttien uur per dag zaten alle gevangenen in hun cel. Als je de andere zes wist te overleven, was gevangenisstraf uitzitten voornamelijk een oefening in het intact houden van je geestelijke gezondheid terwijl je dag in dag uit geconfronteerd werd met verpletterende verveling. Maar Salazar was sterk genoeg om tegen verveling opgewassen te zijn.

Hij keek opnieuw op zijn horloge. Vijf over halfelf. Hij hoorde de voetstappen van de cipier die terugliep naar zijn post. Het zou twee uur duren voordat er weer een cipier langskwam.

Salazar stak zijn hand onder zijn matras en trok er een klein, in een T-shirt gewikkeld bundeltje onderuit. Hij vouwde het open en haalde een mobieltje tevoorschijn. Mobiele telefoons waren een van de vaste ingrediënten geworden op het menu van niet-toegestane artikelen die de gevangenis binnen werden gesmokkeld; samen met heroïne en seks waren ze tegenwoordig de meest gewilde artikelen in de ondergrondse gevangeniseconomie. Hij gebruikte zijn telefoon maar weinig en bewaarde hem voor noodgevallen. Dit was een noodgeval.

Toen hij het nummer intoetste, wist hij nog steeds niet goed wat er nu gedaan moet worden.

'Hallo?' zei de stem aan de andere kant van de lijn.

'Met Vincente,' zei hij.

'Vincente! Hoe gaat het met je? Alles goed?'

'Prima. Ik moet snel zijn. De andere advocaat – Finn – blijft zich met de zaak bezighouden.'

'Zelfs nu Dobson dood is?'

'Ja.'

'Een moedig man. Dom, maar moedig.'

'Ja,' zei Salazar instemmend. 'We moeten hem goed in de gaten houden.'

'Met "we" bedoel je mij, neem ik aan.'

'Gezien de omstandigheden...'

'Dat wordt moeilijk.'

'Dat weet ik,' gaf Salazar toe. 'Maar het moet gebeuren. Er zijn te veel risico's. Ik wil dat je er persoonlijk voor zorgt.'

Er viel een korte stilte voordat de stem antwoordde: 'Dat zal ik doen.'

'Dank je wel.' Salazar verbrak de verbinding. Die nacht zou hij geen slaap krijgen. Er waren nog steeds veel te veel dingen die mis konden gaan, veel te veel dingen die buiten zijn macht lagen. Maar nu zou hij in ieder geval ogen buiten de gevangenis hebben.

* * *

Kozlowski had al het idee gehad dat Lissa Krantz geld had. Dat zag je aan allerlei kleine dingen. Ze ging altijd geheel volgens de laatste mode gekleed; ze reed in een dure auto; haar nagels en haren waren altijd perfect onderhouden. Daar had je geld voor nodig en Finn betaalde haar daar beslist niet voldoende voor, dus kennelijk had ze ook nog andere inkomsten.

Niets had hem echter voorbereid op haar appartement, en zodra hij het zag, drong het tot hem door dat hij de omvang van haar financiële middelen enorm had onderschat. Het appartement nam de gehele bo-

145

venverdieping van een van de fraaie appartementencomplexen aan Beacon Street in beslag. Het keek uit over de Charles-rivier. Dat wilde zeggen dat ze op een van de duurste adressen in een van de duurste steden ter wereld woonde. Het appartement had twee slaapkamers en een werkkamer vol met dozen, stapels papier en allerlei andere rommel. De rest van het huis was echter onberispelijk schoon en netjes, en hij vermoedde dat Lissa niet degene was die ervoor zorgde dat dat zo bleef. Het huis was duur ingericht, en een brede wenteltrap in het midden van de woonkamer gaf toegang tot een groot penthouse met een privé-daktuin van minstens honderd vierkante meter. Daar stonden ze, op het dak, in de vrieskou, terwijl hij twee glazen wijn inschonk uit de fles dure Chablis die ze hem had aangereikt.

Hij zette de fles neer op de met een dikke laag sneeuw overdekte tafel van Italiaans smeedijzer, en hield zijn glas omhoog. Ze beantwoordde het gebaar. Geen van beiden nam een slok.

Hij liep langs de rand van het dakterras, de ijzige sneeuwkorst knerpte onder zijn voeten. Het was een spectaculair panorama. In het noorden zag hij de esplanade, met daarachter de rivier en Cambridge aan de overkant. In het zuiden de Public Garden en de Boston Common. In het westen een eindeloze zee van al even geprivilegieerde daken, die zich uitstrekte tot aan de Fens.

Hij liep terug naar Lissa en leunde tegen de muur van het penthouse. 'Leuk optrekje,' merkte hij op.

'Dank je.'

'Je waarschuwt wel even als er een helikopter gaat landen, hè?'

'Die hoor je wel komen.' Ze liep naar hem toe en kwam zo dicht bij hem staan dat zijn hart plotseling als een razende tekeer ging.

'Serieus, hoeveel kost dit huis? Drie miljoen? Meer?'

'Wat kan het schelen?' Ze kwam nog dichterbij staan en zette haar wijnglas op een plantenbak, plukte het glas uit zijn vingers en zette het neer naast dat van haar.

'Het moet iemand kunnen schelen. Anders zouden huizen als dit helemaal niet bestaan.' Hij leunde naar achteren, zodat zijn gewicht volledig op zijn hielen rustte, en hoe dichterbij ze kwam, hoe verder hij zijn hoofd naar achteren trok. Hij keek over haar schouder, en durfde haar niet in de ogen te kijken. Ze hield haar hoofd een beetje scheef, zodat het weer binnen zijn gezichtsveld kwam, en hij dook de andere kant op. Ze zwaaide met hem mee en dwong hem op die manier haar aan te kijken. 'Wat is er verdomme?' vroeg ze. 'Is het de flat?'

'Je kunt er niet omheen dat we aan verschillende dingen gewend zijn,' zei hij.

'Ik kan hem verkopen.'

'Ongetwijfeld, en daar zou je dan een heleboel mee verdienen, denk ik.'

'Wat moet ik daar nou op zeggen? Mijn vader was steenrijk toen hij stierf. Veel meer dan dat weet ik niet van hem, want toen hij nog leefde, was hij er bijna nooit. Mijn moeder en ik praten niet meer met elkaar. Ik ben deze verdomde flat niet, en die flat is mij niet. Denk je soms dat ik die flat er niet graag voor over zou hebben om op een andere manier opgegroeid te zijn?'

'Het gaat niet om de flat,' zei hij, nog steeds zonder haar aan te kijken.

'Waar gaat het dan wel om?' zei ze, terwijl ze nog dichter tegen hem aan kwam staan. Haar stem klonk heel zacht, hees en een beetje ademloos. 'Ligt het aan mij?'

Hij haalde zijn schouders op en raakte haar niet aan.

'Wat is er?'

Hij keek haar aan en zei toen: 'Je kunt wel iets beters vinden dan mij.'

Ze bleef dichterbij komen. 'Ik heb wel erger gehad.' Ze kuste hem op de wang en hij hapte naar adem. De lucht was ijskoud.

'Je kan mijn dood worden, weet je dat?'

Ze glimlachte. 'Wie weet.' Ze stond op haar tenen, en haar lippen gleden over zijn wang naar zijn mond. Haar handen lagen op zijn borst. 'Maar ik denk van niet.' Ze kuste hem. Al zijn verdedigingslinies waren bezig te bezwijken, maar nog kon hij zich er niet toe brengen haar kus te beantwoorden. Misschien was hij bang om haar te kwetsen, dacht hij. Maar in zijn hart wist hij dat het daar niet aan lag.

Toen ze hem bleef kussen, voelde hij hoe zijn spieren zich geleidelijk aan ontspanden. Alle weerstand ebde weg uit zijn lijf en hij trok haar dichter tegen zich aan. Ze stond nu met zijn knie tussen haar benen, en hij voelde hoe ze zich langzaam tegen hem aan wreef. Met een laatste krachtsinspanning rukte hij zich los uit haar omhelzing en keek haar diep in de ogen. Toen glimlachte hij. 'Je zult mijn dood worden,' verzekerde hij haar.

'Dat risico neem ik dan maar.' En terwijl ze dat zei, keek ze hem diep in de ogen. Het was de meest erotische blik die hij ooit had gezien, zo vol van verlangen. Ze boog zich weer naar hem toe en kuste hem opnieuw op zijn wang. Toen fluisterde ze hem in zijn oor. 'En bovendien, alles wat je niet doodt, maakt je alleen maar sterker.'

★★★

In zijn kleine huisje in Quince, niet ver van Wollaston Beach, liep Mac van de keuken naar de woonkamer. Bijna alle lampen waren uit en de woonkamer werd alleen verlicht door het blauwig flakkerende licht van het televisiescherm. De tv stond afgestemd op een opname van een wedstrijd van de Boston Celtics, eerder die avond. Hij droeg een vuil T-shirt en een boxershort, en hield een pizzadoos in zijn handen met daarin een loodzware pizza met extra veel vlees van de pizzatent om de hoek. Hij had niet de moeite genomen de gordijnen dicht te doen; de buren konden doodvallen wat hem betrof. Als ze naar binnen wilden kijken en hem in zijn ondergoed wilden zien, nou, dan gingen ze hun gang maar. Wat kon hem dat schelen?

Treurig maar waar, tegenwoordig was dit zijn idee van een volmaakte avond: een pizza, zijn luie stoel en zijn geliefde Celtics. Toegegeven, het team was vergane glorie. Vroeger was het een kampioensteam geweest, een team waar zo iemand als Mac trots op kon zijn. Bird, McHale en Ainge. In een spel waarin de gettoblasters tegenwoordig de dienst uitmaakten, hadden de Celtics laten zien dat een stel blanke mannen nog steeds kampioen kon worden, gewoon door het spel te spelen zoals het hoorde, als team. Ze hoefden niet opzichtig de grote bink uit te hangen om te winnen. Je komt gewoon op tijd opdagen, je doet je werk en daarmee uit. Wat Mac betrof, was dat waar de Celtics ooit voor hadden gestaan: voor oud tegenover nieuw, werk versus showbizz, blank versus zwart. En ze hadden vaker wel dan niet gewonnen. Dat waren nog eens tijden, dacht hij met een steek van heimwee naar de dagen van weleer.

Tegenwoordig waren de Celtics gewoon zomaar een team. Volgens Mac was het allemaal misgegaan toen ze hun toekomst in handen van een cokeverslaafde hadden gelegd, die zijn bonus meteen in drugs had omgezet en zijn hart had opgeblazen met een overdosis. Eigen schuld eigenlijk. Als je je verwijdert van je roots krijg je van God op je lazer. Die laat je dan wel zien wie er de baas is. Zo dacht hij er nou eenmaal over. Hij was nog steeds dol op het team, maar het was niet meer zoals vroeger. En dat zou het nooit meer worden ook.

En dus liet hij zich met een gevoel van berusting op de bank ploffen en zette de pizza op het kleine beetje schoot dat zijn steeds verder uitdijende buik nog overliet. Het spel was begonnen en hij had net zijn eerste hap genomen toen de telefoon ging.

'Fuck,' zei hij hardop. Met volle mond boog hij zich voorover en rukte de hoorn van de haak. 'Ja?' gromde hij.

'Salazar heeft nog steeds een advocaat,' zei de stem.

'Nou en,' zei Mac. 'Daar heeft hij recht op. Dat staat in de grondwet.'

'Hij mag de gevangenis niet uit. Dat weet je.'

'Geen enkele rechter laat hem lopen. En zeker Cavanaugh niet. Niet met wat hij heeft uitgevreten. Niet met wat ze allemaal van hem weten.'

'Dat is niet voldoende.'

'Fuck you.' Mac kon er niets aan doen: het kwam er gewoon uit, hoewel hij besefte dat in de aanval gaan waarschijnlijk niet verstandig was.

'Als je het zo wilt…' De stem stierf langzaam weg.

'Dit is niet volgens afspraak. Helemaal niet. Niet wat jullie allemaal uitvreten. En al helemaal niet wat je nu van me vraagt.'

'Als je denkt dat dit maar een vraag is, is dat misschien een deel van het probleem. Kennelijk ben ik niet duidelijk genoeg. Als ik je even moet helpen herinneren hoe de zaken er werkelijk voor staan, dan valt dat te regelen.'

Deze keer dacht Mac diep na voordat hij antwoord gaf. 'Daar hoef je me niet aan te helpen herinneren. Ik zal kijken wat ik kan doen.'

'Prima. Kijk maar wat je kunt doen. Maar vergeet niet dat we op een heel krap tijdschema zitten.'

'Dat weet ik.'

'Het is allemaal te ver gegaan voor aarzelingen.'

'Goed. Ik weet het. Ik bel je binnenkort.'

'Doe dat. Je wilt niet in een situatie komen waarin ik jou opnieuw moet bellen.' De verbinding werd verbroken. Mac smeet de hoorn op de vloer. Hij keek naar zijn pizza, maar hij had geen honger meer. Hij keek op naar de televisie. De wedstrijd had nog maar een paar minuten geduurd en toch stonden de Celtics al acht punten achter, en dat nog wel tegen de Grizzlies.

'Fuck,' zei hij nog eens hardop. Toen hij even niet keek was de wereld plotseling erg veranderd. En niet ten goede.

18

DINSDAG 18 DECEMBER 2007

Finn werd vroeg wakker. Eigenlijk had hij geen oog dichtgedaan. Hij had alleen maar in bed gelegen, en alle gesprekken die hij met Mark Dobson had gevoerd, telkens weer de revue laten passeren. Verstandelijk wist hij heel goed dat hij niet verantwoordelijk was voor de dood van de jongeman, maar om een of andere reden voelde hij zich toch schuldig.

Om halfvijf stond hij op, ging snel even onder de douche staan, en werkte daarna moeizaam een stuk droog geroosterd brood naar binnen. Om vijf uur ging hij de deur uit. Het was nog pikdonker toen hij de deur van zijn kantoor openmaakte.

Hij ging aan zijn bureau zitten, haalde een schrijfblok tevoorschijn en zat er vervolgens een tijdlang naar te kijken. Hij wilde alles wat betrekking had op de zaak-Salazar eens goed op een rijtje zetten. In zijn gedachten dwarrelden vragen en problemen ordeloos rond, als stukjes papier die over straat werden geblazen door de wind. In die vorm schoot hij daar niets mee op, en hij hoopte dat hij door alles op schrift te stellen, er enige orde in zou kunnen aanbrengen, zodat hij er op een of andere logische manier mee aan de slag kon gaan.

Zoals altijd begon hij met de aanname – de noodzakelijke overtuiging – dat zijn cliënt de waarheid sprak, en dat Salazar dus onschuldig was. Finn trok het schrijfblok naar zich toe en ging aan het werk. Even later hield hij op en keek wat hij op papier had gezet.

Madeline Steele heeft de verkeerde man geïdentificeerd.

Hij dacht even na. Toen zette hij daar een eenvoudige maar wel heel belangrijke vraag onder.

Waarom?

En na opnieuw een korte pauze, begon hij op een nieuwe regel.

Hoe zijn Salazars vingerafdrukken op Steeles pistool terechtgekomen?

En daar weer onder:

Is er bewijsmateriaal vervalst?

Hij leunde achterover en pakte het schrijfblok op om nog eens aandachtig door te lezen wat hij zojuist had opgeschreven. Het was een beginnetje, maar meer ook niet. Er waren zo veel andere aspecten aan deze zaak, en al die stukjes van de puzzel leken gewoon niet te passen, hoe hard hij er ook zijn best op deed. Hij legde het schrijfblok met een klap op het bureau, en begon verwoed te schrijven. Zonder erover na te denken, zonder ook maar enige poging te doen om de zaak te analyseren:

Wie had er een motief om Steele te vermoorden?
Wie had een motief om Dobson te vermoorden?
Wie had er een motief om het voor Salazar belastende bewijsmateriaal te vervalsen?
Is Salazar lid van de VDS?
Zijn hier politiemensen bij betrokken?
Macintyre?
Wat heeft Salazar tegen Dobson gezegd?
Hoe zou het zijn om blind en zonder vader op te groeien?
Zou Salazar het land zijn uitgezet?

Zonder ook maar even pauze te nemen schreef Finn al die vragen op. Toen hij niets meer wist op te schrijven, zat hij lange tijd naar het papier te staren. Het waren allemaal goede vragen; lastige vragen ook. Ergens op de lijst bevonden zich de juiste vragen, en de juiste antwoorden zouden ervoor zorgen dat zijn cliënt vrijkwam en tot op zekere hoogte ook hemzelf van een last bevrijden.

Hij zette een dikke streep onder de lijst met vragen en daaronder schreef hij met grote hoofdletters: TE DOEN. Daarna zette hij daar een paar dikke strepen onder en maakte toen een lijstje.

Vragen stellen aan Madeline Steele
Een vingerafdrukkendeskundige inhuren en de vingerafdrukken laten onderzoeken
De familie Salazar ondervragen
De getuigen ondervragen
Onderzoek doen naar de VDS
Contact opnemen met het DNA-*onderzoekslaboratorium*

Hij scheurde het vel papier af, borg het schrijfblok weg en legde zijn nieuwe lijsten midden op zijn bureau. Nu hadden ze in ieder geval een plan. Of misschien niet eens zozeer een plan als wel een lijst lukrake activiteiten, maar Finn was van mening dat een van de belangrijkste aspecten van het voorbereiden van een zaak eruit bestond dat je voortdurend in beweging bleef. Zelfs als je niet precies wist waar het doel zich bevond, kwam je door stil te blijven zitten beslist niet verder, want met alleen maar nadenken schoot je over het algemeen niets op. Om de bal naar de andere kant van het veld te krijgen had je voetenwerk nodig.

Hij stond op en keek op zijn horloge. Hij was al meer dan een uur op kantoor en toch was het buiten nog steeds donker. In ieder geval zou de donutwinkel om de hoek nu wel open zijn. Dat was een van de dingen die hij zo prettig vond aan New England. Op elke straathoek zat wel een donutwinkel. Hij had geen idee wat de mensen hier zo fascinerend vonden aan die ronde stukjes gefrituurd deeg, maar hij was net zozeer het slachtoffer van die fascinatie als wie dan ook, dus waarom klagen? Bovendien had hij koffie nodig om echt met de dag te beginnen, en hoewel er een koffieapparaat op kantoor stond, was Lissa de enige die ermee overweg kon. Dat kwam ervan als je het allerduurste apparaat kocht. Er zaten meer knopjes en schakelaars op dat ding dan in welke auto waarmee hij ooit had gereden. Maar het maakte niet uit. Hij zou even de hoek om lopen en daar wat koffie en een stuk of twaalf donuts halen. Zowel Lissa als Kozlowski kwamen over het algemeen vroeg op kantoor, dus het ontbijt en de koffie zouden nog warm zijn als ze binnenkwamen.

Hij trok zijn jas aan en deed zijn das om. Hij voelde zich alweer een stuk beter dan gisteravond. Hij had in ieder geval het een en ander in gang gezet, en omdat ze maar een week hadden om de antwoorden te vinden, was beweging dringend noodzakelijk. Toen hij naar buiten stapte, had hij voor het eerst sinds hij in de krant had gelezen dat Dobson was vermoord, weer het gevoel dat hij op een zinnige manier ergens naartoe werkte.

★★★

Kozlowski lag op zijn rug in het bed van Lissa Krantz. Zijn benen en romp waren bloot hij had het laken over zijn middel getrokken. Het was een onbewuste vorm van etiquette die gezien de bezigheden van de afgelopen zes uur waarschijnlijk volkomen onnodig was, maar toch... Toen Lissa was opgestaan en de badkamer binnen was gelopen, had het hem een beetje vreemd gevoel gegeven om zich zo in zijn eentje in al zijn glorie aan de wereld te tonen.

Hij wreef over zijn brede borst en dacht terug aan wat er tussen hen was gebeurd. In veel opzichten vond hij het nogal merkwaardig. Ze hadden niets gemeen. Niets. Ze kwamen uit heel verschillende milieus, met een heel andere economische, culturele en religieuze achtergrond. En dan was er het leeftijdsverschil. De meeste mensen beschouwden vijftien

152

jaar tegenwoordig waarschijnlijk niet meer als heel extreem, maar Kozlowski zag zichzelf niet als iemand die bij 'de meeste mensen' hoorde. Voor hem leek vijftien jaar een eeuwigheid. Het leek hem een kloof die wel eens te breed zou kunnen zijn om te overbruggen. Hij voelde zich net een leraar die het aanlegt met een leerling.

Er was nog iets – de seks. Zou Lissa werkelijk tevreden zijn met iemand die vijftien jaar ouder was? De afgelopen nacht leek ze daar geen last van gehad te hebben. Ze had zelfs heel tevreden geleken met... alles. Maar eigenlijk had hij geen goede basis om zijn oordeel op te baseren. Zijn ervaring met haar was in zijn leven zoiets uitzonderlijks dat hij niet over een referentiekader beschikte aan de hand waarvan hij kon bepalen of hij haar reacties wel goed inschatte. Hij had in zijn hele leven maar een paar vriendinnen gehad, en die waren heel anders dan Lissa. Ingetogen en bedeesd waren ze geweest: een goede partij, zoals zijn moeder altijd had gezegd met haar zware accent. Intiem zijn met hen was heel prettig geweest, maar veel communicatie had er niet bij gezeten, en geexperimenteerd hadden ze al helemaal niet. En het was altijd bij één keer per avond gebleven. Zijn nacht met Lissa was iets van een volkomen andere orde. Ze hadden geen oog dichtgedaan. Echt helemaal niet. Ze hadden de hele nacht voortdurend op, onder en naast elkaar gelegen en dingen gedaan waar hij tot nu toe alleen maar over gelezen had. Tijdens hun samenzijn was het geen moment bij hem opgekomen zich zorgen te maken over hoe goed hij het deed, en of ze wel of niet klaarkwam. Daarvoor was hij veel te druk in de weer geweest.

Niet dat het hem moeite had gekost. Hij had gewoon gedaan wat hem het meest voor de hand liggend leek, de impulsen van zijn lichaam gevolgd en instinctief gereageerd op haar bewegingen, zich aangepast aan het ritme van haar lijf en de hevigheid van de extase die op haar gezicht te lezen stond. Als die gelaatsuitdrukkingen van haar een betrouwbare graadmeter vormden, dan had hij het wat haar betrof heel aardig gedaan. Maar er was geen enkele manier om daar zeker van te zijn. Hij had wel eens gehoord dat er vrouwen waren die deden alsof ze klaarkwamen om hun partner een goed gevoel over zichzelf te geven. Lissa's reacties hadden hem volkomen echt geleken, maar hoe kon hij daar zeker van zijn?

Hij strekte zijn armen uit langs zijn hoofd en liet zijn twijfels varen. Met twijfelen schoot hij niets op. Hij kon er nu toch niets aan doen. Het lag trouwens niet in zijn aard om al te diep in zijn emoties te graven. In persoonlijke relaties had hij het altijd het eenvoudigst gevonden om ervan uit te gaan dat de mensen waren zoals ze zich voordeden, tenzij hij duidelijke redenen had om daar anders over te denken. Lissa Krantz had niets gedaan om zijn twijfels te wekken, en dus leek het hem beter om de herinneringen aan de afgelopen nacht te nemen voor wat ze waren en er gewoon van te genieten.

★★★

In de badkamer stond Lissa in de spiegel te kijken. 'Godsamme,' fluister-de ze. Toen lachte ze en hield haar hand voor haar mond om het geluid te dempen. 'Godallemachtig nog aan toe.'

Ze streek met haar handen over haar lijf en volgde daarbij enkele van de oneindig vele paden die Tom Kozlowski's handen die nacht hadden gevolgd. Toen ze dat in gedachten opnieuw beleefde, sloot ze haar ogen. Ze streek met haar vingertoppen over haar heupen, over haar onderrug, daarna over haar middel en over haar borsten, en ze voelde haar tepels stijf worden onder haar vingers, zoals ze dat ook onder de zijne waren geworden.

Van haar borsten kroop één hand langzaam omlaag over haar midden-rif, en ze voelde een scheut van plezier in haar maag toen de hand steeds verder omlaag kroop. Toen hij tussen haar benen verdween, schoot er zo'n stroomstoot door haar ruggengraat dat ze snel ophield en haar hand daar heel licht liet rusten, met een nieuwsgierigheid die een weerspiege-ling vormde van de zijne terwijl ze zich langzaam streelde en een kreun moest onderdrukken toen er een rilling door haar hele lijf ging.

Ze haalde haar hand weg en boog zich over de wastafel. Dit moest ze niet doen; ze wist dat ze toch al een paar dagen wat moeilijk zou lopen. Maar het was het waard. Opnieuw lachte ze haar spiegelbeeld toe. Ze had waarschijnlijk meer seksuele ervaring dan drie van haar vriendinnen samen, maar dit was volkomen anders geweest. De hele nacht was een onderdompeling geweest in genot en overgave. Haar lichaam deed over-al pijn, maar toch wilde ze méér.

Ze deed de deur open, stapte de badkamer uit en liep naar het bed. Daar lag hij, met zijn ogen dicht en zijn handen achter zijn hoofd. Ze ging op de zijkant van het bed zitten. Ze legde een hand op zijn dij en hij sloeg zijn ogen op. Ze vroeg zich af wat er in hem omging, en of hij soms spijt zou hebben. Dat zoiets wel vaker voorkwam, wist ze uit eigen ervaring.

'Moe?' vroeg ze.

'Nee,' zei hij. 'Later op de dag wel, denk ik, maar nu nog niet.'

'Ik ook niet.' Ze boog zich over hem heen en kuste hem op zijn wang, maar had daar onmiddellijk spijt van. 'Het was fijn.'

'Ik vond het ook fijn.'

Ze wendde haar blik af. 'We kunnen waarschijnlijk beter niks tegen Finn zeggen. Die schrikt zich alleen maar rot.'

'Oké.'

'En bovendien hoeft het helemaal niet zoveel te betekenen.' In het verleden had ze die geruststellende opmerking al tegen tientallen mannen gemaakt, maar nu klonken de woorden haar hol en leeg in de oren.

Zijn gezicht betrok. 'Als jij het zegt.'

'Ik bedoel: het is gewoon een nachtje vrijen. Toch? We hebben niet meteen een relatie of zo.'

'Oké.' Het bleef even stil. Hij stak zijn hand uit en aaide haar over haar lies. Ze moest haar uiterste best doen om niet boven op hem te gaan liggen. 'Word ik nu al gedumpt?' vroeg hij.

Ze voelde een lichte opluchting. 'Nee,' zei ze snel. 'Ik wilde gewoon niet dat je... dat je het benauwd zou krijgen.'

Hij bleef haar strelen, maar zijn hand kwam nu telkens wat hoger. 'Als dat een probleem wordt, laat ik het je wel weten.'

Ze glimlachte en streek met haar eigen hand over zijn dij, totdat die onder het laken over zijn heupen verdween. Hij had een stijve en haar glimlach werd nog breder toen ze haar vingertoppen er licht eroverheen liet strijken. Toen trok ze het laken weg en ging schrijlings over hem heen op haar knieën zitten, zonder dat ze elkaar raakten.

De blik in zijn ogen toen hij naar haar keek, deed haar van binnen helemaal smelten. Hij bracht zijn handen omhoog en streek over haar benen, over haar middel en over haar borsten. Zijn handen waren dik en krachtig, maar ook vriendelijk en zacht, en ze merkte dat haar lichaam begon te reageren.

Plotseling hield hij op en er verscheen een ernstige uitdrukking op zijn gezicht. 'Je moet wel weten dat ik dit niet had verwacht,' zei hij. 'Toen ik je mee uit vroeg, had ik dit niet verwacht. Ik weet niet eens zeker of ik hier wel op had durven hopen.'

Ze glimlachte weer en liet zich op hem zakken, leunde voorover en fluisterde in zijn oor: 'Dit was precies waar ik op had gehoopt.'

19

Om half tien zat Finn in zijn eentje geërgerd op kantoor. Hij wilde aan de slag met de zaak-Salazar, maar hij had Kozlowski nodig om contact te leggen met Madeline Steele en een afspraak te maken voor vanochtend. Hij had Lissa nodig om de coördinatie te regelen met Dobsons kantoor en ervoor te zorgen dat de dossiers werden overgedragen, zodat ze konden beginnen met een uitgebreide analyse daarvan. Maar geen van beiden waren ze komen opdagen.

Hij nam aan dat hij officieel niet het recht had om er aanstoot aan te nemen dat Kozlowski zo laat was; hoewel het er soms wel de schijn van had, was Kozlowski niet bij hem in dienst. Toegegeven, het grootste deel van het werk dat hij deed, deed hij voor Finn, maar toch was hij een freelancer, die zelf kon beslissen welke klussen hij aannam. En bovendien was de man als privédetective goed genoeg om zijn agenda ook zonder Finn goed gevuld te houden. Ze hadden inmiddels echter zo'n vaste routine gevestigd dat Finn zich teleurgesteld voelde, en al helemaal omdat Kozlowski wist dat ze met de zaak-Salazar onder enorme tijdsdruk stonden.

Wat Lissa betrof, had hij het volste recht om boos te zijn. Zij was een werknemer, een stagiaire weliswaar, maar toch iemand die opdrachten moest opvolgen en op tijd op haar werk moest verschijnen. Met haar intelligentie en vaardigheden zou ze na haar opleiding een baan kunnen krijgen bij een firma die heel wat meer kon betalen dan hij, maar als ze wilde slagen voor haar examen zou ze hem toch nodig hebben om een gunstige beoordeling van haar werk te geven. En méér dan dat, hij was afhankelijk van haar geworden, en dat wist ze maar al te goed.

Hij had de ochtend zo efficiënt besteed als hij maar kon. Hij had contact opgenomen met Billy Smith, een vingerafdrukkendeskundige in de omgeving van Washington D.C. met wie hij al eens eerder had samengewerkt in een zaak die iets te maken had gehad met een vaderschapsactie. Smith had vroeger bij de FBI gezeten en werd algemeen erkend als een toonaangevende vingerafdrukkendeskundige, en dus zou niemand het lef hebben om hem tegen te spreken. Als Billy verklaarde dat het oorspronkelijke vingerafdrukonderzoek niet goed was uitgevoerd, zou niemand daar iets tegen kunnen inbrengen. Finn kende ook andere deskundigen die hij kon benaderen, maar hij gaf er de voorkeur aan om met de beste te beginnen.

Hij zat te denken wat hij verder op zijn eentje nog zou kunnen doen toen de deur met een klap tegen de muur sloeg en Lissa haastig binnen kwam hollen. 'Fuck!' zei ze en ze rende meteen door naar de kapstok om haar winterjas en sjaal op te hangen.

'Ook goedemorgen,' gromde Finn. Hij keek op zijn horloge. 'Ja, het is nog steeds ochtend. Maar veel scheelt het niet meer.'

'Dat weet ik. Ik heb toch al "fuck" gezegd?'

'Is dat tegenwoordig een nette manier om "Sorry dat ik zo laat ben?" te zeggen?'

Ze dacht even na. 'Ja, eigenlijk wel.'

De deur sloeg opnieuw met een klap tegen de muur; Kozlowski kwam binnen. 'Goeiemorgen.' Hij knikte Finn toe.

'"Fuck!" bedoel je zeker?'

Verbaasd keek Kozlowski heen en weer tussen Finn en Lissa. 'Is er iets?'

Lissa haalde haar schouders op.

'Dat menen jullie toch niet? We zitten met een dode advocaat en een onschuldige cliënt die wegrot in de gevangenis, en we hebben maar een week om erachter te komen hoe we hem de gevangenis uit moeten zien te krijgen, en dan willen jullie weten of het een probleem is dat jullie allebei om halftien pas komen opdagen?'

'Is hij nou ineens onschuldig?' vroeg Lissa.

'Hij is onze cliënt. En dat máákt hem onschuldig.'

'Vorige week was hij onze cliënt ook al,' zei Kozlowski.

'Vorige week was hij alleen officieel onze cliënt. Dobson was degene die hem toen vertegenwoordigde. Nu is hij helemaal van ons en hij is onschuldig. Zorg nou maar dat jullie daaraan wennen.'

Kozlowski hield bezwerend zijn handen op. 'Op dat punt zal ik je niet tegenspreken. Wat wil je dat wij daaraan doen?'

'Jij en ik moeten maar eens met Madeline Steele gaan praten,' zei Finn. 'Ik wil weten hoe zeker ze er na vijftien jaar nog van is dat het werkelijk Salazar was die haar heeft aangevallen. Jij kent haar, dus misschien zal het voor mij makkelijker zijn om met haar te praten als jij erbij bent.'

Kozlowski leunde tegen de muur waar Charley O'Malley niet lang geleden een gat in had geslagen en tuurde naar zijn voeten. 'Dat zou kunnen,' zei hij. 'Maar denk eraan, ik heb haar in geen jaren gesproken. Ik ben er niet zo zeker van of je er veel mee opschiet als ik erbij ben.'

'Ja, maar jullie waren toch vrienden?'

'"Waren" in de verleden tijd is inderdaad het juiste woord. Zoals ik al zei, het is jaren geleden.'

'Jullie waren toch alleen maar vrienden?' drong Finn aan.

'Inderdaad,' zei Kozlowski zonder aarzelen. Finn zag Lissa even in elkaar krimpen, maar dacht er verder niet over na.

'Dus je kent haar in ieder geval. En je hebt bij de politie gezeten. Dat maakt jou heel wat geloofwaardiger in haar ogen dan mij. Als ze zomaar een telefoontje krijgt van de advocaat van Salazar, kom ik daar niet eens binnen. Je kunt in ieder geval een gesprek regelen, en als we er eenmaal zijn misschien een bemiddelende rol spelen. Zeg niet van tevoren tegen haar waar het om gaat; zeg alleen maar dat je haar wil spreken.'

'Ik weet niet zeker of dat wel zo'n goed idee is,' zei Kozlowski.

'Nou,' zei Finn uitdagend. 'Het is het enige wat ik kan bedenken. Als je iets beters weet, zeg het dan vooral. Ik ben een en al oor.'

Kozlowski zei niets.

'Oké, probeer vanochtend nog een afspraak te maken.'

'En wat kan ik doen?' vroeg Lissa.

'Bel nog eens met Dobsons secretaresse en zorg dat je kopieën krijgt van al zijn dossiers over deze zaak. Onmiddellijk. Je zult misschien even op haar moeten inpraten; waarschijnlijk is dat mens erg van streek. Maar zorg dat je haar goed duidelijk maakt dat wij met een tijdslimiet zitten, en dat we alles wat ze maar heeft dus zo snel mogelijk moeten hebben.'

'Ik zal het proberen,' zei Lissa. 'Waarschijnlijk heb je gelijk. Waarschijnlijk is ze op dit moment erg van streek, dus heel eenvoudig zal het niet zijn. Shit, hoe vaak komt het bij zo'n firma als Howery Black nou voor dat er een advocaat wordt vermoord?'

'Vaker dan je misschien zou denken,' zei Kozlowski laconiek.

Ze keek hem even aan en richtte haar aandacht toen weer op Finn. 'Dat is waar ook. Een paar jaar geleden is daar toch een vrouw vermoord? Dat was ik vergeten. Dat was toch in de tijd dat jij daar werkte?'

Finn knikte.

'Heb je haar gekend?'

Finn knikte opnieuw.

'Godsamme, jij bent wel iemand die geluk brengt, zeg.'

'Dank je wel, nou voel ik me echt een heel stuk beter.'

'Sorry.'

'En verder?' vroeg Kozlowski.

'Verder gaat alles prima. We hebben een week de tijd om aan te tonen dat Salazar onschuldig is en erachter te komen wie Mark Dobson heeft vermoord. Wat zou er nou in hemelsnaam niet in orde kunnen zijn?'

★★★

Kozlowski zat in zijn achterkamer en tuurde naar de telefoon. Hij had erg tegen dit moment opgezien, maar nu was het zover.

Hij nam de hoorn van de haak en toetste het nummer in dat hij voor zich op tafel had liggen. Toen de telefoon voor de tweede keer overging, werd er opgenomen.

'Slachtofferhulp. Wat kan ik voor u doen?'

'Ik ben op zoek naar Madeline Steele.' Hij wist dat zij het was aan de andere kant van de lijn, maar hij wilde het zeker weten. Of misschien stelde hij de confrontatie alleen maar uit.

'Daar spreekt u mee. Ik ben inspecteur Steele.'

'Maddy. Met Koz.' Hij kon gewoon voelen hoe plotseling de telefoonlijn bevroor. 'Hoe gaat het met je?'

'Koz?' zei ze. Ze klonk zwaar aangeslagen.

'Hoe gaat het met je?' herhaalde hij.

'Vergeleken waarmee? Vergeleken met wanneer? Vergeleken met gisteren? Vergeleken met vorig jaar? Vergeleken met vijftien jaar geleden, de vorige keer dat je de moeite hebt genomen om dat te vragen?'

'Het spijt me, Maddy.'

'Flauwekul.' Het werd stil aan de andere kant van de lijn en Kozlowski had geen idee wat hij moest zeggen. 'Wat moet je,' vroeg ze een hele tijd later.

'Ik wil je spreken.'

'Nou, spreek dan maar.'

'In persoon.'

'Waarover?'

'Liever niet over de telefoon,' zei hij. 'Heb je tijd vanochtend? We kunnen langskomen.'

'We?'

'Iemand met wie ik samenwerk. Een advocaat.'

'O ja, dat is ook zo, je hebt tegenwoordig een privépraktijk. Je bent privédetective.' Aan haar stem was duidelijk te horen dat ze dat geen vooruitgang vond. 'Gewond geraakt tijdens het vervullen van je plicht, zo was het toch?'

'Ik was in mijn knie geschoten. Ik heb er geen last meer van.'

'Dat zal wel. In ieder geval kun je nog steeds lopen, dus tel je zegeningen maar.'

Hij hapte niet.

'Waar wil die advocaat me over spreken?'

'Zoals ik al zei, doe ik dit liever niet telefonisch. Kunnen we vanochtend langskomen?'

'Zomaar even langskomen? Vijftien jaar laat je niks van je horen. Vijftien jaar zwijg je en dan bel je ineens en wil je even langskomen om een praatje te maken?'

'Het is belangrijk, Maddy.'

'Ik had je nodig.'

'Dat weet ik. Het spijt me. Het is belangrijk.'

Hij wachtte even terwijl ze erover nadacht. 'Halftwaalf,' zei ze na een korte aarzeling. En onmiddellijk daarna hing ze op.

Kozlowski hield de telefoonhoorn een eindje van zijn gezicht, en keek ernaar. Toen legde hij het ding neer en haalde diep adem. Eigenlijk was het beter gegaan dan hij had verwacht. Het zou hem niet verbaasd hebben als ze onmiddellijk had opgehangen. Dit was een goed teken, veronderstelde hij. Maar het zou erger worden. Als ze elkaar in levenden lijve ontmoetten en de eerste schrik voorbij was. En als ze dan ook nog te horen kreeg waar ze het over wilden hebben... 'Erger' was in de verste verte geen adequate omschrijving van hoe het zou worden.

★★★

Finn moest zelf nog een telefoongesprek voeren voordat ze met Madeline Steele gingen praten. Tony Horowitz was chef-technicus bij Identech, het DNA-onderzoekslaboratorium waar Dobson het materiaal naartoe had gestuurd dat onder Steeles vingernagels was aangetroffen. Finn had wel eens eerder met hem samengewerkt, en hij had het vermoeden dat het de moeite waard zou kunnen zijn om de man even te bellen. Twee keer achter elkaar kreeg hij een secretaresse aan de lijn en daarna werd hij een paar minuten in de wacht gezet voordat hij de man zelf aan de lijn kreeg.

'Tony, met Scott Finn.'

'Finn. Goed weer eens van je te horen. Hoe staan de zaken?'

'Behoorlijk goed eigenlijk.'

'Dat is mooi. Zo druk dat je weer eens wat voor ons te doen hebt? Je weet dat we altijd nieuwe opdrachten kunnen gebruiken.'

'Dat is de reden waarom ik bel. Jullie werken al aan een van mijn zaken, alleen weet je dat misschien nog niet.'

'Werkelijk? Welke dan?'

'Een criminele zaak, voor een cliënt die Salazar heet. De advocaat die jullie de opdracht heeft gegeven, heette Mark Dobson. Zegt dat je iets?'

Finn hoorde de man gewoon naar adem happen. 'Shit, doe jij die zaak nu? Dat wist ik niet. Shit.'

'Is dat een probleem?' vroeg Finn.

'We zijn gisteren met die zaak gestopt. Ik heb de monsters weer laten verpakken.'

'Waarom?'

'Heb je het dan niet gehoord? Dobson is dit weekend vermoord, en nu hij er niet meer is, had ik geen idee waar ons geld vandaan zou komen. We doen ons werk hier niet gratis, weet je.'

'Ik snap het,' zei Finn. 'Maar doe me een lol, wil je, en zet het onderzoek snel weer op poten. Ik zorg wel dat je je geld krijgt.'

'Als je het zegt, maar we hebben inmiddels wel tijd verloren en ik heb een paar andere projecten liggen die voorgaan. Maar ik zal zien wat ik kan doen.'

'Tony, probeer iets meer te doen dan dat, oké? Die man is onschuldig. Dat weet ik gewoon, en over een week heb ik een zitting, dus ik moet de resultaten uiterlijk eind volgend weekend hebben.'

'Dat zal niet eenvoudig zijn, Finn.'

'Dat weet ik. Maar toch zou ik graag willen dat je het probeert. Als ik zeg dat iemand onschuldig is, dan bedoel ik ook werkelijk dat hij onschuldig is. Ik heb je hulp hierbij echt dringend nodig.'

Finn hoorde de man zuchten. 'Dan zal ik er zelf aan moeten werken,' zei Horowitz. 'Dat betekent dat ik volgend weekend zal moeten doorwerken, en dan moet ik overuren rekenen. Is dat in orde?'

'Zolang ik de uitslag zondag maar in huis heb,' zei Finn.

'Komt voor mekaar,' zei Horowitz. 'Maar dan sta je wel bij me in het krijt.'

20

Finn en Kozlowski waren een kwartier te vroeg voor hun afspraak met Madeline Steele op het hoofdbureau van politie, en kregen te horen dat ze even moesten wachten in de lobby. Finn had het gevoel dat elke politieman die langs kwam lopen, gewoon aan hem kon zien welke verdenkingen hij koesterde. Dat moest hij zich verbeelden, dat kon niet anders. Niemand wist wat hij hier kwam doen, en Finn had zijn vermoedens over mogelijke misdragingen van de politie zelfs niet gedeeld met Kozlowski. Per slot van rekening was Kozlowski ook een politieman. Hij kon zo nu en dan wel flink mopperen en klagen over de manier waarop de politie hem had behandeld, maar toch had Finn hem tientallen keren horen zeggen: 'Eens een smeris, altijd een smeris.'

Finn zat net te worstelen met de vraag of hij Koz over zijn theorieën zou vertellen, toen ze achter zich een vrouwenstem hoorden.

'Koz, dat is lang geleden.' Finn meende iets van woede in de stem op te merken. Hij keek om en was verrast over wat hij te zien kreeg. Hij had een terneergeslagen schim van een vrouw verwacht, maar in plaats daarvan stond hij oog in oog met een formidabele vrouw, met ogen die goed bij haar achternaam pasten. Ze zat met volkomen rechte rug in een ondiepe rolstoel, met wielen die onder een schuine hoek stonden om voor een bredere wielbasis en een grotere stabiliteit te zorgen. Het was het soort rolstoel dat Finn in verband bracht met de Paralympics, en het ding paste goed bij de rest van haar verschijning. Ze was halverwege de dertig, had een lang en mager lijf en brede, gespierde schouders. Ze droeg een dun zijden bloesje dat zich strak om haar armen spande en haar stevige, bijna gebeeldhouwd lijkende spierbundels goed deed uitkomen. Haar lange bruine haar was keurig gekamd, maar had verder geen enkele bewerking ondergaan, en voor zover Finn kon zien, droeg ze geen make-up. zo

'Maddy, goed je weer eens te zien,' zei Kozlowski. 'Je ziet er goed uit.'
'Dank je wel. Jij ziet er oud uit.'
'Het uiterlijk liegt meestal niet.'
Ze reageerde niet.

'Dit is Scott Finn.' Kozlowski zwaaide met zijn hand naar Finn. 'Hij is de advocaat met wie ik samenwerk. Degene over wie ik je heb verteld.'

Finn deed een stap naar voren en stak haar zijn hand toe. 'Aangenaam kennis te maken.'

Ze nam zijn hand argwanend aan. 'Aangenaam.' Ze kneep zo hard in zijn hand dat Finn even in elkaar kromp. Ze keek naar Kozlowski. 'Vijftien jaar. Dit moet wel belangrijk zijn. Waar wil je het over hebben?'

'Kunnen we ergens gaan zitten waar niet iedereen meeluistert?' vroeg Kozlowski.

'Ja hoor.' Ze liet haar stoel een halve draai maken en reed met hoge snelheid de lobby door, naar een lange gang toe. De twee mannen moesten bijna rennen om niet al te ver achter te blijven.

'U bent behoorlijk snel in dat ding,' zei Finn in een poging het ijs te breken, maar het klonk erg ongelukkig toen hij het eenmaal gezegd had.

Ze keek over haar schouder en zei tegen Kozlowski: 'Waar heb je die vent vandaan gehaald?'

Kozlowski gaf geen antwoord.

Ze schoot met hoge snelheid een hoek om en overreed bijna een jonge agent, die zonder iets te zeggen snel opzij stapte, alsof hem dit wel vaker overkwam. Na nog eens vijftien meter kwam ze slippend tot stilstand voor een deur met het opschrift COÖRDINATOR SLACHTOFFERHULP. Naast de deurpost hing een zilverkleurig naambord. INSPECTEUR MADELINE STEELE. 'Hier is het.' Ze duwde de deur open en reed naar binnen.

Finn was onder de indruk. Over het algemeen stonden kantoren in de binnenstad van Boston niet bekend om hun afmetingen of luxueuze inrichting, maar toen ze Steeles kamer binnen liepen, had hij het gevoel dat hij de spreekkamer van een alom vertrouwde plattelandsarts binnenkwam. Er lag een Perzisch tapijt op de vloer en in het midden van het vertrek stond een tamelijk groot bureau van gepolitoerd hout. Voor het bureau stonden twee gemakkelijke stoelen en tegen de achterwand stond een zitbank. Achter het bureau ontbrak een stoel, wat Finn nogal vreemd vond, totdat ze om het bureau heen reed en het tot hem doordrong dat ze geen stoel nodig had.

'Mooi kantoor,' merkte Kozlowski op.

'Ja. Dank je. Wat moet je?'

'Ik meen het,' zei Kozlowski. 'Het is heel mooi.'

Ze leunde over haar bureau. 'Prima. Wil je over het kantoor praten? Het is speciaal voor mij ontworpen. Het is zo groot omdat ik ruimte nodig heb om te kunnen manoeuvreren. Ze hebben een muur moeten weghalen tussen twee kamers om zo'n grote ruimte te krijgen. Christus,

deze hele functie is speciaal voor mij gecreëerd. Vroeger werd de slacht-
offerhulpverlening uitbesteed aan particuliere bedrijven. Maar toen
bleek dat ik niet weg wilde, moesten ze toch iets met me beginnen. Het
was een soort uitgebreid dankjewel voor het feit dat ik mezelf had laten
neerschieten. Begrijp me niet verkeerd: ik maak er het beste van, zowel
voor mezelf als voor de organisatie. Ik begrijp een beetje wat de meeste
slachtoffers doormaken, en ik kan met ze praten. En wat belangrijker is,
ze willen ook met mij praten. We hebben tientallen arrestaties verricht
op basis van informatie die mensen mij in vertrouwen hebben gegeven,
en dan heb ik het over arrestaties die zonder mijn toedoen nooit verricht zouden zijn. Dus, ja, het is een mooi en groot kantoor, maar ik ben
het waard. Zijn we nou klaar?'

'Ik wilde niet suggereren…' begon Koz.

'Dat weet ik. Wat moet je?'

'Nu is het jouw beurt,' zei Kozlowski tegen Finn.

Finn ging in een van de stoelen voor het bureau zitten. Kozlowski
bleef staan. Zo te zien stond hij klaar om er snel vandoor te gaan, zodra
dat nodig mocht blijken. 'Dit is misschien een beetje gênant,' begon
Finn. Hij schraapte zijn keel. 'Ik ben de advocaat van Vincente Salazar.'

Er verscheen een uitdrukking van absolute schrik en afkeer op Steeles
gezicht, en nu besefte Finn dat dit gesprek niet goed zou aflopen. Maar
ze leek te verbijsterd om hem in de rede te vallen, en hij dacht dat hij
dan net zo goed maar even kon doorzetten. 'We denken dat hij wellicht
niet verantwoordelijk is geweest voor wat u is overkomen. Er wordt op
dit moment DNA-onderzoek verricht en we vermoeden dat dit onderzoek zal uitwijzen dat meneer Salazar niet degene is die u heeft aangevallen.' Hij liet dat even tot haar doordringen.

Ze keek hem nog steeds met een diepgeschokte blik aan, maar Finn
moest haar nageven dat ze haar zelfbeheersing goed wist te bewaren. Het
was echt indrukwekkend. 'En?' vroeg ze.

'En omdat de DNA-monsters heel oud zijn, en dus bedorven of besmet
kunnen zijn, zal de rechter hem waarschijnlijk toch niet vrijlaten – zelfs
als het onderzoek uitwijst dat het meneer Salazar niet is geweest – tenzij
we een of andere verklaring kunnen geven voor het andere bewijsmateriaal in deze zaak. Zoals uw getuigenverklaring. Vandaar dat ik u wil vragen hoe zeker u er destijds van was dat u meneer Salazar hebt herkend.'

'Hoe zeker ik ervan ben dat ik hem heb herkend?'

'Ja. Kunt u me vertellen wat u zich herinnert?'

'Dat is toch zeker een geintje?' Ze keek naar Kozlowski. 'Je maakt
toch zeker een geintje, hè?'

Finn schoof ongemakkelijk heen en weer op zijn stoel. 'Nee, ik méén het. Misschien zit een onschuldige al jarenlang weg te rotten in de gevangenis. Ik zou graag willen dat u zo goed mogelijk uw best doet om terug te denken aan de gebeurtenissen van toen. Weet u heel zeker dat Vincente Salazar degene is die u heeft aangevallen? Is het mogelijk dat u zich vergist hebt?'

Het leek alsof ze hem niet had gehoord. Ze zat Kozlowski nog steeds strak aan te kijken, die haar blik rustig beantwoordde. 'Jij zit hierachter hè? Achterbakse klootzak dat je bent.'

'Nee.'

'Flauwekul. Het is nog niet genoeg dat je... Vijftien jaar later kom je doodgemoedereerd mijn leven weer binnen wandelen en gooi je me deze emmer stront in mijn gezicht? Vuile smiecht. Jij absolute sadomasochistische hufter.'

'Het is belangrijk,' zei Kozlowski. 'Dat heb ik je al gezegd.'

'Zijn vingerafdrukken zaten op het pistool!'

'Mevrouw Steele, ik heb het niet over de vingerafdrukken,' zei Finn. 'Ik wil u vragen wat u zich herinnert.'

Ze richtte haar aandacht weer op Finn. 'Wil je weten wat ik me herinner, slijmerig onderkruipsel dat je bent? Ik herinner me nog dat die cliënt van jou me aanviel. Ik herinner me nog dat hij probeerde me te verkrachten. Ik herinner me dat hij me heeft neergeschoten. Ik herinner me dat ik in de goot lag en dat ik alleen maar dood wilde. En weet je wat ik me nog het beste kan herinneren? Weet je wat dat was? Wat ik me het beste kan herinneren, is hoe het was om te kunnen lopen. Ik herinner me hoe het was om benen te hebben in plaats van deze kloterige rolstoel. Ik herinner me hoe het was om in staat te zijn om te schijten zonder dat ik mezelf met mijn armen en schouders op de pot moet hijsen. Dat herinner ik me allemaal héél goed. Begrijp je dat?'

'Dat begrijp ik,' zei Finn. 'Maar...'

'Nee, geen gemaar,' viel ze hem in de rede. 'Géén gemaar verdomme! Ik heb ze verteld wat ik me herinner. En nu wil ik dat jij je iets herinnert.' Ze spuwde hem de woorden bijna in zijn gezicht. 'Ik wil dat jij je herinnert dat als je ooit het gore lef hebt om je zelfs maar bij me in de buurt te wagen, ik ervoor zal zorgen dat jij voor de rest van dat achterbakse leven van je in net zo'n rolstoel rondrijdt als deze, dat zweer ik bij God. Dan kunnen we het er eens uitgebreid over hebben wat we ons allebei werkelijk herinneren. En nou opsodemieteren jij.' Ze keek naar Kozlowski. 'En jij ook.'

★★★

'Dat gesprek had beter kunnen gaan,' zei Finn toen hij het politieparkeerterrein aan Schroeder Plaza af reed.

'Ik heb je gewaarschuwd,' zei Kozlowski. 'Wat had je dan verwacht? We vragen haar hulp om de man vrij te krijgen die haar heeft neergeschoten en er verantwoordelijk voor is dat ze de rest van haar leven in een rolstoel zit.'

'Behalve dan dat hij het niet gedaan heeft.'

'Best. Laten we ervan uitgaan dat dat klopt. Maar het blijft een feit dat zij denkt dat hij het wel heeft gedaan. Had je nou werkelijk verwacht dat ze een kopje thee voor ons zou inschenken en dan zou vragen of we wilden gaan zitten voor een goed gesprek?'

'Nee, maar ik had ook niet verwacht dat ze al voordat we zelfs maar gezegd hadden wat we kwamen doen zo boos op jou zou zijn. Ik dacht dat jullie vrienden waren, maar nee hoor, we begonnen met een achterstand.'

'Ik heb je al vaker gezegd: we wáren vrienden. We hebben elkaar in geen jaren gesproken.'

'Best, maar er zijn een heleboel mensen met wie ik ooit bevriend ben geweest en die ik in geen jaren gesproken heb, maar van wie ik toch niet zou verwachten dat ze me mijn hart uit mijn lijf willen rukken zodra ik weer contact opneem. Ik bedoel, jezus, ik heb meer last dan nut van je gehad. Wat is er in godsnaam tussen jullie tweeën voorgevallen?'

Kozlowski keek met een strak gezicht naar buiten. 'Nadat ze was neergeschoten, heeft ze het een tijdlang heel zwaar gehad, en ik heb haar een beetje in de steek gelaten.'

'Ik dacht dat jullie vrienden waren.'

'Dat waren we ook. Maar ik heb me niet als vriend gedragen toen.' Kozlowski zuchtte. 'Misschien had ik het mis. Misschien zijn we meer dan alleen maar vrienden geweest, maar niet op de manier die jij bedoelt. We zijn nooit met elkaar naar bed geweest, maar ik was een soort mentor voor haar. Ik was degene naar wie ze toe kwam als ze problemen had. Ik kende haar vader en haar broers; die zaten ook allemaal bij de politie. Ze heeft het zwaar gehad in haar jeugd. Ze probeerde altijd tegen ze op te boksen. Ik was degene met wie ze het meeste praatte. Degene die ze het meest vertrouwde. Misschien maakte ons dat wel méér dan alleen maar vrienden.'

Finn keek opzij naar Kozlowski. 'Maar als jullie zo close waren, waarom ben je er dan niet voor haar geweest toen ze was neergeschoten?'

De grote, forsgebouwde man ging ongemakkelijk verzitten in het kleine autootje, en de mouw van zijn jasje bleef haken aan de deurkruk. 'Fuck,' zei hij terwijl hij probeerde zijn jasje los te krijgen. 'Godsamme.'

Hij zwaaide hard met zijn arm en de deurkruk kwam los uit het portier en viel op zijn schoot. Hij keek ernaar, hield het ding omhoog om er nog eens goed naar te kijken, en gaf het toen aan Finn. 'Hier, die zul je later misschien nog nodig hebben.'

'Jezus christus, Koz!' schreeuwde Finn. 'Wat héb jij ineens?'

'Dit is jouw auto, klootzak! Als je nou eens een keer iets koopt wat groot genoeg is voor een normaal mens, dan zou zoiets niet gebeuren.' Kozlowski keek toe hoe Finn het kleine autootje om de treurige restanten van de Big Dig heen stuurde en de Callahan-tunnel in reed naar Logan Airport. 'Waar gaan we heen?'

'Naar East Boston.'

'Wat moeten we daar nou?'

'Toen jullie vanochtend niet kwamen opdagen, heb ik eens wat rondgebeld. Salazars broer Miguel werkt twee keer per week een middag in een gratis kliniek daar. Ik wil hem spreken.'

'Een gratis kliniek?' zei Kozlowski minachtend. 'Hij was toch een beroemde arts?'

'Dat is hij ook,' zei Finn. 'Hij is chirurg in het Massachusetts General Hospital. Waarschijnlijk is hij een van de beste chirurgen van het hele land.'

'Waarom verdoet hij dan zijn tijd in een gratis kliniek?'

'Hoe moet ik dat nou weten? En wat maakt het uit? Had je soms andere plannen voor vandaag?'

'Nee.'

'Mooi zo.' Finn legde de deurkruk op het dashboard. 'En wil je me dan nou eindelijk eens vertellen wat er is voorgevallen tussen Steele en jou? En waarom je er niet "als een vriend" voor haar bent geweest nadat ze was neergeschoten?'

Terwijl ze de tunnel uit reden en East Boston langzaam voorbij zagen glijden, bleef Kozlowski met een strak gezicht naar buiten staren. 'Nee,' zei hij. 'Dat is tussen haar en mij.'

De toon waarop hij dat zei, maakte volkomen duidelijk dat de discussie daarmee wat hem betrof gesloten was. 'Best,' zei Finn. 'Laat je het me even weten als er nog andere belangrijke dingen zijn die je voor je zelf wilt houden?'

Kozlowski keek met een ruk opzij. Zo te zien was hij boos, maar dat kon Finn niet schelen. Hij was zelf ook behoorlijk pissig.

'Dan hoor je het wel,' zei Kozlowski.

21

De gratis kliniek bevond zich in het vlakke gedeelte van East Boston, niet ver van de luchthaven, en in een van de armste delen van de stad. Dat viel goed te verklaren, veronderstelde Finn, maar het was moeilijk te begrijpen waarom iemand die het zo voor de wind ging als Miguel Salazar, uit vrije wil een aanzienlijk deel van zijn tijd hier doorbracht. Kennelijk was oprechte toewijding aan zijn beroep iets wat hij in ieder geval tot op zekere hoogte deelde met zijn broer.

Finn bracht zijn auto tot stilstand voor een onopvallend, aftands houten gebouwtje dat zich op het aangegeven adres bevond. De straat was volkomen verlaten en niets aan het bouwsel wees erop dat het een kliniek betrof.

'Weet je zeker dat dit het goede adres is?' vroeg Kozlowski.

'Ik ben nergens meer zeker van,' antwoordde Finn. Hij duwde het portier open en stapte uit. Hij stond al bij de deur van het gebouw voordat het tot hem doordrong dat Kozlowski niet met hem mee was gelopen. Hij keek om en zag dat Kozlowski nog steeds in de auto zat en hem strak aankeek. Finn liep terug naar de auto. 'Kom je mee?' vroeg hij door het raampje.

Kozlowski keek hem woedend aan. 'Ik kan er niet uit.'

Het duurde even voordat het tot Finn doordrong: er zat geen deurkruk meer aan het portier. Hij maakte de auto van buitenaf open. 'Dat is je verdiende loon,' zei hij. 'Misschien kan ik je maar beter gewoon achterlaten. Je hebt hier toch geen ruzie met mensen, waarover je me nooit verteld hebt?'

'Nog niet,' gromde Kozlowski.

Ze liepen naar de deur. Eigenlijk was het weinig meer dan een stuk triplex met een paar scharnieren eraan en een laag afschilferende witte verf erop. Nergens was een teken van leven te bekennen. Finn keek Kozlowski eens aan en haalde zijn schouders op. Toen trok hij de deur open.

Het was alsof ze vanaf van de maan in één stap in de straten van Calcutta waren beland. Zodra de deur openging, stonden ze oog in oog met een kluwen pratende ouders, schreeuwende kinderen en hoestende en kreunende mensen. Alle ogen gingen naar de deuropening en er klonken luide protesten over de golf koude lucht die het vertrek binnen stroomde.

Ze liepen naar binnen en probeerden te vermijden dat ze op de vingers en tenen van de kindertjes stapten die overal rondkropen over de nogal smoezelige vloer. Sommige kinderen waren druk aan het spelen, anderen lagen uitgeput op de grond. Er waren wel meer dan vijftig mensen in het kleine kamertje gepropt. Uit het Spaans dat hier werd gesproken en de lichtbruine huid van de aanwezigen maakte Finn op dat de meeste mensen afkomstig waren uit Zuid- of Centraal-Amerika. Hij zag trouwens ook een paar Aziatische gezichten, en hij meende in de hoeken gefluister in het Italiaans en Russisch te horen. De meeste volwassenen keken nerveus naar Finn en Kozlowski.

Een deur aan het andere uiteinde van de kamer ging open en een jonge vrouw in een witte doktersjas stak haar hoofd om de deurpost. 'Martinez!' riep ze. En toen, na een korte stilte opnieuw: 'Martinez!'

Finn zag een vrouw die tegen de muur geleund zat, opstaan en zich toen bukken om twee kleine kinderen op te pakken. Ze liep naar de andere deur en zei verlegen '*Hola*' tegen de vrouw die daar stond.

'*Hola*,' antwoordde de vrouw met een glimlach die verried hoe moe ze was. Ze liet de vrouw langs haar heen lopen, en keek toen het kamertje rond. Finn vermoedde dat ze op grond van het aantal mensen hier uitrekende hoe lang de rest van haar werkdag nog zou zijn. Toen bleven haar ogen rusten op Kozlowski en hemzelf, en onmiddellijk maakte de vermoeidheid op haar gezicht plaats voor woede.

'Nee!' schreeuwde ze en terwijl ze hier en daar over een patiëntje heen moest stappen, liep ze snel naar hen toe. 'Nee!' riep ze opnieuw. 'We hebben betaald! We hebben die cheque vorige week al gepost! Als het moet, zorgen we dat jullie een straatverbod krijgen. Dit soort intimidatie is weerzinwekkend! Eruit! Eruit, nu meteen!'

'Neem me niet kwalijk?' zei Finn die zich nogal in de verdediging gedrongen voelde.

'Ik ga het je heel erg kwalijk nemen als je nou niet maakt dat je wegkomt,' zei de vrouw. Ze was kort en gedrongen, en te oordelen naar de manier waarop ze zich bewoog, vermoedde Finn dat ze zich heel goed zou weten te redden in het geval van een vechtpartij. 'Eruit! Nu!'

'We zijn op zoek naar Miguel Salazar,' zei Finn. 'Is die hier?'

De vrouw bleef staan en was duidelijk verrast. 'Komen jullie van de huisbaas?' vroeg ze.

'Nee,' antwoordde Finn. Hij keek Kozlowski eens aan. 'Ben je van de huisbaas?'

'Niet dat ik weet.'

'We komen niet van de huisbaas,' concludeerde Finn.

'We hebben problemen met de huisbaas,' zei de vrouw. 'Het is een echte klootzak, en hij probeert ons de huur op te zeggen. Hij denkt dat hij hier meer aan kan verdienen dan wij betalen.'

'Juist,' zei Finn. 'Zo te horen is het inderdaad een klootzak. En wij werken niet voor hem.'

Ze keek opgelucht, maar toch was haar achterdocht niet helemaal weggenomen. 'Waar willen jullie Miguel over spreken?'

'Ik ben de advocaat van zijn broer,' zei Finn. 'Dit is een van mijn collega's, Tom Kozlowski. We zijn hier om met hem te praten over de zaak van zijn broer.'

Nu verscheen er iets van een glimlach op haar gezicht. 'Vincente? Bent u de advocaat van Vincente?'

'Kent u Vincente?' vroeg Finn verbaasd.

Ze schudde haar hoofd. 'Nee. Al heb ik soms het gevoel dat ik hem wel ken, zo veel praat Miguel over hem. Ik heb het gevoel dat er inmiddels niet veel meer is wat ik niet over die man weet. Hij is een inspiratie voor ons. Dit alles hier komt grotendeels door hem.' Ze gebaarde naar de smoezelige wachtkamer. Finn zag het matglas in de veel te hoog in de muur gezette vensters, en het pleisterwerk dat hier en daar los van de muur bungelde, en vroeg zich af of dit nou ironie was of niet. Hij dacht van niet.

'Is Miguel hier?' vroeg hij nogmaals.

'Ja,' zei ze. 'O, sorry, het was niet mijn bedoeling om onbeleefd te zijn. Ik ben dokter Jandreau. Zegt u maar Jill. Miguel is met een patiënt bezig, maar over een paar minuten is hij klaar, en ik weet zeker dat hij u dan wel wil spreken. We zitten hier allemaal flink te duimen voor zijn broer. Het moet echt afschuwelijk zijn om in de gevangenis te zitten voor een misdrijf dat je niet begaan hebt.'

'Ik dacht dat u Vincente niet kende,' zei Finn.

'Nee, dat klopt. Maar ik ken Miguel, en dat is voldoende.' Ze knikte, alsof daarmee alles duidelijk was. 'Een van onze artsen heeft zich vanochtend ziek gemeld, dus er is een lege spreekkamer achter in het gebouw. U kunt daar op hem wachten. Hij komt naar u toe zodra hij klaar is met de patiënt.'

★★★

In het hoofdbureau van politie aan Schroeder Plaza ging Mac zwetend aan zijn bureau zitten, hoewel de temperatuur in het gebouw minstens tien graden te laag was om behaaglijk genoemd te kunnen worden. Hij had het gevoel dat alles om hem instortte, en dat maakte hem lichamelijk ziek. Vanochtend had hij zich er niet toe kunnen brengen om te ontbijten, en toen hij had geprobeerd wat koffie te drinken, was hij zo draaierig en misselijk geworden dat hij even later boven de wc had gehangen.

Hij wist zeker dat de mensen om hem heen de verandering in zijn manier van doen wel hadden opgemerkt. Wat ooit had aangevoeld als zelfvertrouwen zag hij nu op de gezichten van anderen weerspiegeld als boosheid en een afwerende houding. Hij had niet voldoende energie meer om zichzelf behoorlijk te kleden, en toen hij omlaag keek zag hij dat er een spetter tomatensaus op zijn overhemd zat.

Hij nam de telefoon op en toetste het nummer in.

'Ja,' zei de stem aan de andere kant van de lijn.

'Met mij.' Mac zei het zo zachtjes mogelijk, voor het geval iemand hen probeerde af te luisteren. Hij wist dat hij eigenlijk een telefooncel moest gebruiken, maar daar was hij nu echt te moe voor.

'Ik begon al te denken dat ík contact met jou zou moeten opnemen. Ik ben opgelucht dat het zover niet heeft hoeven komen.'

'Ja. Het zal wel. Volgens mij heb ik een manier bedacht om hier uit te komen.'

'Goed. Dus jij rekent af met die advocaat?'

'Nee,' zei Mac. 'Dat zou het probleem niet oplossen. Het zou alleen maar een beetje tijdwinst opleveren. Salazar vindt heus wel een nieuwe advocaat. En bovendien: twee advocaten die aan dezelfde zaak werken en die binnen een week na elkaar worden vermoord? Dat gaat echt tot opgetrokken wenkbrauwen leiden.'

'Wenkbrauwen kunnen me niet schelen,' zei de stem. 'Wat is die oplossing van jou?'

'Salazar.'

Het bleef even stil aan de andere kant van de lijn. 'Weet je zeker dat dat te doen valt?'

'Zulke dingen gebeuren voortdurend. Binnen de gevangenis is dat makkelijker dan in de echte wereld.'

'Ja, maar Salazar brengt zo'n groot deel van zijn tijd op de ziekenzaal door dat het moeilijk zal zijn om hem te grazen te nemen.'

Mac gromde. 'Het is een gevangenis. Iedereen is te grazen te nemen.'

'Dit mag niet met ons in verband gebracht worden. Je kunt mijn mensen hier niet voor gebruiken.'

'Begrepen,' zei Mac. 'Het is al geregeld.'

'Wanneer?'

'Morgen.'

Weer bleef het lange tijd stil aan de andere kant van de lijn. Toen zei de stem: 'Hoe zit het met de advocaat?'

171

'Wat is er met hem? Als ze met Salazar afrekenen, heeft hij geen enkele reden meer om het spoor nog te volgen.'

'Daar ben ik niet zo zeker van.'

'Hoor eens,' zei Mac, en vol afschuw hoorde hij hoe klaaglijk zijn stem klonk. 'Je hebt me gezegd dat ik dit moest regelen. Nou, dat heb ik gedaan. Als de manier waarop ik de zaken aanpak je niet bevalt, bel me dan niet meer.'

Mac hoorde de man aan de andere kant van de lijn nadenkend ademen. 'Goed. We proberen het eerst op jouw manier. Maar als het niet werkt...'

'Het werkt wél.' Mac legde de hoorn neer. Onder zijn armen en in zijn nek voelde hij klam en koud zweet. Hij probeerde op te staan, maar werd zo misselijk dat hij meteen weer in zijn stoel zakte. Hij deed zijn ogen dicht.

'Alles goed, Mac?' riep inspecteur Koontz vanaf de andere kant van de zaal. 'Prima,' wist hij met schorre stem uit te brengen. *Wat kan jou dat nou schelen, mens? Neem de telefoon op als er iemand belt, verdomme, en ga dan naar huis om voor die rottige kerel van je het eten klaar te maken, godsamme nog aan toe, maar ga niet hier op mijn afdeling zitten, verdomme, en heb dan niet het gore lef om me te vragen of ik me wel goed voel, net alsof jij hier thuishoort en ík degene ben die hier niets te maken heeft.*

Hij opende zijn ogen en keek naar haar. Ze zat met een ongerust gezicht naar hem te kijken. 'Weet je dat zeker?' vroeg ze.

Aan de andere kant was het best een lekkere meid, voor een smeris dan. Geen tieten, maar je kon nou eenmaal niet alles hebben. 'Ik ben gisteravond wezen stappen,' zei hij met een moeizame glimlach. 'Misschien heb ik het een beetje overdreven, weet je wel?'

'Dat ken ik,' zei ze. 'Ik heb nog een flesje Powerade met kiwismaak in de ijskast liggen. Dat werkt heel goed tegen een kater. Het vervangt de elektrolyten. Als je wilt, mag je het hebben.'

Het begon hem te duizelen. 'Best. Klinkt goed.'

Ze stond op en liep naar het keukentje om het drankje voor hem te halen.

Drankjes met kiwismaak. Elektrolyten. Wat was er verdomme van de wereld geworden? Waar waren de zwarte koffie en de alkaseltzer gebleven? Een ding was maar al te duidelijk: de wereld om hem heen was veranderd terwijl hij al die tijd was blijven stilstaan, en inmiddels zou het voor hem weleens te laat kunnen zijn om de wereld nog in te halen.

★★★

172

Jimmy Alvarez stond stilletjes toe te kijken hoe de padre zijn mobieltje dichtklapte.

'Onze vriend zegt dat het geregeld wordt,' zei Carlos. 'Van binnenuit.'

Jimmy zweeg. Hij had het gezelschap van Carlos al die tijd overleefd omdat hij wist wanneer hij zijn mond moest houden. Hij was een Mexicaan, en eigenlijk maar een hálve. Tien jaar geleden zou dat betekend hebben dat hij nooit lid kon worden van de VDS. Toegegeven, de afgelopen tien jaar hadden ze wel vaker goede soldaten uit andere landen gerekruteerd, maar toch was de organisatie in diepste wezen nog steeds Salvadoraans.

Maar Jimmy had een uiterst belangrijke rol gespeeld bij het organiseren van de penetratie over de landsgrenzen, die de organisatie in staat had gesteld een groot deel van haar meest winstgevende activiteiten voort te zetten. Hij was opgegroeid in het vlak over de grens gelegen El Cenizo. Dat plaatsje lag niet ver van het Amerikaanse Rio Bravo in Texas, dat beroemd was geworden door de gelijknamige speelfilm uit 1959 met John Wayne en Dean Martin in de hoofdrollen. Zijn vader was Amerikaan, maar zijn moeder niet. Het gevolg daarvan was dat hij aan weerszijden van de grens iedereen kende. Zonder hem en de informatie die hij had verschaft, zou de VDS niet geweten hebben wat ze daar moesten beginnen. Dat was de reden waarom Carlos hem in leven liet.

Tegelijkertijd hield de padre hem dicht bij zich in de buurt, en Jimmy besefte terdege dat zijn loyaliteit voortdurend op de proef werd gesteld. Omdat hij een Mexicaan was. Omdat hij een buitenstaander was. Toen hij door Carlos gerekruteerd was, had Jimmy aanvankelijk gedacht dat hij nu de grote wereld was binnengedrongen, en een maand lang had hij apetrots door El Cenizo gebanjerd. Maar inmiddels wist hij dat dat maar een illusie was geweest, en hij zou er alles voor over hebben om uit de organisatie weg te kunnen komen. Jimmy besefte maar al te goed dat Carlos een ijskoude moordenaar was, en zelf was hij diep in zijn hart niet meer dan een pooier. Het gewelddadigste wat hij ooit had gedaan, was hier en daar een hoertje in elkaar slaan om zich een flinke kerel te tonen, en hij had het gevoel dat Carlos begon te merken hoe zwak hij in werkelijkheid was. Dat maakte zijn positie erg onzeker.

'Wat denk jij ervan, Jimmy?' vroeg Carlos.

De anderen in het vertrek keken naar hem. De padre vroeg zelden advies en dat maakte Jimmy achterdochtig. Hij dacht dan ook zorgvuldig na voordat hij antwoord gaf.

'Als hij het probleem eigenhandig wil oplossen, heeft het geen zin om dat niet toe te staan.'

'Maar...' zei Carlos.

'Maar we moeten wel een back-up-plan gereed hebben,' ging Jimmy verder. 'Het komende weekend is te belangrijk. Als Macintyre zijn eigen rommel kan opruimen, is dat mooi. Maar als dat hem niet lukt, zullen we het zelf moeten doen.'

'Hoe zit het met onze vriend de rechercheur? Wat zou je dan met hem doen?'

'Uit wat ik van u heb gehoord, heeft hij in het verleden zijn nut gehad, maar heeft hij ook voor onnodige risico's gezorgd. Als hij er niet in slaagt om deze zaak op te lossen, moet er iets met hem gebeuren.'

'En als hij daar wel in slaagt?'

Jimmy dacht even na, maar lang hoefde hij zich daar niet mee bezig te houden. 'Dan moeten we nog steeds met hem afrekenen. Hij is oud en slordig.'

Carlos lachte, maar zonder enige humor. 'Is ouderdom zo'n handicap, jonge vriend?'

De anderen in het vertrek begonnen nu ook te lachen, maar Jimmy hield voet bij stuk. 'Niet als je met de jaren alleen maar sterker of wijzer wordt.'

Hij keek Carlos nadrukkelijk aan. 'Denkt u dat rechercheur Macintyre er met de jaren wijzer op is geworden?'

Het lachen hield op. Alle ogen waren op Carlos gericht.

'Nee,' zei de oude man. 'Onze vriend is zeker niet wijs.'

'Dat vind ik ook niet. En gezien zijn zwakte heeft hij voor ons ook geen nut meer. We hebben anderen, die in betere posities verkeren om ons te helpen. Hij vormt voor ons alleen nog maar een risico.'

Carlos dacht daar even over na. 'Dat ben ik met je eens,' zei hij toen. 'Na zaterdag zorgen we ervoor dat dat risico geëlimineerd wordt.'

Hij draaide zich om en keek uit het raam. 'Ik ben het ook met je eens over de zaak waar we vandaag mee bezig zijn. We moeten een plan hebben voor het geval dat het Macintyre niet lukt. Ik wil dat jij dat op je neemt.'

'Maar natuurlijk, padre. Ik regel het wel.'

'In eigen persoon,' zei Carlos met grote nadruk.

Jimmy's hart sloeg een tel over. Hij werd opnieuw op de proef gesteld, en er was geen enkele manier om onder die uitdaging uit te komen. 'In eigen persoon,' zei hij instemmend, en hij hoopte maar dat niemand had opgemerkt hoe zijn stem trilde. Carlos liep naar hem toe en legde een hand op zijn schouder. 'Ik ben blij dat je voor óns werkt,' zei hij. 'Anders zou ik me afvragen hoe je mijn leeftijd beoordeelt.'

Hij keek de jongeman aan en zijn pupillen vernauwden zich alsof ze op dat moment dwars door hem heen keken en zijn gedachten lazen.

Jimmy zorgde ervoor dat hij zonder ook maar even te knipperen Carlos rustig in zijn donkere pupillen bleef kijken.

Een ogenblik later begon Carlos te grijnzen en hij liet een scherp lachje horen.'

'Inderdaad,' zei hij terwijl hij zich omdraaide naar de anderen in het vertrek. 'Met deze in de buurt, zal ik er altijd goed op letten dat mijn wijsheid sneller groeit dan mijn jaren. Ik zou niet zelf als een risico gezien willen worden.'

Terwijl er een duister gelach door de ruimte galmde, glimlachte Jimmy terug. Hij was zich er maar al te goed van bewust wanneer hij maar beter zijn mond kon houden.

★★★

De spreekkamer was niet schoner dan de wachtkamer. En misschien zelfs nog wel deprimerender. Er waren geen vensters en de onderzoektafel zag eruit alsof het zijn beste jaren had gekend rond de tijd dat Ted Williams nog voor de Sox speelde. Er stond een stoel in de hoek, en een dokterskrukje met roestige springveren en wieltjes eronder zwierf ergens in het midden van de kamer. Finn noch Kozlowski wilde gaan zitten. Het leek verstandiger om niets in dat vertrek aan te raken. Door de smalle en dunne muren heen hoorden ze een diepe hoest, die nog het meest deed denken aan de doodsreutel van een kind.

Kozlowski had een bonkende hoofdpijn. Het gesprek met Maddy was niet slechter gegaan dan hij had verwacht, maar dat had het er niet makkelijker op gemaakt. Hij had Finn gewaarschuwd, maar ook dat bood hem weinig troost. Hij kon duidelijk zien dat Finn er met hem over wilde praten, om eens goed op een rijtje te zetten wat er allemaal aan de hand was, maar Kozlowski vermeed zorgvuldig iedere blik en elk woord waarmee hij zou aangeven dat hij het erover wilde hebben. Tot op zekere hoogte was dat trouwens alleen maar zijn gewone manier van doen; hij was niet zo'n prater.

Tien minuten lang stonden ze zwijgend te wachten voordat de deur openging en een jongeman in een witte jas de kamer binnen liep. Het was wel duidelijk dat hij de broer van Vincente Salazar was. Hij was iets langer, en ook wat magerder, maar hij straalde hetzelfde rustige zelfvertrouwen uit, en had dezelfde opvallende inhammen en dezelfde donkere huidskleur. Hij keek hen allebei een ogenblik aan, en stak Finn toen zijn hand toe. 'Meneer Finn, neem ik aan.'

'Ja,' antwoordde Finn en hij gaf de man een hand. 'En u bent dokter Salazar.'

'Mijn broer heeft het over u gehad. Bedankt dat u hem wilt helpen.'

'Wacht u nog maar even met bedanken. Ik heb nog niets bereikt.'

'U hebt ons hoop gegeven. U hebt hém hoop gegeven. En dat is meer waard dan u misschien begrijpt.'

Hij keek naar Kozlowski en stak opnieuw zijn hand uit. 'En u bent de sceptische meneer Kozlowski,' zei hij. 'Mijn broer heeft het ook over u gehad.'

Kozlowski herinnerde zich hoe hij zich tegenover de oudere broer van deze man had opgesteld en vroeg zich af of hij verondersteld werd zich schuldig te voelen. 'Misschien heb ik bij uw broer een verkeerde indruk gewekt,' zei hij. 'Ik ben van nature nogal argwanend tegenover veroordeelde gevangenen.'

Dichter dan dat wilde hij niet in de buurt komen van een verontschuldiging.

'U bent ons geen verklaring verschuldigd, rechercheur. Het is heel begrijpelijk. Mijn broer zei dat u een eerlijk man bent. Dat is een eigenschap die hij zeer hoogacht.'

Kozlowski knikte. De gebroeders Salazar beschikten ongetwijfeld over een bepaald charisma. Ze keken je recht in de ogen en ze straalden gezag uit. Voor het eerst kon hij geloven in de onschuld van Vincente Salazar.

'Interessante praktijk hebt u hier,' zei Finn, die daarmee Kozlowski's gedachtegang verstoorde.

Miguel keek de spreekkamer rond alsof hij die voor het eerst opmerkte. 'Het stelt niet veel voor, dat geef ik toe. Maar het zou u verbazen als u wist hoeveel mensenlevens hier zijn gered.'

'Dit zal wel heel anders zijn dan uw gewone praktijk,' zei Kozlowski.

'Inderdaad. Dit is veel bevredigender.' Hij ging op het krukje zitten. Vertelt u eens, meneer Finn, wat kan ik voor u doen?'

Finn leunde tegen de muur. 'We wilden u spreken over uw broer. Als we aannemen dat hij onschuldig is...'

'Hij is onschuldig.'

Dan wil dat zeggen dat iemand ervoor heeft gezorgd dat hij onschuldig veroordeeld is. Ik heb uw broer gevraagd of hij iemand kende die hem verdacht zou willen maken, maar hij kon niemand bedenken. We bedachten dat we ook eens met u moesten praten om te zien of u misschien iemand zou kunnen noemen. Als je mensen vraagt wie hun vijanden zijn, vinden ze het soms moeilijk om daar eerlijk antwoord op te geven. Ik dacht dat het voor u misschien makkelijker zou zijn.´

Miguel Salazar keek in gedachten verzonken voor zich uit en schoof wat heen en weer op zijn krukje. 'Niemand,' zei hij. 'Ik kan niemand bedenken die ook maar iets zou hebben willen doen om mijn broer schade te berokkenen.'

'Niemand?' vroeg Finn. 'We hebben allemaal vijanden.'

'We zijn niet allemaal zoals mijn broer.

'Ik wilde niet suggereren dat uw broer slechte eigenschappen heeft, en ik heb alle begrip voor uw gevoelens,' zei Finn. 'Het is een heel indrukwekkende man. Maar heeft hij helemaal geen vijanden?'

Michael schudde zijn hoofd. 'U zegt dat u hem een indrukwekkende man vindt, alsof u hem werkelijk kent. Maar u kent hem niet. Hoe vaak hebt u hem ontmoet? Twee of drie keer in de loop van één week? En dat nadat hij vijftien jaar in de hel heeft doorgebracht? Nadat hij was gedwongen om zijn huis in El Salvador te verlaten, alleen maar om hier naartoe te komen en in de gevangenis gegooid te worden? Alles is hem afgenomen, en nog steeds denkt hij alleen maar aan anderen. Hij heeft nooit aan zichzelf gedacht. Geloof me, meneer Finn, "indrukwekkend" is bepaald geen adequate beschrijving van mijn broer.'

'Dat geloof ik graag,' zei Finn. 'U hebt gelijk. Zo goed ken ik uw broer helemaal niet. Maar ik heb maar een paar dagen om een redelijke theorie op te zetten, waarmee ik kan verklaren waarom al het bewijsmateriaal in deze zaak erop wijst dat uw broer degene is die Madeline Steele heeft neergeschoten. En die theorie moet zo goed zijn dat ik de rechter ermee kan overtuigen, want anders blijft uw broer de rest van zijn leven in de gevangenis, ongeacht de uitslag van het DNA-onderzoek. Dus als u informatie kunt geven die van nut is bij het ontwikkelen van zo'n theorie, zou dat wel zeer op prijs gesteld worden.'

Er verscheen een gegeneerde uitdrukking op Miguels gezicht. 'Neemt u me niet kwalijk, meneer Finn. Ik weet dat u alleen maar probeert te helpen en ik moet niet zo emotioneel worden. Het feit dat van alle mensen ter wereld uitgerekend mijn broer degene is die het slachtoffer wordt van zoiets als dit, is al voldoende om ervoor te zorgen dat ik mijn zelfbeheersing verlies.'

'Dat is heel begrijpelijk,' zei Finn. 'Alles wat u ons maar kunt vertellen, zou van groot nut kunnen zijn.'

Miguel nam nog even de tijd om na te denken. 'Ik neem aan dat er misschien mensen zijn geweest die hij heeft geprobeerd te helpen, maar die gedacht kunnen hebben dat hij zich niet voldoende voor ze heeft ingespannen. Het lijkt moeilijk te geloven, maar het is niet onmogelijk.'

'Wat voor mensen zouden dat dan kunnen zijn?'

'Immigranten. Andere illegalen. In die tijd waren er nog geen gratis klinieken hier in de omgeving. Door naar het ziekenhuis te gaan, liep je het risico om aangehouden en misschien zelfs het land uit gezet te worden. Mijn broer was de enige medische hulp die voor grote delen van de Salvadoraanse gemeenschap beschikbaar was. Hij bracht de mensen niet meer in rekening dan ze zich konden veroorloven, en dat was maar al te vaak niets of vrijwel niets, en hij behandelde iedereen die naar hem toe kwam. Bij sommige van die mensen... stond hij gewoon machteloos. Zelfs in Massachusetts General Hospital, dat over de beste faciliteiten en meest geavanceerde technologie ter wereld beschikt, staan artsen zo nu en dan met lege handen. Mijn broer beschikte niet over een ordentelijke spreekkamer, niet over medische voorraden, niet over welke ondersteuning dan ook. Het is wel zeker dat hij in bepaalde gevallen niets kon doen om zijn patiënten te helpen. Misschien hebben sommigen het hem kwalijk genomen dat hij niet meer heeft gedaan.'

Finn dacht daar even over na. 'Hij behandelde iedereen die naar hem toe kwam, zo was het toch?'

Miguel knikte. 'Voor zover dat binnen zijn vermogen lag wel, ja.'

'Ook leden van de VDS.' Het was een verklaring, geen vraag, en Kozlowski lette aandachtig op Miguels reactie.

Miguel aarzelde. 'Waarom zegt u dat?'

'De VDS is duidelijk heel gevaarlijk,' merkte Finn op. 'Als een van hun leden boos is geworden op uw broer, is het heel goed mogelijk dat ze wraak hebben genomen.'

'Daar hebt u gelijk in,' zei Miguel spottend. 'Dan had de VDS inderdaad wraak genomen. Ze zouden hem vermoord hebben. Ze zouden echt niet de tijd hebben genomen om Vincente te laten opdraaien voor een misdaad die hij niet gepleegd had. Maar u hebt gelijk. Ik weet zeker dat hij VDS-leden heeft behandeld als ze medische verzorging nodig hadden. Dat doen artsen nu eenmaal.'

'Was hij lid van de VDS?' vroeg Kozlowski.

'Nee.' Miguel zei het heel nadrukkelijk, en Kozlowski zag niets anders op zijn gezicht dan verontwaardiging.

Finn reageerde niet meteen en Kozlowski dacht dat Salazar misschien nog iets aan zijn antwoord zou toevoegen. Maar dat deed hij niet.

'Oké,' zei Finn en hij keek naar Kozlowski. 'Weet jij nog iets anders wat nuttig zou kunnen zijn? '

Kozlowski schudde zijn hoofd.

'Dan denk ik dat we voorlopig wel klaar zijn.'

'Ik loop even met u mee naar de uitgang,' zei Miguel.

Ze liepen de spreekkamer uit en de gang door. Miguel deed de deur naar de wachtkamer open. Alle blikken gingen onmiddellijk naar de drie mannen, en toen keek iedereen snel weer naar de vloer. Kozlowski kreeg sterk het gevoel dat Finn en hij hier niet welkom waren.

'*Está bien*,' zei Miguel tegen de wachtende patiënten. 'Ze denken dat u van de politie bent,' zei hij zachtjes tegen Finn en Kozlowski. Zoals u ongetwijfeld al hebt geraden, zijn de meeste patiënten hier illegalen. Als deze kliniek er niet was, zouden ze nooit naar de dokter gaan. Dat is gewoon te gevaarlijk, zeker sinds de overheid het vreemdelingenbeleid heeft aangescherpt.'

'Hoeveel mensen komen hier wekelijks?' vroeg Kozlowski.

'Bijna duizend,' antwoordde Miguel.

'Zo veel?' Finn klonk geschokt.

'Ja. Zonder ons…' Miguels stem stierf langzaam weg. Hij baande zich een weg door de drukte en knikte geruststellend naar de patiënten die de moed hadden om hen aan te kijken. 'In zekere zin vormt deze plek een monument voor mijn broer.'

'Hoezo?' vroeg Finn.

'Ik heb gezien wat mijn schoonzus is overkomen. Hoe ze is gestorven. Dat was makkelijk te voorkomen geweest, maar ze waren te bang om naar een ziekenhuis te gaan. Toen ze stierf is ook een deel van mijn broer gestorven, en als ze niet gestorven was, zou mijn familie nooit de aandacht van de IND getrokken hebben. En dan zou niets van dit alles ooit gebeurd zijn. Toen ik jaren geleden als co-assistent begon in het Massachusetts General Hospital, heb ik mijn uiterste best gedaan om de bevoorrading en subsidie voor deze kliniek te regelen. Ik wilde niet dat iemand anders zou overkomen wat mijn broer heeft moeten doormaken.'

Ze waren bij de deur. 'Uw broer leek erg trots op u,' merkte Finn op.

'Ik zou willen dat hij dit kon zien. Ik zou willen dat hij hier deel van kon uitmaken.' Ze gaven Miguel een hand. 'Laat het me alstublieft weten als ik nog iets voor u kan doen,' zei hij. 'Er is niets wat ik niet zou doen om mijn broer te helpen.'

22

Woensdag 19 december 2007

Terwijl hij door de gang liep, haalde Joey Galloway zijn knuppel over de tralies van de afzonderlijke cellen. 'Ochtendappèl, stelletje lulhannesen!' brulde hij. 'In de houding jullie!'

Hij genoot van het geluid van zijn knuppel die over de tralies ratelde. Het was de klank van macht en beheersing. Het enige geluid dat hij nog mooier vond, was de doffe klap die het ding maakte als het de knokkels kapot sloeg van een gevangene die zo stom was om de tralies van zijn cel vast te grijpen als hij langskwam. De meesten van hen waren snugger genoeg om dat te vermijden, maar zo nu en dan kreeg hij een groentje dat nog niet wist hoe gewelddadig hij kon zijn. Hij zorgde er dan altijd voor dat zo'n type minstens een week lang met één hand moest eten.

Galloway had een pesthekel aan de gevangenen. Sommige cipiers hadden een merkwaardig gevoel van verbondenheid met degenen die aan hun zorg waren toevertrouwd. Het deed een beetje denken aan het Stockholmsyndroom dat zich soms ontwikkelde tussen ontvoerders en hun gijzelaars. Galloway noemde dergelijke ontspoorde collega's altijd de 'mietjesclub'. Zelf zou hij die fout nooit maken; hij greep elke kans die zich maar voordeed aan om degenen over wie hij toezicht diende te houden zo veel mogelijk te sarren en te kwellen. Dat was de enige manier die hij kende om de grens tussen de cipiers en gevangenen duidelijk te houden.

Toen hij het eind van de gang had bereikt, trok hij zijn schouders naar achteren. 'Blok drie, openen!'

Er klonk een zoemtoon, gevolgd door een piepend geknars toen grendels voor de stalen deuren werden weggeschoven. 'Opstellen voor de cel, klootzakken!' brulde hij.

Precies op hetzelfde moment stapten de in oranje overalls gehulde mannen uit hun cel en zetten hun tenen op de geschilderde streep die door de hele gang langs het cellenblok liep.

'Oké, stelletje flikkers! Etenstijd! Jullie weten hoe het moet. Jullie houden allemaal keurig je gemak. Handen thuis. Maak me niet boos, dan laat ik jullie misschien lang genoeg in leven om het eind van deze ellendige klotedag nog te halen!'

Hij draaide zich om en liep door de poort in het grote metalen hek aan het eind van de gang, terwijl hij aandachtig luisterde naar de voetstappen van de gevangenen, die in een rij achter hem aan kwamen. Inwendig grijnsde hij. Een nieuwe dag, vol nieuwe kansen om het leven van andere mensen te vergallen.

★★★

Henry Womak had het grootste deel van zijn leven in de cel gezeten, en het was volkomen duidelijk dat hij gedoemd was om ook de tijd die hem restte achter de tralies te slijten. Hij was geboren en getogen in Dorchester, als zoon van een boze, werkloze dokwerker. 'Die rotnikkers hebben mij mijn baan afgepakt,' had zijn vader 's ochtends tussen twee biertjes in vaak gemompeld. 'Die rotnikkers hebben mijn leven gestolen.'

Toen de regering aan het eind van de jaren zeventig besloot om kinderen van zwarte scholen per bus naar blanke scholen te vervoeren, was Henry net zeven jaar oud geweest. Hij was nog zo jong dat hij alleen maar geschorst werd, de eerste keer dat hij een zwarte jongen met een honkbalknuppel te lijf ging. Na de tweede aanval, twee jaar later, had hij zes maanden in een opvoedingsgesticht gekregen, en dat eigenlijk alleen maar omdat hij zijn tweede slachtoffer zo hard met zijn gezicht tegen een bakstenen muur had geslagen dat het de jongen al zijn tanden had gekost. Het slachtoffer had drie weken in het ziekenhuis gelegen. Tegen de tijd dat Henry achttien jaar oud was, had moord voor hem meer op promotie geleken dan op een misdrijf, maar het was de gruwelijkheid ervan die hem voor de rest van zijn leven een gegarandeerd verblijf in Billerica had opgeleverd.

Hij had de man gezien toen hij in South Boston langs de haven liep, op een moment dat de storm in zijn getroebleerde geest gestaag in kracht toenam. De man was zwart en droeg een verschoten dokwerkersjack. Hij kwam net van zijn werk en liep naar zijn pick-uptruck toe om naar huis te rijden, waar zijn vrouw en kinderen op hem wachtten. Het was een mooie auto: een Ford F-250. Niet nieuw, maar ook bepaald niet oud.

Het laatste restje geestelijke gezondheid dat nog steeds had geprobeerd zich in Henry te handhaven werd die avond voorgoed verdreven. *Die rotnikker rijdt in een nieuwe auto rond terwijl mijn vader aan een fles zit te lurken en zich zijn longen uit zijn lijf hoest?* Daar kon Henry niet mee leven.

De man had Henry niet zien aankomen. Niet dat hij zich in dat geval wel tegen hem had kunnen verdedigen. Henry was helemaal door het dolle heen, en het enige wat hem van zijn wraak had kunnen weerhouden, was een kogel door zijn kop.

De eerste keer had hij zo hard uitgehaald als hij maar kon, en de stalen buis keihard in de maag van de dokwerker geramd. De volgende drie slagen werden op zijn hoofd gericht. Het was niet zo bedoeld, maar toch had dat iets genadigs. Volgens de lijkschouwer was de man waarschijnlijk al buiten bewustzijn geweest toen Henry hem de korte hijshaak die Amerikaanse dokwerkers vaak gebruiken afhandig had gemaakt, en hem daarmee hard in zijn gezicht had geslagen. De haak had hem onder de kin geraakt en was door het vlees onder de tong gedrongen, zodat het ding door zijn mond weer naar buiten kwam en de man letterlijk aan de haak was geslagen.

Henry beweerde naderhand dat hij zich niet meer kon herinneren dat hij de haak aan de ketting aan de achterkant van de pick-uptruck had bevestigd. En ook niet dat hij de motor had gestart, achter het stuur was gaan zitten en de dertig meter had gereden die nodig waren om ervoor te zorgen dat de kaak van het hoofd van zijn slachtoffer werd gerukt. Niet dat het ook maar iets uitmaakte trouwens. Het kon Henry niet schelen of hij het zich nou kon herinneren of niet. Hij had er geen spijt van en hij was dan ook niet bereid om te zeggen dat hij er spijt van had. Zelfs zijn familie had geen enkel medelijden met hem toen hij voorgoed achter de tralies verdween. Ze waren te moe en te bang om nog maar iets voor hem te kunnen voelen.

En zo kwam het dat Henry toen ze die woensdagochtend in de rij stonden voor het ontbijt met niets anders dan door adrenaline opgefokte verwachtingen op Samuel Jefferson af stapte. De twee liepen elkaar tegemoet en Henry trok heimelijk het mes uit zijn zak. Het geheime wapen was gemaakt van een stuk staal dat was gestolen uit de metaalbewerkingsruimte en daarna zorgvuldig tot een vijftien centimeter lang mes was geslepen. Het was lang niet zo'n effectief moordwapen als een mes van gepolijst glas. Glas kon je afbreken als je het eenmaal in je slachtoffer had gestoken, zodat het ook nadat de aanvaller allang was weggevlucht, nog flink veel schade konden aanrichten, maar voor de klus van vandaag zou staal goed genoeg zijn. Jefferson had het hem de vorige avond gegeven, samen met vijftig dollar. Toen ze op elkaar af liepen, knikte Jefferson.

Henry bracht het mes omhoog en stak het in de buik van de grote zwarte man.

★★★

Samuel Jefferson zag zichzelf als een soldaat, en een soldaat stelt geen vragen als hij een bevel krijgt. Dat was verstandig. De broederschap had met het plan ingestemd, en hij was goed betaald om het uit te voeren. Hij was een grote man met een enorm dikke buik. Een minder dik iemand zou een groot risico hebben gelopen.

Hij zag het mes op zich af schieten en instinctief bracht hij zijn arm omhoog om de steek af te weren, maar hij ontspande zich weer toen de hand van die racistische klootzak door zijn halfhartige afweer heen brak, en voelde hoe de scherpe punt van het mes over de strak gespannen huid gleed en hem open sneed.

Jefferson brulde het uit van de pijn en maaide wild met zijn armen om zich heen terwijl hij tegen de grond sloeg, zodat hij Womak nog een flinke klap op zijn oor wist te geven. Hij zag hoe het gezicht van de ander vertrok van de pijn en dat gaf een goed gevoel. *Zijn verdiende loon*, dacht Jefferson. Helaas, bevel of niet, hij moest iedereen in de gevangenis laten merken dat hij geen zwakkeling was. Achter de tralies was zwakte de enige echte zonde. Al het andere viel te vergeven, maar zwakte was hier een dodelijke ziekte en met iedereen die daaraan leed werd snel afgerekend.

Hij dacht er zelfs over om de man nog een mep te verkopen, maar hij zag de cipiers al op hen af komen rennen en hij had duidelijk laten zien dat hij geen mietje was. Hij kon nu maar beter zijn hemd over de wond trekken en de cipiers het zaakje verder laten regelen. Dit deel van de klus was klaar.

★★★

Joey Galloway liep maar een paar stappen achter Womak en hield hem zorgvuldig in de gaten. Hij zag het mes tevoorschijn komen toen ze in de buurt van Jefferson kwamen, en hij versnelde zijn pas. Niet te veel, maar net voldoende om te zorgen dat de situatie niet werkelijk uit de hand zou kunnen lopen. Hij genoot er altijd van als de gevangenen elkaar te lijf gingen, en al helemaal als hij erbij was om in te grijpen. Plotseling schoot Womaks arm uit, recht op Jeffersons dikke buik af. Toen de zwarte reus neerging, wist hij Womak nog een keiharde klap tegen zijn hoofd te geven. Galloway grijnsde breed. Jefferson was een beer van een vent, dat moest hij hem nageven.

Jammer genoeg kon hij deze vechtpartij niet uit de hand laten lopen. Er waren te veel leden van de mietjesclub in de buurt die anders zouden ingrijpen, en dan zou het plan misschien mislopen.

Drie lange passen en hij stond vlak bij de twee mannen. Jefferson lag op de grond en Womak stond over hem heen gebogen, al leek hij een beetje uit zijn evenwicht, en was hij duidelijk van plan om nog een keer uit te halen met zijn zelfgemaakte mes.

Galloway richtte al zijn aandacht op Womak. Hij bracht zijn knuppel omhoog en haalde uit naar de arm van de hand waarmee de man het mes vasthield. Er klonk een doffe klap en de arm zakte onmiddellijk slap naar beneden, terwijl het mes over de vloer schoot.

'Je hebt mijn arm gebroken!' schreeuwde Womak en hij viel op de grond. Zijn arm bungelde levenloos aan zijn schouder. Met zijn goede arm voelde hij aan zijn biceps. 'Godverdomme, je hebt mijn arm gebroken!' riep hij opnieuw.

'Rot voor je,' zei Galloway. Langzaam en weloverwogen stapte hij om de man heen, die gehurkt op de vloer zat, en haalde met alle kracht die hij in zich had uit naar de andere arm.

Womak gaf opnieuw een gil, die tussen de muren weergalmde als de misselijkmakende kreet van een stervend dier. 'Nee! Alstublieft!' gilde hij. Hij lag op de vloer en keek naar zijn beide armen die als snoeren saucijsjes langs zijn lijf bungelden. 'Ik kan mijn armen niet bewegen!'

Toen klonk de alarmsirene. 'Iedereen in zijn cel!' riep een van de andere cipiers, en een in kogelvrije vesten gehulde eenheid van de oproerbestrijding kwam de ruimte binnen gestormd. Maar dat was natuurlijk nergens voor nodig. Het gevaarlijke moment was allang weer voorbij en de gevangenen liepen in lange rijen terug naar hun cellen. Het geweld van die ochtend was veel bevredigender geweest dan het papperige hoopje roerei dat hier als ontbijt werd opgediend.

'We hebben twee brancards nodig,' zei Galloway tegen een van de in een beschermend pak gehulde mannen. De man knikte en zei iets in een zendermicrofoontje.

Galloway zat op zijn hurken tussen de twee mannen in. Er droop een beetje bloed uit Jeffersons maag, en onder hem had zich al een kleverig plasje gevormd. Womak lag hulpeloos naar zijn nutteloze armen te kijken, en intussen amechtig naar lucht te happen. Galloway keek van de een naar de ander. 'Nou, heren, zo te zien gaan jullie allebei naar de ziekenboeg. Geniet maar van de rust en ontspanning daar, want ik garandeer jullie dat de volgende halte de extra zwaar beveiligde afdeling is. En daar blijven jullie totdat jullie zelfs je eigen naam zijn vergeten. En dat is geen geintje.'

***

Vincente Salazar was in zijn eentje op de ziekenafdeling toen de alarmsirene klonk. Hij zuchtte en liep naar een van de medicijnkastjes om een karretje klaar te maken voor alle voorzienbare noodgevallen waarop hij zich maar kon voorbereiden. Toen hij op de klok keek, merkte hij dat een dun laagje zweet op zijn voorhoofd verscheen. Het was pas acht uur en dokter Roland was ongetwijfeld net begonnen met de tweede set van zijn wekelijkse partijtje squash. Elke woensdag kwam Salazar extra vroeg naar de ziekenafdeling om daar voor de patiënten te zorgen terwijl de echte arts van wat welverdiende afleiding van zijn zware baan genoot. Het was ongebruikelijk, maar de hele medische staf had alle vertrouwen in Salazar. Indien noodzakelijk kon Salazar Roland laten oproepen door de cipiers, en dan kon de gevangenisarts er binnen een kwartier zijn. Over het algemeen was Salazar wel in staat zich zo lang zelf te redden.

De deur van de ziekenafdeling maakte een zoemend geluid en werd met een klap opgeduwd. Twee mannen werden op brancards naar binnen gereden: een daarvan werd voortgeduwd door iemand van de anti-oproereenheid en de andere door cipier Galloway. Salazar kende Galloway goed genoeg om te weten dat de man een wrede en boosaardige psychopaat was. Hij was al even gevaarlijk als veel van de gevangenen zelf.

Salazar stond bij de gootsteen zijn handen te wassen. Hij pakte een handdoek en liep naar de twee brancards. 'Wat is er gebeurd?' vroeg hij aan niemand in het bijzonder.

Galloway was degene die antwoord gaf. 'Deze vent hier...' Hij wees naar de blanke die op de brancard lag die door hem werd voortgeduwd. '... heeft die vent daar neergestoken.'

Salazar keek van een naar de ander. De steekwond van de zwarte was duidelijk genoeg. De man had onmiddellijk medische hulp nodig, maar zijn toestand was zo te zien wel stabiel. De andere man leek veel meer pijn te hebben.

'Wat is er met hem gebeurd?' vroeg Salazar en hij wees op Womak.

'Hij moest in bedwang worden gehouden,' antwoordde Galloway. 'Hij had een mes. Ik heb zijn arm gebroken.'

'Allebei?'

Galloway keek Salazar strak aan en zei niets. Het was duidelijk dat de man hem uitdaagde om zijn gezag aan te vechten. Maar Salazar was veel te intelligent om die fout te maken.

'Juist. Rij hem maar naar nummer twee,' zei Salazar en hij wees naar de behandelingsruimte aan de andere kant van de ziekenzaal. 'Eerst verbind ik de steekwond, en dan kijk ik wel even naar hem.' Hij reed de man met de steekwond naar een andere behandelingseenheid. Daar pakte hij een schaar en knipte het hemd van de man weg. Hij trok een lamp naar de brancard toe en richtte die op de wond, trok een paar rubberhandschoenen aan en veegde het bloed weg met watten. Hij was met al zijn aandacht bij zijn patiënt toen hij rumoer hoorde bij de andere behandelingseenheid.

'Nee! Weg jij!' schreeuwde de andere patiënt.

Haastig liep Salazar ernaartoe en keek achter het gordijntje. 'Wat is hier aan de hand?' vroeg hij dringend.

'Ik maak hem met de handboeien vast aan het bed,' antwoordde Galloway.

'Klootzak! Het doet pijn!' zei de gevangene smekend.

Salazars handschoenen zaten onder Jeffersons bloed en dus boog hij zich over de man heen om naar zijn armen te kijken. Er zaten donkerpaarse plekken op de bovenarmen die lieten zien waar hij geraakt was. Zo te zien waren de uiteinden van de botten niet verschoven, maar te oordelen naar de pijn die de gevangene leed, waren ze wel gebroken. 'Boei dan alleen zijn enkels,' zei Salazar.

'Val dood jij,' zei Galloway.

'Meneer.' Salazar probeerde zijn stem zo redelijk mogelijk te laten klinken. 'Waar denkt u dat die man heen kan?'

Aanvankelijk leek Galloway boos te worden, maar toen wierp hij Salazar een sluwe glimlach toe. 'Best hoor,' zei hij. 'Als je hem wilt, dan kun je hem krijgen.'

Hij bevestigde een paar boeien om de enkels van de patiënt en ketende hem daarmee aan het voeteneinde van de brancard. Daarna keek hij naar de andere cipier, die naast de deur van de ziekenafdeling stond. 'Kom, Dan, we gaan koffie halen.' En tegen Salazar zei hij: 'Zoek het zelf verder maar uit, lul.'

De twee mannen liepen de ziekenafdeling af en Salazar hoorde de deur achter hen in het slot vallen. Hij was blij dat Galloway weg was; die man kon enorme schade aanrichten bij de patiënten. Salazar keek naar de gewonde op de brancard. 'Ik moet eerst het bloeden stelpen bij de man die je hebt neergestoken,' zei hij. 'Daarna kom ik terug om eens goed naar je armen te kijken.'

Womak knikte. 'Dank u wel.'

Salazar liep terug naar de eerste patiënt en ging verder met het schoonmaken van de wond. Hij drukte zijn vingers op het middenrif van de man en trok de wond een eindje open. 'Dit gaat even pijn doen,' zei hij. 'Ik zou je graag wat pijnstillers geven, maar de sleutels van de medicijnkast met het echte goeie spul mag ik niet hebben.'

Jefferson gromde door zijn pijn heen en klemde zijn tanden op elkaar. Salazar boog zich wat dieper over hem heen en voelde met zijn vingers aan het vlees terwijl het felle licht boven hem op de rode vloeistof glinsterde die uit de wond stroomde. 'Het is een diepe wond,' zei Salazar. 'Maar zo te zien niet diep genoeg om in de buurt van de inwendige organen te komen.' Hij haalde zijn handen weg en Jefferson ontspande zich een beetje. 'Waarschijnlijk zullen de echte artsen als ze straks terug zijn nog een paar onderzoekjes doen, en ook nog even in de wond proberen te kijken, maar je komt er wel weer bovenop.'

Jefferson keek glimlachend naar hem op. 'Dank u, dokter. Volgens mij heb ik mazzel, hè?'

Salazar trok de met bloed overdekte steriele handschoenen uit, gooide ze in de afvalbak voor gevaarlijk biologisch afval en klopte Jefferson op de schouder. 'Nu moet ik even naar de andere patiënt gaan kijken.'

Hij draaide zich om en wilde teruglopen naar de andere behandelingseenheid, maar bleef toen abrupt staan. De andere patiënt stond recht voor hem. Hij had een opgewonden glimlach op zijn gezicht, en in zijn hand hield hij een stuk aluminium dat hij had losgetrokken van de brancard. De brancard zelf was nog steeds aan zijn enkels geketend en sleepte achter hem aan. 'Hé dokter, het hoeft niet meer. Ik voel me al een stuk beter.' Hij bracht zijn hand omhoog, het metaal zwiepte door de lucht en schoot op Salazars hoofd af.

★★★

'Dus wat doen we nu, chef?'

Hoewel het onderzoek naar de zaak-Salazar bepaald niet opschoot, was Lissa Krantz in een goed humeur. Kozlowski was opnieuw blijven slapen, en deze keer waren ze er zelfs in geslaagd ook werkelijk een paar uur slaap te krijgen... toen ze klaar waren.

Ze was dol op zijn eenvoud. Zijn eerlijkheid. Zijn oprechtheid. Ze genoot van de manier waarop hij haar een beschermd gevoel wist te geven. Ze genoot ook van zijn lijf. En alles wees erop dat de adoratie wederkerig was. Het leeftijdsverschil maakte haar niets uit. Ze had er zelfs nooit over nagedacht. Eerlijk gezegd had ze altijd al het gevoel gehad dat ze ouder was dan haar jaren aangaven; de wilde dagen van haar jeugd hadden een hoop kilometers op de teller achtergelaten, die haar van buiten niet aan te zien waren, maar die wel degelijk diepe sporen hadden achtergelaten in haar ziel.

'Zodra je kunt, wil ik dat je de getuige gaat opzoeken die verklaard heeft dat Salazar een alibi had,' antwoordde Finn. 'Hoe heette ze ook weer?'

'Maria Sanchez?'

'Inderdaad. Ze woont nog steeds in Roxbury. Volgens haar verklaring was Salazar toen Steele werd aangevallen bij haar thuis om haar te behandelen voor een verzwikte enkel. Ze zei dat ze te bang was om zich bij de rechtbank te melden omdat ze destijds illegaal was. Een tijd later is ze met een Amerikaan getrouwd, en dus heeft ze dat probleem niet meer. Dat ze nu een verklaring komt afleggen over de plek waar ze vijftien jaar geleden op een bepaald moment is geweest, zal natuurlijk van alle kanten worden aangevochten, maar toch moeten we haar zover zien te krijgen dat ze een beëdigde getuigenverklaring ondertekent. Dan hebben we dat tenminste geregeld.'

'Ik doe het vandaag nog.'

'Prima.' Finn keek snel even zijn schema door. 'Wat later op de ochtend bel ik met Billy Smith. Hij heeft al het vingerafdrukmateriaal gisteren ontvangen, dus ik hoop dat hij in staat is om vandaag al een voorlopige analyse te geven.'

Van de andere kant van de kamer keek Lissa hem aan. Er zaten donkere kringen onder zijn ogen.

'Wanneer heb jij voor het laatst geslapen?'

'Het belang van slaap wordt vaak overschat.'

'Wanneer heb je voor het laatst gepraat met die geweldige vrouw in Washington?'

Hij keek haar boos aan. 'Het belang van je gewoon met je eigen zaken bemoeien wordt níét overschat.'

'Ik zeg alleen maar dat ik me ongerust over je maak. Je steekt je hele ziel en zaligheid in deze zaak, en ik kan niet goed bedenken waarom. Je verliest je gevoel voor verhoudingen, en dat is gevaarlijk. Als we ervan uitgaan dat Salazar onschuldig is...'

'Hij ís onschuldig.'

'Best. Ervan uitgaande dat hij onschuldig is, is het reuze vervelend dat hem zoiets naars is overkomen, maar dat is niet jouw schuld.'

'En Dobson? Dat is zeker ook mijn schuld niet?'

'Nee, natuurlijk is dat jouw schuld niet!' Lissa keek hem strak aan. 'Dobson was een volwassen man. Hij nam zijn eigen beslissingen, net zoals jij en ik. Je kunt jezelf naar hartenlust met verwijten overladen, maar daar had jij helemaal niets mee te maken. Je moet jezelf weer een beetje in de hand zien te krijgen, Scott. Die Salazar is een cliënt van je, geen familielid.'

'Mijn cliënten zijn mijn familieleden.'

'Doe niet zo pathetisch.'

'O, sorry, zijn we nog niet aan elkaar voorgesteld?' Hij stak haar zijn hand toe. 'Scott Finn, met pathos verdien ik de kost.'

Ze schudde haar hoofd. 'Wat mij betreft mag je best een beetje pathetisch doen in de rechtszaal, maar je moet er niet zelf in gaan geloven.'

'Met zo'n instelling word je nooit een goede advocaat.'

'Dat is gelul en dat weet je best.'

Hij trok zijn hand terug en keerde haar de rug toe. Toen hij zich weer omdraaide, lag er een vastberaden uitdrukking op zijn gezicht. 'Vincente Salazar is mijn cliënt. Hij is onschuldig en hij heeft er echt niet voor gekozen om de afgelopen vijftien jaar in de gevangenis door te brengen. Ik laat hem daar niet tot zijn dood zitten.'

***

Salazar zag de aluminiumbuis door de lucht schieten. Hij had geen tijd om de slag af te weren, maar hij wist weg te duiken en op die manier de schade te beperken. Het metaal raakte hem op zijn slaap en hij voelde zijn hoofdhuid scheuren zodat het bloed eruit spatte, maar de kracht van de slag was niet groot genoeg meer om hem het bewustzijn te laten verliezen.

Hij strompelde naar achteren en viel tegen Jefferson aan, die gromde van de pijn. Salazar keek op en zag dat Womak op hem af kwam. De man ontblootte zijn gele tanden in een weerzinwekkend vertoon van opwinding. Een ogenblik dacht Salazar dat hij het op Jefferson gemunt had, en hem als niet meer dan een obstakel beschouwde, maar terwijl Womak dichterbij kwam, bleef de man zijn aandacht strak op hém gericht houden.

'Nou ga je eraan, vuile kut-Salvadoraan,' snauwde Womak terwijl hij opnieuw uithaalde.

Salazar wist de tweede klap te ontwijken en het aluminium sloeg tegen Jeffersons brancard. Door de uithaal en het feit dat hij zijn eigen brancard achter zich aan sleurde, ontstond er een gat in Womaks verdediging, en Salazar zag zijn kans schoon. Hij bracht zijn arm naar achteren en wilde met alle kracht uithalen naar Womaks nek. Maar er was iets mis. Hij kon zijn arm niet bewegen. Hij keek achterom en zag dat Jefferson hem bij zijn mouw had gegrepen en hem goed vasthield.

'Dat had je gedacht,' zei Jefferson met een hinnikend lachje. En tegen Womak zei hij: 'Vooruit, achterlijke racistische hufter dat je bent, maak hem af.'

Salazar zat als een rat in de val. Hij keek op en zag dat Womak inmiddels zijn evenwicht had hervonden en zich gereed maakte voor de genadeslag.

Salazar reageerde zonder nadenken. Met zijn vrije elleboog gaf hij een harde stoot naar achteren. Hij had precies goed gemikt; hij raakte Jefferson precies op de open wond. De forsgebouwde man liet Salazars arm los, klapte dubbel op de brancard en schreeuwde het uit van de pijn.

Womak kwam op hem af. Salazar schopte zo hard als hij maar kon tegen de brancard. Die schoot naar achteren en doordat het ding nog steeds aan Womaks enkels vastzat, werd de man omver getrokken. Hij kwam hard met zijn gezicht op de tegels terecht.

Salazar voelde dat Jefferson hem weer probeerde vast te grijpen. Met zijn elleboog gaf hij de man opnieuw een harde por in zijn maag. Toen hij zich omdraaide, zag hij dat Womak verwoed probeerde om weer overeind te komen. Hij had een hand op de brancard gelegd en trok zichzelf omhoog. Zijn elleboog rustte op zijn knie.

Salazar bracht zijn voet omhoog en liet die met zijn hele gewicht erachter neerkomen op de bovenarm van de moordenaar. Hij raakte de arm op het zwakste punt – precies tussen de elleboog waarmee de man op zijn knie steunde en de pols die op de rand van de brancard lag – zodat beide armbotten doormidden braken. Terwijl zijn voet zijn baan naar de vloer voortzette, scheurden de versplinterde uiteinden van de beenderen door Womaks huid en maakten een ratelend geluid toen de man tegen de grond smakte.

Womaks geschreeuw was oorverdovend, maar duurde gelukkig niet lang, want hij raakte in shock en zakte in elkaar op de vloer.

Salazars hart ging als een razende tekeer en terwijl de adrenaline door zijn aderen kolkte, bracht hij zijn voet opnieuw omhoog, nu boven het hoofd van de bewusteloze man.

'Wat is hier aan de hand verdomme?'

Salazar keek op en zag de man van de anti-oproereenheid in de deuropening staan. Achter hem verscheen Galloway. Zijn gezicht zag grauw.

'Ja, wat heeft dit te betekenen?' wist Galloway moeizaam uit te brengen.

Salazar zette zijn voet weer op de vloer en boog zich over Womak heen. Hij voelde zich misselijk worden. 'Ze vielen me aan,' zei hij met gesmoorde stem.

'Wat?' zei de man van de anti-oproereenheid. 'Maar hoe dan?'

'Zijn armen waren niet gebroken,' antwoordde Salazar. Zijn keel voelde kurkdroog aan en hij moest kokhalzen.

De man van de anti-oproereenheid kwam naar hem toe gelopen en keek naar de smeerboel op de vloer. 'Nou, zo te zien is zijn arm nu wel gebroken.'

Salazar keek ook omlaag. Toen keek hij naar Galloway, die niet leek te weten wat hij moest zeggen. 'Ik dacht dat u zei dat hij zijn arm had gebroken.'

Galloway keek hem aan en zijn hand ging naar zijn knuppel toe. 'Dat dacht ik, ja. Jij bent toch zeker de dokter? Dat had je moeten controleren.'

'U zei dat hij zijn armen had gebroken.'

'Val dood, gevangene.'

Salazar vermande zich. Toen bukte hij zich en pakte Womak onder zijn oksels. 'Help me even,' zei hij.

'Wat ga je doen?' vroeg de man van de anti-oproereenheid.

'Als die arm niet snel verzorgd wordt, raakt hij die misschien kwijt. En daarna moet ik naar de buikwond van die andere man kijken. Het gaat nog wel een paar minuten duren voordat dokter Roland hier is.'

'Ze hebben geprobeerd je te vermoorden,' zei de man van de anti-oproereenheid. 'Wat kan het jou schelen wat er verder met ze gebeurt?'

'Ik ben arts,' zei Salazar. 'Dat is nou eenmaal mijn werk. Help me even.'

23

'Sorry, Finn, ik wilde dat ik beter nieuws voor je had.'

Finn hield de hoorn tegen zijn oor en vocht tegen de verleiding om ermee op het bureaublad te slaan. 'Hoe zeker ben je van je zaak, Smittie? Ik bedoel, dit is toch niet echt een exacte wetenschap dacht ik?'

'Het is exact genoeg om met zekerheid te kunnen verklaren dat de twee vingerafdrukken overeenkomen. Soms is dat moeilijk te zeggen, maar niet in dit geval. Ik heb negentien duidelijke punten van overeenkomst gevonden.'

Finn liet zijn hoofd hangen, maar toch gaf hij nog niet op, hoe hopeloos het er ook uitzag. 'Oké, dat zijn dus negentien punten van overeenkomst. Dat is toch geen exacte overeenkomst, of wel soms?'

'Exacte overeenkomsten bestaan niet,' antwoordde Smith. 'Als je twee vingerafdrukken neemt, op twee verschillende plekken, of op twee verschillende tijdstippen, zullen er altijd kleine verschillen zijn, zelfs als het om dezelfde vinger gaat. Het hangt af van de druk die op de vinger wordt uitgeoefend op het moment dat die het oppervlak raakt, van de aard van het oppervlak zelf, van de hoek waarmee de vinger het raakt, en dan gaat het er ook nog om of het een complete of slechts een gedeeltelijke afdruk is, en ga zo maar door. Er zijn wel een miljoen variabelen, dus zelfs dezelfde vinger laat nooit precies dezelfde afdruk achter. Dat is de reden waarom we naar punten van overeenkomst zoeken – opvallende krullen of lijnen – om vingerafdrukken met elkaar te vergelijken. Als je voldoende punten van overeenkomst vindt, weet je dat twee vingerafdrukken met elkaar overeenkomen.'

'Hoeveel punten van overeenkomst zijn voldoende?' Finn wist dat hij nu wanhopig klonk. Hij had erop gerekend dat Smittie met een resultaat zou komen dat hem in staat zou stellen twijfel te wekken aan de juistheid van de getuigenverklaring van de deskundige die destijds had geholpen om Salazar veroordeeld te krijgen.

'Dat hangt ervan af.'

'Waarvan?'

'Van de mate van overeenkomst. Het is ook van groot belang of in een duidelijke afdruk verschillende niveaus van overeenkomst te onderscheiden zijn, en ten slotte worden al die factoren samen betrokken bij het oordeel van de vingerafdrukdeskundige.'

'Wil je daarmee zeggen dat er geen minimum aantal overeenkomsten is?' Het kostte Finn moeite om dat idee te aanvaarden.

'Dat hangt van de staat af. In sommige Amerikaanse staten zijn zes punten van overeenkomst het wettelijke minimum. In andere staten zijn het er acht, of zelfs tien. Weer andere staten laten dat over aan het oordeel van de deskundige. In sommige staten is het zelfs voorgekomen dat vingerafdrukken als afkomstig van dezelfde persoon zijn beschouwd op grond van niet meer dan drie punten van overeenkomst, nadat alle andere factoren ook in beschouwing waren genomen.'

'En hoe is dat in Massachusetts? Hebben we hier een minimum aantal?'

'Nee, in Massachusetts hangt dat af van het oordeel van de betrokken deskundigen.'

'Mooi is dat,' zei Finn vol weerzin. 'Dus het enige wat we hier nodig hebben, is dat een of andere agent in het getuigenbankje gaat staan en dan zegt: "Ja, alles bij elkaar genomen, denk ik dat deze vingerafdrukken met elkaar overeenstemmen"?'

'Daar komt het wel min of meer op neer, ja. Zo nu en dan gaat er nou eenmaal iets mis. Maar die mensen zijn wel professionals.' Smith voelde zich duidelijk een beetje in de verdediging gedrongen, en het drong tot Finn door dat hij het zich bepaald niet makkelijker maakte door zijn eigen deskundige tegen zich in het harnas te jagen.

'Oké, dus het enige wat we hier hebben, is de mening van een of andere vent die in het getuigenbankje is gaan staan. Dat is tenminste iets.'

Smith snoof minachtend. 'In een andere zaak heb je daar misschien wel iets aan. Maar hier niet.'

'Waarom niet?'

'Daarom. Je zult nooit een geloofwaardige deskundige vinden die bereid is te verklaren dat deze twee vingerafdrukken niet bij elkaar passen. We hebben het hier over negentien punten van overeenkomst. Nergens ter wereld zou dat niet als een overtuigende overeenkomst worden beschouwd. Je zult nooit iemand vinden die anders zou beweren, hoeveel je ook betaalt.'

Finn dacht goed na voordat hij zijn volgende vraag stelde. 'Zelfs jij niet?'

'Sorry, beste vriend,' zei Smith. 'Mijn reputatie is me meer waard dan het honorarium voor een enkele zaak. En bovendien betaal jij lang niet zo goed als sommige grote firma's waar ik voor werk. Als ik je niet zo graag mocht, zou ik waarschijnlijk niet eens de telefoon opnemen als je belde.'

Finn blies zijn ingehouden adem uit. 'Deze vent is onschuldig, Smittie,' zei hij. 'Onschuldig. Weet je wat dat betekent?'

'Jazeker. Dat betekent dat iemand hem op een of andere manier heeft genaaid... als jij tenminste gelijk hebt. In dat geval is hij de eerste niet en zal hij ook zeker de laatste niet zijn. Dat is eenvoudigweg een kwestie van kansberekening. Er zitten in de Verenigde Staten meer dan twee miljoen mensen in de gevangenis. Als je twee miljoen mensen achter de tralies zet, zullen daar ongetwijfeld ook een paar mensen bij zitten die ten onrechte veroordeeld zijn.'

'En daar kun jij mee leven?' vroeg Finn verontwaardigd.

'Ja, daar kan ik mee leven. En ik ga mezelf zeker niet samen met hen laten opsluiten door een valse getuigenverklaring af te leggen. Ook al vind ik je nog zo aardig.'

'Je hebt gelijk,' zei Finn. Hij dacht nog even na. 'Is er een manier waarop we deze overeenkomst in twijfel kunnen trekken? Kun je iets voor me doen?'

'Nee, als ik bij je in de buurt zat, zou ik je graag een pilsje aanbieden. Maar verder...'

'Niets? Geen suggesties?'

Smittie dacht even na. 'Oké. Laten we aannemen dat je gelijk hebt, en dat die man werkelijk onschuldig is. Dat zou dan betekenen dat iemand met het bewijsmateriaal heeft geknoeid, per ongeluk of met opzet. De logische vraag is dan: wie zou dat gedaan kunnen hebben?'

'De politie,' antwoordde Finn zonder nadenken.

'Dat ligt wel het meest voor de hand,' zei Smith instemmend. 'De politie beschikt over de beste mogelijkheden om met bewijsmateriaal te knoeien en iemand onschuldig veroordeeld te krijgen. Maar waarom Salazar?'

'Dat weet ik niet,' gaf Finn toe. 'Maar eigenlijk kan dat me ook niet schelen. Ik wil alleen maar dat die man weer vrijkomt. Salazar is veroordeeld voor het neerschieten van een politievrouw. Misschien wilden ze gewoon dat er iemand voor die zaak veroordeeld zou worden.'

'Dat zou kunnen,' zei Smittie, maar zonder veel overtuiging. 'De politie ziet niet graag dat een agent wordt doodgeschoten zonder dat er iemand voor veroordeeld wordt. Dat geeft de mensen het idee dat je zomaar agenten kunt doodschieten. Soms is het in zo'n geval beter om maar lukraak iemand op te pakken dan om zo'n schietpartij officieel onopgelost te laten.'

'Dus,' vervolgde Finn, 'laten we aannemen dat de politie dit met opzet heeft gedaan. Hoe zouden ze dat dan aangepakt hebben? En wat belangrijker is: hoe kunnen we zoiets bewijzen?'

'Een interessante vraag,' zei Smittie. 'Het zou het makkelijkst zijn om een valse getuigenverklaring af te leggen en te beweren dat de twee vingerafdrukken met elkaar overeenkwamen terwijl dat niet het geval was. Maar dat is hier niet gebeurd. Zoals ik je al heb gezegd, komen deze vingerafdrukken heel zeker met elkaar overeen.'

'Oké,' gaf Finn toe. 'Hoe zouden ze dat anders kunnen aanpakken?'

'Ze zouden kunnen liegen over de identiteit van degene wiens vingerafdrukken met elkaar zijn vergeleken.'

'Dat begrijp ik niet.'

'Ik bedoel dat ze een stel vingerafdrukken hebben die op het vuurwapen zijn aangetroffen plus een stel vingerafdrukken van Salazar, én een stel vingerafdrukken van de werkelijke dader. Dan vervangen ze de namen van Salazar en van de werkelijke dader op het etiketje van de vingerafdrukken. Op die manier kunnen ze naar waarheid verklaren dat de vingerafdrukken met elkaar overeenkomen, terwijl ze liegen over de identiteit van degene wiens vingerafdrukken het zijn.'

'Zouden ze zoiets kunnen doen zonder dat het wordt opgemerkt?'

'Waarom niet?'

'Ik weet het niet. Zou het dan niemand opvallen dat die vingerafdrukken niet van Salazar zijn?'

'Hoe dan? Vingerafdrukken zijn geen dingen die je op het eerste gezicht herkent. Ik kan de vingerafdrukken van een volkomen willekeurige voorbijganger op een scherm projecteren en je vertellen dat die van jou zijn, en dan kom je er heus niet achter of ik daar gelijk in heb of niet. Over het algemeen volgt een jury gewoon de verklaring van elke zogenaamde vingerafdrukdeskundige, hoe de vingerafdrukken zelf er ook uit mogen zien.'

'Ik vind het toch wel verontrustend dat het zo makkelijk kan zijn om iemand te laten opdraaien voor een misdaad die hij niet gepleegd heeft, zonder dat iemand het merkt.' Finn dwong zich om zich over zijn ongeloof heen te zetten. 'Oké, laten we aannemen dat in deze zaak iets dergelijks gebeurd is. Hoe kunnen we dat dan bewijzen?'

'Dat is niet moeilijk,' zei Smith. 'Je stuurt me gewoon een nieuwe reeks vingerafdrukken, waarvan je zeker weet dat ze van Salazar zijn. Als die niet overeenkomen met de twee reeksen vingerafdrukken die ik hier al heb liggen, dan weten we dat iemand de vingerafdrukken heeft verwisseld.'

Het zou lastig worden, maar Finn zou een manier zien te vinden om dat snel te regelen. 'Oké, laten we nou eens aannemen dat het niet zo gegaan is. Zijn er nog andere manieren waarop iemand ervoor gezorgd kan hebben dat Salazar ten onrechte veroordeeld werd?'

'Ja hoor,' zei Smith. 'Iemand kan Salazars vingerafdrukken op het vuurwapen aangebracht hebben.'

'Hoe doe je zoiets?'

'Je hoeft alleen maar iets te pakken te krijgen met een duidelijke vingerafdruk van jouw cliënt erop – een glas bijvoorbeeld, of iets anders waarop het zuur van de vingers goed bewaard blijft. Vervolgens plak je er een plakbandje overheen, zodat de vingerafdruk wordt overgebracht op de kleeflaag. Dan trek je het plakband eraf, en plakt het op het vuurwapen. Het plakband brengt dan de oliën waaruit de vingerafdruk bestaat over op het nieuwe oppervlak, in dit geval dus het oppervlak van het vuurwapen. Als je het plakband eraf haalt, heb je vals bewijsmateriaal dat goed genoeg is om negen van de tien keer iemand veroordeeld te krijgen.'

'Valt zoiets naderhand nog op te merken?'

'Dat hangt ervan af hoe goed het gedaan is. Soms blijft er ook wat restmateriaal op het wapen achter. Zoiets bewijst niet dat de vingerafdruk daarop met behulp van plakband is aangebracht, maar tenzij er een of andere logische verklaring voor de aanwezigheid van kleefstof kan worden gevonden, wekt dat in ieder geval gerede twijfel.'

'Meer dan twijfel heb ik op dit moment niet nodig.'

'Loop nou niet te hard van stapel, Finn. Na vijftien jaar is de kans dat je iets vindt behoorlijk klein. Het valt te proberen, maar ik zou er niet al te vast op rekenen. Kun je het vuurwapen te pakken krijgen?'

'Dat weet ik niet. Tijdens het proces heeft Salazars verdediging het recht gehad om het wapen te onderzoeken, maar na zijn veroordeling krijg ik alleen maar wat het Openbaar Ministerie of de rechter me wenst te geven. En ze zullen dit bewijsmateriaal niet zomaar overdragen.'

'In hun plaats zou ik dat zeker niet doen,' zei Smith.

'Ik probeer er wel iets op te vinden. Weet je nog een andere manier waarop iemand met het bewijsmateriaal geknoeid zou kunnen hebben?'

'Zo één-twee-drie niet, maar ik zal er eens over nadenken.'

'Doe dat,' zei Finn. 'Dat zou ik echt zeer op prijs stellen.'

'Nee, daar doe ik het niet voor. Jij werkt misschien gratis voor die vent, maar ik niet. Als je wilt dat ik hierover nadenk dan moet je dokken.'

'Dat spreekt vanzelf. Stuur maar een rekening, dan regel ik het wel.'

'Zo mag ik het horen,' zei Smith. 'En fax me een nieuwe reeks vingerafdrukken zodra je daar kans toe ziet. Dan vergelijk ik die met de vingerafdrukken die ik hier al heb liggen.'

'Doe ik. En Smittie?'
'Ja?'
'Dank je wel.'

★★★

Een groot deel van de rest van de ochtend zat Finn op internet om meer te weten te komen over het herkennen van vingerafdrukken. Het was prettig om Smittie als gids te hebben die hem door het moeras kon leiden, maar dat was geen vervanging voor onafhankelijk onderzoek. En bovendien was Smittie er voor zijn levensonderhoud van afhankelijk dat vingerafdrukkenidentificatie als een exacte wetenschap werd beschouwd. Finn had dus alle reden om te denken dat zijn informant op dit gebied misschien niet honderd procent objectief was. Dat Smittie als deskundige openlijk toegaf dat het hele identificatieproces zo subjectief kon zijn had Finn verbaasd, en hij wilde daar graag meer over weten.

Wat hij te weten kwam, schokte hem. Hij was er altijd van uitgegaan dat vingerafdrukanalyse een objectieve wetenschap was: óf de vingerafdrukken kwamen overeen, óf ze kwamen niet overeen. Maar in werkelijkheid was de constatering dat twee reeksen vingerafdrukken met elkaar overeenkwamen, vaak meer een kwestie van mening dan van objectief vaststelbare feiten, en er waren behoorlijk veel recente voorbeelden van onjuiste identificaties. In 2004 was een man in Oregon opgepakt omdat zijn vingerafdrukken overeenstemden met vingerafdrukken die waren aangetroffen op artikelen die in verband werden gebracht met de terreuraanslag in Madrid, waarbij tientallen mensen om het leven waren gekomen. De FBI-deskundigen hadden verklaard dat zijn vingerafdrukken duidelijk met elkaar overeenstemden, en de man had zes weken in de gevangenis gezeten terwijl er een onderzoek naar hem werd ingesteld om meer bewijsmateriaal te verzamelen. Uiteindelijk was de FBI tot de slotsom gekomen dat de vingerafdrukken weliswaar sterk op elkaar leken maar toch niet precies hetzelfde waren, en was de man weer vrijgelaten. Deze duidelijke vergissing had verschillende rechtbanken ertoe gebracht te onderzoeken of identificatie van verdachten op basis van vingerafdrukken wel voldoende wetenschappelijke basis had om toegelaten te worden als belastend bewijsmateriaal. Hoewel geen enkele rechtbank vingerafdrukken als bewijsmateriaal had geweigerd, was het vertrouwen in de procedure wel geschokt.

Finn was volkomen verdiept in zijn onderzoek toen de telefoon ging. Hij liet Lissa opnemen.

'Met het advocatenbureau van Scott Finn,' hoorde hij haar zeggen. 'Ja, de heer Finn is aanwezig. Wie kan ik zeggen dat er aan de lijn is?' Er viel een korte stilte. Toen keek ze hem aan en zei: 'Het is je cliënt.'

'Welke cliënt?'

'Salazar. Wie had je anders gedacht, verdomme?'

'Aan de telefoon?'

'Nee, onder mijn bureau! Natuurlijk is hij aan de telefoon. Neem nou op.'

Hij drukte op de knop van zijn toestel en pakte de hoorn van de haak. 'Vincente?'

'Meneer Finn, neem me niet kwalijk dat ik u stoor.'

'Geen probleem, ik had u gewoon niet verwacht.' Finn keek op zijn horloge. Halftwaalf. 'Zit u niet in de cel? Ik dacht dat de lunch pas om twaalf uur 's middags was.'

'Ik ben op de ziekenafdeling,' antwoordde Salazar.

'Juist. Ik was even vergeten dat u daar werkt.'

'Over het algemeen wel, ja. Maar op dit moment ben ik officieel patiënt. Ik bel om u te waarschuwen: u verkeert in gevaar.'

Door de toon waarop de man dat zei, kreeg Finn het plotseling ijskoud. Salazars stem klonk niet hysterisch of melodramatisch, maar kalm en rustig. 'Wat is er gebeurd?' vroeg Finn, en hij wachtte angstig af hoe het antwoord zou luiden.

'Ik ben aangevallen,' antwoordde Salazar. 'Ze hebben geprobeerd me te vermoorden.'

'Wie?'

'Degenen die hierachter zitten.'

'Wacht even,' zei Finn. 'Begin bij het begin.'

Salazar vertelde wat zich die ochtend op de ziekenafdeling had afgespeeld, en om duidelijk te maken hoe ernstig de situatie was, besteedde hij speciale aandacht aan een paar van de meest beeldende en verontrustende aspecten daarvan.

'Maakt u het goed?' vroeg Finn toen Salazar klaar was met zijn relaas.

'Ik heb een snee in mijn hoofdhuid,' zei de man. 'De artsen hier hebben de wond gehecht, en verder maak ik het goed. Voorlopig althans.'

'Kunnen ze nog een keer een aanslag plegen?'

'Dat is moeilijk te zeggen. De artsen zullen me hier zo lang als ze kunnen "ter observatie" houden, maar dat kan niet eeuwig duren. Dat zal de gevangenisdirectie niet toelaten. En bovendien, als de gebeurtenissen van vanochtend een graadmeter vormen, ben ik zelfs hier niet volkomen veilig. Zodra ik tussen de andere gevangenen zit, zal ik echt heel goed moeten oppassen.'

'Wat kan ik doen?'

'Niets,' zei Salazar. Maar toen, na een korte aarzeling: 'Zorg dat ik hier weg kom. Dat is het enige wat u voor me kunt doen.'

'Ik ben ermee bezig.'

'Dat weet ik.' Salazars stem klonk schor en ver weg, en Finn kon goed horen dat de man uitgeput was. 'Ik heb een paar documenten in mijn cel liggen,' zei hij. 'Aantekeningen, een dagboek, dat soort dingen. Als mij iets overkomt, wil ik dat u ervoor zorgt dat mijn dochter die krijgt.'

'Er zal u niets overkomen.'

'Natuurlijk niet. Ik weet nu dat ze het op me gemunt hebben, en daardoor ben ik enigszins in het voordeel. Ik verwacht ze. Maar áls...'

'Ik zal ervoor zorgen dat ze die spullen krijgt.'

'Het eerste wat ze doen als een gevangene wordt vermoord, is zijn cel uitruimen. Ze hebben ruimte nodig voor nog meer gevangenen. Ze gooien alles meteen weg, dus u zult heel snel moeten optreden, en heel duidelijk moeten maken dat u weet dat die documenten zich daar bevinden. Dat is het enige wat ik Rosita kan nalaten. Beloof me dat u ze voor haar zult bewaren.'

'Dat beloof ik,' zei Finn. 'We zorgen wel dat u daar weg komt.'

'U lijkt er alle vertrouwen in te hebben,' zei Salazar. En uit de manier waarop hij dat zei, bleek dat hij dat vertrouwen bepaald niet deelde. 'Is er al iets bekend over het DNA-onderzoek?'

'Niets,' gaf Finn toe.

'En de vingerafdrukken? En de verklaring van de ooggetuige?'

Finn wist niet goed wat hij moest zeggen. 'We trekken nog steeds een paar aanwijzingen na,' loog hij. 'Ik stuur vandaag nog iemand naar u toe om nog een keer uw vingerafdrukken te laten nemen, oké?'

'Waarom?'

'Het is niet meer dan een vermoeden, maar werkt u wel mee.'

'Dat zal ik doen.'

'We krijgen u daar wel weg,' zei Finn nogmaals, maar deze keer met minder overtuiging in zijn stem.

Dank u wel,' zei Salazar.

Finn deed zijn uiterste best om nog iets te bedenken wat hij kon zeggen. 'Kan ik verder nog iets voor doen?'

'Ja,' antwoordde Salazar. 'U kunt heel voorzichtig zijn. Degenen die erachter zitten hebben Mark Dobson al vermoord. Nu hebben ze geprobeerd mij te laten vermoorden. Ze zullen niet aarzelen om achter iedereen aan te gaan die mij helpt. U verkeert in gevaar.'

'Ik kan wel voor mezelf zorgen.'

'Dat hoop ik,' zei Salazar. 'Dat hoop ik werkelijk.'

24

'Weet je zeker dat je het op deze manier goed aanpakt?'

Terwijl ze met de auto het korte eindje van Charlestown naar de binnenstad van Boston aflegden, keek Finn Kozlowski woest aan. 'Ja, ik weet het zeker. Een frontale aanval. Probeer ze van hun stuk te brengen en kijk dan goed wat er uit de boom valt.'

Kozlowski gromde. 'Over het algemeen laten agenten zich niet zomaar heen en weer schudden, als je niet heel hard schudt in ieder geval. En ik heb niet het gevoel dat jij nou over veel middelen beschikt om hard mee te duwen.'

'Moet ik even stoppen, zodat je kunt uitstappen?'

'Dat zou een goeie manier zijn om jou je dood tegemoet te laten gaan: jou in je eentje een politiebureau binnen laten stappen om beschuldigingen rond te strooien. Vond je dat we niet vriendelijk werden ontvangen door Maddy Steele? Vergeleken met de reacties die je kunt verwachten, was zij een cheerleader.'

'We hebben geen keuze. Ze hebben geprobeerd hem te vermoorden.'

'Wie heeft geprobeerd hem te vermoorden?'

'Ja, als we daar het antwoord op weten, dan kregen we de hoofdprijs.'

'En jij gedraagt je alsof je het antwoord al weet. Misschien is dat wel helemaal niet waar het werkelijk om gaat. Misschien is de vraag waar het werkelijk om gaat wel waarom zelfs je eigen vingerafdrukdeskundige verklaart dat Salazars vingerafdrukken op dat wapen zijn aangetroffen. Je lijkt niet bereid om zelfs maar rekening te houden met de mogelijkheid dat de man werkelijk heeft gedaan waarvoor hij is veroordeeld.'

Finn schudde zijn hoofd. 'Na mijn gesprek met Smittie heb ik zelf wat onderzoek gedaan. Volgens Smittie zijn er geen werkelijke normen voor identificatie op basis van vingerafdrukken. En dat lijkt het understatement van het jaar te zijn. In Engeland wordt van onderzoekers gevergd dat ze minstens zestien punten van overeenkomst moeten kunnen laten zien voordat ze mogen verklaren dat twee reeksen vingerafdrukken met elkaar overeenkomen. Hier in de Verenigde Staten worden verdachten soms al geïdentificeerd op basis van niet meer dan zes punten van overeenkomst. En bovendien is er geen officiële norm voor de mate van overeenstemming die vereist is om van een "punt van overeenkomst" te spreken. De zogenaamde experts hoeven geen examen te doen om te bewijzen dat ze weten waar ze mee bezig zijn. En een heleboel van hen hebben geen enkele formele opleiding, behalve dan dat ze al minstens zes maanden als vingerafdrukexpert werkzaam zijn geweest. Het schijnt veel meer een kwestie van subjectieve mening dan van objectieve wetenschap te zijn.'

Kozlowski haalde zijn schouders op. 'Laten we ervan uitgaan dat dit allemaal waar is. En wat dan nog?'

'En wat dan nog?'

'Ja, en wat dan nog?'

Finn keek zwijgend voor zich uit, terwijl zijn kaakspieren zich voortdurend spanden en ontspanden. 'Realiseer je je wel dat er nooit enig onderzoek is gedaan om te bepalen hoe nauwkeurig identificatie op basis van vingerafdrukken eigenlijk is? Helemaal niets wat zelfs in de verste verte maar als wetenschappelijk verantwoord onderzoek kan worden beschouwd. Elke keer dat wie dan ook waagt te opperen dat dat misschien een goed idee zou zijn, krijgt hij de hele rechterlijke macht en de politie over zich heen. En weet je waarom?'

'Misschien omdat het een enorme verspilling van belastinggeld zou zijn om onderzoek te doen naar een identificatiemethode die zich al meer dan honderd jaar als uiterst betrouwbaar heeft bewezen?' zei Kozlowski.

'Nee. Omdat ze weten dat elk wetenschappelijk onderzoek naar de nauwkeurigheid van identificatie aan de hand van vingerafdrukken zou uitwijzen dat het wetenschappelijk niet verantwoord is. En wat moet je dan beginnen met alle mensen die veroordeeld zijn op basis van vingerafdrukken?'

'Nogmaals, zelfs als ik aanneem dat alles wat je nu zegt klopt – en ik durf te wedden dat minstens de helft ervan niet meer is dan progressieve flauwekul – en wat dan nog? Smittie zei dat hij bij deze vingerafdrukken negentien punten van overeenkomst had gevonden. En hij staat aan onze kant. Dus zelfs als het zo nu en dan voorkomt dat mensen ten onrechte op basis van vingerafdrukken worden geïdentificeerd, is dat hier toch duidelijk niet het geval.'

'We zullen wel zien,' gromde Finn.

'Shit, we zitten hier met een identificatie die is bevestigd door onze eigen deskundige, bovendien is de verdachte herkend door een ooggetuige, en nog steeds kun je het niet opbrengen om op zijn minst rekening te houden met de mogelijkheid dat de man schuldig is. Dat is gewoon raar.'

'Nou dat is mooi. Kom je nou ineens aanzetten met die ooggetuigenverklaring? Naar de nauwkeurigheid van ooggetuigenverklaringen is wél onderzoek gedaan, en weet je wat het resultaat daarvan was? Ze kwamen erachter dat de meeste mensen het mis hebben. Zelfs als ze iemand goed kunnen bekijken, blijken mensen die het "heel zeker" weten als ze de dader uit een rijtje mensen plukken, vaak de verkeerde uit te kiezen. Maar maakt dat wat uit? Nee. Als je een slachtoffer in het getuigenbankje zet, of een ooggetuige, en je laat hem tijdens een proces naar de beklaagde wijzen en "Dat is hem!" zeggen, veroordeelt een jury hem altijd.'

'Daar heb je gelijk in, maar wat is het alternatief? Als je het vingerafdrukonderzoek en de ooggetuigenverklaringen afschaft, hoe kun je dan nog een vervolging instellen? Hoe kun je dan ooit misdrijven bestraffen of voorkomen?'

'Heb je ooit wel eens die bekende uitspraak gehoord dat het beter is om tien schuldigen te laten lopen dan één onschuldige gevangen te zetten? Dat is een van de fundamentele principes waarop ons rechtssysteem gegrondvest is. Dat is de reden waarom we eisen dat iemands schuld boven alle redelijke twijfel verheven is.'

'Prima,' zei Kozlowski. 'Ik wil best tien schuldigen vrijuit laat gaan om één onschuldige te beschermen. Maar hoe zit dat als het er honderd zijn? Is het beter om honderd schuldige klootzakken vrijuit laten gaan dan om één onschuldige in de cel te zetten? En wat als het er duizend zijn? Of tienduizend? Hoeveel moordenaars, verkrachters en kinderlokkers wil jij los laten rondlopen om die ene onschuldige te beschermen?'

'Alles wordt absurd als je het tot in het extreme doortrekt.'

'Nee, wat jij zegt, is absurd. Je wilt ons alle middelen afnemen waarmee we er redelijk zeker van kunnen zijn dat we de juiste verdachte te pakken hebben.'

Finn reed het parkeerterrein tegenover het bureau van de divisie B-2 op, waar de eenheid Latente Vingerafdrukken was gehuisvest. Hij draaide een parkeervak in en zette de motor af. 'Ik weet het niet,' zei hij terwijl hij zijn veiligheidsgordel losmaakte. 'Wat ik wél weet is dat iemand vanochtend heeft geprobeerd onze cliënt te vermoorden. Ik weet ook dat de vorige advocaat die hem vertegenwoordigde aan stukken is gehakt. En dat zegt me dat hier iets heel erg mis is, en uiteindelijk komen we dan telkens weer uit bij de vingerafdrukken. Ik moet weten dat je het eens bent met wat we nu gaan doen.'

'Ik ben het daarmee eens. Maar ik wil ook dat je begrijpt dat niet alles altijd is wat het lijkt.'

Finn duwde het portier open en het kleine autootje werd onmiddellijk gevuld met een golf koude lucht. 'Neem dan maar van mij aan,' zei hij, 'dat niemand dat beter weet dan ik.'

★★★

Lissa Krantz stond op de veranda van het kleine, goed onderhouden huisje in West-Roxbury waar Juanita Sobol-Sanchez woonde. Alles wees erop dat het een nette en redelijk welvarende wijk was, waar hele gezinnen 's zomers in minibusjes stapten om in de vrije natuur te gaan barbecueën.

Ze belde aan en terwijl ze rustig stond te wachten keek ze op haar horloge. Ze had van tevoren beter even kunnen bellen, gewoon om er zeker van te zijn dat mevrouw Sobol thuis was. Ze zou nijdig op zichzelf zijn als bleek dat ze hier voor niets naartoe was gekomen. Maar ze wist zeker dat de vrouw thuis was – volgens Dobsons aantekeningen was ze huisvrouw en moeder, en de drie jaar oude gezinsauto op de oprit naar de garage leek erop te wijzen dat ze op dit moment geen boodschappen deed. Uit Dobsons aantekeningen bleek ook dat ze vijftien jaar geleden, toen mevrouw Sobol nog Sanchez heette, een illegale immigrante was geweest die een paar straten van de flat had gewoond die Vincent de Salazar deelde met zijn familie. Toen Madeline Steele was neergeschoten, was zij bezig geweest een kind te baren en volgens de verklaring die ze tegenover Dobson had afgelegd, was Salazar daarbij geweest. Toen Vincente voor de rechtbank moest verschijnen, was ze niet bereid geweest zich als getuige te melden omdat ze bang was dat ze dan het land uit gezet zou worden, maar nu ze met een Amerikaans staatsburger was getrouwd, had ze zich wel bereid verklaard haar verhaal te vertellen.

Dat was wat Dobson in zijn aantekeningen had aangegeven, maar nu was het Lissa's taak om de vrouw ook werkelijk een verklaring te laten afleggen, die op schrift te stellen, en die schriftelijke verklaring vervolgens door haar te laten ondertekenen. Ze keek nog eens op haar horloge en belde voor de tweede keer aan. Een hele tijd later werd de deur van binnenuit van het slot gedaan en op een kier geopend. Lissa zag een broodmager vrouwtje van eind dertig, met sluik zwart haar en een nerveuze blik in haar ogen.

'Ja?' zei de vrouw. Ze had een zwaar accent.

'Hallo, ik ben Lissa Krantz, en ik ben op zoek naar Juanita Sobol.'

Lissa's vriendelijke toon leek de zenuwachtige blik in de ogen van de vrouw niet te kunnen verjagen. 'Ik ben Juanita,' zei ze.

'Mooi. Ik werk voor de advocaat van Vincente Salazar en ik wilde uw verklaring nog even met u doornemen... het allemaal op papier zetten en het laten ondertekenen. Mag ik binnenkomen?'

'Dit is een vergissing,' gooide Juanita eruit.

'Een vergissing?'

'Ja. Het spijt me, ik kan niets voor u doen.'

Lissa wist niet hoe ze het had. 'Dat begrijp ik niet. Wat is er dan verkeerd gegaan?'

'Het was gewoon een vergissing. Ik had het mis.'

'Waarover?'

'Ik weet niet of meneer Salazar toen bij mij was of niet. Ik kan het niet helpen.'

Lissa zocht even in haar tas en haalde er een exemplaar uit van de verklaring die ze had opgesteld op basis van Dobsons aantekeningen. 'Maar u hebt met Mark Dobson gesproken. Hebt u hem niet verteld dat Vincente Salazar bij u was toen die politieagente werd neergeschoten?'

'Het spijt me,' zei Juanita. Ze wilde de deur dichtdoen, maar Lissa stak haar voet ertussen.

'Ze kunnen u het land niet meer uit zetten. U bent Amerikaans staatsburger.'

Juanita Sobol schudde haar hoofd. 'Ik weet niet zeker of het wel dezelfde avond is geweest.'

Lissa sloeg haar armen over elkaar. 'Wanneer is uw zoon jarig?'

'Wat?'

'U weet toch zeker wel wanneer uw zoon jarig is? En Vincente Salazar was toch bij u om te helpen bij een bevalling? Dan hoeven we alleen maar die twee data te vergelijken.'

De blik in de ogen van de vrouw was nu niet langer nerveus maar bang. 'Gaat u alstublieft weg,' zei ze.

'Nee.'

'Dan bel ik de politie.'

'Waarom wilt u niet met me praten?'

'Ik heb een gezin. Ik heb een man. Ik heb kinderen.'

Lissa deed een stap naar achter en nam de vrouw aandachtig op. 'Bent u soms bedreigd? Heeft iemand gezegd dat u uw verklaring moest veranderen?'

'Ik heb een gezin.'

'Dat weet ik. En u bent bevallen van een zoon met hulp van Vincente Salazar.'

Ze schudde haar hoofd. 'Zoals ik al zei, het spijt me. Als u nu niet weggaat, bel ik de politie.'

Ze duwde de deur dicht en liet Lissa alleen achter op de veranda van het keurig huisje. 'Fuck,' zei ze, en ze gaf een klap tegen de deur. 'Vincente Salazar heeft ook een gezin!' schreeuwde ze.

Ze bleef nog een minuut staan wachten om te zien of dat Juanita Sobol er misschien toe zou kunnen bewegen van gedachten te veranderen, maar de deur bleef dicht. Uiteindelijk pakte ze haar tas en liep ze terug naar haar auto.

★★★

Bureau B-2 was een oud betonnen gebouw uit de jaren vijftig, met alle postmoderne warmte die de utiliteitsbouw uit die periode uitstraalde. Hoe kil de decemberwind ook mocht zijn, Finn kreeg het die ochtend pas echt koud toen hij voor dat politiebureau stond.

'Heel charmant,' merkte hij op.

'Ja,' zei Kozlowski. 'Binnen is het nog erger.'

Ze stapten het bureau binnen en Kozlowski liep meteen naar de balie. De man achter de balie was een dikke agent van in de vijftig, met grote hangwangen en een onderkin die eruitzag alsof die hard zijn best deed om uit te groeien tot een flink gezwel. 'Koz,' zei de man vriendelijk. 'Ze hebben je toch niet weer bij de dienst toegelaten?'

'Nee, brigadier, zoveel mazzel heb je niet,' antwoordde Kozlowski. 'Volgens mij vindt de leiding dat de boeven ook weer eens een kans moeten krijgen.'

'Goed je weer eens te zien. Hoe gaat het?' De twee mannen gaven elkaar de hand.

'Prima. Hoe gaat het hier?'

De brigadier haalde zijn schouders op. 'Net als altijd. Eigenlijk verandert er nooit iets, het is gewoon vechten tegen de bierkaai. Wat brengt jou hiernaartoe?'

Kozlowski knikte naar Finn. 'Dit is Scott Finn, iemand met wie ik samenwerk. We willen Eddie Fornier spreken, die man van de eenheid Vingerafdrukken.'

Het gezicht van de wachtmeester betrok. 'En waarover dan wel?'

'Niets ernstigs,' antwoordde Kozlowski. 'Gewoon een oude zaak. We willen een paar details weten.'

De man bleef hen een beetje gefronst aankijken. 'Oké,' zei hij vol scepsis. Hij keek op het dienstrooster dat achter de balie hing. 'Hij is beneden. Hij is een uur geleden binnengekomen.'

Kozlowski keek op zijn horloge. 'Het is bijna twaalf uur. Draaien ze daar tegenwoordig avonddiensten?'

De wachtmeester schudde zijn hoofd. 'Zo is Fornier nou eenmaal. Zo is hij altijd al geweest.'

Finn kreeg sterk de indruk dat de wachtmeester nog veel meer gezegd had als hij alleen met Kozlowski was geweest, en hij nam zich voor om Kozlowski te vragen om naderhand nog eens met de man te gaan praten om zo het hele verhaal los te krijgen. 'Je weet waar die eenheid zit, hè?'

'Ja,' antwoordde Kozlowski. Hij gaf de wachtmeester een hand en liep naar een deur achter in de lobby.

Finn liep zwijgend achter hem aan de gang door, totdat ze bij een stalen deur kwamen. Toen Kozlowski die opentrok, sloeg er een golf klamme, warme, stinkende lucht over hem heen.

'Wat is dat in hemelsnaam?' vroeg Finn.

'Grotendeels schimmel en uitlaatgassen. De garage ligt naast het vingerafdrukkenlaboratorium, en ze moeten de deur openhouden om nog een beetje frisse lucht krijgen.'

Ze liepen de betonnen trap af en een andere gang door totdat ze bij een donkere deur met witte drukletters kwamen: EENHEID LATENTE VINGERAFDRUKKEN stond erop, en de witte letters begonnen hier en daar aan de randjes wat af te bladderen. Kozlowski trok de deur open en de twee mannen stapten naar binnen.

Het duurde even voordat Finns ogen gewend waren. De gele beeldbuizen knipperden en hulden de kleine ruimte in een merkwaardig flakkerend licht; het leek wel of hij zich in een slecht geprojecteerde film bevond, en hij merkte dat het hem moeite kostte zijn ogen ergens goed op te richten. Er zaten geen ramen in het vertrek en het verouderde ventilatiesysteem zorgde voor een gestage stroom beschimmelde lucht, waardoor zijn neus bijna onmiddellijk verstopt raakte. Finn vroeg zich af wat een politieman allemaal misdaan moest hebben om tot een verblijf in deze kerker veroordeeld te worden.

Aan een bureau naast de deur zat een jonge vrouw over een stapel vettige vingerafdrukformulieren gebogen. Ze ging voortdurend met een vergrootglas heen en weer tussen het ene formulier en het andere, en deed dat met een emotieloze efficiëntie die nog het meest deed denken aan lopendebandwerk. Ze keek op naar het bezoek. 'Kan ik iets voor u doen?' vroeg ze. Ze droeg een grijs broekpak, en haar jasje hing over de rugleuning van haar stoel, zodat het gele tl-licht onrustig op haar wit katoenen bloesje flakkerde.

'We zijn op zoek naar Fornier,' zei Kozlowski op zakelijke toon.

'Achterin,' antwoordde ze, en daarna richtte ze haar aandacht weer op haar werk.

Ze deed Finn denken aan een robot uit een of andere orwelliaanse nachtmerrie. 'Dank u wel,' zei hij, maar ze reageerde niet.

De ruimte was met enkele grote grijze schotten in vieren gedeeld. Het viel Finn op dat de stof waarmee de schotten bekleed waren onder de vlekken zat en hier en daar zelfs zo gerafeld was dat het materiaal eronder bloot was komen te liggen. Terwijl ze dieper de ruimte binnen liepen, zag Finn een half opgegeten gehaktbal op een bureau liggen. Er zoemden twee vliegen omheen.

Ze liepen het achterste gedeelte binnen en zagen daar een kleine man van achter in de veertig zitten die met zijn benen op zijn bureau met een lege uitdrukking op zijn gezicht naar het plafond tuurde. Hij hield een blikje Coca Cola tussen zijn benen geklemd, vlak bij zijn kruis.

'Fornier?' vroeg Kozlowski.

Het duurde even voordat de man reageerde en onwillekeurig vroeg Finn zich af of hij soms dood was. 'En wie wil dat weten?' vroeg de man toen.

'Agent Fornier, we willen u een paar vragen stellen over een zaak waaraan u een tijdje geleden hebt gewerkt,' zei Finn.

Fornier trok zijn benen van het bureau en door die verandering in zijn evenwicht werd zijn romp naar voren getrokken en schoot zijn hoofd onmiddellijk rechtop. Hij sloot zijn ogen, kneep met zijn duim en wijsvinger in zijn neusbrug, en wreef even over zijn ogen alsof hij probeerde wat scherper te zien. 'Waarom?'

Kozlowski sloeg zijn portefeuille open en liet het kaartje zien waaruit bleek dat hij vroeger bij de recherche had gewerkt. 'Gewoon een routinezaak.' Het klonk alsof hij nog steeds politieman was.

Fornier sloeg zijn armen over elkaar. 'Prima, vraag maar.'

'Kunt u zich de zaak-Vincente Salazar nog herinneren?' vroeg Finn.

Fornier verstijfde. 'Nee.'

'Hij is veroordeeld op grond van uw verklaring,' zei Finn.

'Een heleboel boeven zijn veroordeeld op grond van mijn verklaringen. Je kunt niet zomaar verwachten dat ik me die allemaal herinner.'

Zijn ogen waren rood omrand, en het weinige wit dat er nog over was, had een ongezond gelige kleur, maar hij leek niet van plan om ook maar een centimeter toe te geven.

'We hebben reden om aan te nemen dat de verklaring die u in deze zaak hebt afgelegd, onjuist was,' zei Finn met een stem vol zelfvertrouwen. 'Bent u bereid ons te woord te staan, of moeten we met een rechterlijk bevel komen en u onder ede laten verhoren?'

'Wie ben jij, verdomme?'

'Ik ben de advocaat van meneer Salazar, en linksom of rechtsom, ik kan u verzekeren dat we dit gesprek gaan voeren.'

Forniers vastberadenheid leek te verslappen. 'Het is een hele tijd geleden,' zei hij. 'Wat wilt u in hemelsnaam weten?'

Finn keek hem boos aan. 'Ik dacht dat u zei dat u zich die zaak niet herinnerde. Maar nu weet u ineens dat het een hele tijd geleden was?'

'Val dood, man. Hij had een agent doodgeschoten. Ik doe misschien wel twintig zaken per week, maar als er een agent is doodgeschoten, dan vergeet ik zoiets niet.'

'Nou, wat kunt u ons vertellen over de vingerafdrukken?' Finns stem klonk dreigend, ook al had hij niets om de man mee te bedreigen.

Fornier nam Finn aandachtig op en het was duidelijk dat hij probeerde in te schatten of hij bang voor hem moest zijn of niet. Toen zei hij: 'Fuck you, je weet helemaal niks. Dat zie ik aan je ogen. Ik heb gewoon mijn werk gedaan.'

'Ik beschik over de uitslag van een DNA-onderzoek,' zei Finn, 'waaruit blijkt dat Salazar het niet gedaan heeft. Hij is onschuldig. Als u ons te woord staat, kunt u hier misschien nog onderuit zien te komen voordat het uw hele carrière te gronde richt.'

'Flauwekul,' sneerde Fornier. 'Als jij over DNA-onderzoek beschikte waarmee je dat hard kon maken, zou je echt hier je tijd niet staan te verdoen. En bovendien, zelfs als je die testresultaten hebt, denk je dan dat dat mij ook maar iets kan schelen? Controleer de vingerafdrukken zelf maar. Die komen overeen, en laat me nou verdomme met rust. En bovendien, de agente die hij heeft neergeschoten, heeft hem herkend, of niet soms?'

'Wilt u daarmee beweren dat u te horen hebt gekregen om wie het ging voordat u het vingerafdrukonderzoek hebt verricht?' drong Finn aan.

'Wat ik daarmee zeg, is dat ik verder niet met jou wil praten.' Fornier stond op en maakte aanstalten om weg te lopen. Met twee stappen was Kozlowski bij hem en ging recht voor hem staan, zodat de man niet weg kon van achter zijn bureau. Het verschil in afmetingen tussen die twee was bijna komisch, maar Fornier liet zich niet intimideren.

'Voorzichtig, grote jongen,' zei hij. 'Je bent hier op een politiebureau, en op dat mooie pasje van jou staat met grote letters "gepensioneerd". Als je echt problemen wilt, moet je hier vooral zo blijven staan.'

Kozlowski bukte zich, zodat hij de man recht in de ogen kon kijken. Toen deed hij zijn ogen dicht en snoof even. 'Ik ruik angst,' zei hij en hij opende zijn ogen weer.

Fornier gaf hem een duw. Kozlowski bleef rustig staan, waardoor het mannetje zichzelf alleen maar naar achteren werkte. 'Ellendige klootzak dat je bent,' zei Fornier. 'Als je problemen hebt, spreek de mensen boven er dan op aan. Zoals ik al zei, heb ik jou niets meer te zeggen. En nou weg, of ik bel de wachtmeester aan de balie en laat hem een arrestatieteam hiernaartoe sturen.'

Kozlowski deed een stap naar achteren en Fornier wrong zich tussen hem en de muur door.

'U bent nog niet klaar met ons,' zei Finn. 'U kunt een gerechtelijk bevel en nog een heleboel meer vragen verwachten.'

'Krijg de tering, jij.' Fornier liep langs Finn heen naar de deur voor in het vertrek. 'Jij hebt helemaal niets en dat weet je best. Die cliënt van jou zit waar hij thuishoort, en daar blijft hij ook.'

***

Weer terug op straat liepen Finn en Kozlowski naar het parkeerterrein. Terwijl ze in die naamloze kelder zaten, was de lucht helemaal dichtgetrokken, en hun stemming was even grauw als het weer.

'Dat was mooi gebluft van je,' zei Kozlowski. 'De volgende keer dat je wilt gaan pokeren, moet je me het even laten weten. Ik kan best wel wat geld gebruiken.'

'Dat moet jij nodig zeggen. "Ik ruik angst"? Heb ik dat goed gehoord?'

'Hij wist wat ik bedoelde.'

'Wat? Ben jij tegenwoordig ook al speurhond?'

Kozlowski bleef staan. 'Heb je het dan niet geroken?'

'Wat? Angst?'

'Nee, moed,' zei Kozlowski. 'Zo uit de fles.'

Finn trok zijn wenkbrauw op. 'Drank? Meen je dat nou?'

'Dat was zo duidelijk als wat. Daarom ben ik zo dicht bij hem gaan staan. Hij wasemde aan alle kanten alcohol uit, dus dat verklaart waarom hij het gisteravond zo laat heeft gemaakt. Maar ook zijn adem rook ernaar, dus hij heeft vanochtend ook weer zitten drinken. Voor zover ik kon zien, is die man alcoholist. En neem maar van mij aan dat hij niet alleen maar cola in dat blikje tussen zijn benen had zitten. Dat was Ierse limonade.'

'Laat de Ieren erbuiten,' zei Finn om zijn voorouders te verdedigen. 'Fornier is een Franse naam. Waarom moet je de Ieren daar nou bij halen?'

'Mij best, dan zat die man champagne te drinken. Maar hoe dan ook, die man was al flink aangeschoten.'

Toen de twee mannen doorliepen naar de auto, hoorden ze achter zich iemand roepen. 'Kozlowski! Koz! Wacht even!'

Ze draaiden zich om en zagen een fitte man van in de vijftig vanuit het politiebureau naar hen toe rennen.

'Die man komt me bekend voor,' zei Finn.

'Dat is mijn vroegere chef,' zei Kozlowski. 'Hoofdinspecteur Weidel. Volgens mij heb je tijdens het onderzoek naar de moord op Natalie Caldwell wel eens met hen te maken gehad, toen we jou als onze meest waarschijnlijke verdachte beschouwden.'

'Geweldig,' zei Finn. 'Deze dag wordt echt met de minuut beter.'

Weidel had hen al snel bereikt. Hoewel hij zojuist een flinke sprint had getrokken, ademde hij heel rustig. 'Kozlowski, we moeten even praten.'

'Hoe gaat het, hoofdinspecteur?' zei Kozlowski. 'Lang niet gezien. Volgens mij kunt u zich Scott Finn nog wel herinneren?'

De man nam Finn aandachtig op, maar te oordelen naar de uitdrukking op zijn gezicht duurde het even voordat hij hem herkende. 'Een paar jaar geleden hadden we jou toch in het vizier bij de Little Jack-moorden?' zei hij. Hij gaf Finn geen hand en vond het kennelijk ook niet nodig om zijn verontschuldigingen aan te bieden. In plaats daarvan richtte hij zijn aandacht weer op Kozlowski. 'Zo, Koz, ik zie dat je tegenwoordig alleen maar met uiterst respectabele mensen omgaat.'

'Hé, ik ben van alle verdenking gezuiverd,' zei Finn nijdig.

Weidel keurde hem geen blik waardig. 'Er gaan geruchten, Koz. Het schijnt dat jij probeert vrijspraak te kopen voor dat stuk stront dat Maddy Steele heeft neergeschoten. Is dat waar?'

'Nee,' zei Kozlowski. 'Ik probeer helemaal niets te kopen. We proberen er alleen maar achter te komen of de vent die achter de tralies is verdwenen, wel dezelfde was als degene die de trekker heeft overgehaald. Als dat het geval blijkt te zijn, dan blijft hij in de gevangenis, en dan zal ik alles doen wat nodig is om ervoor te zorgen dat hij daar ook blijft. Maar als hij het niet is...'

'Je weet toch wat dit soort narigheid aanricht bij diegenen onder ons die zich in de frontlinie bevinden?' Weidel wees boos met zijn vinger naar Kozlowski.

Kozlowski trok een wenkbrauw op. 'Ik heb u eigenlijk nooit beschouwd als iemand die zich in de frontlinie van wat dan ook bevindt, hoofdinspecteur. Voor zover ik me kan herinneren, bevindt u zich altijd meer in de achterhoede.'

Weidel sloeg zijn armen over elkaar. 'Best hoor, Koz. Je mag wat mij betreft best de paljas uithangen, maar er zijn mensen met wie jij vroeger hebt samengewerkt die elke dag weer de straat op gaan en daar hun leven op het spel zetten. En dan komt er een stel van die halfzachte progressievelingen langs om te proberen de een of andere klootzak die een van ons voor de rest van haar leven in een rolstoel heeft laten belanden weer op vrije voeten te krijgen. Hoe denk je dat dat bij ons overkomt?'

'Neem me niet kwalijk, hoofdinspecteur,' zei Finn. 'Persoonlijk beschouw ik mezelf meer als een libertair. Het is maar dat u het weet.'

Weidel negeerde hem. 'Dit deugt niet, Koz. Dit deugt gewoon niet, en dat weet je best.'

'Er deugt een hoop niet aan deze zaak,' zei Kozlowski. 'Dat weet ik wel.'

De hoofdinspecteur keek hem strak aan. 'Toen je hier nog werkte, hebben jij en ik nooit echt goed met elkaar overweg gekund, en ik heb echt geen zin om nu te liegen en je wijs te maken dat ik je mis, of dat het me spijt dat je toen wegging...'

'Dat u me dwong om weg te gaan,' verbeterde Kozlowski hem.

'Zoals ik al zei, je was altijd al een lastpost, en toen je hier nog werkte, mocht ik je al niet. Maar ik had in ieder geval respect voor je toewijding aan je werk en aan je collega's. Ik had nooit gedacht dat jij tot dit soort verraad in staat zou zijn.'

'Dat is nogal een veroordeling, en al helemaal uit de mond van iemand die zo veel verstand van verraad heeft als u.'

De man keek even opzij, en toen hij hen daarna weer aankeek, was er echte haat in zijn ogen te zien. 'Het leven van een privédetective kan heel zwaar zijn. Jij hebt het wat gemakkelijker gehad dan de anderen vanwege je connecties bij de politiemacht. Dat heeft je allerlei contacten opgeleverd die een heleboel andere privédetectives niet hebben. Maar van nu af aan is dat voorbij, weet je? Neem maar niet de moeite om hier ooit nog iemand te bellen. Ik kan je garanderen dat niemand je terugbelt. Als ik jou was, zou ik maar heel goed opletten dat ik alles keurig volgens het boekje deed. Want zodra jij ook maar even over de schreef gaat, neemt iedereen hier je keihard te grazen. Heb je dat begrepen?'

Kozlowski keek de man alleen maar strak aan. Toen draaide Weidel zich om en liep terug naar het bureau.

Finn en Kozlowski liepen zwijgend verder naar de auto. Toen ze die hadden bereikt, keken ze elkaar over het stoffen dak vragend aan.

'Ben jij een libertair?' vroeg Kozlowski. 'Meen je dat nou?'

Finn haalde zijn schouders op. 'Min of meer.'

'Wat is dat eigenlijk?'

Terwijl hij het portier openmaakte, dacht Finn daar even over na. 'In wezen is een libertair een conservatief die van seks en drugs houdt.'

Kozlowski schudde zijn hoofd. 'Tjonge,' gromde hij terwijl hij zich moeizaam de auto in werkte. 'Dat had ik niet gedacht.'

25

'Hoe is het vandaag verder met het onderzoek gegaan?' wilde Lissa weten.

Kozlowski lag op een berg kussens op de vloer van Lissa Krantz' woonkamer. In de open haard loeide een groot vuur en de panorama-ruiten boden een wijds uitzicht op de Charles-rivier en de Esplanade. Hij had nooit geloofd dat er mensen waren die werkelijk zo leefden. Tijdens zijn hele bestaan als politieman was hij alleen maar met mensen die over een dergelijke rijkdom beschikten, in contact gekomen als hij met een onderzoek bezig was, en in die gevallen leek het misdrijf, ongeacht of het nou om moord, verkrachting of huiselijk geweld ging, altijd iets met geld te maken te hebben. Daar had hij de indruk aan overgehouden dat rijkdom in de allereerste plaats karakterbedervend was, maar toch viel er hier niets van te zien. In dit prachtige appartement, met deze beeldschone vrouw, leek alles volmaakt.

'Je was op kantoor,' antwoordde hij. 'Je hebt het gesprek gehoord.'

'Noem je dat een gesprek? Jullie tweeën hebben de hele middag niet meer dan tien woorden tegen elkaar gezegd. Het was verdomme net of ik in een bibliotheek aan het werk was.' Lissa lag met haar hoofd op zijn borst. Ze draaide zich om op haar elleboog en keek hem aan. 'Zie ik er soms uit als een bibliothecaresse?'

Ze was naakt, en de gloed van het vuur danste over haar soepele en donkere huid. Hij lag een hele tijd naar haar te kijken voordat hij antwoord gaf, en dronk elke centimeter van haar gretig in. 'Ik zou het niet weten,' zei hij. 'Ik ben al een hele tijd niet in de bibliotheek geweest. Maar als je het echt wilt weten, koop dan een bibliotheekkaart.'

'Nou, daar kan ik alleen maar op zeggen dat ik niet het zwijgzame type ben. Dus wat is er vandaag verdomme gebeurd?'

'Nadat iemand heeft geprobeerd Finns cliënt te vermoorden, we te horen hebben gekregen dat Salazars vingerafdrukken werkelijk op het wapen zijn aangetroffen waarmee Maddy Steele is neergeschoten, en we een getuige zijn kwijtgeraakt die onze cliënt een alibi had kunnen ver-schaffen, bedoel je?'

'Precies. Wat is er daarna allemaal gebeurd?'

Hij streek plagerig met zijn vingertoppen over haar sleutelbeen. 'Niets.'

Terwijl hij haar bleef strelen liet ze haar hoofd weer op zijn borst zakken. 'Niets?'

'Niets.'

'Hoe kan er verdomme níéts gebeuren?'

Kozlowski glimlachte. 'Dat meen je toch niet? Negenennegentig procent van het recherchewerk bestaat uit nietsdoen. Een beetje rondhangen, wachten en kijken hoe er niets gebeurt.'

'Hoe gaat dat nou tijdens zo'n zaak als deze, waarin je maar een week tijd hebt voordat je voor de rechter moet verschijnen met nieuwe feiten?'

'Dat gaat niet heel goed. Maar uiteindelijk zit er niets anders op dan gewoon stug door te gaan, geduld te hebben en je best te doen om niet gillend gek te worden.'

'Ik vraag me af of dat laatste Finn nou zo goed lukt.' Terwijl het vuur in de open haard knetterde, vroeg Lissa zich af wat er nu in hem omging, maar ze wist wel beter dan dat te vragen. Hij was niet het soort man dat het leuk vond om ondervraagd te worden. 'Ik ben ongerust over hem,' zei ze een tijdje later.

'Finn?'

'Ja, Finn.'

'Hoezo?'

'Hij maakt zich zo verschrikkelijk druk om deze klotezaak. Het lijkt wel of hij zijn hele ziel en zaligheid daarin legt, en dat is gewoon niet gezond. Dit gaat hem te veel aan het hart.'

'Zou kunnen,' zei Kozlowski nadat hij daar even over had nagedacht. 'Maar hij is wel een vechter, hoor. Hij is steviger dan je denkt. Uiteindelijk redt hij het wel.'

'Ik weet het niet. Hij is echt ver heen. Als dit niet goed afloopt, zul jij er voor hem moeten zijn. Hij heeft je nodig, weet je dat?'

'Ik sta achter hem. Dat weet hij.'

'Ik heb het er niet over dat je beschikbaar bent om voor hem aan deze zaak te werken,' zei ze. 'Ik bedoel dat je er voor hem zijn moet als deze hele zaak als een pudding in elkaar zakt. Dan moet je hem vertellen dat je om hem geeft.'

Kozlowski lachte even, luid en hard. 'Mannen zeggen dat soort dingen niet tegen elkaar.'

'Echt niet?'

'Nee.'

'Waarom niet?'

'Omdat het mannen zijn.'

'Nou én?'

'Dat doen we gewoon niet. Als ik een andere man wil laten weten dat ik hem aardig vind, trakteer ik hem op een borrel.'

Ze was verbijsterd. 'En die borrel betekent dat je om hem geeft?'

'Als het een lekkere borrel is wel, ja.'

'Mannen zijn echt niet goed snik.'

'Hé, krijg je dat nu pas in de gaten?'

Ze draaide zich om, zodat ze dwars over zijn borst lag, en sloeg een been over zijn dij. Ze keek hem aan en hij keek haar recht in de ogen, zonder aarzeling en zonder poging om haar blik te ontwijken. Ze streek met haar hand over zijn schouder en langs zijn nek, en liet haar vingers over de contouren van zijn gezicht gaan zoals een blinde dat zou kunnen doen. Ze voelde aan het lange litteken dat over de hele lengte van zijn gezicht liep, en merkte dat hij heel even verstrakte. Ze kwam in de verleiding, maar ze vroeg het niet. Als hij haar daarover wilde vertellen, zou hij dat uit zichzelf wel doen.

Ze glimlachte naar hem en kneep hem speels in een van zijn tepels. 'Als een borrel betekent dat je om iemand geeft, waarom heb je mij vanavond dan geen rondje gegeven?'

Hij legde zijn handen op haar heupen en trok haar boven op zich. 'Ik weet wel een betere manier om je te laten merken wat ik voor je voel,' zei hij eveneens glimlachend.

★★★

Finn zat aan zijn bureau en tuurde naar de twee lijstjes die hij twee dagen daarvoor had opgesteld. Alle taken die hij op het eerste lijstje had gezet, waren inmiddels afgevinkt, maar geen van de vragen op de tweede lijst was beantwoord. Er lag een grote stapel mappen op het bureau. Die bevatten alle papieren die betrekking hadden op de zaak-Salazar. Hij had alles zorgvuldig doorgelezen. Drie keer. Hij had uren op internet gezocht: naar de procedure die werd gebruikt bij vingerafdrukkenonderzoek, naar de procedure die werd gebruikt bij DNA-onderzoek, naar de risico's en tekortkomingen van ooggetuigenverklaringen. Maar het had allemaal niets opgeleverd. Geen van de losse stukjes leek te passen.

Hij leunde achterover in zijn stoel en tuurde naar de telefoon. Hij kon dit waarschijnlijk beter niet doen, maar hij moest iemand spreken. Hij nam de hoorn van de haak en toetste het nummer in van het kantoor van Linda Flaherty in Washington. Voordat de telefoon kon overgaan, hing hij echter alweer op en liet zijn hoofd in zijn handen zakken. 'Geen goed idee,' zei hij tegen zichzelf.

Op momenten zoals dit, voelde hij haar afwezigheid het sterkst. Hij had in het verleden wel vaker een vriendin gehad, goede vriendinnen zelfs, maar in zijn hele leven had hij nog nooit iemand gehad met wie hij zo onbekommerd en vrijuit kon spreken als met haar. Vertrouwen was voor hem niet iets wat hij van nature voelde, maar zij had door zijn afweer heen weten te breken. Voor zover hij zich kon herinneren, was het de eerste keer in zijn leven geweest dat hij iemand ooit zo dichtbij had laten komen.

Het was onontkoombaar geweest, veronderstelde hij. Ze hadden elkaar ontmoet toen ze rechercheur bij de politie was, en samen met Kozlowski – haar teamgenoot – bezig was met een onderzoek naar de moord op een van Finns collega's bij zijn vroegere advocatenfirma. Op een bepaald moment was Finn hun belangrijkste verdachte geweest, en hoewel het grootste deel van het bewijsmateriaal naar hem had gewezen, had ze niet willen geloven dat hij schuldig was. In ruil daarvoor had Finn haar het leven gered, en dat had de band tussen hen zo sterk gemaakt dat hij had geloofd dat die nooit verbroken zou worden.

Toen hij terugdacht aan die tijd, leek het wel alsof hij geen duidelijke herinneringen had aan hun eerste maand samen. Ze waren volkomen opgegaan in de nieuwheid van hun hartstocht, en het enige wat hij zich kon herinneren was een waas van opwinding en geluk. Na die eerste maand was ze bij hem ingetrokken en waren ze in een patroon van hectische tevredenheid verzeild geraakt. Finn was druk geweest met het opzetten van zijn eigen praktijk, en zij had de leiding gekregen over het ministerie van Homeland Security in Massachusetts. Ze hadden elkaar steeds minder gezien, maar Finn had nog steeds gevoeld dat hij een sterke band met haar had, dus toen ze hem vertelde dat ze een nieuwe baan had gekregen bij de federale overheid in Washington voelde hij zich alsof hij met een loden pijp in zijn maag werd geslagen.

'Hoe kan ik zoiets nog afwijzen?' had ze hem gevraagd. 'Het is de kans van mijn leven.'

'Ik dacht dat wij de kans van ons leven waren,' was het enige wat hij had kunnen uitbrengen.

'Dat heb ik ook een tijd gedacht,' had ze gezegd.

Op de dag van haar vertrek had hij haar niet eens naar het vliegveld gereden. Er kwam een taxi, ze had hem een kus gegeven en daarna was ze weggegaan, zonder dat een van hen ook maar een woord had gezegd. Misschien was dat de reden waarom hij nog steeds dacht dat er misschien een kans voor hen bestond. Ze had het per slot van rekening niet uitgemaakt; daartoe was ze niet in staat geweest. In plaats daarvan had ze hem in stilte verlaten, en dat was al voldoende om hem nog een sprankje hoop te geven. Bovendien kon hij zich niet voorstellen dat hij zich zó beroerd zou kunnen voelen als zij beiden niet voor elkaar bestemd waren. Hij had haar nodig, en hij was ervan overtuigd dat zij hem net zozeer nodig had als hij haar, ook al kon hij dat tegenover zichzelf niet toegeven.

Hij drukte op de terugpeelknop.

'Ministerie van Homeland Security, met het kantoor van adjunctstaatssecretaris Flaherty, waarmee kan ik u van dienst zijn?'

Het was een plezierige, heldere stem, zelfs om halftien 's avonds. Hij kon het gesteven kraagje van de vrouw zelfs bijna horen.

'Linda Flaherty alstublieft,' zei Finn. Hij wist dat slechts weinig mensen over Linda's rechtstreekse nummer op kantoor beschikten, en dat iedereen die over deze lijn belde daarom bijzonder serieus werd genomen.

'Wie kan ik zeggen dat er belt?' Hij meende een licht zuidelijk accent te horen, dat de assistente waarschijnlijk met veel moeite had moeten afleren.

'Scott Finn,' antwoordde hij. De korte stilte aan de andere kant van de lijn duurde net lang genoeg om merkbaar te zijn, en Finn vroeg zich af hoeveel Linda haar assistenten vertelde over haar persoonlijke leven.

'Moment alstublieft.'

Finn werd in de wacht gezet en luisterde een tijdje naar een op hoogtechnologische wijze gesynthetiseerde versie van 'Stairway to Heaven', die leek aan te geven dat als er een God bestond, Hij kennelijk toch grote moeite had met Led Zeppelin. Net toen de computergegenereerde fluit een beetje vaart wist te krijgen in iets wat ooit een fantastische gitaarsolo was geweest, kwam de vrouw weer aan de lijn. 'Nog even geduld alstublieft.'

'Dank u wel,' zei Finn, maar de vrouw was alweer verdwenen. Hij was weer in de wacht gezet en zat hopeloos vast in het land waar goede muziek naartoe gaat om een roemloze dood te sterven. De Led Zeppelin-cover was voorbij en stroomde op onrustbarende wijze over in een met een dikke laag poedersuiker overdekte versie van 'Welcome to the Jungle'. Het arrangement bevatte geen percussie, en het schorre geschreeuw van Axl Rose was vervangen door twee duellerende violen. Het was, zo dacht Finn, een teken dat iemand in Muzakland kennelijk toch over een heel klein beetje humor en ironie beschikte. Gelukkig duurde deze marteling niet lang.

'Dus je besloot me maar eens te bellen,' zei Linda Flaherty toen ze opnam. 'Het is nog maar twee weken geleden, dus ik neem aan dat ik me gevleid moet voelen.'

Finn had gehoopt dat het geluid van haar stem een rustgevende uitwerking op hem zou hebben, maar het enige wat hij hoorde was woede en sarcasme. Dat had hij wel verdiend, veronderstelde hij, maar tegelijkertijd vroeg hij zich af of het wel zo'n goed idee was geweest om te bellen.

'Ik had eerder moeten bellen,' gaf hij toe. 'Het spijt me, ik kon… Ik kon het gewoon niet.'

'Wat moet je?' Ze was nog bozer dan hij had verwacht.

'Niets. Gewoon een beetje praten.'

'Praat dan.'

Hij had geen idee wat hij moest zeggen. 'Hoe gaat het met je?'

'Hartstikke goed.'

'Hoe gaat het met je baan? Is het wat je had verwacht?'

'O, ja hoor. Laat me eens kijken: ons land is over de hele wereld nog nooit zo impopulair geweest als nu; mijn baas, de president, is halverwege een tweede ambtstermijn die zo rampzalig is verlopen dat hij op dit moment niet eens een wet door het Congres zou kunnen krijgen waarin staat dat Kerstmis ook in de toekomst op 25 december blijft vallen; en elke radicale islamterrorist ter wereld wil niets liever dan een plaatsje in de hemel bemachtigen door Amerikanen op te blazen. En bovendien is de op een na hoogste baas van de binnenlandse inlichtingendienst vanochtend betrapt door de plaatselijke politie terwijl hij in een chatroom een veertien jaar oud meisje probeerde over te halen om seks met hem te hebben. Maar verder is deze baan echt hartstikke leuk.'

'Je kunt altijd terugkomen naar Boston,' zei Finn, en meteen nadat hij dat had gezegd, kon hij zijn tong wel afbijten.

'Jij weet gewoon niet van ophouden, hè?'

'Het spijt me. Dat had ik niet moeten zeggen.'

'Ik doe iets belangrijks, ook al is het nog zo moeilijk. Als het niet zo belangrijk was, zou het ook niet moeilijk zijn.'

'Dat weet ik.'

'Werkelijk?'

Finn zei niets en ze bleven een tijdje in een dreigende impasse hangen.

'Nou, hoe staat het met de zaak?' vroeg ze een hele tijd later.

'Welke zaak?'

'Probeer me nou maar niet in de maling te nemen, Finn. Daar ken ik je te goed voor. Er zit jou iets dwars, en dat is niet de puinhoop die wij van onze relatie hebben gemaakt.'

'In ieder geval heb je het zojuist een relatie genoemd. Dat is al iets.'

Ze zuchtte. 'Wat is het voor een zaak?'

Finn krabde aan zijn hoofd. 'Ik probeer iemand uit de gevangenis te krijgen.'

'Dat probeer je toch altijd?'

'Dit is anders. Deze man is onschuldig.'

'Onschuldig waaraan?'

'Finn vroeg zich af hoe ze dat bedoelde. 'Hij zit in de gevangenis omdat hij vijftien jaar geleden een politieagent heeft neergeschoten.' Hij kon hij bijna voelen hoe ze aan de andere kant van de lijn haar hoofd schudde.

'Agenten vinden het niet leuk als je een van hun collega's neerschiet.'

'Dat is mooi, want mijn cliënt heeft het niet gedaan.'

'Heeft hij iemand neergeschoten die ik gekend heb?'

'Dat weet ik niet. Heb je Madeline Steele gekend?'

'O God, Finn! Waar ben je nu weer in verzeild geraakt? Maddy Steele? Ben je nou helemaal gek geworden?'

'Waarschijnlijk wel. Heb je haar gekend?'

'Niet voordat ze werd neergeschoten, nee. Dat was nog vóór mijn tijd. Maar ik heb een paar keer met haar te maken gehad toen ze slacht- offerhulp deed. Het was een aardig mens.'

'Dat is ze misschien nog steeds wel. Maar toen ik haar sprak, was ze zo pissig dat ik dat niet goed kon beoordelen.'

'Dat kun je haar toch moeilijk kwalijk nemen, lijkt me. Je probeert degene vrij te krijgen die haar leven heeft verwoest.'

'Hij heeft het niet gedaan.'

'Hoe weet jij dat nou?'

'Ik heb die man leren kennen. Hij heeft het niet gedaan.' Hij hoorde zelf hoe pathetisch dat klonk.

'En jij hebt altijd al zo'n fantastische mensenkennis gehad.'

Hij besloot het over een andere boeg te gooien. 'Hij heeft nu een alibi.'

'Nú? Hij heeft nú een alibi? Weet je hoe dat klinkt?'

'Straks komt het DNA-onderzoek terug, en daaruit zal blijken dat hij het niet heeft gedaan.'

'Ik hoop het maar. Voor jou.'

'Vanochtend hebben ze geprobeerd hem te vermoorden in de gevan- genis.'

'Finn, dat soort dingen heb je daar elke dag. Als in de gevangenis ruzie krijgen een teken van onschuld was, hadden we allang geen gevangenis- sen meer nodig.'

'Zijn vorige advocaat is vermoord.' Dat was iets wat Finn niet had wil- len zeggen, maar terwijl hij daar zo zat, was het tot hem doorgedrongen dat de moord op Dobson datgene was wat hem werkelijk van Salazars onschuld had overtuigd, en hij wilde dat Linda dat zou begrijpen.

Dat nieuws was voor Flaherty duidelijk een enorme schok. Het bleef even stil aan de andere kant van de lijn. 'Zijn advocaat van vijftien jaar geleden, bedoel je?' Haar stem klonk ongerust.

'Nee,' gaf Finn toe. 'Vorig weekend.'

'Jezus christus, Finn!' Hij kon niet goed uitmaken of ze nou boos was of bang, maar het gaf hem hoe dan ook een goed gevoel om de emotie in haar stem te horen. 'Waar ben je in vredesnaam mee bezig? Wie neemt er nou zo'n zaak op zich?'

'Officieel had ik die zaak al op me genomen voordat de andere advocaat werd vermoord. Ik was van plan me terug te trekken, maar toen was hij plotseling dood. Wat had ik anders moeten doen?'

Ze liet een korte stilte vallen voordat ze daarop reageerde, en dat was duidelijk om het allemaal tot zich te laten doordringen. Dat was haar manier van werken, wist hij. Dat was wat haar zo'n goede rechercheur had gemaakt. Dat was wat haar zo bijzonder geschikt maakte om mede leiding te geven aan het ministerie van Homeland Security.

Ze verzamelde altijd zo veel mogelijk feiten als ze maar kon voordat ze tot een conclusie kwam. 'Hoe is hij vermoord?' vroeg ze.

'Dat wil je niet weten.'

'Finn...'

'Oké. Hij is vermoord met een machete. Er is hier een bende die...'

'De vds.'

'Heb je daar wel eens van gehoord?' Hij was oprecht verbaasd. 'De politie dacht dat mijn cliënt iets met ze te maken had, maar het lijkt nogal duidelijk dat ze proberen hem in de gevangenis te houden, en als hij lid was, zou dat nergens op slaan. Ik probeer er nog steeds achter te komen hoe het allemaal precies zit.'

'Laat die zaak vallen, Finn.' Het klonk alsof ze hem een bevel gaf, en hij zette al zijn stekels op.

'Wát?'

'Nú. Laat die zaak nú vallen. Zorg dat er morgenochtend een brief bij de rechtbank ligt waarin staat dat je je terugtrekt.'

'Ik begrijp het niet.'

Ze kreunde. 'Soms hoef je iets niet begrijpen. Soms moet je gewoon naar anderen luisteren en doen wat ze zeggen. Dit zijn heel slechte mensen, Finn.'

Finn lachte. 'Ik heb wel eens eerder met slechte mensen te maken gehad, weet je nog?'

'Niet zulke mensen als deze. Neem dat nou maar van mij aan.'

De klank in haar stem bezorgde hem kippenvel, maar maakte hem ook nieuwsgierig.

'Hoe komt het dat je zoveel van ze weet?'

'Laten we het er maar op houden dat we ze hier op de radar hebben.'

'Hoezo dan? Waarom?'

'Daar kan ik niet over praten. Dat weet je. Maar alsjeblieft, zorg alsjeblieft dat je uit de buurt blijft van alles wat met de VDS te maken heeft, oké?'

Hij dacht erover na. 'Ik laat deze zaak niet schieten. Dat kan ik niet.'

Ze zuchtte diep. 'Nee, ik neem aan dat je dat werkelijk niet kunt.' Hij vroeg zich af of dat als kritiek bedoeld was. 'Kun je dan in ieder geval voorzichtig zijn?'

'Maak je over mij nou maar niet druk. Ik ben zo voorzichtig als ik weet niet wat. Een sterk instinct tot zelfbehoud is altijd een van mijn weinige goede eigenschappen geweest. Als ik zie dat het gevaarlijk wordt, ben ik altijd de eerste die ervandoor gaat.'

'Ik weet wel beter.'

'Kunnen we het ergens anders over hebben?'

'Ik weet het niet,' zei ze. 'Hebben we nog andere gespreksonderwerpen?' Ondanks de uitdagende klank in haar stem lag er ook iets zachts in en Finn glimlachte bij de gedachte hoe ze er op dat moment zou uitzien: achterover geleund in haar stoel, het op maat gemaakte grijze mantelpakje dat hij voor haar had gekocht strak om haar lichaam, aan het eind van een lange werkdag, de kraag van haar bloesje twee knoopjes open. Na een lange en zware dag was ze altijd op haar mooist.

'Ik hoop het maar,' antwoordde hij. 'Dat hoop ik zeker.'

★★★

Vincente Salazar zag de cipier langs de deur van de ziekenafdeling lopen. Als patiënt had hij veel meer vrijheid dan in zijn cel. Dat was in ieder geval een kleine meevaller.

Hij trok zijn mobieltje uit zijn zak en toetste het nummer in.

'Hallo?'

'Hou je de advocaat in de gaten?'

'Wanneer ik maar kan.'

'Dat is niet voldoende. Hebben jullie gehoord wat er vandaag gebeurd is?'

'Ja. Gaat het echt goed met je?'

'Voorlopig wel, maar het maakt jouw werk met meneer Finn er des te belangrijker op.'

'Dat begrijp ik.'

'Begrijp je dat echt?'

'Ja.'

'Goed.' Salazar klapte de telefoon dicht en schoof hem weer in zijn zak. Hij vouwde zijn armen over elkaar en keek naar de deur. Slaap was een luxe die hij zich niet meer kon veroorloven.

26

Donderdag 20 december 2007

Even na half elf 's ochtends kwam Mac het politiebureau binnen geschuifeld. Hij werkte hier al bijna dertig jaar en hij kon zich niet herinneren dat hij ooit eerder te laat op zijn werk was verschenen. Voor hem was dat een erezaak, iets waar hij trots op was: alleen mensen die de kantjes eraf liepen, verschenen te laat op hun werk. Hij was niet iemand die er met de pet naar gooide, of liever gezegd, dat was hij niet geweest totdat...

Toen hij langs de bureaus van zijn collega's liep, zag hij dat ze naar hem keken en hij wist waarom: hij zag er niet uit. De kleren die hij droeg had hij al minstens drie dagen aan sinds ze voor het laatst gewassen waren. Hij had zich al een paar dagen niet geschoren, zodat hij nu een dikke, grijze stoppelbaard had, als onkruid dat snel was opgeschoten, maar niet overal even hoog stond. Sinds hij bij de politie werkte, had hij zijn haar altijd elke week laten knippen, maar hij was al in geen weken meer naar de kapper geweest, en naarmate zijn haar al langer werd, was het contrast met de zich gestaag uitbreidende kale plekken op zijn schedel steeds groter geworden.

Maar het ergste van alles was dat hij stónk. En niet zo'n beetje ook. Hij stonk zo erg dat hij zichzelf kon ruiken, en dat betekende dat de mensen om hem heen hun best moesten doen om niet te kokhalzen.

Maar toch kon hij daar op dit moment niet veel aan doen. De neerwaartse spiraal had inmiddels al te veel vaart gekregen en het zag ernaar uit alsof hij niets anders kon doen dan machteloos toezien hoe hij tijdens zijn val alle greep op zijn omgeving verloor. Hij had nog even gehoopt dat hij in staat zou zijn uit de kuil te krabbelen die hij voor zichzelf had gegraven, maar toen hij te horen had gekregen dat Salazar de gebeurtenissen van gisterochtend had overleefd, was het tot hem doorgedrongen dat hij hier zo diep bij betrokken was geraakt dat hij niet meer te redden was.

Het enige wat hij nog kon doen, was de bezorgde en verontruste blikken van zijn collega's ontwijken terwijl hij langs ze liep. Laat ze allemaal toch doodvallen, dacht hij. Ze hadden nooit echt om hem gegeven. Hij had hier zo lang de dienst uitgemaakt dat ze allemaal alleen nog maar zaten te wachten tot hij ten val zou komen. Nu waren hun gebeden verhoord, maar hij zou ze niet de voldoening schenken te laten merken dat hij hun medelijden had opgemerkt.

Toen hij na die lange vernederende tocht eindelijk zijn bureau had bereikt, keek hij neer op de hoge stapel dossiers en telefoonbriefjes die daar op hem lag te wachten. Hij bladerde de telefoonbriefjes door om te zien of het ertussen zat. Hij wist dat het ertussen zou zitten, maar hij moest zekerheid hebben.

Het was het derde van boven: geen naam, alleen maar een telefoonnummer, een telefoonnummer dat hij maar al te goed kende en dat hij had leren vrezen. Hij ging zitten en toetste het nummer in.

'Hallo?' Carlos' stem klonk vertrouwd, maar op een of andere manier anders dan anders.

'Met Mac.'

'Ik heb je al een paar keer gebeld.'

'Ik heb een drukke dag achter de rug.' Hij probeerde een onverzettelijke klank in zijn stem te leggen, maar besefte dat hij daar jammerlijk in faalde.

'Ons probleem is niet opgelost.'

'Ja, ik weet het. Ik probeer het binnenkort nog een keer.'

In werkelijkheid betwijfelde Mac of hij nog wel de energie kon opbrengen om een nieuwe moordaanslag op Salazar te organiseren. Maar dat maakte niet uit. Ze zouden toch nooit op zijn aanbod ingaan. Dit was alleen maar voor de show.

'We hebben besloten dit zelf maar af te handelen.'

'De advocaat?'

'Daar hoef je je niet langer druk over te maken, oké?'

'Juist.' Mac wist met veel moeite een beetje lucht in zijn longen te krijgen.

'Kop op, *amigo*. Nog niet alles is verloren en ons probleem kan nog steeds worden opgelost.' De stem klonk vol begrip.

'Ik heb het geprobeerd,' zei Mac. Kon hij nog sneuer worden?

'Dat weet ik. Begin volgende week moeten we eens praten. We zitten met een beveiligingsprobleem bij een van onze andere operaties. Misschien is dat iets waarbij jij nog goede diensten zou kunnen bewijzen.'

'Ja hoor,' zei Mac die zich gretig aan deze strohalm vastklampte. 'Ja hoor, dat klinkt goed. Geen probleem.'

'We hebben lang samengewerkt.'

'Inderdaad.'

'Rust een beetje uit en maak je geen zorgen over die andere kwestie.'

'Oké, dat zal ik doen. Dank je wel.' De verbinding werd verbroken.

De toon waarop Carlos had gesproken, maakte duidelijk wat er aan de hand was. Hij was vriendelijk geweest. Zorgzaam zelfs. Hij had Mac op zijn gemak gesteld. En daardoor besefte Mac dat hij ten dode opgeschreven was. En tot volgende week zouden ze heus niet wachten. Misschien lag er beneden op het parkeerterrein al iemand in een hinderlaag, of stond iemand hem zwijgend op te wachten in de gangkast thuis. Het maakte niet uit waar precies, maar ergens in een donker hoekje stonden ze gereed met hun lange messen, de lange messen die in zijn zachte, ronde maag zouden glijden, vlak onder zijn ribbenkast, zodat hij geen lucht meer kon krijgen en dus ook geen geluid meer kon maken, maar nog wel een paar minuten in leven zou blijven terwijl ze op allerlei angstaanjagende manieren hun messen gebruikten. Hij dacht aan de foto's van Mark Dobson en voelde zich duizelig worden.

'Mac? Gaat het wel met je?' Het was Koontz. Hij probeerde te glimlachen, maar het had geen zin. 'Je ziet er echt verschrikkelijk uit,' zei ze.

Mac opende zijn mond om iets terug te zeggen, maar kon geen woord uitbrengen. Zijn kaak ging op en neer, zijn dikke lippen bewogen, maar er kwam geen geluid uit zijn keel. Hij probeerde de lucht uit zijn longen te persen, maar zonder succes. Plotseling werd hij overspoeld door een enorme paniek, en voordat hij in de gaten had wat er gebeurde, braakte hij over zijn bureau.

★★★

Jimmy Alvarez had de advocaat, Scott Finn, al anderhalve dag in de gaten gehouden. Dat was niet voldoende. Niet echt. Niet om het goed doen. Dat had hij maar al te vaak te horen gekregen van de genadeloze mannen die hij in het verleden had ingehuurd om uit de hand gelopen situaties als deze op te lossen – je moest je plannen zorgvuldig voorbereiden en er zeker van zijn dat je de vaste gewoonten van je doelwit kende, zodat je een plek kon kiezen waar niet te veel mensen rondliepen. Een plek waar je zou kunnen ontsnappen.

Hij had wel eens gehoord dat het aan de andere kant van de grens, in Mexico, een stuk gemakkelijker was. Moord en ontvoering maakten daar bijna deel uit van de economie, en als je maar genoeg betaalde was zelfs de politie bereid om even de andere kant op te kijken. Hier in de Verenigde Staten lag dat anders. Hier kon je er niet op rekenen dat mensen even de andere kant opkeken. Hier moest je zorgvuldig de juiste plek kiezen.

Niet dat hij zelf ervaring had met dit soort dingen. Hij was een zakenman. Dat was in ieder geval hoe hij zichzelf zag; het was voor hem nog nooit nodig geweest om iemand hoogst persoonlijk te vermoorden. Alleen al bij de gedachte brak het zweet hem aan alle kanten uit. Iemand van het leven beroven had iets onherstelbaars en was zo zwaarbeladen met de dreiging van goddelijke vergelding, dat hij nog steeds niet in staat was de volle omvang daarvan te begrijpen.

Zo zat hij daar te wachten. Hij hield zichzelf voor dat hij alleen maar te maken had met de logistiek van het geheel. Dat was een rationalisatie en dat wist hij best. In werkelijkheid was hij er niet zeker van of hij hier wel mee door kon gaan. Hij had weinig keus. Carlos was geen geduldige man, en als de klus niet snel geklaard werd, zou hij streng bestraft worden, al was hij nog zo waardevol voor de operaties van de VDS.

En dus bleef Jimmy Alvarez voor het kantoor van Scott Finn zitten. Hij wachtte, hij keek toe en hij verzamelde al zijn moed.

***

Lissa Krantz keek met een strak gezicht naar Finn, die aan de andere kant van het kantoor zat. Ze had hem nog nooit zo somber gezien. Hij leek op dit moment weinig om handen te hebben. Hun eigen vingerafdrukkendeskundige was gekomen met een verslag waar ze niets mee opschoten, en hun poging om Madeline Steele zover te krijgen dat ze haar getuigenverklaring van vijftien jaar geleden veranderde was al gestrand voordat ze er zelfs maar mee hadden kunnen beginnen. De excursie naar de eenheid Vingerafdrukken had een interessant beeld opgeleverd van de nonchalante wijze waarop de gemeentepolitie van Boston omging met vingerafdrukken, maar zonder aanvullend bewijsmateriaal bleek dat een doodlopende weg. Er was nu nog maar weinig over waar ze onderzoek naar konden doen, en dus hadden ze die ochtend alle drie dingen zitten te verzinnen die ze nog wél konden doen. Finn deed nog wat meer research naar DNA-onderzoek. Lissa keek het overzicht van de relevante jurisprudentie dat ze al eerder had opgesteld nog eens door, ook al wist ze dat het volledig en nauwkeurig was. Kozlowski was zodra hij binnenkwam, in zijn kantoor verdwenen en had sindsdien nog niet eens even zijn hoofd om de deur gestoken.

Alleen al de gedachte aan Kozlowski bracht een heimelijke glimlach naar haar lippen. Ze vormden een merkwaardig stel, dat was wel duidelijk. Maar toch leek alles met hem zo vanzelf te gaan, zo prettig en gemakkelijk. Hij was alles wat ze had verwacht, en meer dan dat. Hij was rustig, grappig, sterk, zwijgzaam, en vooral betrouwbaar. Hij was een rots in de branding, en ze begon verliefd op hem te worden.

Vol verwondering schudde ze haar hoofd en richtte haar aandacht toen weer op Finn. 'Wat ben jij daar aan het doen, chef?'

'Ik lees nog wat over DNA-onderzoek,' zei Finn zonder op te kijken.

'Alweer?'

'Ja, nog eens.' De machteloze ergernis was duidelijk in zijn stem te horen.

'Nou zeg! Ik vraag het alleen maar.'

'Vraag maar raak: het antwoord blijft hetzelfde. Ik blijf alle aspecten van deze zaak onder de loep nemen totdat ik het ontbrekende stukje van de puzzel heb gevonden, wat dat dan ook mag zijn.'

Ze stond op, liep naar hem toe en ging voor zijn bureau staan.

'We gaan lunchen,' zei ze.

Hij gromde. 'Prima. Veel plezier.'

'Niet Koz en ik, maar jij en ik.'

Nu keek hij eindelijk op. 'Ik moet doorwerken. En jij ook trouwens.'

'Jij moet nodig eens pauze nemen, en dat geldt ook voor mij.'

'Onze cliënt zit in de cel.'

'Hé, dat meen je niet. Bedankt voor het nieuws. Denk je verdomme dat ik dat niet weet? Denk je dat wij met z'n drieën hier niet alles doen wat we maar kunnen om hem uit de gevangenis te krijgen? Maar zal ik jou nog eens wat vertellen? Salazar zit morgen ook nog in de gevangenis. En overmorgen, en de dag daarna. De kans is groot dat hij de rest van zijn hele leven in de gevangenis blijft zitten, wat je ook doet. Maar jij zit niet in de gevangenis. En jij zult ook morgen en overmorgen niet in de gevangenis zitten. Jij zult waarschijnlijk nooit in de gevangenis komen, maar als je niet eens ophoudt met al dat chagrijnige gedoe loop je wel het risico dat een van je boze collega's dat sneue en meelijwekkende bestaan van jou voortijdig beëindigt. Nou, sta op, trek je jas aan, zet je hoed op en ga verdomme mee lunchen. Oké?'

Hij keek haar verbaasd aan. 'Ik heb helemaal geen hoed.'

'Wil je nou echt ruzie? Je hebt twee seconden.'

Finn stond op, liep naar de kapstok, die vlak naast het gat in de muur hing dat Charley O'Malley daar had achtergelaten en pakte zijn jas. Daarna liep hij naar de deur en hield die open. 'Kom je?' vroeg hij. 'Ik wil snel terug zijn. Ik heb nog een hoop te doen.'

Ze trok haar eigen jas aan en liep langs hem heen. 'Hé, een beetje

dimmen, ja? Tot nu toe heb je mazzel gehad, maar dat blijft niet eeuwig zo.'

★★★

Diep in zijn hart was Finn blij dat hij even zijn kantoor uit kon. De ho-
peloosheid van de zaak-Salazar had zich als vergif door zijn bloed verspreid en een verlammende uitwerking gehad. Het enige wat hij nog
kon doen, was telkens weer dezelfde gegevens doornemen en daar
schoot hij niets mee op. Hoeveel schuldgevoel het hem ook opleverde
om zich even van deze zaak los te maken, het was fijn om even ergens
anders aan te kunnen denken.

Ze waren naar O'Doul's gelopen en aan een tafeltje achter in de hoek
gaan zitten. Tegen de tijd dat de serveerster zijn bord op tafel zette, was
er al een beetje stress uit zijn schouders weggevloeid zodat hij zijn nek
weer normaal kon draaien.

'Nou?' vroeg Lissa terwijl hij aan zijn vis begon. Ze nam een hapje
van haar salade.

'Wat "nou"?' vroeg hij met zijn mond vol.

'Nou, wat is er met je aan de hand?'

'Niets.' Hij voelde hoe de spieren in zijn schouders zich weer een
beetje spanden.

'Onzin. Er is iets met jou en deze zaak, maar ik begrijp niet precies
wat. Je hebt sinds ik hier werk al tientallen criminele zaken gehad, en
sommige van die cliënten waren mensen met wie je, voor zover ik dat
kan beoordelen, ooit bevriend bent geweest. Sommigen van hen zijn in
de gevangenis beland, en daar leek je je beslist niet druk om te maken.
Ik bedoel, je vond het duidelijk heel vervelend om een zaak te verliezen,
maar je hebt dat nooit persoonlijk opgenomen. En nu zit je opgescheept
met iemand die je helemaal niet kent, die al vijftien jaar in de bak zit, en
plotseling ga je helemaal voor de bijl. Hoe kan dat nou?'

Hij schoof de spruitjes die samen met de vis waren opgediend opzij.
'Dat kan ik niet uitleggen, en dus ga ik het niet eens proberen.'

Lissa bleef hem strak aankijken en wachtte duidelijk tot hij daar iets
aan zou toevoegen. Zodra ze was toegelaten tot de orde van advocaten,
zou ze heel goed in haar vak zijn, maar hij speelde dit spelletje al zo lang
dat hij zich niet door haar stilzwijgen uit zijn tent liet lokken. Uiteindelijk gaf ze het op.

'En hoe zit het met je persoonlijke leven?' vroeg ze.

'Ik weet niet wat je bedoelt,' loog hij.

'O, reken maar dat je begrijpt wat ik bedoel. Heb je nog steeds een relatie met die vrouw in Washington? Heb je een relatie met iemand anders? Wat is er aan de hand in dat deel van je leven?'

'Probeer je me nou alweer te versieren?' Hij schoof het laatste stukje vis heen en weer over de hindernisbaan van de spruitjes.

'Val dood jij.'

'Dat klinkt me in de oren als ja.'

'Het is beslist geen ja. Is het wel eens bij je opgekomen dat je misschien niet zo door deze zaak gegrepen zou worden, als je iets anders – wat dan ook – in je leven had? Een goede vrouw kan vaak heel veel invloed hebben op de manier waarop haar man in het leven staat. En een slechte vrouw nog veel meer. Denk daar maar eens over na.'

'Ga nou niet doen alsof je mijn moeder bent, wil je? Dat past niet bij je.'

'Val dood jij. Ik kan net zo moederlijk zijn als welke vrouw dan ook. "Eet je groente op, verdomme!" Zie je wel?'

Hij gaf een sceptisch knikje. 'Volgens mij moet je daar toch nog wat op oefenen, hoor.'

'Best, maak er maar een geintje van, maar een man die wanhopig om een beurt verlegen zit, merk ik al van een kilometer afstand op.'

'Ja, ja. Dat is echt het teken van een betrouwbaar moederinstinct.'

'Net of jij dat weet, lul.'

Hij keek haar aan met een blik waaruit duidelijk bleek dat hij toegaf. 'Dat is zo. Ik heb minder ervaring met moeders dan de meeste mensen. Opgroeien in een hele reeks weeshuizen en pleeggezinnen heeft de manier waarop ik daar tegenaan kijk misschien wel beïnvloed.'

'Is dat de reden waarom je die relatie van je met die hoe-heet-ze-ook-weer in de hoofdstad van ons land telkens weer verknalt?'

'Ik vind het prettig om te denken dat ik het nog niet echt verknald heb. Hoop doet leven.'

'Dat klinkt als de mantra van een heel eenzaam mens.'

'Die zit. Maar in dit geval kon ik er niet veel aan doen. Zij is bij mij weggegaan. Ze kreeg een baan aangeboden waarop ze geen nee kon zeggen, en nu wonen we zeshonderd kilometer bij elkaar vandaan. Dat lijkt me toch heel wat makkelijker te begrijpen dan allerlei freudiaanse flauwekul over het feit dat ik nooit een moeder heb gehad, denk je ook niet?'

'Niet echt. Volgens mij had je best met haar mee kunnen gaan.'

Finn trok zijn wenkbrauwen op. 'Hoe bedoel je? Ik heb hier mijn leven.'

'Welk leven?'

'Dat is vals.'

'Ik probeer niet gemeen te zijn, ik probeer serieus te zijn. Je hebt geen familie. Voor zover ik weet, heb je hier geen vrienden, afgezien van Koz dan. Het enige wat je hebt is je werk.'

'Ik hou van mijn werk.'

'Finn, het is wérk, meer niet. En eerlijk gezegd is het een groot deel van de tijd nog behoorlijk vervelend werk ook. En bovendien zou je dat werk van jou ook best in Washington kunnen doen. Volgens mij hebben ze daar ook advocaten nodig. Dus wat is het probleem nou eigenlijk?'

Hij begon hoofdpijn te krijgen en zijn schouders zaten inmiddels weer muurvast. 'Kunnen we het niet over iets anders hebben?'

'Nee, ik maak me werkelijk zorgen om jou. Hoeveel heb jij de afgelopen vier dagen geslapen?'

'Ik heb al eerder gezegd dat slaap overschat wordt,' antwoordde hij. Ze rolde met haar ogen.

'Hoor eens,' probeerde hij nogmaals, 'Hoe het ook loopt, dat gedoe met die Salazar is binnen een week voorbij. Ik hoef het alleen maar vol te houden tot dan, en daarna wordt alles vanzelf weer normaal.'

'Denk je?'

'Reken maar,' stelde hij haar gerust. 'Maar de komende vijf dagen denk ik uitsluitend en alleen aan deze zaak. Ik moet er echt alles aan geven wat ik maar in huis heb, zelfs als me dat bijna mijn leven kost.'

Ze knikte grimmig. 'Voor mijn part. Heb je enig idee wat je nu wilt gaan doen?'

Hij dacht er even over na. Sinds de moord op Dobson was dit het langste gesprek dat hij had gevoerd zonder over de inhoud van de zaak na te denken. En nu hij zijn aandacht er weer op richtte, leek zijn perspectief een heel klein beetje verschoven te zijn. Iets leek hem niet helemaal in orde. 'Ik weet het niet,' zei hij langzaam. 'Iets aan de avond waarop Steele is aangevallen, zit me niet lekker.'

'Wat dan?'

'Ik weet het niet. Ik kan mijn vinger er niet op leggen.'

'Is dat alles? Er zit je iets dwars aan een avond waarop een vrouw is neergeschoten en seksueel misbruikt? Is dat de sleutel tot deze hele zaak?' Linda klonk teleurgesteld.

'Het is ten minste iets. Het is meer dan ik een uur geleden had.'

'En wat ga je daarmee beginnen?'

Hij keek haar aan. Het was een pittig meid. Als hij niet nog zoveel om Linda gaf, dan… Nee, zo zat hij nou eenmaal niet in elkaar. Maar toch, iets aan die enorme energie van haar gaf hem zelf ook weer nieuwe levenskracht, in ieder geval op dit moment. Hij voelde zich beter dan hij zich in dagen gevoeld had, en hij bedacht dat hij daar maar beter gebruik van kon maken. 'Ik ga eens even kijken waar ze is aangevallen,' zei hij. 'In Roxbury.'

'Waarom?'

Hij legde twintig dollar op tafel voor de lunch. 'Zal ik eerlijk zijn?' vroeg hij. 'Ik heb geen idee.'

27

Toen Finn bij de kruising van Columbus Avenue en Lenox Street in Roxbury zijn auto aan de kant zette, begon het net opnieuw te sneeuwen. De zon was inmiddels onder en in de lichtbundels van zijn koplampen leken de sneeuwvlokken net vuurvliegjes. Het dunne laagje sneeuw waarmee alles bedekt was, hulde de omgeving in een zachte avondgloed.

Hij stapte uit de auto en keek om zich heen. Hij bevond zich in het niemandsland van de stadsvernieuwing. Aan de overkant van de straat werd een groot pakhuis ingrijpend verbouwd, en een reusachtig reclamebord op het hek eromheen maakte duidelijk dat de lofts die hier gebouwd werden, buitengewoon comfortabel en grootsteeds zouden worden. Drie oude gebouwen werden voorzien van keurig nieuwe bakstenen gevels. De kroeg op de hoek was gesloopt, en daarvoor in de plaats was een nieuwe en heel dure koffieshop verrezen. Maar tussen deze bewijzen van de ingrijpende transformatie die de wijk doormaakte, waren nog steeds de onmiskenbare tekenen te zien van de verloedering die deze omgeving tientallen jaren in haar greep had gehouden. Zwartberoete huurkazernes met donkere ruiten en voordeuren waar de verf van afbladderde, domineerden hier nog en het avondwinkeltje aan de overkant van de straat adverteerde nog steeds met goedkope Amerikaanse whisky en niet met dure witte wijn.

De steeg waar agent Steele was aangevallen, bevond zich halverwege het blok, en nadat hij de omgeving goed in zich had opgenomen, liep hij er snel door de sneeuw naartoe.

Hij wist niet goed wat hij hier deed. Er was niets duidelijks waar hij de vinger op kon leggen, geen theorie of beeld waar hij naar zocht. Om een of andere reden leek iets aan al die processen-verbaal van vijftien jaar geleden gewoon niet helemaal te kloppen.

Terwijl hij langzaam naar het steegje toe liep, bekroop hem het ongemakkelijke gevoel dat hij in de gaten werd gehouden, maar toen hij zich snel omdraaide zag hij niemand. Het leek wel of de bewoners allemaal hun ladders hadden opgetrokken en zich veilig hadden verschanst in hun woning.

Toen Finn het steegje naderde, ging hij bijna op een dakloze staan, wiens benen – overdekt door een stuk smerig zeildoek – uit een donker portiek staken.

'Wat moet je, klootzak!' riep de man, terwijl hij rechtop ging zitten en Finn agressief aankeek. 'Wie denk je wel dat je bent, verdomme?'

Zijn ogen lichtten op in het donkere silhouet van zijn gezicht, woest en strijdlustig.

'Neem niet kwalijk.'

'Dat kost je een dollar,' zei de man snel.

Finn viste een biljet uit zijn zak, maakte er een prop van zodat de wind er geen greep op zou krijgen en liet het in zijn schoot vallen.

De man lachte. 'Heel goed. Jij hebt inderdaad spijt.'

Finn liep nog eens twintig meter verder, naar de ingang van het steegje. Wat had hem hiernaartoe gebracht? Waarom was deze plek, deze volkomen toevallige plek waar al die jaren geleden een geweldsmisdrijf was gepleegd, zo belangrijk?

Hij stapte het steegje in, eerst maar een paar stappen. Zelfs met een maagdelijk laagje nieuwe sneeuw eroverheen, stonk het nog naar rioolwater. Hij was al snipverkouden, en merkte dat zijn neus begon te prikken.

Hij liep nog verder het steegje in. Het had voor zover hij kon zien niets opmerkelijks. Net als zoveel van de steegjes in deze gestaag ouder wordende stad, was het geplaveid met onregelmatig gevormde granieten blokken, en had het aan weerszijden een hoge stoeprand. Boven hem bungelden de brandtrappen aan de hoge gebouwen als gerafelde zomen aan de binnenkant van een goedkoop pak. Er leek weinig systeem te zitten in de vele bochten en kronkels van de op vele plekken doorgeroeste brandtrappen, en Finn vroeg zich terloops af of de bewoners, als ze ooit voor de keus zouden komen te staan, misschien liever de vlammen zouden trotseren dan zich op deze levensgevaarlijke stellages te wagen.

Een eindje verder in het steegje hoorde hij een kat rondscharrelen tussen een paar vuilnisbakken. Of liever gezegd, hij dacht eerst dat het een kat was, maar toen het beest even in een dunne strook licht vanaf de straat liep, zag hij dat het weliswaar zo groot was als een kat, maar dat het wel een erg lange staart en een heel spitse snuit had.

Hij keek nog eens om zich heen... Hij zocht iets, maar wat? Op grond van het tijdens Salazars proces overgelegde bewijsmateriaal stond hij precies op de plek waar Steele destijds was gevonden, toen de stenen rood zagen van het bloed en het leven zo snel uit haar weg stroomde dat het bijna te laat was geweest. Het was een tragische scène, dat zeker, maar nu hij hier stond, kon hij er geen zin of betekenis aan ontlenen, en werd hem ook niets duidelijker. Alle getuigen waren het er met elkaar over eens geweest dat Salazar, die meer dan tien straten verderop had gewoond, hier weinig te zoeken had gehad, en Steele zelfs nog minder, want die had in South Boston gewoond, meer dan acht kilometer hiervandaan.

Toen drong het plotseling tot hem door wat hij al die tijd over het hoofd had gezien, en ondanks de kou brak het zweet hem plotseling aan alle kanten uit. Hij balde zijn vuist en duwde die hard tegen zijn voorhoofd terwijl de gedachten als migraine door zijn hoofd flitsten. Hij had de transcripties van het proces zo vaak doorgelezen, dat hij ze zich op elk willekeurig punt voor de geest kon halen. Nu liet hij ze in gedachten snel de revue passeren en probeerde zich te herinneren of die vraag tijdens de zitting aan de orde was gekomen.

Steeles getuigenverklaring was ongetwijfeld heel levendig geweest. Ze had over Columbus Avenue gelopen, en toen ze langs het steegje kwam, had ze plotseling een klap op haar hoofd gekregen en was ze hiernaartoe gesleurd. Ze was maar half bij bewustzijn geweest en pas weer helemaal bij haar positieven gekomen toen de machete haar op de keel werd gezet. Zelfs op papier was het een levendig, overtuigend verslag geweest en Finn wist uit eigen ervaring dat Salazar kansloos moest zijn geweest zodra zij in het getuigenbankje verscheen.

Maar de overtuigingskracht van haar verklaring had iedereen, inclusief Finn, afgeleid van één essentiële vraag die nog steeds niet beantwoord was: wat had ze daar eigenlijk te zoeken gehad? Ze had die avond officieel geen dienst gehad, dus waarom had ze rondgezworven in een van de gevaarlijkste buurten van de hele stad, kilometers van huis? Hoe vervallen en verloederd deze wijk er vanavond ook mocht uitzien, vijftien jaar geleden was het allemaal nog een heel stuk erger geweest. Dit was het soort wijk waar zelfs politiemensen om goede redenen liever niet in hun eentje gingen surveilleren.

Er was maar één antwoord mogelijk, en Finn voelde zich een idioot omdat hij daar niet eerder aan had gedacht: ze was met een of ander eigen onderzoek bezig geweest, met iets wat om een of andere reden buiten de officiële stukken was gehouden.

'Ze was die nacht aan het werk,' mompelde Finn zachtjes terwijl hij diep in de duistere krochten van het steegje tuurde. De vraag waarop hij het antwoord moest zien te vinden, luidde dus: met wat voor onderzoek was ze die avond bezig geweest? Waar had ze een onderzoek naar ingesteld?

Hij glimlachte tevreden bij de gedachte dat hij met zijn eigen onderzoek eindelijk weer wat grond onder de voeten had gekregen, want hoe glibberig die grond dan ook mocht zijn, hij kon in ieder geval weer een eindje vooruit komen. Zijn opluchting bleek echter van korte duur. Achter zich hoorde hij iets bewegen en deze keer was het te groot om een kat, of rat, van welke afmetingen dan ook te zijn. Hij was hier niet alleen.

Een ogenblik later werd hij van achteren vastgegrepen en hard tegen de bakstenen muur gesmeten. Hij kreeg een klap in zijn gezicht met iets hards, zwaars en kouds, zodat hij even gedesoriënteerd raakte. Het duurde een minuut voordat hij weer wist waar hij was, en toen dat tot hem doordrong, besefte hij ook dat er nu een groot mes tegen zijn keel werd gedrukt.

Zijn ogen gingen langs het mes totdat ze op de hand stuitten die het vasthield, en van daaruit keek hij langs de arm omhoog naar de schouder, totdat hij de ogen van zijn belager ontmoette.

'Meneer Finn,' zei de man. 'Als u niet snel gaat praten, gaat u eraan.'

***

'Waar is Finn naartoe gegaan?'

Iets in de toon waarop Kozlowski dat vroeg, bezorgde Lissa een ongemakkelijk gevoel. 'Roxbury.'

'In zijn eentje? Waar in Roxbury?'

Lissa's gezicht betrok. 'Godsamme, hoe moet ik dat nou weten? We hebben samen geluncht, we zijn hier naartoe gegaan en toen heeft hij nog een tijdje in zijn dossiers zitten wroeten. Toen zei hij plotseling dat hij naar buiten ging om iets na te trekken.'

'Maar je hebt niet gevraagd waar hij naartoe ging?' Kozlowski leek zich zorgen te maken. Zo had ze hem nog nooit eerder gezien. In haar hoofd begonnen een paar alarmbelletjes te rinkelen.

'Zoals ik al zei: hij ging naar Roxbury, en nee, ik heb niet naar het adres gevraagd.'

'En je hebt hem gewoon laten gaan?'

'Wat bedoel je daar nou mee, verdomme?' antwoordde ze. 'Hij is mijn chef, god nog aan toe. Moet ik hem soms aan zijn bureau vastketenen?'

Nu was Kozlowski degene wiens gezicht betrok. 'Nee. Maar als ik erover nadenk hoe deze zaak zich tot nu toe heeft ontwikkeld, vind ik het niet prettig dat hij daar in zijn eentje naartoe is. Dobson is vermoord, Salazar is bijna vermoord in de gevangenis, en nu hebben we kennelijk ook de hele gemeentepolitie van Boston achter ons aan. Finn denkt graag dat hij heel goed op zichzelf kan passen, maar dat kan hij niet. Hij neemt te veel risico's en dat gaat nog eens zijn leven kosten. Totdat dit allemaal voorbij is, kan ik maar beter bij hem zijn als hij iets stoms gaat doen.'

'Nou als je zo nu en dan even je hoofd om de deur steekt, lukt het je misschien beter om in de gaten te houden waar hij naartoe gaat.' Lissa kon zien dat ze Kozlowski daarmee geraakt had, en ze had er onmiddellijk spijt van. Vriendelijker vervolgde ze: 'Hoe weet je zo zeker dat hij iets stom aan het doen is?'

'Dat ligt nou eenmaal in zijn aard.'

Ze liet dat even tot zich doordringen. 'Dat is waar.' Ze probeerde rustig te blijven. 'Er is heus niks ergs gebeurd,' zei ze, net zozeer tegen zichzelf als tegen Kozlowski.

'Misschien,' zei Kozlowski. 'Was hij nog van plan om daarna terug te komen naar kantoor?'

'Ik weet het niet, maar daar ben ik wel van uitgegaan. Hij is hier om een uur of vier vertrokken, en ik had niet het idee dat hij langer dan een uur zou wegblijven.' Ze keek op de klok. Het was bijna zes uur. 'Ik weet zeker dat er niks ergs gebeurd is,' zei ze nogmaals.

Kozlowski keek uit het raam. Warren Street werd zwak verlicht door de ouderwetse gaslampen op de straathoeken, maar verder was het een heel donkere avond. Een dikke laag stormwolken verduisterde het weinige licht van de maan en de sterren.

Ze keek naar hem terwijl hij daar naar dit typisch New-Englandse wintertafereeltje stond te turen. Als stille waters diepe gronden hadden, dan was hij een bodemloze fjord. Hij knipperde zelfs niet met zijn ogen terwijl hij in gedachten verzonken voor het raam stond. 'Loopt Finn daar in Roxbury meer gevaar dan ergens anders?' vroeg ze.

Hij draaide zich om. 'Ik weet het niet,' zei hij, en de ongerustheid in zijn stem was zo duidelijk dat ze nu bijna in paniek raakte. 'Maar gezien de gebeurtenissen van de afgelopen dagen kan ik wel zeggen dat daar niets goed op hem wacht.'

Ze trok haar bureaula open, pakte een vel papier en schreef er iets op. Toen liep ze naar hem toe en gaf het papier. 'zijn mobiele nummer,' zei ze, en ze wist maar nauwelijks te voorkomen dat haar stem oversloeg. 'Bel hem.'

★★★

'Ik zei "snel", meneer Finn.'

Finn keek de man die voor hem stond strak aan. De man had een lichte huid en donker haar, en was begin twintig. Hij sprak met een accent en hield het lemmet van de machete tegen Finns keel gedrukt.

Hoewel hij met een enkele beweging van zijn pols een einde aan Finns leven kon maken, was zijn manier van doen opvallend zenuwachtig. Finn was opgegroeid tussen psychopaten – mannen en jongens die in staat waren een ander mens met een knuppel dood te slaan, en een paar minuten later met veel smaak in een hamburger met ketchup en gebakken uitjes te happen. De blik in de ogen van deze man was niet die van een echte killer.

'Praten waarover?' Finn leunde achterover om zijn keel een eindje van het mes weg te trekken, maar de jongeman bleef het lemmet tegen zijn keel drukken.

'Probeer me niet te naaien. Wat heeft hij verteld? We moeten het weten.'

'Wie heeft wát verteld?'

De man duwde de machete harder tegen de huid boven Finns adamsappel. 'Ik heb gezegd dat u me niet moest naaien.'

Finn sprak heel voorzichtig, zodat de bewegingen van zijn strottenhoofd niet per ongeluk zijn halsslagader zouden doorsnijden. 'Neem nou maar van mij aan dat ik gezien de omstandigheden absoluut niet wil dat jij je genaaid voelt. Ik weet niet waar je het over hebt.'

'Salazar. Wat heeft hij verteld?'

'Waarover?'

'Het mes werd nog harder tegen zijn keel gedrukt en Finn kreeg het gevoel dat het eigenlijk allemaal al voorbij was – op zijn laatste ademtocht na misschien. Hij voelde een straaltje bloed over zijn keel lopen en op zijn overhemd druipen. En het was nog een goed overhemd ook. Misschien wel het overhemd waarin hij begraven had willen worden.

'Zeg op of u gaat eraan,' zei de jongeman.

'Oké, oké,' zei Finn. Er schoten wel duizend leugens door hem heen, maar daaruit de juiste kiezen was het moeilijkste wat hij ooit gedaan had. Het schoot hem te binnen dat de waarheid misschien beter zou zijn, in ieder geval om mee te beginnen. Hij kon altijd later nog het moeras van leugens binnen waden. 'Hij heeft gezegd dat hij het niet heeft gedaan.'

'Dat hij wát niet heeft gedaan?'

'Hij zei dat hij Madeline Steele niet heeft aangevallen. Het was iemand anders.'

Het gezicht van de man betrok. 'Wat heeft hij verder nog verteld?'

'Ik snap niet wat je bedoelt,' zei Finn om tijd te winnen.

De man keek hem diep in de ogen en de machteloze woede stond duidelijk op zijn gezicht te lezen. Kennelijk probeerde hij te bepalen of

Finn wel of niet de waarheid sprak. Toen veranderde de uitdrukking op zijn gezicht. Het was alsof hij een onherroepelijk besluit had genomen en Finn kreeg sterk het gevoel dat hij nu ging sterven. Maar toch zag hij iets van aarzeling in de ogen van de man, en nog iets anders ook. Iets sterkers: angst. De man zette nog meer kracht op het mes en begon het over Finns keel te duwen.

'Wacht,' zei Finn met gesmoorde stem. 'Er was nog iets.'

De man hield het mes stil. 'Wat?'

'Het is...' Maar alle leugens leken plotseling verdampt en Finn wist niets te bedenken. Toen hij de man in de ogen keek, wist hij dat hij hem niet met bluf zou kunnen overtuigen.

'Vaarwel, meneer Finn.'

Finn sloot zijn ogen.

'Wat doe jij verdomme hier in mijn steegje?'

Finn voelde dat de man omkeek naar de straat, naar dat boze geroep. Hij deed zijn ogen open, en keek ook, intens dankbaar voor dit korte uitstel van executie.

Het was de dakloze over wiens benen Finn daarnet bijna gestruikeld was. Hij stond in de schaduw bij de ingang van het steegje.

'Ik zei: wat doe jij verdomme hier in mijn steegje?' schreeuwde hij opnieuw.

'Sodemieter op ouwe,' zei de man met de machete. 'Nu.'

'Fuck you,' zei de dakloze zonder ook maar een spoor van angst in zijn stem. 'Fuck you! Dit is mijn steegje en als je het wilt gebruiken, moet je me een dollar betalen. Dat is wel het minste!' Wild gebarend liep hij naar hen toe, totdat hij het lange mes zag. Toen glimlachte hij. 'En als je hem hier gaat mollen, gaat je dat vijf dollar kosten. De politie houdt deze steeg dan minstens een week afgesloten.' Hij knikte alsof hij het nog even narekende. 'Jazeker. Vijf dollar.'

Er verscheen een zenuwachtige glimlach op het gezicht van de aanvaller. 'Best hoor, ouwe. Even mijn werk afmaken en dan krijg jij je geld.' Hij draaide zich weer naar Finn toe.

Net op dat moment begon Finns telefoon te piepen. De pieptoon klonk scherp en luid, zodat ze allebei van schrik een sprongetje maakten.

Finn keek op. Die twee onderbrekingen hadden de jongeman duidelijk van zijn stuk gebracht en er was weer duidelijk aarzeling op zijn gezicht te lezen. 'Ik mag zeker niet opnemen, hè?' zei Finn.

De man was niet meer in staat om ook nog maar een woord uit te brengen, maar schudde zijn hoofd en verzamelde duidelijk al zijn moed. Finn dacht dat er een kleine kans was dat de jongeman niet zou doorzetten, maar het risico was te groot. Hij zette zijn ene voet wat naar achteren, balde zijn vuist en maakte aanstalten om uit te halen. Het was een wanhopige manoeuvre en de kans was behoorlijk groot dat hij daarmee het mes omhoog zou slaan, in het zachte weefsel waar zijn nek overging in zijn kin. Dat zou hem ernstige verwondingen bezorgen, besefte Finn, maar misschien zou hij het overleven. In ieder geval voor een tijdje. Waarschijnlijk zou de man daarna de kans krijgen om onbelemmerd nog een keer uit te halen met de machete en dan was het afgelopen. Veel andere mogelijkheden had hij echter niet en dit leek zijn beste kans. Hij zette zich schrap en stond op het punt het er maar op te wagen toen hij vanuit de ingang van het steegje nog iemand hoorde roepen.

'Laat hem los!'

De stem kwam niet ver van de plek waar de oude man had gestaan, maar het schorre, klagerige gegrom had plaatsgemaakt voor een jonge, krachtige en bevelende stem. Finn keek om. De dakloze was verdwenen en zijn plaats was ingenomen door een slanke, donkere gedaante met een pistool in de hand, dat direct op het hoofd van de man met de machete was gericht. Finn keek recht in de loop en zag dat het pistool absoluut niet trilde. Het gezicht van zijn redder ging echter schuil in de schaduwen.

'Laat hem los,' zei de man met het pistool nogmaals, deze keer met nog meer kracht in zijn stem. Hij bracht het pistool omhoog en Finn hoorde hoe de haan naar achteren werd getrokken.

Het blad van de machete drukte nog steeds tegen Finns keel, maar met minder kracht; de man die op het punt had gestaan hem de strot af te snijden, had zijn aandacht op de ingang van het steegje gericht. De man met het pistool stond een meter of twaalf van hem vandaan en op die afstand was het alleen voor een geoefende scherpschutter mogelijk om zijn doelwit te raken. En het feit dat Finn daar nog steeds met die machete op zijn keel gedrukt stond, maakte het nog lastiger. Maar toch, meer dan één schot en een beetje mazzel zou hij niet nodig hebben…

Finn keek weer naar de jongeman en zag aan zijn gezicht dat ook hij zijn kansen aan het inschatten was. Met elke seconde werd de druk van het mes op Finns keel een klein beetje minder. Toen Finn het mes los van zijn huid voelde komen, kwam hij zonder aarzelen in actie. In een vloeiende beweging stapte hij naar achteren en haalde uit naar de arm van de aanvaller.

De man was volkomen verrast en zijn arm schoot omhoog. Het mes suisde langs Finns oor en schoot rakelings langs zijn gezicht. Finn dook weg en liet zich tegen de muur van het steegje vallen. Er klonk een schot, maar de man met de machete bleef staan. Nu het besluit voor hem genomen was, kwam ook hij snel in actie en hij haalde hard uit naar Finns hoofd.

Finn bracht zijn arm omhoog om de klap af te weren. Het mes kwam onder een onhandige hoek op hem af, maar toch had het vaart en kracht genoeg om dwars door het vlees van zijn bovenarm te gaan. Finn schreeuwde het uit van de pijn.

Toen er nog een schot klonk, liet hij zich plat op de grond vallen. Het kapmes schoot met een ongecontroleerde beweging op hem af. Het miste doel en sloeg hard tegen de bakstenen achter de plek waar Finn een seconde eerder had gestaan. Toen hij opkeek, zag Finn de man naar hem toe hollen terwijl hij het pistool omhoog bracht om op korte afstand nog een schot te lossen. De man met het mes haalde nog eens uit, zodat het mes met maar een paar centimeter speling langs zijn ribbenkast schoot en toen was hij verdwenen. Hij rende het donkere steegje in. De man met het pistool, die nu heel dicht bij Finn stond, hief zijn wapen en loste snel achter elkaar drie schoten. Diep in het donkere steegje hoorde Finn een schreeuw en toen hij opkeek, zag hij de wegvluchtende man, die inmiddels weinig meer was dan een donkere gedaante, struikelen en tegen de muur vallen, toen weer opkrabbelen en verdwijnen in het donker terwijl de man met het pistool achter hem aan rende.

Finn bleef alleen achter en keek omlaag. De sneeuw op de stenen onder hem was inmiddels donkerbruin gekleurd, net zoals een groot deel van zijn lange broek op de plek waarboven zijn gewonde arm bungelde. Hij trok zijn overjas en jasje uit om de schade op te nemen.

'Fuck,' fluisterde hij toen hij de ravage zag. Het mes was dwars door het vlees gegaan en een flink stuk daarvan bungelde losjes in de kille lucht. Met zijn rechterhand trok hij zijn das wat losser, schoof hem over zijn hoofd en haalde hem daarna tot aan de elleboog over zijn gewonde linkerarm. Het ene uiteinde van de das nam hij in zijn mond en met zijn vrije hand trok hij de tourniquet strak.

Toen hij klaar was, keek hij op en zag dat de man met het pistool haastig terug kwam lopen. Finn dacht overwoog ervandoor te gaan, maar besloot toen dat de man niet eerst zijn leven zou hebben gewaagd om hem te redden om hem daarna te vermoorden. Hij kon het gezicht van de man nog steeds niet goed zien, al had hij wel het gevoel dat hij hem ergens van kende. Toen de man dichterbij kwam, zag Finn eindelijk wie het was: Miguel Salazar. Finn had geen idee wat hij moest zeggen.

Miguel boog zich over hem heen en het was duidelijk dat de arts in hem het roer overnam. Hij trok Finns arm naar zich toe om even te kijken. Finn huiverde.

'Waar hebt u geleerd een tourniquet aan te leggen?' vroeg Miguel.

'Toen ik een heel stuk jonger was, raakte ik nogal eens verzeild in mesgevechten,' zei Finn.

'Echt waar?'

Ja, echt. Het is niet iets om trots op te zijn, maar zo nu en dan kunnen dergelijke ervaringen nog wel eens van pas komen.'

Miguel reageerde niet, maar ging verder met zijn onderzoek. 'Hij heeft u midden in de spier geraakt, maar zo te zien is die niet doorgesneden. Er zijn ook geen botten gebroken, en daar mag u heel blij mee zijn. We moeten u snel naar het ziekenhuis zien te krijgen, zodat ik de wond beter kan bekijken.' Hij merkte dat Finn zat te trillen en trok zijn jas uit. 'Misschien raakt u in shock.'

'Ik raak niet in shock. Ik heb het gewoon koud.'

'We kunnen beter geen risico's nemen.' Miguel hing zijn jas om Finns schouders en drapeerde vervolgens Finns eigen jasje en overjas eroverheen. Toen haalde hij een telefoontje te voorschijn. 'Ik bel een ambulance. Niet bewegen, oké?'

Finn wilde rechtop gaan zitten. 'Ik ga niet in een steegje op een ambulance liggen wachten, dokter. Ik kom er wel bovenop.'

'Nee, u komt er niet zomaar weer bovenop.' Miguels stem klonk rustig maar resoluut. 'Blijf hier. Ik bel het alarmnummer.'

Net op dat moment hoorden ze in de verte het zwakke geloei van sirenes. 'Zo te horen is iemand u voor geweest,' zei Finn.

Miguel luisterde aandachtig totdat hij er zeker van was dat de sirenes hun kant op kwamen. 'Zo te zien hebt u mazzel gehad.'

'Dat lijkt me een understatement. Waar kwam u nou zo plotseling vandaan?'

Miguel glimlachte enigszins afwezig en geruststellend. 'Mijn broer. Hij heeft me laten beloven dat ik een beetje op u zou passen.'

Finn staarde nietsziend voor zich uit. 'Dan moet ik hem bedanken,' zei hij. Zijn gehoor leek het langzaam te begeven. Het leek alsof zijn eigen stem plotseling van heel ver weg kwam.

'Hier blijven, meneer Finn. U verliest veel bloed, maar het komt wel goed met u, zolang u tenminste bij me blijft. Zorg dat u hier blijft alstublieft. Als u iets overkomt, moet ik me tegenover Vincente verantwoorden. Ik zou het heel erg vinden om hem teleur te stellen.'

'Dat lijkt me redelijk.' Finn slaagde erin zijn ogen weer te focussen. Ze waren op het steegje gericht en hij knikte in de richting waarin de jongeman was verdwenen. 'Waar is hij naartoe gegaan?'

Miguel keek over zijn schouder. 'Om de hoek splitst het steegje zich. Het komt uit op twee verschillende straten. Hij is weggekomen.'

'Volgens mij hebt u hem geraakt,' zei Finn, al was hij wat lastig te verstaan. 'Hij schreeuwde en ik zag hem struikelen.'

'Ik denk het ook, maar kennelijk was het een schampschot. Want het heeft hem er beslist niet minder snel op gemaakt.'

De sirenes gingen over van een ver verwijderd gedreun in een overweldigend gejammer toen twee politieauto's met een ruk bij de ingang van het steegje tot stilstand kwamen. De blauwe en rode knipperlichten schenen over de natte bakstenen en lichtten de nog steeds neerdwarrelende sneeuwvlokken fel op. Het tafereel deed Finn denken aan carnaval in Revere waar hij vroeger elke zomer naartoe was gegaan: wild en opwindend en heel interessant, maar ook gevaarlijk en op een rare manier pervers.

'Ze zullen een heleboel vragen stellen.' Finn knikte naar de surveillancewagens.

'Dan is het maar goed dat u ook over een heleboel antwoorden beschikt,' zei Miguel.

'Ik weet niet of ze nou zo blij zullen zijn met de antwoorden die ik kan geven. Uw broer is per slot van rekening niet erg geliefd bij de politie. En sinds ik deze zaak op me heb genomen, schijn ik publieksvijand nummer één te zijn geworden.'

Miguel glimlachte opnieuw. 'Weet u wat een van de dingen is die ik zo prettig vind aan dit land? Zelfs zij die corrupt zijn, doen in situaties waarin dat duidelijk van ze verwacht wordt alsof ze behulpzaam en onpartijdig zijn. In El Salvador zou de politie gewoon staan kijken hoe u doodbloedde.' Hij keek op naar de politiemensen die uit de auto's stapten en het steegje in liepen. 'Ze zullen u misschien niet mogen, maar ze zullen u wel helpen. In ieder geval op dit moment. Morgen is er weer een dag. Laten we eerst maar zorgen dat u de ochtend haalt.'

Finn deed zijn uiterste best om zijn ogen open te houden. Vreemd genoeg voelde hij zich gerustgesteld. Toen hij opkeek, viel het hem opnieuw op hoezeer Miguel op zijn broer leek. Alleen hun leeftijd en hun verschillende levensomstandigheden leken de twee broers van elkaar te scheiden. Waarschijnlijk scheelden ze nog geen tien jaar, maar het leken er wel twintig. Misschien zelfs wel meer. In de gevangenis wordt een mens snel oud, dacht Finn. Herinneringen uit zijn eigen slecht bestede jeugd flitsten door hem heen, en plotseling drong het tot hem door hoeveel geluk hij had gehad.

Steunend op zijn elleboog werkte hij zich half omhoog en viste zijn mobieltje uit zijn zak. Hij hoefde niet eens te kijken wie hem had gebeld, dat wist hij zo al. Hij had het al geweten toen het ding begon te piepen en daarmee de man die hem wilde vermoorden aan het schrikken bracht, wat hem waarschijnlijk het leven had gered. Hij drukte op een paar toetsen om terug te bellen.

'Wie belt u?' vroeg Salazar.

Met een nogal dun en vermoeid glimlachje bracht Finn de telefoon naar zijn oor. 'Mijn vrienden,' zei hij klappertandend.

28

Finn zat op de EHBO-afdeling van het Massachusetts General Hospital en keek vol belangstelling toe hoe Miguel Salazar de wond in zijn arm verbond. De broer van zijn cliënt intrigeerde hem, deze jongeman die zich tegen alle kansen in vanuit diepe armoede had weten op te werken tot een gerespecteerd arts. De eerste keer dat hij de jongere Salazar had ontmoet, was hij ook onder de indruk geweest, maar niet zoals nu. Het was duidelijk dat de medewerkers van de polikliniek in East Boston hem vereerden, maar dat had Finn weinig gezegd. De mensen die daar werkten waren idealisten, en idealisten verlangen altijd vurig naar een Messias.

Maar in de laatste paar uur had Finn Miguel in actie gezien, en het was duidelijk dat de man uit meer bestond dan afgezaagde clichés. Toen de politie het steegje binnen was komen rijden, had Miguel snel het heft in handen genomen en opdrachten gegeven alsof hij de leiding had. De politie had Finn uitgebreid willen verhoren, maar Miguel was tussenbeide gekomen en had gebruik gemaakt van zijn gezag als medicus om te eisen dat Finn onmiddellijk naar het ziekenhuis werd gebracht. De agenten hadden daar bezwaar tegen gemaakt, maar Miguel had ze te verstaan gegeven dat mochten ze hem hinderen bij Finns medische behandeling, hij ervoor zou zorgen dat er een aanklacht wegens professioneel wangedrag tegen ze werd ingediend, en dat ze persoonlijk aansprakelijk gesteld zouden worden voor alle schadelijke gevolgen die het uitstel van de behandeling zou kunnen opleveren. Daarmee was het debat onmiddellijk ten einde geweest, en dat was Finn heel goed uitgekomen, want een van de agenten had al duidelijk laten merken dat hij wist dat Finn bezig was om de belager van Madeline Steele vrij te krijgen. Het was Finn inmiddels wel heel duidelijk geworden dat de politie niet erg enthousiast werd bij de gedachte dat ze nu op zoek moesten naar degenen die hém had aangevallen.

Toen ze Finn de ambulance in hadden geschoven, was Miguel naast hem gaan zitten. 'Massachusetts General Hospital,' had hij tegen de bestuurder gezegd.

'Het City Hospital is dichterbij,' had de bestuurder tegengeworpen.

'Massachusetts General Hospital,' had Miguel nogmaals gezegd, op een toon die geen tegenspraak duldde, en de bestuurder was hoofdschuddend weggereden in de richting van Beacon Hill, waar het Massachusetts General Hospital zich bevond. Miguel had zich over Finn heen gebogen en hem toegefluisterd: 'In mijn eigen ziekenhuis kan ik er beter voor zorgen dat u goed behandeld wordt.'

Al die tijd had Miguel geen moment zelfs maar met stemverheffing hoeven te spreken. Zijn stem was al die tijd duidelijk en rustig gebleven, en er had een gezag in geklonken dat afkomstig was van een plek ergens diep in zijn innerlijk, waar diploma's van geen betekenis waren.

'Dank u wel,' zei Finn terwijl Miguel een strak steriel verband om zijn arm wikkelde, en dat toen stevig vastplakte.

'Dat is niet nodig.' Miguel wuifde Finns dankbaarheid weg. 'U helpt mijn broer, en daardoor hebt u uzelf in gevaar gebracht. Mijn familie staat bij u in de schuld.'

'Hoe wist u dat ik in Roxbury zou zijn?'

'Dat wist ik niet,' zei Miguel. 'Ik volgde u. Ik heb een tijdje vrijaf genomen van mijn werk hier in het ziekenhuis en ik heb u de afgelopen dagen zoveel mogelijk gevolgd.'

Finn floot. 'Dat is nog eens een waardeloze manier om je vakantiedagen te besteden.'

'Dat is niet van belang, meneer Finn. Ik heb in geen drie jaar ook maar een dag vrij genomen. Ik dacht dat de chef Chirurgie een hartaanval zou krijgen toen ik mijn verzoek om vrije dagen indiende. Ik ben er zeker van dat hij denkt dat ik zo ongeveer stervende ben.'

Finn wist niet goed hoe hij de volgende vraag moest formuleren. 'En het pistool?'

Miguel keek op van het verband dat hij aan het aanleggen was was. 'Het pistool?'

'Het pistool,' antwoordde Finn. 'Dat u hebt gebruikt om mij te redden. Dat lijkt me niet iets wat tot de standaarduitrusting van een chirurg behoort.'

Miguel haalde zijn schouders op. 'Ik werk in een gratis kliniek in een heel ruige buurt, en ik heb vaak verdovende middelen bij me.'

'Verdovende middelen?'

'Alleen op recept verkrijgbaar, meneer Finn. Maar op straat zijn die tegenwoordig heel gewild. Het is al een aantal keren voorgekomen dat mensen onze artsen aanvielen om verdovende middelen te bemachtigen. Een jaar geleden heb ik een wapenvergunning gekregen.'

'Wat zou Hippocrates daarvan zeggen?' vroeg Finn.

Miguel lachte enigszins gegeneerd. 'Volgens mij was het niet zijn bedoeling dat de naar hem genoemde eed artsen ervan zou weerhouden zichzelf te verdedigen. En bovendien moet ik ook aan mijn gezin denken. Als mij iets overkomt, weet ik niet goed hoe mijn moeder en mijn nichtje zich zouden moeten redden. Ze hebben al meer dan genoeg doorgemaakt.'

'Mij hoort u niet klagen, hoor. Ik vind het eigenlijk nogal jammer dat de politie het heeft ingenomen.'

'Dat is niet onredelijk,' zei Salazar berustend. 'Het ziet ernaar uit dat ik vanavond iemand heb neergeschoten, en dan stellen ze natuurlijk een onderzoek in.'

'Daar zou ik maar niet op rekenen,' zei Finn minachtend. 'Ze weten wie ik ben. Zodra ze erachter komen dat u de broer van Vincente Salazar bent, denk ik niet dat dat onderzoek meer dan vijf minuten in beslag gaat nemen.'

'Het verbaast me dat u zo verbitterd bent,' zei Salazar.

'Het verbaast me dat u dat niet bent,' antwoordde Finn.

De arts hield Finns arm omhoog en keek bewonderend naar zijn eigen werk. 'U zult hier een paar weken voorzichtig mee moeten zijn,' zei hij. 'Ik heb meer dan zestig hechtingen nodig gehad om de wond goed dicht te krijgen. U hebt echt heel veel geluk gehad dat het mes niet dwars door de spieren heen is gegaan; dan had u geopereerd moeten worden. Maar toch zal het een tijdje heel pijnlijk zijn, vooral zodra de plaatselijke verdoving uitgewerkt is. Ik zal u wat pijnstillers voorschrijven.'

Finn stond op. 'Dank u wel, dokter. Dat bespaart me een tochtje naar mijn plaatselijke dealer.' Hij knipoogde naar Miguel. Toen deed hij een stap in de richting van de deur, wankelde en moest zich vasthouden aan het bed. Miguel pakte hem bij zijn andere arm en voerde hem voorzichtig terug naar zijn stoel.

'U gaat voorlopig nog nergens naartoe, meneer Finn,' zei hij. 'U hebt een heleboel bloed verloren. We gaan u een tijdje aan een infuus met een zoutoplossing leggen, plus wat antibiotica om er zeker van te zijn dat de wond niet geïnfecteerd raakt. U blijft hier nog wel een paar uur.' Hij keek naar de klok aan de wand. 'Het is al zo laat dat ik u officieel laat opnemen. Dat maakt het allemaal een stuk eenvoudiger.'

'Dat gaat niet,' antwoordde Finn. 'Ik ben met een belangrijke zaak bezig, zoals u heel goed weet. Ik kan me geen tijdverlies veroorloven.'

'U kunt mijn broer niet helpen als u op straat in elkaar zakt. Uw vrienden zitten op de gang. Ik laat ze straks even binnenkomen. Maar vannacht blijft u hier.'

Finn wilde tegensputteren, maar plotseling was hij veel te moe om nog te kunnen denken. Hij ging op het bed zitten. Er viel wel iets voor te zeggen om wat rust te nemen, veronderstelde hij. Dan kon hij morgenochtend weer fris en uitgerust aan de slag, en het eerste wat hij dan zou doen, was uitzoeken met wat voor een onderzoek Steele die avond vijftien jaar geleden bezig was geweest.

Finn keek naar Miguel, die een paar aantekeningen maakte op Finns medische kaart, even op zijn horloge keek, en toen nog het een en ander opschreef. Het begon tot hem door te dringen dat als deze jonge arts er niet was geweest, hij nu hoogstwaarschijnlijk dood zou zijn.

Miguel hing een klembord met Finns medische documenten aan de muur. 'Ik kom nog terug,' zei hij geruststellend tegen zijn patiënt.

Toen de jonge arts naar de deur liep, riep Finn hem na. 'Hé, dokter?'

Miguel draaide zich om.

'Dank u wel.'

Miguel schudde zijn hoofd. 'Bedankt u mijn broer maar als u hem ziet.'

★★★

Jimmy Alvarez leunde tegen een bakstenen muur in de schaduw van de tempel van de Church of Christ, Scientist, ofwel de 'Kerk van Christus de Wetenschapper' aan Huntington Avenue. De moederkerk, zoals het gebouw in Boston werd genoemd, was een reusachtig bouwwerk dat meer aan een paleis deed denken dan aan een kerk. Ervoor lag een eindeloos grote vijver, die bedoeld was om een spiegelbeeld te geven van het kerkgebouw. De kerk was in 1894 gebouwd en gewijd aan de filosofie van Mary Baker Eddy, die in haar leer sterk de nadruk legde op de samenhang van geest, ziel en lichaam. De grondslag van deze religie werd gevormd door een groot vertrouwen in het vermogen van mensen om zichzelf te helen door middel van geloof en gebed. Jimmy voelde aan zijn schouder. Hij betwijfelde of geloof alleen de afschuwelijk kloppende schotwond zou kunnen doen genezen.

Omdat het winter was, stond de vijver droog, maar het was inmiddels een stuk harder gaan waaien, zodat het bassin al half gevuld was met witte poedersneeuw. Terwijl Jimmy ernaar stond te kijken, dacht hij verlangend terug aan de warme winters in zijn Mexicaanse grensstadje, en vroeg hij zich af hoe hij ooit in deze godverlaten stedelijke woestenij vol sneeuw en ijs verzeild was geraakt.

Hij trok zijn jasje uit en begon te huiveren toen hij naar zijn schouder keek. Er welde nog steeds bloed op uit de wond, maar gelukkig al heel wat minder dan eerst. Hij strekte zijn nek zover als hij maar kon en slaagde er op die manier in zowel de wond te zien die de kogel had veroorzaakt toen hij zijn lichaam binnendrong, als de wond die de kogel had achtergelaten toen die zijn lichaam weer verliet. Toen hij dat zag, voelde hij zich onmiddellijk weer wat beter. Hij kon er dus vrij zeker van zijn dat de kogel niet in zijn schouder was blijven steken en terwijl hij voorzichtig met zijn vingers in de wond voelde, kreeg hij de indruk dat de kogel keurig door het spierweefsel was gegaan, zonder botten of gewrichten te beschadigen. Daar had hij geluk mee. Hoewel het gruwelijk veel pijn deed, kon hij nog steeds zijn arm gebruiken... voorlopig althans.

Hij kon niet naar een ziekenhuis gaan, dat wist hij maar al te goed. Een schotwond zou allerlei vragen oproepen, vragen waarop hij geen goede antwoorden had. Ook kon hij geen hulp verwachten van zijn medeleden van de VDS. Hij had jammerlijk gefaald bij het uitvoeren van zijn opdracht, en totdat hij die fout ongedaan had gemaakt, vormde hij voor hen alleen maar een risico. En hij had gezien hoe de padre met risico's afrekende. Zijn mogelijkheden waren dus uiterst beperkt.

Hij pakte een handvol sneeuw en strooide die uit over de wond, in de hoop dat hij daarmee het bloeden nog verder zou stelpen. Toen de sneeuw de wond raakte, moest hij zijn uiterste best doen om het niet uit te gillen van de pijn, maar al snel leek de kou de pijn juist te verzachten, en terwijl hij met zijn rug tegen de muur geleund stond, ontspande hij zich weer een beetje.

Hij dacht zorgvuldig na over de netelige situatie waarin hij zich bevond. Hij kwam in de verleiding om het bijltje er maar bij neer te gooien, zijn spullen te pakken en terug te gaan naar het zuiden. Maar dat zou niet lukken. De enige plek waar hij ooit thuis was geweest, lag hier meer dan tweeënhalfduizend kilometer vandaan, en zelfs als hij die afstand wist te overbruggen, zouden Carlos' mensen hem daar snel weten te vinden. Het zou hem misschien een paar weken extra opleveren, maar meer ook niet, en alleen al de gedachte aan wat ze allemaal met hem zouden doen als ze hem daar te pakken kregen, was zo grotesk dat hij die snel van zich af zette.

Daar stond tegenover dat het niet eenvoudig zou zijn om de zaken hier in Boston weer op orde te krijgen. De advocaat zou voortaan op zijn hoede zijn, en het zou een stuk moeilijker worden om hem alsnog te grazen te nemen. En belangrijker nog, inmiddels was het tot Jimmy doorgedrongen dat hij, zelfs als hij nóg een kans kreeg, niet in staat zou zijn de man te vermoorden. Daar had hij de geestkracht niet voor. Hij had geweten dat het moeilijk zou zijn, maar hij had ook gedacht dat hij het wel zou kunnen opbrengen. Hij had wel eerder opdracht gegeven om mensen in elkaar te laten slaan, en hoewel hij nooit rechtstreeks bij een moord betrokken was geweest, kwamen dergelijke dingen waar hij vandaan kwam zo vaak voor, dat hij had verwacht dat hij die grens zonder grote problemen zou kunnen oversteken.

Maar dat had hij mis gehad. Mensen in elkaar laten slaan was één ding. Dat was gewoon zakelijk, en omdat de slachtoffers er over het algemeen wel weer bovenop kwamen, had Jimmy dat altijd gemakkelijk voor zichzelf kunnen rechtvaardigen en dus 's nachts altijd rustig kunnen slapen. Maar toen hij de advocaat het mes op de keel had gezet, was het tot hem doorgedrongen dat de kloof tussen opdracht geven om iemand in elkaar te laten slaan en iemand eigenhandig de strot afsnijden voor hem te breed en te diep was om over te steken. Het maakte niet uit wat Carlos en zijn beulen hem zouden aandoen, hij besefte dat hij nooit in staat zou zijn om iemand recht in de ogen te kijken terwijl hij een einde aan diens leven maakte.

Hij had maar één andere mogelijkheid. Hij had Finns dagritme goed genoeg bestudeerd om zijn zwakheden te onderkennen, en diep in zijn hart dacht hij dat het misschien niet nodig zou zijn om de man te vermoorden. Misschien was er wel een andere manier om zijn doel te bereiken. Jimmy sjorde zijn jasje weer over zijn schouder. Toen hij opstond, moest hij een duizeling te bedwingen. Hij had nog een hoop te doen voordat hij rust kon nemen. Hij haalde eens diep adem, en terwijl hij zijn evenwicht hervond, zette hij rustig op een rijtje wat er precies gedaan moet worden. Het zou niet eenvoudig worden, maar het was mogelijk, zo hield hij zichzelf voor.

Hij wierp nog een laatste blik op de half met stuifsneeuw gevulde vijver, die bleekblauw oplichtte in het schijnsel van de straatlantaarns. Terwijl hij zijn jasje strak om zich heen trok, liep hij terug naar Back Bay, een dure woonwijk, en vroeg zich af hoe iemand uit vrije wil in een oord kon gaan wonen waar het zo koud kon zijn.

★★★

'Waar ben jij nou in godsnaam mee bezig?'

Kozlowski stond tegen de witgekalkte muur van de ziekenhuiskamer geleund en schudde zijn hoofd. Hij voelde zich net een boze vader die een tiener ervan langs gaf, maar hij kon er niets aan doen. Lissa zat in een niet-comfortabele luie stoel aan Finns bed. Salazar was even de kamer uit gelopen om zich te melden bij de verpleging.

'Ik dacht dat ik misschien iets te weten zou komen waar we wat mee op zouden schieten,' zei Finn. 'En misschien is dat ook wel gelukt.'

'Volgens mij is het je bijna gelukt om jezelf het lijkenhuis in te helpen.'

'Je luistert niet naar me.'

Kozlowski schudde weer zijn hoofd. 'Nee, jij luistert niet naar mij. Waren die foto's van Mark Dobson niet genoeg om je te laten begrijpen met wie je te maken hebt? Dit zijn geen kleine jongens, en ze spelen het hard. En dan bedoel ik niet hard op de manier van Slocum, die een of andere Ierse mafketel met een groeistoornis op je afstuurt om je de stuipen op het lijf te jagen. Deze figuren snijden het hart uit je lijf en laten het je zelf opeten. Letterlijk. Heb je dat eigenlijk wel door? Je bent een doelwit, en totdat deze hele ellendige zaak is afgerond, ga jij niet meer op onderzoek uit zonder dat ik erbij ben, begrepen?'

Finn ging met een ruk rechtop zitten, zodat de infuusslang bijna uit zijn bruikbare arm werd gerukt. 'Ik betaal jou en niet andersom. Ik kan heus wel voor mezelf zorgen.'

De slang waardoor hij antibiotica en een zoutoplossing kreeg toegediend, zat om zijn nek en hij deed verwoede pogingen om zichzelf te bevrijden.

'Je bent een arrogante idioot,' zei Kozlowski en hij liep rood aan. 'Je kunt jezelf niet eens verdedigen tegen een infuus, maar je wilt het wel in je eentje opnemen tegen dit stel psychopaten?'

'Fuck you.'

'Nee, fuck you.'

'Nee, fuck you allebei,' kwam Lissa tussenbeide. 'Godallemachtig, wat is dat toch met testosteron? Waarom maakt dat volwassen mannen tot kleuters?' Ze keek van de een naar de ander en zei met een babystemmetje: "Fuck you. Nee, fuck you. Je bent een klootzak. Nee, jij bent een klootzak." Gaan jullie straks ook nog kijken wie de grootste heeft?' Ze keek Kozlowski strak aan. 'Je kunt mensen niet met een grote mond dwingen om bevelen op te volgen, zelfs als je weet dat je gelijk hebt.' Daarna keek ze Finn streng aan. 'En jij bent echt een idioot als je niet snapt dat je vanwege deze zaak werkelijk gevaar loopt. Shit, kijk eens om je heen, Finn. Dit is een ziekenhuis en niet een of andere kroeg. Uit wat Salazars kleine broertje ons heeft verteld, maak ik op dat je van geluk mag spreken dat je je arm nog hebt. Nee, wacht even. Als hij niet een oogje in het zeil had gehouden, had je je om die arm van jou helemaal geen zorgen meer hoeven maken, want dan was je hartstikke dood geweest. Je mag van geluk spreken dat je hoofd nog aan je romp zit. Als jij niet ingaat op Kozlowski's aanbod om je goed te bewaken zolang je met deze zaak bezig bent, ben je nog stommer dan je eruitziet. En neem maar van mij aan, dat dat na vanavond moeilijk te geloven is.'

Kozlowski moest zijn best doen om niet te grijnzen. Die Lissa was me er eentje. Ze was intelligent en ze draaide er nooit omheen. Ze was heel anders dan iedereen die hij ooit had ontmoet. Hij keek naar Finn en zag dat Lissa's toespraak indruk op hem had gemaakt. Finn keek met een schuldig gezicht naar zijn arm en aan de blik in zijn ogen was duidelijk te zien dat hij bereid was om toe te geven. 'Sorry,' mompelde hij.

'Ik ook,' zei Kozlowski.

Lissa keek opnieuw van de een naar de ander. 'Mooi zo,' zei ze. Ze bleef hen allebei nog even dreigend aankijken, alsof ze daarmee duidelijk wilde maken dat ze het niet moesten wagen de discussie opnieuw te openen. toen zuchtte ze diep en leek te ontspannen. 'Dan ben ik klaar hier.' Ze stond op. 'Ik ga naar huis om wat te slapen.' Ze keek naar Kozlowski. 'Ik neem aan dat je hier blijft, na al dat gedoe over een oogje op hem houden?'

Kozlowski keek Finn aan. 'Dat is wel het verstandigst.'

'Best,' zei Finn, zonder Kozlowski aan te kijken.

'Best?' Lissa's stem klonk scherp en beschuldigend.

Finn keek nu zo strak naar de vloer dat het net leek of zijn ogen er gaten in boorden. 'Dank je wel, Koz.'

'Heel goed,' zei ze. 'Was dat nou zo moeilijk? Godsamme, het enige wat jullie nodig hadden, was de zachte hand van een vrouw.' Ze boog zich voorover en kuste Finn op zijn voorhoofd. 'Ik zie je morgenochtend op kantoor.'

'Dank je wel.'

'Ik wil jou nog even spreken,' zei ze tegen Kozlowski terwijl ze langs hem liep. Ze liepen een eindje de gang in, voordat ze bleef staan, nog steeds met haar rug naar hem toe.

'Wat is er?' vroeg hij.

Ze draaide zich om en in een vloeiende beweging sloeg ze haar armen om zijn nek, trok zijn hoofd omlaag en kuste hem. Het was een felle, hartstochtelijke kus. Haar vingers woelden door het haar op zijn achterhoofd, haar tong drong zoekend zijn mond binnen, en ze drukte zich tegen hem aan. Hij was zich ervan bewust dat mensen hen aangaapten en even voelde hij zich daar verlegen onder, maar een ogenblik later was de rest van de wereld verdwenen. De gedachte dat ze hier zo open en bloot stonden te zoenen, had een stimulerende uitwerking op hem, en het was duidelijk dat dit haar niet ontging. 'Tjonge,' zei ze. 'Wat een reactie. Ik ben gevleid.' Ze trok zijn hoofd opnieuw omlaag, en kuste hem zachtjes op de lippen. 'Maar op dit moment heb jij je aandacht voor andere dingen nodig.' Ze knikte in de richting van Finns kamer. 'Hou hem nou maar goed in de gaten.'

'Ik kijk liever naar jou,' zei hij. Ondeugende toespelingen waren voor hem iets nieuws en hij voelde zich er nog niet helemaal op zijn gemak mee. Het was net alsof hij in de schoenen van iemand anders stond. Maar het beviel hem wel.

Ze lachte hem toe. 'Als dit allemaal voorbij is, zal ik je een speciale voorstelling geven. Maar nu moet je scherp blijven.'

Hij keek op zijn horloge. Het was één uur 's nachts. 'Ga jij maar even slapen. Ik zorg wel dat hij de nacht overleeft.'

'Oké,' zei ze. 'Maar jullie moeten allebei goed oppassen. Ik wil niet dat iemand hem onder vuur neemt en per ongeluk jou raakt.'

'Dat gebeurt niet. Kogels ketsen gewoon af op mij.'

'Ja ja,' zei ze. 'Pas nou maar op dat je die onzin niet gaat geloven.'

'Dat is een goede raad.'

Ze kuste hem nog een keer, draaide zich toen om en liep naar de lift. Hij keek haar na en genoot van haar lichte heupwiegen.

Hij lachte zachtjes in zichzelf toen de liftdeuren dichtschoven. Het was echt gebeurd, drong het tot hem door. Het had bijna een halve eeuw geduurd, maar voor het eerst van zijn leven was hij verliefd. Hij veegde discreet zijn mond af, en besefte dat hij haar nog steeds kon proeven.

Het wachten was de moeite waard gebleken.

29

Lissa had haar auto bij het kantoor laten staan en ze had een taxi naar huis kunnen nemen. Het was inmiddels nog harder gaan waaien en hoewel de meeste inwoners van New England dit nog steeds niet als een sneeuwstorm zouden beschouwen, sneeuwde het inmiddels wel zo hard dat het zicht vrij beperkt was; en zelfs op de plekken waar de dienst Openbare Werken erg zijn best deed om de wegen vrij te houden, lag inmiddels een laag sneeuw van wel vijf centimeter dik. Een taxi zou de beste manier zijn geweest om het chique Back Bay te bereiken, maar toen ze de hoofdingang van het ziekenhuis uit liep, zag ze al een paar mensen in elkaar gedoken bij de taxistandplaats staan. Op een avond zoals deze, met zware sneeuwval, wilde dat zeggen dat ze minstens een uur zou moeten blijven wachten. Ze keek omhoog en besloot dat het waarschijnlijk niet lang meer zou duren voordat de wind ging liggen. En bovendien lag haar flat nog geen kilometer van het ziekenhuis. Zelfs met al die sneeuw zou het niet meer dan een kwartiertje lopen zijn en de kans was groot dat ze in Charles Street aan de voet van Beacon Hill een taxi zou kunnen vinden. Dus wikkelde ze haar sjaal om haar nek en liep zonder er verder over na te denken de sneeuw in.

Ze vond het heerlijk om door de stad te lopen, en dat kwam deels doordat ze het woord 'stad' voor deze omgeving altijd nogal overdreven vond. Ze was geboren en getogen in Manhattan, en beschouwde Boston meer als een provinciestadje dan als een grote stad. Ze had al een paar keer binnen een dag heel Boston te voet doorkruist, terwijl ze er heel zeker van was dat ze een leven lang door New York zou kunnen lopen zonder alle delen daarvan een beetje te leren kennen. Dat was wat Boston voor haar zo aantrekkelijk maakte: de intimiteit ervan.

Ze sloeg de hoek om bij de rotonde waar Cambridge Street en Charles Street elkaar kruisten in een nogal somber stemmende overgang van moderne stadsontwikkelingsprojecten naar deftige herenhuizen in tijdloze architectuur. Er lag nog veel meer sneeuw dan ze had gedacht toen ze nog in het ziekenhuis was, en het kostte haar enige moeite om haar voeten uit een paar kniehoge sneeuwbanken te tillen. In ieder geval was het goed koud buiten, zodat de dikke laag sneeuw licht en luchtig bleef. Hier en daar liepen mensen over de trottoirs, haastig op weg naar huis na het eten of na een paar uur overwerk, of op weg naar een gezellige avond in een van de plaatselijke kroegjes, maar ze kwamen voorbij als geestverschijningen in de nacht en hun stemmen en voetstappen gingen verloren in de sneeuw.

Haar eigen voeten kwamen met een zacht geknerp neer in de dikke laag sneeuw, en bij elke derde of vierde stap gleed een van haar voeten even weg. Ze was echter gewend geraakt aan het merkwaardige loopje dat je in de winter moest gebruiken, en net zoals de meeste inwoners van Boston had ze een tamelijk grote tas bij zich, om haar nette schoenen in te vervoeren, terwijl ze buiten stevige stappers met profielzolen droeg waarop ze niet snel uitgleed. Toch kostte het haar zo veel moeite om haar evenwicht te bewaren dat ze een paar keer bijna pardoes tegen tegemoetkomende voetgangers botste, die zo plotseling uit de rondwervelende sneeuw kwamen opdoemen dat ze haar volledig verrasten.

Op de momenten dat haar ogen niet op de besneeuwde, oneffen trottoirs richtte, keek ze snel om zich heen op zoek naar een taxi, maar de weinige taxi's die ze voorbij zag komen, waren al bezet door mensen die meer mazzel hadden dan zij. Als ze had geweten hoe hard het sneeuwde, had ze beter kunnen blijven wachten bij de taxistandplaats voor het ziekenhuis, dacht ze, maar daar viel niets meer aan te doen. Ze boog het hoofd om zich door de tweede helft van de wandeltocht heen te worstelen.

Ze was al halverwege Charles Street toen ze het gevoel kreeg dat er gevaar dreigde. Ze snapte niet waar dat gevoel vandaan kwam, maar het groeide snel uit tot een overweldigende zekerheid, die zich onmogelijk liet negeren. Ze keek om zich heen en zag niemand. Maar toch werd haar angst steeds erger – een angst die de meeste vrouwen die ooit in een grote stad hebben gewoond, wel zouden herkennen. Het was het kwetsbare gevoel helemaal alleen te zijn in een stille straat, en de felle angst dat als ze werd aangevallen, niemand haar zou horen roepen.

Lissa schudde haar hoofd en probeerde het dreigende voorgevoel van zich af te zetten; per slot van rekening bevond ze zich hier in een van de veiligste delen van de stad. Geen enkele stadswijk was echter volkomen veilig. Ze probeerde haar angst weg te lachen. 'Kom op, Lissa,' zei ze binnensmonds. 'Doe niet zo kinderachtig. Sinds wanneer ben jij bang voor iets?' Het zenuwachtige geluid van haar eigen stem stelde haar niet gerust. En zelfs als ze zich daardoor wel gerustgesteld zou hebben gevoeld, zou die opluchting toch van korte duur zijn geweest.

Hij stond in een portiek en rookte een sigaret. Ze merkt hem pas op toen ze langs hem liep en hij zo dichtbij was dat hij haar had kunnen aanraken. Hij stond zo plotseling en onverwacht naast haar dat ze zich wild schrok en een kreetje slaakte. Ze draaide zich snel naar hem toe en haar linkervoet gleed weg in de sneeuw, zodat ze haar evenwicht verloor. In haar poging overeind te blijven, bleef ze met haar rechtervoet achter een tegel haken, die onzichtbaar omhoog stak uit het trottoir en viel hard op haar knieën.

De man bukte zich en pakte haar bij de elleboog.

'Laat me los, verdomme!' schreeuwde ze, terwijl ze haastig overeind krabbelde, haar tas pakte en aanstalten maakte om er als een haas vandoor te gaan.

'Ik probeer u alleen maar te helpen,' zei de man. Hij had een licht accent, dat ze niet kon thuisbrengen, en vergeleken bij zijn glimlach leek het ijs op haar knieën nog warm. 'Uw knie bloedt.'

Ze keek omlaag en zag dat het waar was, maar dat was op dit moment wel het minste waar ze zich zorgen om maakte. Ze keek op en deed langzaam een paar stappen naar achteren.

'Alstublieft,' zei hij, terwijl hij naar voren stapte. 'Ik heb een auto. Ik kan u helpen.'

Ze draaide zich om en liep zonder iets te zeggen weg. Na een tijdje draaide ze zich om en ze zag dat hij achter haar aan liep en iets naar haar riep, al gingen zijn woorden verloren in de storm.

Ze was zo bang dat ze het hoorde galmen in haar oren, en ze dacht haastig na. Zo snel als ze met al die sneeuw maar kon, sloeg ze rechtsaf, liep Chestnut Street binnen en dook een klein bistrootje in. Het was er volkomen leeg, op een barkeeper na, die bezig was zijn kas leeg te maken.

'Neem me niet kwalijk mevrouw, we zijn gesloten,' zei hij tegen haar vrijwel zonder op te kijken. Zijn stem klonk beleefd maar resoluut.

'Alstublieft,' zei ze. 'Er zit een man achter me aan.'

Hij trok zijn wenkbrauwen op en keek haar met oprechte belangstelling aan. 'Een stalker?' vroeg hij.

Ze nam hem eens aandachtig op. Hij was groot en zwaargebouwd, maar dan wel op een manier die leek aan te geven dat er onder een beschermend vetlaagje harde en stevige spieren verborgen zaten, en ze kreeg de indruk dat hij meer op zijn plaats zou zijn als uitsmijter in een van de ruige studentenkroegen in de Fens dan achter de bar in een chic restaurantje op Beacon Hill. Misschien zag hij wel uit naar een kans om haar te kunnen verdedigen door iemand in elkaar te slaan, en dat idee wilde ze met alle genoegen aanmoedigen.

'Volgens mij wel,' zei ze oprecht, ook al besefte ze dat de man op straat haar eigenlijk geen kwaad had gedaan. Uit een instinct tot zelfbehoud zette ze echter snel alle schuldgevoel van zich af en beperkte haar antwoord tot een eenduidig 'ja.'

De barman klopte op de bar voor een van de krukken en nodigde haar daarmee uit om te gaan zitten. 'Als hij binnenkomt, zal het hem bezuren,' zei hij. En daarna stak hij haar zijn hand toe. 'Ik ben Ian.'

'Lissa,' antwoordde ze en nadat ze hem een hand had gegeven, ging ze op de kruk zitten, met haar gezicht naar de deur.

'Wil je soms iets drinken terwijl je hier een tijdje blijft wachten?' bood hij aan. Ook zijn ogen waren op de deur gericht.

'Zo te zien heb je net de kas opgemaakt.'

'Deze is van het huis.' Hij lachte haar vriendelijk en volkomen onbedreigend toe. 'Je ziet eruit als een wijndrinkster.'

'Scotch.'

Hij leek onder de indruk. 'Goed zo. Ik schenk ons allebei een glas van de beste whisky in, en als er tegen de tijd dat we daarmee klaar zijn niemand is binnengekomen, bel ik een taxi voor je. Wat denk je daarvan?'

Ze glimlachte naar hem. 'Afgesproken.'

★★★

Toen Kozlowski de kamer binnen stapte, voelde Finn dat de wapenstilstand ongemakkelijk was, zoals dat vaak het geval is met vrienden die net ruzie hebben gehad. Ze zouden er snel weer overheen komen, wist hij. De truc was om zo snel mogelijk weer gewoon te doen, hoe geforceerd dat ook mocht lijken.

'Hoe gaat het met je arm?' vroeg Kozlowski. Hij deed ook zijn best. Dat maakte het een stuk eenvoudiger.

'Het doet enorme pijn,' antwoordde Finn. 'En dat met een halve fles pijnstillers op.'

'Als het op pijn aankomt, is een kogel altijd minder erg dan een mes. De meeste mensen beseffen niet dat messen over het algemeen veel gevaarlijker zijn dan vuurwapens.'

'Dat zou ik niet weten,' zei Finn. 'Ik ben nooit eerder neergeschoten.'

'Wat voerde je daar trouwens uit? Wat wilde je daar te weten komen?'

'Ik wilde zien waar Madeline Steele is aangevallen. Dat moest ik gewoon met eigen ogen zien. Iets aan dat hele verhaal klopte niet, en ik kon er maar niet achterkomen terwijl ik naar een proces-verbaal of de notulen van het proces zat te turen. Ik moest daar zelf rondkijken.'

'Ben je erachter gekomen wat het was?'

'Volgens mij wel.'

'En?'

'Volgens mij was ze die avond met een of ander onderzoek bezig. Ik herinner me nog hoe die buurt vroeger was. Het is uitgesloten dat ze daar gewoon maar wat rondliep terwijl ze geen dienst had. Ze moet met een onderzoek bezig geweest zijn.'

Kozlowski leek daarover na te denken, maar zei niets.

'Ze woonde in Southie,' ging Finn verder. 'En ik kan nergens in haar persoonlijke gegevens iets vinden wat haar in verband brengt met dat deel van Roxbury. De enige mogelijkheid die dan overblijft, is dat ze daar was voor haar werk. Maar nergens in de schriftelijke gegevens staat ook maar iets over een onderzoek waar ze mee bezig was. De verdediging noch het Openbaar Ministerie heeft de moeite genomen daarnaar te vragen. Dat vind ik echt heel merkwaardig.'

'Maakt het wat uit?'

'Of dat wat uitmaakt?' Finn was ontsteld door Kozlowski's gebrek aan belangstelling. 'Natuurlijk maakt dat uit. Misschien is dit wel waar deze hele zaak om draait. Als we kunnen achterhalen waar ze destijds mee bezig was, komen we er misschien ook wel achter wie er verder nog een motief gehad kon hebben om haar te vermoorden. Snap je dat dan niet? Het zou de sleutel kunnen zijn tot deze hele zaak.'

Kozlowski keek alsof hij diep nadacht. 'Zou kunnen,' zei hij. 'Maar misschien ook niet. Het lijkt me allemaal speculatie.'

'Natuurlijk is het allemaal speculatie,' zei Finn, die geërgerd begon te raken. 'Elk onderzoek begint met speculatie. Dan doe je er wat intuïtie bij, en een scheutje mazzel, en soms kom je er dan achter wat er aan de hand is. Hoe komt het nou dat je dat niet wilt snappen?'

Kozlowski haalde zijn schouders op. 'Ik neem aan dat dit ons beste aanknopingspunt vormt.'

'Reken maar. Dus?'

'Dus wat?'

'Waar denk jij dat ze op dat moment mee bezig was? Waarom denk jij dat ze die avond in Roxbury rondhing?'

'Hoe moet ik dat nou weten?' vroeg Kozlowski.

'Ik weet het niet,' zei Finn. 'Jij was bevriend met haar. Jullie werkten op hetzelfde bureau. Ik dacht dat ze je misschien wel iets had verteld.'

Kozlowski schudde zijn hoofd. 'Ik weet dat ze met die taakgroep Illegale Immigratie bezig was. Een gemeenschappelijk project met de IND. Maar verder...' Hij hield zijn handen op om te laten zien dat ze leeg waren.

'Verder niets?'

'Verder niets.'

Finn dacht even na. 'Oké, dan moeten we ons rechtstreeks tot de bron wenden. We zullen nog een keer met Steele gaan praten.'

Kozlowski lachte. 'Als je je ooit nog bij haar in de buurt waagt, schiet ze je neer. En dat is geen geintje.'

'Dan weet ik tenminste wat het verschil is tussen een schotwond en een messteek. En bovendien, als een kogel minder pijn doet dan dit...' Finn hield zijn arm op. '... dan kan me weinig gebeuren.'

'Ze zal ons echt niet nog eens te woord staan.'

'Ze zal wel moeten,' antwoordde Finn, en zijn stem klonk nu heel vastberaden. 'Het kan me niet schelen hoe vaak ze probeert me neer te schieten. Ik moet en zal erachter komen wat ze daar die avond uitspookte.'

★★★

De taxi zette Lissa af voor haar flat. De rit kostte drie dollar, maar ze gaf de chauffeur vier dollar fooi en vroeg hem of hij nog even wilde blijven wachten totdat ze binnen was voordat hij wegreed. Hij knikte vermoeid, maar beloofde dat hij dat zou doen, en zijn taxi stond er nog toen ze de deur achter zich in het slot trok en veilig en wel in de lobby van de chique flat stond.

Ze was niet veel langer dan een halfuur in het restaurant aan Chestnut Street gebleven, en al die tijd had ze zenuwachtig naar de deur zitten kijken. Twee keer meende ze de man te zien die haar had lastiggevallen... Nou ja, hij had haar niet echt lastiggevallen, maar hij had haar wel de stuipen op het lijf gejaagd. Ze had twee glazen scotch gedronken met Ian, de beschermende barkeeper. Naarmate ze daar langer zat, leek Ian echter steeds minder belangstelling te krijgen voor haar belager en steeds meer voor haarzelf. Hij had zelfs aangeboden haar een lift naar huis te geven, en ze was danig in de verleiding gekomen om op dat aanbod in te gaan, maar toen had ze zich bedacht en hem beleefd gevraagd een taxi te bellen. Hij leek teleurgesteld, maar niet beledigd, en ze had een biljet van vijfentwintig dollar achtergelaten voor de drankjes. Tegen de tijd dat ze de bar uit liep, was ze er bijna van overtuigd dat de man op de straat eigenlijk alleen maar wat al te behulpzaam was geweest en haar geen kwaad had willen doen. Hij had haar per slot van rekening alleen maar overeind willen helpen en haar een lift naar huis aangeboden. Maar toch was ze blij dat ze thuis was.

Ze liep naar de lift en drukte op de knop. Te oordelen naar het vertrouwde geratel bevond de antieke lift zich een paar verdiepingen boven haar en ging hij net omhoog. Het was een oud gebouw en de lift ging ongeveer net zo snel als een aan verstopping lijdende schildpad; het zou nog een paar minuten duren voordat hij weer op de begane grond was. Haar appartement nam de hele vijfde verdieping in beslag en het was een hele klim om daar via de trap naartoe te lopen, maar ze was goed in vorm en ze besloot dat een beetje lichamelijke oefening haar heus geen kwaad zou doen.

Terwijl ze de trappen op sjokte, dacht ze over wat Finn die avond was overkomen. Vanaf het begin had ze zo haar twijfels gehad over Salazars onschuld. Godallemachtig, 'sceptisch' was nog veel te mild uitgedrukt; ze was oprecht van mening geweest dat het krankzinnig van Finn was om met deze zaak door te gaan. Maar de aanslag op haar chef had haar dieper geschokt dan ze openlijk wilde toegeven. Voor het eerst hield ze er ernstig rekening mee dat Salazar werkelijk zat weg te rotten in de gevangenis wegens een misdrijf dat hij niet had gepleegd, en die gedachte maakte haar misselijk. Ze probeerde zich voor te stellen hoe het moest zijn om in een kooi van een meter twintig bij twee meter veertig te zitten, terwijl je vrienden en familieleden verder gingen met hun leven. In wezen was je al dood; je stikte langzaam in een piepkleine stalen doodskist, terwijl je naar buiten keek, waar men je bestaan wel moest vergeten. Dat moest zo afschuwelijk zijn dat ze zich er gewoon geen voorstelling van kon maken.

Ze bereikte de vierde verdieping en de deur van een van de appartementen onder het hare werd op een kier geopend. Een enkel oog staarde haar aan door de kier. Het was een oog dat Lissa al met minachting had bekeken sinds de dag dat ze hier haar intrek had genomen.

'Goedenavond, mevrouw Snowden,' zei Lissa zonder moeite te doen haar ergernis te verbergen.

De deur werd iets verder opengetrokken, totdat de ketting strak kwam te staan. 'Volgens mij is het inmiddels al nacht,' zei de vrouw. Haar grijze haar was vastgezet in het een of ander ingewikkeld slaapapparaat, dat ontworpen was om haar wakker te laten worden met een perfecte, zij het niet bijster stijlvolle coiffure.

Lissa keek op haar horloge. 'Goeie help, u hebt gelijk, mevrouw Snowden. Het is al twaalf uur geweest. Ik voel alweer hoe ik in een pompoen begin te veranderen. Als u ergens een glazen muiltje op de trap vindt, wilt u dan zorgen dat ik het terugkrijg?' Ze stapte langs de deur van haar onderbuurvrouw en liep naar de laatste trap. Ze was niet in de stemming om nog meer tijd en aandacht aan haar nieuwsgierige buurvrouw te besteden.

'Krijgt u vannacht weer gezelschap?' sneerde mevrouw Snowden.

Lissa draaide zich om en keek de oudere vrouw woedend aan. 'Dat gaat u werkelijk geen ene moer aan, mevrouw Snowden, of wel soms?'

Mevrouw Snowden keek alsof ze een klap in haar gezicht had gekregen, maar bleef volhouden. 'Dat gaat mij wel degelijk aan, jongedame. Elke keer wanneer je een van de mannelijke kennissen het gebouw binnenbrengt om... om te doen wat je met die kerels doet... breng je iedereen hier in dit gebouw in gevaar. Wie weet wie die mannen zijn... Jij duidelijk niet.'

'Wilt u weten wat ik met die mannen uitspook, mevrouw Snowden? Ik ga met ze naar bed. Met allemaal. Ik doe het met elke man in Boston, oké?'

Mevrouw Snowden hapte naar adem.

'Precies. Soms wel tien of twintig tegelijk... Het zijn er zo veel, weet u? U zou het eens moeten proberen; misschien krijgt u dan zelfs dat haar van u wel eens uit de plooi.'

'Hoer,' zei mevrouw Snowden hoofdschuddend.

'U ook goedenacht, mevrouw Snowden. Ik ga vannacht maar eens lekker slapen, dus het zou prettig zijn als u die vibrator van u vanavond niet al te hard zet.'

Terwijl ze de trap naar haar flat op liep, hoorde Lissa hoe de deur met een harde klap werd dichtgeslagen.

★★★

Kozlowski kon zien dat Finn langzaam in slaap sukkelde. Hij deed echter zijn uiterste best om wakker te blijven, alsof het vooruitzicht te zullen dromen hem beangstigde.

'Ik meen het,' mompelde Finn. 'De volgende keer zal ik zeggen waar ik naartoe ga.' Dat sloeg helemaal nergens op. Ze hadden allebei al twintig minuten geen woord meer gezegd. Kozlowski vermoedde dat de pijnstillers begonnen te werken. Hij knikte alleen maar. 'Help me morgenochtend herinneren,' ging Finn verder, 'dat we nog eens met Steele gaan praten. Er klopt daar iets niet. We hoeven er alleen maar achter zien te komen wat dat is.'

Kozlowski zei niks.

'We gaan deze zaak winnen.' Finns oogleden zakten langzaam omlaag, zodat er nu nog maar een heel klein stukje van zijn ogen zichtbaar was. Toen gingen ze helemaal dicht. 'Ik zweer dat we die vent vrij krijgen,' mompelde hij nauwelijks hoorbaar.

Kozlowski stond op en stapte de kamer uit. Terwijl hij naar de kantine liep om een kop koffie te halen, draaide zijn geest op volle toeren. Het was tijd om alles op te biechten, besefte hij, en dat besef voelde aan als de dageraad op de dag des oordeels. Hij had geen idee hoe erg dit zou worden, maar hij had al geen keus meer. Hij dacht aan Lissa, en vroeg zich af hoe die zou reageren. De gedachte dat hij haar zou kunnen verliezen, of dat zelfs zij ook maar iets van haar respect voor hem zou kwijtraken, was al even reëel als het mes dat eerder die avond op Finns keel was gezet. Het was verlammend. Maar toch zag hij geen andere uitweg.

Hij haalde zijn koffie, liep terug en toen hij de hoek om liep en de kamer binnenstapte, botste hij bijna tegen een jonge verpleeghulp aan, die naar buiten kwam. Het kostte Kozlowski grote moeite om te voorkomen dat zijn koffie op de vloer klotste.

'Neemt u me niet kwalijk, señor,' zei de verpleger.

Kozlowski keek hem aan. Hij was waarschijnlijk begin twintig, met donker haar en een donkere huid. Hij maakte een nerveuze indruk en Kozlowski wist zeker dat hij de man hier niet eerder had gezien.

'Geeft niet,' zei Kozlowski terwijl hij tussen de man en de deur in ging staan. Hij keek naar Finn, die volkomen stil in zijn bed lag.

De verpleeghulp probeerde om hem heen te stappen en de kamer uit te lopen, maar Kozlowski stak zijn arm uit om hem tegen te houden. 'Hier blijven jij!'

'Wat is er, señor?' vroeg de verpleeghulp.

'Hier blijven, zei ik.' Kozlowski nam twee snelle stappen naar Finn, legde een hand op zijn borstkas en boog zich over hem heen om naar zijn hartslag te luisteren.

'Alstublieft, señor, wat is er aan de hand?' Er klonk echte angst in de stem van de jongeman.

Kozlowski kon niet goed uitmaken of Finn ademhaalde of niet. Hij hield zijn oor vlak boven Finns mond en begon zelf ook in paniek te raken. Hij draaide zijn hoofd om en keek Finn in zijn gezicht. Hun neuzen waren nu maar enkele centimeters van elkaar verwijderd.

Plotseling sloeg Finn zijn ogen op.

'Shit!' gromde Kozlowski geschrokken en hij ging met een ruk rechtop staan.

Slaperig fronste Finn zijn wenkbrauwen. 'Wat is dit?' vroeg hij. 'Probeer je me te versieren of zo?'

Kozlowski keek heen en weer tussen Finn en de verpleeghulp.

Toen verscheen er een arts in de deuropening. 'Is er iets mis, Juan?' vroeg hij aan de verpleeghulp.

De jongen haalde zijn schouders op en was duidelijk opgelucht dat de arts er was om deze merkwaardige situatie af te handelen.

De arts keek naar Kozlowski, en er lag nog steeds een vragende uitdrukking op zijn gezicht. 'Meneer?' zei hij, maar ditmaal was zijn vraag tot de privédetective gericht.

Kozlowski keek naar de drie andere mannen in het vertrek en voelde zich een idioot. 'Alles prima in orde,' zei hij. 'Ik ben kennelijk een beetje zenuwachtig, meer niet.'

Finn draaide zijn gezicht weer naar het kussen toe en sloot zijn ogen. 'Rustig nou maar, Koz,' zei hij. 'Vanavond is het gevaar wel voorbij. Zorg dat je wat slaap krijgt.'

De arts knikte naar de verpleeghulp en de twee mannen liepen de kamer uit. Kozlowski schudde zijn hoofd en ging in de met kunstleer beklede stoel aan de voet van het bed zitten. Hij haalde zich van alles in zijn hoofd. En toch kon hij een sterk gevoel van gevaar niet van zich afzetten.

Hij krabde aan zijn kin en zat daar maar. Na verloop van tijd werd hij ook moe, en deed zijn ogen dicht. Een paar minuten later viel hij in een onrustige en gekwelde slaap.

★★★

Lissa was nog steeds woedend op mevrouw Snowden toen ze de deur van haar appartement achter zich in het slot duwde en naar de keuken liep. Na deze zware avond was ze hard aan een glaasje wijn toe. Een half glaasje witte wijn zou de scherpe kantjes van de twee glazen whisky weghalen die ze aan de bar had gedronken, samen met Ian, de bronstige barkeeper.

Ze liep naar de keukenkast en pakte er een wijnglas uit. Toen ze zich omdraaide naar de ijskast, zag ze dat er licht brandde in de bijkeuken, zodat er een onregelmatige vierhoek van licht op de vloer viel.

Dat is raar, dacht ze.

Ze liep ernaartoe, duwde de deur van de bijkeuken open en stak haar hoofd om de deur. Het was maar een klein hokje, hooguit een meter twintig diep en een meter tachtig breed, en niemand zou zich daarin kunnen verstoppen. Maar toch bleef ze even staan en keek aandachtig in alle hoeken. Ze bracht haar hand omhoog naar de lichtknop en liet die daar hangen terwijl ze zich probeerde te herinneren hoe ze dat licht aan had kunnen laten. Toen trok ze aan het koord en werd het donker in het kamertje.

Ze liep met het wijnglas terug naar de ijskast en zette het neer op het aanrecht voordat ze het handvat van de ijskast vastpakte. Ze verheugde zich al op de wijn, maar ze schrok toen ze het handvat voelde. Het was nat en glibberig, maar ook een beetje kleverig, en toen ze snel haar hand wegtrok en die voor haar gezicht hield, kon ze zelfs in het halfdonker nog zien dat er een donkerrode vlek op haar handpalm zat.

'Ik had water nodig.'

De stem kwam van achter haar, en toen ze zich omdraaide gooide ze het wijnglas om. Het rolde over het aanrecht en viel kapot op de vloer, maar ze merkte het nauwelijks. Voor haar stond een jongeman met gitzwart haar. Hij hield een fles bronwater in zijn rechterhand en ze zag dat die van het merk was dat ze altijd in haar ijskast had staan. Hij zette de fles aan zijn mond en nam een slok. Ze keek omlaag en zag dat hij een machete in zijn linkerhand had. Er zat nog bloed op het lemmet. Toen ze langs zijn arm omhoog keek naar zijn gezicht zag ze dat hij een bloedende wond in zijn schouder had.

'Ik hoop dat u het niet erg vindt,' zei hij.

Ze probeerde iets te zeggen, maar kon geen lucht krijgen. Ze stond daar maar, met een uitdrukking van angst en onbegrip op haar gezicht.

'Van het water,' zei hij terwijl hij de fles voor haar gezicht heen en weer schudde. 'Ik hoop dat u het niet erg vindt dat ik water gepakt hebt.'

Het duurde even voordat het tot haar doordrong dat deze ellendige situatie echt was. 'Wat moet je?' vroeg ze uiteindelijk.

Hij lachte, en het leek wel alsof het geluid in zijn keel bleef steken. 'Hier levend uitkomen,' zei hij. 'Die chef van u heeft het me nogal moeilijk gemaakt om dat voor elkaar te krijgen. Als de mensen voor wie ik werk erachter komen dat hij nog leeft, zullen ze heel teleurgesteld zijn.' Hij zette de fles neer en nam de machete over met zijn goede hand. 'En het zijn geen mensen die je graag teleurstelt.'

Ze nam hem eens aandachtig op en zag dat hij bleek zag, en dat zijn gezicht en zijn hals waren bedekt met een dun laagje zweet. 'Maar wat moet je van mij?' vroeg ze.

Hij kwam een stap dichterbij. 'Ik wil dat u een bericht overbrengt aan meneer Finn.'

Ze probeerde een stap van hem weg te doen, maar ze stond al met haar rug tegen het aanrecht en kon geen kant meer op. 'Wat is dat bericht?' Ze kon nauwelijks nog ademhalen.

'Alles op zijn tijd,' zei hij. Hij zette het mes op haar borst en sneed een van de knoopjes van haar bloesje eraf. 'Eerst moeten we elkaar wat beter leren kennen.'

De punt van de machete gleed tussen haar borsten door zachtjes omhoog, streek over haar sleutelbeen en kwam tot rust onder haar kin. Hij zette wat meer druk, zodat ze haar hoofd wel moest optillen en hem recht in de ogen keek. 'Misschien,' zei hij, 'kunnen we zelfs vrienden worden.'

Hij draaide het mes om en de scherpe kant raspte over haar keel. Ze sloot haar ogen toen ze de tranen over haar wangen voelde druppelen.

30

Vrijdag, 21 december 2007

Finn werd wakker en voelde zich beter dan hij in weken had gedaan. Zijn arm deed behoorlijk veel pijn, maar voor het eerst sinds lange tijd had hij behoorlijk geslapen en voor het eerst sinds zijn betrokkenheid bij de zaak-Salazar had hij het gevoel dat hij weer helder kon nadenken. Miguel had in het ziekenhuis overnacht. Hij had Finn 's ochtends meteen onderzocht en hem gezond genoeg verklaard om uit het ziekenhuis ontslagen te worden. Dat gebeurde om acht uur. Kozlowski, die de nacht zittend in de ziekenkamer had doorgebracht, reed Finn naar zijn auto in Roxburry, waar het ze twintig minuten kostte om zijn bolide onder de sneeuw vandaan te graven die er de avond ervoor tijdens de storm overheen was geraasd. Daarna reden ze allebei naar kantoor.

Even na negen uur liepen ze de treden op van het herenhuis aan Warrenstreet in Charlestown. Finn merkte verbaasd dat de deur nog op slot zat; over het algemeen was Lissa om een uur of acht al aan het werk. Hij deed de voordeur open en stapte naar binnen, op de voet gevolgd door Kozlowski. Terwijl Finn de post doornam, verdween de privédetective snel even in zijn kamer, kwam toen weer tevoorschijn, ging op een stoel tegen de muur zitten en keek Finn aan.

'Wat nu?' vroeg Kozlowski.

'We moeten opnieuw met Steele gaan praten,' zei Finn. 'We moeten erachter zien te komen waar ze mee bezig was daar in Roxbury toen ze werd aangevallen.'

Kozlowski wreef over zijn kin. 'Denk je dat het er iets mee te maken heeft?'

'Ik weet het niet. Maar op dit moment is dat het enige wat ook maar ergens op slaat.'

'Dat zou kunnen. Maar toch, zelfs als je gelijk hebt, heb je het wel over een onderzoek van vijftien jaar geleden. De kans dat we het spoor nog weten op te pakken, ervan uitgaande dat Steele ons zal vertellen waar ze destijds mee bezig is geweest, is bijna te verwaarlozen.'

Finn trok een wenkbrauw op. 'Ik weet dat je sceptisch van aard bent, Koz, maar wat zit je nou te zeiken?'

'Het lijkt me allemaal nogal onwaarschijnlijk, dat is alles.'

'Prima. Als jij iets waarschijnlijkers weet, vertel het me dan maar. En bovendien, ik heb vandaag een goed gevoel over deze zaak, en ik zou het op prijs stellen als je mijn stemming niet wilt verzieken, oké?'

'Dat is je stemming niet, dat zijn de pijnstillers.'

'Het zal wel, maar wat het ook is, het geeft me een goed zicht op een rottige situatie en ik zou het op prijs stellen als je me nou niet onderuit gaat halen.' De telefoon op Finns bureau begon te rinkelen en hij nam op. 'Met Finn.'

'Finn, met Smittie.'

Finn herkende de stem van zijn vingerafdrukkendeskundige. 'Hé, Smittie, heb je nog meer slecht nieuws voor me?'

'Eigenlijk niet, nee. Het tegenovergestelde juist. Dit maakt je hele dag misschien wel goed. Godallemachtig, misschien zelfs je hele jaar.'

Finn merkte dat zijn adrenaline begon te stromen en hij probeerde zijn optimisme in bedwang te houden. 'Ga je me nou het hoofd op hol brengen om daarna mijn hart te breken, Smittie. Vertel me nou gewoon dat je iets moois hebt gevonden. Heb je de nieuwe vingerafdrukken ontvangen die we van Salazar hebben laten nemen?'

'Ja, maar die vormden alleen een bevestiging dat de vingerafdrukken die zijn gebruikt om hem als de schutter te identificeren, inderdaad zijn vingerafdrukken waren.'

'Mijn dag wordt nog niet beter,' kreunde Finn.

'Even geduld. Ik begon te denken over wat je me had gevraagd: hoe zou iemand te werk gaan als hij het vingerafdrukkenidentificatieproces zodanig wilde beïnvloeden dat iemand ten onrechte als schuldig beschouwd zou worden?' Uiteindelijk ben ik met een vergrootglas door Salazars hele dossier gegaan om te zien of ik ergens iets ongebruikelijks kon vinden.'

'Zeg dat je iets gevonden hebt.'

'Volgens mij wel. Volgens de politie zijn er twee vingerafdrukken op het pistool aangetroffen. De ene is gebruikt om een arrestatiebevel voor Salazar los te krijgen, en de andere is tijdens het proces overlegd.'

'Dat is toch raar?' vroeg Finn. 'Waarom hebben ze niet gewoon beide afdrukken gebruikt voor het arrestatiebevel en het proces?'

'Ja, dat vond ik ook wonderlijk, en dus ben ik die twee afdrukken wat aandachtiger gaan bekijken. De eerste — de afdruk die ze hebben gebruikt om het arrestatiebevel te krijgen — was een volledige vingerafdruk, tot in vrijwel alle details volkomen compleet.' Smittie liet een korte stilte vallen, alsof hij daarmee iets belangrijks had gezegd.

'Dus?' drong Finn aan.

'In de echte wereld zijn volledige vingerafdrukken behoorlijk lastig te vinden. Als we iets oprapen of aanraken doen we over het algemeen niet met de bedoeling om een volledige vingerafdruk achter te laten. Onze handen bewegen en slechts een deel van de vinger raakt het wapen of het glas of wat dan ook. En dus krijg je vingerafdrukken vol met vlekken, die bijna altijd onvolledig zijn. We krijgen eigenlijk alleen maar volledige vingerafdrukken van goede kwaliteit te zien als iemand wordt opgepakt en de politie hem heel zorgvuldig een volledige set vingerafdrukken op het arrestatieformulier laat maken. En zelfs dan is het vaak nog een paar keer proberen voordat je echt een goed stel te pakken hebt. Maar hier zat ik met een perfecte vingerafdruk, die afkomstig was van een wapen dat na een vechtpartij in een steegje was blijven liggen, terwijl het regende; en dat had een volmaakte, kristalheldere afdruk opgeleverd. Dat sloeg nergens op.'

'Dan hebben ze mazzel gehad. Maar wat schieten wij daar nou mee op?'

'Het was merkwaardig genoeg om de rest van Salazars dossier ook eens goed door te spitten. Het blijkt dat hij toen zijn vrouw in het ziekenhuis overleed, is opgepakt door de IND. Ze hebben hem laten gaan, maar hem wel eerst ingeboekt, en ze hebben zijn vingerafdrukken geregistreerd.'

'Dat zal wel de vaste procedure zijn, denk ik zo,' zei Finn langzaam, terwijl hij zich afvroeg waar dit gesprek naartoe ging.

'Absoluut. En dus heb ik de vingerafdruk die ze hebben gebruikt om het arrestatiebevel te krijgen, vergeleken met de vingerafdruk die is genomen toen hij door de IND werd opgepakt.'

'En?'

'Ze komen volledig overeen.'

'Dat is slecht, toch?' Finn wist niet meer hoe hij het had.

'Nee, dat is geweldig. Als ik zeg dat ze volledig met elkaar overeenstemmen, dan bedoel ik dat ze identiek zijn. Ik bedoel dat je de ene vingerafdruk over de andere heen kunt leggen en dat je dan geen enkel verschil ziet. En zoals ik je al eerder heb verteld, zijn twee vingerafdrukken nóóit identiek, zelfs als ze afkomstig zijn van dezelfde vinger van een en dezelfde persoon. De enige manier om twee volkomen identieke vingerafdrukken te krijgen is er een fotokopie van maken – en dat is volgens mij wat hier gebeurd is.'

'Ik weet niet zeker of ik je wel kan volgen,' zei Finn. Zo te horen was dit gunstig voor zijn cliënt, maar als hij dit aan een rechter wilde uitleggen, moest hij het eerst zelf beter begrijpen.

'Waarschijnlijk is het wapen het laboratorium binnengekomen zonder bruikbare afdrukken erop. Ze wisten dat ze die cliënt van jou wilden oppakken, omdat ze dachten dat hij het had gedaan, en daarom zijn ze aan de computer gaan zitten, hebben een uitdraai gemaakt van de vingerafdruk die al in zijn dossiers stond, die in een onderzoeksverslag geplakt en gezegd dat ze die afdruk op het wapen hadden aangetroffen. Voor een arrestatiebevel was dat ruim voldoende. Daarna hebben ze die man gearresteerd en een nieuwe vingerafdruk van een glas gehaald, deze keer een gedeeltelijke – iets wat er tijdens zijn proces heel normaal uit zou zien, voor het geval de verdediging op de proppen zou komen met een vingerafdrukkendeskundige die ook maar over enige kennis van zaken beschikte – en die nieuwe vingerafdruk hebben ze op het wapen geplakt. Dat is de enige verklaring.'

Finn haalde eens diep adem. 'Smittie, zou je dat allemaal in een beëdigde verklaring willen zetten?'

'Betaal je dan nog steeds mijn rekeningen?'

'Met een leuke kerstbonus erbij.'

'Je hebt hem morgenmiddag in huis.'

'Je bent de beste vingerafdrukkendeskundige die ik ken.'

'Heb ik je hele jaar nou goed gemaakt?'

'Het jaar heeft nog een week te gaan en ik moet eerst die beëdigde verklaring nog zien, maar je maakt een goeie kans.'

Finn legde de hoorn neer en keek naar Kozlowski.

Die zat achterover geleund in zijn stoel, en keek Finn nieuwsgierig aan. 'Goed nieuws neem ik aan?'

'Reken maar.' Finn glimlachte. 'Dat was Smittie.'

'Dat had ik al begrepen.'

'Volgens hem is de eerste vingerafdruk, die waarvan de politie beweerde dat die op het wapen is aangetroffen – de vingerafdruk dus die is gebruikt om een arrestatiebevel voor Salazar te krijgen – een kopie van een oude vingerafdruk die ze al in hun pc hadden staan. Dat wil zeggen dat de tweede vingerafdruk waarschijnlijk na zijn arrestatie op het wapen is aangebracht.' Finn probeerde het 'heb ik het niet gezegd?'-toontje uit zijn stem te houden, maar besefte onmiddellijk dat dat geen enkele zin had.

'Kan het niet gewoon nalatigheid zijn geweest? Misschien hebben ze de verkeerde vingerafdruk in het dossier gestopt?' Kozlowski leek merkwaardig geschokt. Finn wist maar al te goed hoezeer de man er de pest aan had om het mis te hebben, vooral tijdens een discussie, maar in deze zaak deed hij wel erg moeilijk. Finn begon zich af te vragen of Kozlowski eigenlijk liever wilde dat hun cliënt schuldig zou blijken.

'Dat méén je toch niet,' zei Finn terwijl hij half overeind kwam.

'Scepsis is één ding, maar dit is echt te gek voor woorden, Koz. Die man is onschuldig. Wat is er toch met jou aan de hand, verdomme?'

De telefoon ging.

Kozlowski schudde zijn hoofd, maar zei niets.

'Salazar is onschuldig,' zei Finn nogmaals. 'En met of zonder jouw hulp, ik ga vanochtend met Steele praten om erachter te komen wat er aan de hand is.'

De telefoon ging nog een keer.

Finn bleef Kozlowski strak aankijken. Hij was echt kwaad, en dat wilde hij goed duidelijk maken. Hij wilde de boodschap overbrengen dat hij nu geen bakzeil meer zou halen. 'Doe je mee of niet?'

De telefoon ging voor de derde keer.

'Neem nou op,' zei Kozlowski.

Finn wierp de voormalige politieman nog een woedende blik toe. 'Weet je zeker dat je wel wilt dat ik opneem? Zoals het op dit moment loopt met deze zaak, is dit waarschijnlijk nog meer goed nieuws. Als het de president is, die laat weten dat hij onze cliënt gratie heeft verleend, ga je daar dan ook bezwaar tegen maken?' Hij nam op. 'Met Finn,' blafte hij woedend. Hij luisterde naar de stem aan het andere eind van de lijn, en voelde hoe het bloed uit zijn gezicht wegtrok. 'N-nee…' stamelde hij een keer, maar de stem ging gewoon door. Even later, toen de stem klaar was, zei hij: 'We komen eraan.'

Hij legde de hoorn neer, keek naar Kozlowski en zag hoe de man vragend zijn wenkbrauwen optrok. 'Wat is er?' vroeg Kozlowski.

Finn schudde zijn hoofd. Spreken kostte hem moeite. 'Het is Lissa,' zei hij. 'Ze ligt in het ziekenhuis.'

Er viel een korte stilte en terwijl de twee mannen elkaar aankeken, zagen ze slechts hun eigen ergste nachtmerries die zich in de ogen van de ander weerspiegelden. Toen liepen ze allebei zo snel als ze konden naar de deur.

DEEL III

31

Tijdens de rit terug naar het Massachusetts General Hospital spraken ze in totaal negen woorden. Hier en daar waren de wegen nog steeds bedekt met verse sneeuw van de storm van de vorige avond, en Finns MG schoot slippend en schuivend de hoeken om met snelheden die veel hoger waren dan onder deze omstandigheden veilig mocht worden geacht, zodat hij verschillende keren de macht over het stuur dreigde te verliezen. Toen ze langs het Museum of Science reden, vroeg Kozlowski, die sinds hij in de auto was gestapt niet naar Finn had durven kijken: 'Hoe ernstig is het?'

Finn klemde zijn handen om het stuur terwijl de auto slippend een bocht inzette. 'Dat hebben ze niet gezegd.' Het leek zinloos om er verder over door te praten.

Om het gedoe met de parkeergarage te vermijden, parkeerden ze de auto in een zijstraatje niet ver van het ziekenhuis, waar parkeren streng verboden was, en holden daarna naar de EHBO-afdeling. Het was nog maar drie uur geleden sinds Finn uit het ziekenhuis was ontslagen.

Kozlowski was als eerste binnen. Hij holde naar de balie toe en snauwde: 'Lissa Krantz. Waar is ze?'

Een jonge verpleegkundige die achter de balie aan een computer zat, stond op en kwam naar hem toe. Ook Finn had de balie bereikt. Er lag oprecht medeleven in haar blik. 'Ze is een uur geleden binnengebracht.' Ze zei niet veel. 'Ze heeft alleen maar gezegd dat we Tom en Finn van het werk moesten bellen. Zijn jullie dat?'

Kozlowski knikte.

'Hoe gaat het met haar?' vroeg Finn.

'De verpleegster keek naar de vloer. 'We denken…' begon ze, maar toen er een dokter langs kwam lopen, hield ze abrupt haar mond. 'U kunt beter met dokter Cregany gaan praten.'

Toen de arts zijn naam hoorde, keek hij op. 'Kan ik u ergens mee van dienst zijn?'

'Ja,' zei Finn. 'We zijn vrienden van Lissa Krantz. Ze is hier vanochtend binnengebracht.'

'Wat is er gebeurd?' vroeg Kozlowski met ruwe stem.

De arts keek de verpleegster vragend aan.

'Behandelkamer vier,' zei ze.

'O, juist,' zei de arts. 'Een nare zaak. Een buurvrouw heeft haar van-ochtend gevonden en het alarmnummer gedraaid. Een van die afschu-welijke dingen waarvan je altijd denkt dat ze alleen andere mensen over-komen, totdat het je zelf overkomt. U bent vrienden, zegt u?'

'Ja,' bevestigde Finn.

'Mooi. Vrienden zal ze hard nodig hebben.'

'Alstublieft, dokter. Kunt u ons vertellen hoe het met haar gaat?'

Die vraag leek hem nogal te verbazen. 'In het licht van de eeuwigheid gezien gaat het goed met haar. Of liever gezegd, zal het straks weer goed met haar gaan. Ze is behoorlijk zwaar in elkaar geslagen en hier en daar ook gesneden, maar er is geen permanente schade aangericht. De schade is voornamelijk cosmetisch.' Het kwam eruit op die kille, zakelijke toon die alleen artsen die regelmatig met de zwaarste medische trauma's wor-den geconfronteerd, goed onder de knie hebben.

'Hoe erg?' vroeg Kozlowski.

'Hmm?' Dokter Cregany keek verstoord op van een kaart met de me-dische gegevens van een andere patiënt.

'Hoe erg is ze in elkaar geslagen?' Kozlowski's stem klonk nu een stuk luider.

De arts legde de kaart weer op de balie en haalde zijn schouders op. 'We hebben er een plastisch chirurg bij geroepen. Ze komt er wel weer bovenop. Ze studeerde rechten zei ze, dat was het toch? Dat valt dan ook weer mee. Daarbij hoeft ze het niet van haar uiterlijk te hebben.'

Iets in Kozlowski knapte. Hij greep de arts vast en drukte hem ruw met zijn rug tegen de muur.

Cregany probeerde zich los te wurmen, maar Kozlowski hield hem stevig bij de revers van zijn witte jas. 'Hé!' jankte Cregany. 'Laat me los!'

Kozlowski hield zijn gebalde vuist voor het gezicht van de arts, bracht zijn arm naar achteren en maakte zich duidelijk gereed voor een harde stoot.'

'Laat hem los, Koz,' zei Finn rustig. 'Dat is het niet waard.'

Kozlowski ontspande zijn arm, maar bracht toen zijn hand naar voren, zodat hij met zijn priemende wijsvinger op het gezicht van de dokter wees. 'Als ik jou ooit nog eens zo over een patiënte hoor praten,' zei hij, 'zorg ik ervoor dat je naast haar komt te liggen. En als ik zelfs maar ver-moed dat Lissa Krantz niet de allerbeste zorg krijgt die dit ziekenhuis, en jij in het bijzonder, kunnen leveren, dan ga je eraan. Dat beloof ik je.'

Finn legde zijn hand op Kozlowski's schouder. 'Rustig aan, Koz.'

Kozlowski liet de dokter los, die langs de muur opzij zakte. 'Ik bel de politie,' mompelde hij, maar Kozlowski keek hem strak aan en dat was voldoende om de man onmiddellijk al zijn dreigementen te laten vergeten. Dokter Cregany stond op en sloop weg.

'Het is een arrogante klootzak,' zei een vrouwenstem achter hen. Kozlowski draaide zich om en keek neer op een van de kleinste mensen die hij ooit had gezien. Ze kon niet meer dan een meter veertig lang zijn en zo te zien was ze de veertig gepasseerd, met kort grijs haar en een ruwe, praktische manier van doen die desalniettemin ruimte leek te bieden voor medeleven. 'Hij doet niks, hoor,' zei ze geruststellend. 'Want dan zou hij moeten toegeven dat hij zich door iemand de les heeft laten lezen. Ik ben Maggie.' Ze stak haar hand uit en toen ze die drukten merkten de twee mannen dat ze voor een vrouw van haar afmetingen verbazend sterk was. 'Ik ben de verpleegster die Lissa's intake heeft gedaan. Ik heb net een uur bij haar gezeten. Ze heeft het zwaar, maar de dokter had in wezen gelijk. Ze komt er wel weer bovenop.'

'Wat is er gebeurd?' vroeg Finn.

'Dat is niet helemaal duidelijk,' zei verpleegster Maggie. 'Ze heeft ons niet veel verteld. Ze is behoorlijk zwaar mishandeld, dat is wel duidelijk. Ze heeft een paar gebroken ribben, een gebroken arm, een gebroken neus en een heleboel snijwonden en blauwe plekken, voornamelijk in haar gezicht. Het ziet ernaar uit dat de dader haar huis binnen is gedrongen. Misschien is het een uit de hand gelopen inbraak geweest, maar volgens de politie is er niets weggenomen. We vermoeden dat ze de dader heeft gekend. Misschien was het wel een vroeger vriendje of een stalker. Anders zou ze ons wel meer verteld hebben. Totdat ze besluit te praten, neem ik aan dat het wel een raadsel voor ons zal blijven.'

'Kunnen we haar zien?' Kozlowski probeerde te voorkomen dat zijn stem oversloeg, maar hij had geen idee of dat hem ook gelukt was.

Ze keek hem aan. 'Jij bent Tom,' zei ze.

Kozlowski merkte dat Finn hem aandachtig opnam, maar durfde hem niet in de ogen te kijken. 'Ja.'

Maggie knikte. 'Ze heeft me het een en ander over jou verteld.' Daarna keek ze naar Finn. 'En jij bent haar chef? De advocaat?'

'Ja.'

'Ze heeft naar jullie allebei gevraagd. Veel meer heeft ze eigenlijk niet gezegd. Ze zei dat ze alleen met jullie wilde praten.' Ze nam hen allebei aandachtig op, alsof ze probeerde in te schatten of het vertrouwen dat haar patiënte in hen stelde, gerechtvaardigd was. 'Jullie kunnen haar bezoeken,' zei ze toen. 'Ze ligt in de laatste kamer rechts.'

Kozlowski en Finn liepen de gang in. 'Hé!' riep Maggie hen na.

Ze bleven staan en ze kwam naar hen toe gelopen terwijl ze om zich heen keek. 'Er is iets wat jullie waarschijnlijk moeten weten,' zei ze op vertrouwelijke toon. Ze keek hen allebei recht in de ogen om er zeker van te zijn dat ze goed luisterden. 'We denken dat ze is verkracht.'

Plotseling voelde Kozlowski een hevige pijn. Het was alsof er een brandende dolk in zijn borstkas was gestoken. Hij dacht dat hij elk ogenblik bewusteloos neer kon vallen.

'Wat bedoelt u met "we denken"?' vroeg Finn. 'Wat betekent dat?'

'We zijn er niet helemaal zeker van. We hebben een verkrachtingstest uitgevoerd, en geen sperma of andere lichaamsvochten aangetroffen, maar hij kan een condoom gebruikt hebben. En er zijn andere aanwijzingen.'

'Zoals?' vroeg Finn.

'Blauwe plekken,' zei ze. 'In de vagina. En toen haar buurvrouw haar aantrof, was ze naakt, en lag ze helemaal in elkaar gedoken op de vloer.'

'Wat zegt Lissa er zelf over?' Deze keer was Kozlowski degene die het vroeg.

'Zoals ik al zei, zegt ze helemaal niets. Die blauwe plekken zouden ook afkomstig kunnen zijn van vrijwillige seks, maar dan moet ze kort geleden seksueel wel heel actief zijn geweest.'

Kozlowski kon gewoon voelen hoe zijn gezicht langzaam donkerrood kleurde terwijl hij hoorde hoe de efficiënte, nuchtere verpleegster Lissa's anatomie beschreef. Hij voelde zich als verdoofd. Hij had geen idee hoe hij moest reageren.

'Ik dacht gewoon dat je dat moest weten,' zei verpleegster Maggie. 'Ze zal hoe dan ook een heleboel steun nodig hebben. Ze komt er wel overheen – ze is heel sterk, dat zie je zo – maar ze zal echt hulp nodig hebben. Dat moeten jullie weten.'

Kozlowski keek haar aan. Als Maggie nog meer goede raad had, wilde hij die wanhopig graag horen, maar ze schudde zachtjes haar hoofd. Hij haalde eens diep adem en richtte zijn rug. 'Dank je wel, Maggie,' zei hij. Toen draaiden Finn en hij zich om en liepen verder de gang in, naar de kamer waar Lissa lag.

★★★

Toen ze Lissa's kamer binnenliepen, lag ze op haar rug, met haar gezicht naar de deur en haar ogen dicht. Finn herkende haar nauwelijks. Haar tanden waren dwars door haar onderlip geslagen, zodat die nu met een aantal dikke tijdelijke hechtingen bij elkaar werd gehouden. Haar neus stond op een rare manier scheef, en de rest van haar gezicht was gezwollen en zat onder de schrammen en blauwe plekken. De armen die uit haar ziekenhuisnachthemd staken, waren op verschillende plekken omzwachteld en het verband zat vol donkerrode vlekken. Hij kon gewoon niet geloven dat dit dezelfde vrouw was die de afgelopen acht maanden elke ochtend om 8 uur op zijn kantoor was verschenen.

Toen sloeg ze haar ogen op. Ogen liegen zelden, en hoewel in die van haar vermoeidheid en angst te lezen stond, waren er ook vonken van woede en verzet in te zien. Finn zag meteen dat het de ogen van de oude Lissa waren.

Ze merkte de twee mannen op, draaide haar gezicht weg en tuurde naar het plafond. 'Geen gezicht, hè?' zei ze. Er gleed een traan over haar wang.

'Ik heb wel erger gezien,' loog Finn. Kozlowski stond aan haar bed en Finn ging naast hem staan.

'Ja,' zei ze. 'In het lijkenhuis zeker.'

'Ach,' zei Finn geruststellend. 'Met oud en nieuw ben je al weer voldoende opgeknapt om uit dansen te gaan.' Hij keek even omlaag en merkte dat Kozlowski haar hand vasthield. De privédetective had nog steeds niets gezegd.

'Die neus maakt niet veel uit. Het was toch mijn eigen neus niet, wist je dat?'

Finn schudde zijn hoofd. 'Nee, dat wist ik niet.'

'Een cadeautje voor mijn zeventiende verjaardag. Mijn echte neus heb ik nooit mooi gevonden. Maar ik had wel mooie lippen.' Telkens als ze iets zei, vertrok haar gezicht van de pijn.

'Wat is er gebeurd?' vroeg Finn.

Ze moest twee keer moeizaam slikken. 'Hij zei dat ik jullie een bericht moest overbrengen. Hij zei dat Salazar in de gevangenis blijft. Anders komt hij terug.'

'Komt voor mekaar. Ik laat de zaak vallen,' zei Finn zonder daar zelfs maar een ogenblik over te hoeven nadenken. Toen draaide hij zich om en liep weg van het bed om tot zich te laten doordringen wat hij zojuist had besloten. 'Shit, ik had die zaak toch al niet op me willen nemen.' Hij probeerde overtuiging in zijn stem te leggen, maar merkte wel dat hem dat niet echt lukte.

'Als jij deze zaak laat vallen,' zei Lissa, 'kun je maar beter een nieuwe associé gaan zoeken.'

Hij draaide zich om en keek haar weer aan. 'Weet je dat zeker? Deze types maken geen grapjes.'

Ze keek hem indringend aan, en hij kon zien dat de woede en de uitdagende vastberadenheid alleen maar groter waren geworden. De angst leek verdwenen. 'Wij toch ook niet? Nu niet meer.'

'Dat is zo,' zei hij.

'Prima,' zei ze. 'Want ik ben echt niet van plan om mijn tijd te verdoen door te werken voor een of andere slappe lul die zich op zo'n manier laat intimideren.'

'Oké.' Finn leunde tegen de muur en nam het tafereeltje voor zich aandachtig op: Lissa, die in bed lag, gewond maar niet verslagen; Kozlowski, die zwijgend over haar heen gebogen stond en haar hand vasthield.

'Finn?' zei Lissa.

'Ja?'

'Ik wil even met Koz alleen zijn, oké?'

Een ogenblik wist Finn niet goed hoe hij het had. 'Ja hoor,' zei hij. Maar toen, terwijl hij de deur open duwde, kwam er een absurde gedachte bij hem op. Die gedachte had zo nu en dan al eens de kop op gestoken, maar hij had die altijd snel van zich af gezet. Hij keek om en zag hen voor het eerst zoals ze werkelijk waren: twee mensen die allebei hetzelfde wilden, meer dan ooit tevoren. 'Ik wacht wel op de gang,' zei hij.

Terwijl hij de kamer verliet, besefte hij dat ze hem niet gehoord hadden.

★★★

'Gaat het goed met je?' vroeg Lissa aan Kozlowski.

Het ging niet goed met hem, en het feit dat zij degene was die hem die vraag stelde en niet omgekeerd, maakte zijn schuld en schaamte er alleen maar groter op. Hij klemde zijn kaken op elkaar.

'Het is mijn schuld,' zei hij. 'Ik had moeten weten dat je in gevaar verkeerde. Ik had het moeten zien aankomen. Ik had bij je moeten blijven.'

'Doe niet zo stom.'

Hij zei niets en het bleef een tijdje stil. Hij kon het niet opbrengen om haar in de ogen te kijken. Zijn woede werd steeds groter.

'Koz?'

'Ja?'

'Niets.'

Hij wilde met haar praten. Echt met haar praten. Hij wilde haar in zijn armen nemen, maar om een of andere reden wist hij niet goed meer hoe dat moest, niet in zo'n situatie als deze. God, wat zou hij graag willen dat hij hier beter in was. Hij zou willen dat het makkelijker voor

276

hem was om zijn armen om haar heen te slaan. Plotseling leek het stoïcisme dat hij zijn hele leven als schild had gebruikt, alleen maar zielig. 'Wat is er?' vroeg hij.

'Ik wil dat je iets voor me doet.'

'Alles wat je maar wilt.'

Ze liet haar hoofd op het kussen zakken en sloot haar ogen. 'Ik wil dat je die vent te pakken krijgt. Ik wil dat je de mensen voor wie hij werkt te pakken krijgt.' Ze deed haar ogen open en keek hem aan. 'Begrijp je dat?'

Hij knikte. 'Ja, dat begrijp ik.'

'De politie kan het geen donder schelen, zelfs niet als ze hem te pakken krijgen, zelfs niet als ze hem aan de praat weten te krijgen. Maar ik ben pas veilig als ze allemaal verdwenen zijn.'

'Ja,' zei hij, en voor het eerst drong tot hem door dat hij haar hand vasthield. Hij kon zich niet herinneren wanneer hij die had vastgepakt. Hij had het gedaan zonder erbij na te denken en zonder angst. Hij gaf haar een zacht kneepje en voelde hoe haar hand zich strakker om de zijne klemde, alsof Lissa zich aan hem vastklampte als aan het leven zelf. Maar toen trok ze haar hand weg.

'Ga nu maar,' zei ze. 'Je hebt nog een hoop te doen.'

Hij keek neer op zijn rechterhand. Hij was zijn hele leven alleen geweest, maar had zich nooit eenzaam gevoeld. Niet echt. Tot nu toe niet. 'Ja,' zei hij. Hij probeerde te glimlachen, maar dat wilde niet lukken. 'Ik kom later nog wel langs.'

'Dat zou ik wel leuk vinden, geloof ik. Ik ga nergens heen.'

Hij zocht wanhopig naar iets om te zeggen, iets nuttigs of troostend, maar het was hopeloos. Hij liep naar de deur. Toen hij zijn hand op de deurkruk legde, zei ze: 'Koz?'

Hij keek om. 'Ja?'

'Je hebt het niet gevraagd.'

'Wat?'

'Wat er gebeurd is. Je hebt me niet gevraagd wat er met me gebeurd is. Je hebt me niet gevraagd of hij me...' Haar stem stierf langzaam weg. 'Het leek wel of dat het enige was wat de artsen ook maar iets kon schelen. Had hij het nou wel gedaan of niet? Zelfs aan Finn was het duidelijk te zien dat hij dat wilde weten. Maar aan jou niet. Jij hebt het niet eens gevraagd. Jij was niet eens nieuwsgierig. Waarom niet?'

Hij dacht erover na. Toen liep hij terug naar haar bed, en ging op de rand zitten. 'Ik ben hier niet zo goed in,' zei hij. 'Ik heb nooit enige oefening gehad. Als je me ooit iets wilt vertellen – als je ooit wilt praten, over wat dan ook – zal ik er altijd voor je zijn. Ik heb misschien geen

277

antwoorden voor je, en ik kan er misschien ook niet voor zorgen dat alles weer goed komt, maar ik kan wel luisteren. Ik zal je hier nooit ook maar iets over vragen, want het kan me niet schelen. Het kan me niet schelen omdat niets wat jou is overkomen, niets wat jou zou kúnnen overkomen, ooit van invloed zal zijn op wat ik voor jou voel. Begrijp je dat?' Haar ogen hadden een vochtige glans gekregen en ze veegde ze droog met de rug van haar hand. Hij moest nu snel de kamer uit zien te komen, anders barstte hij zelf nog in tranen uit.

'Ik denk van wel,' zei ze. Ze pakte zijn hand en legde die op haar borst. 'Dank je wel, Koz.

Hij knikte.

'Ga dan maar, en zorg dat je die klootzak te pakken krijgt, oké?'

★★★

In de gang stond Finn hem op te wachten. Toen Kozlowski de kamer uit kwam, liep hij hem voorbij zonder zelfs maar zijn pas in te houden.

'Koz! Wacht even!' Finn zette het op een lopen. Kozlowski liep zonder iets te zeggen door. 'Koz! Wacht!' Finn haalde hem in en legde een hand op zijn schouder om hem af te remmen. Kozlowski draaide zich razendsnel om en de kolkende razernij in zijn innerlijk verscheen aan de oppervlakte. 'Shit, wacht nou even een seconde, oké?' Finn deed een paar stappen naar achteren om buiten het bereik van Kozlowski's vuisten te komen.

'Wat?' vroeg Kozlowski met een van woede vertrokken gezicht.

Finn keek achterom naar Lissa's kamer, en toen naar Kozlowski. 'Hoe lang al?'

Kozlowski was verrast door die vraag, en Finn kon zien dat hij het goed geraden had. Na een korte innerlijke strijd zei Kozlowski: 'Een week. Nog niet eens misschien.'

Finn blies zijn ingehouden adem uit en liet de implicaties daarvan tot zich doordringen. 'Dat is mooi,' zei hij even later. 'Dat is mooi voor jullie allebei.'

'Ja.'

Kozlowski keek dwars door hem heen. 'Ja, dat is helemaal geweldig.'

'Volgens mij zit dit je niet lekker hè?'

'Goed geraden. Ben je soms helderziend?'

Finn krabde op zijn achterhoofd. 'En wat nu? Wat ga je eraan doen?'

'Ik ga die klootzakken te grazen nemen. Tot op de laatste man. Heb je daar iets tegen?'

Finn dacht even na. 'Nee,' zei hij. 'Niet echt. Heb je een plan?'

Kozlowski schudde zijn hoofd.

'Mooi. Het belang van plannen wordt over het algemeen overschat.'
Kozlowski bleef hem strak aankijken.

'Prima,' zei Finn. 'Ik doe mee.'

Kozlowski knikte langzaam en liep naar de uitgang, maar nu wat langzamer.

'Volgens mij zijn al die heldere lijnen van jou verleden tijd, hè?' zei Finn.

'Die lijnen zijn nog steeds zo helder als wat,' zei Kozlowski. 'Maar deze mensen zijn er zojuist overheen gestapt.'

★★★

Het was tien uur voordat Jimmy terug was in East-Boston. Omdat hij te zenuwachtig was om in zijn huidige toestand een bus of taxi te nemen, had hij het hele eind gelopen. De wond in zijn schouder bloedde nauwelijks nog, al welde er zo nu en dan nog wel wat op, maar hij had flink wat bloed verloren. Hij had medische hulp nodig, en zonder Carlos zou hij die niet krijgen.

Hij liep om de pastorie heen en liep stilletjes door de open deur naast de garage de kelder binnen. Raul, een van Carlos' vertrouwenspersonen, zat daar al op hem te wachten. 'We zagen je aankomen over straat,' zei hij. 'Ik hoop dat niemand anders je gezien heeft. Je moet echt veel voorzichtiger zijn, vooral als we vlak voor een bestelling zitten.' Iets aan de manier van doen van de man maakte Jimmy nerveus, maar hij ging ervan uit dat dat gewoon de uitputting was, die zijn natuurlijke paranoia nog versterkte.

'Ik heb een dokter nodig,' zei Jimmy. Hij knikte naar zijn schouder en merkte ongerust dat hij zijn arm niet meer kon bewegen. 'Ik ben geraakt door een kogel.'

'Carlos zit boven, in zijn kerk.' Raul draaide zich om en liep naar de trap. 'Kom je?'

'Ik heb een dokter nodig,' zei Jimmy nog eens. Een stemmetje in zijn innerlijk zei tegen hem dat hij ervandoor moest gaan, maar hij was zo moe, en hij wist niet waar hij anders heen zou moeten.

'Carlos is boven,' zei Raul, terwijl hij gewoon doorliep, en na een korte aarzeling kwam Jimmy achter hem aan.

De kerk werd verbonden met de pastorie door een korte overdekte galerij, waar de twee mannen stilletjes overheen liepen, terwijl ze goed oppletten dat ze niet gezien werden door toevallige voorbijgangers. Carlos zat op zijn knieën voor het altaar – alleen maar een stenen verhoging, want het aartsbisdom had alles van waarde laten weghalen. Raul gebaarde naar Jimmy dat hij in de voorste rij moest gaan zitten, en liep toen de kerk uit, terug naar de pastorie. Jimmy bleef een paar minuten zitten. Hij dacht dat hij misschien bewusteloos zou raken, en hij overwoog zelfs om Carlos' meditaties te onderbreken, maar begreep ook wat een verschrikkelijk slecht idee dat zou zijn. Ten slotte tilde Carlos zijn hoofd op, sloeg een kruis en kwam overeind.

Hij draaide zich om en keek naar Jimmy. Het was duidelijk dat hij zich al die tijd van Jimmy's aanwezigheid bewust was geweest. 'Je bent weer terug,' zei hij.

'Ik ben neergeschoten. Ik heb een arts nodig.'

'Misschien heb je wel meer dan dat nodig,' zei Carlos met een ijzige stem. 'Ik heb begrepen dat de advocaat nog steeds leeft.'

Jimmy voelde een scheut van paniek door zijn borstkas gaan, en in zijn verzwakte toestand deed die adrenalinestoot hem hevig trillen.

'Inderdaad,' zei hij. 'De advocaat heeft weten te ontsnappen, maar hij is geen probleem meer.'

'Geen probleem meer? Hij leeft nog, maar hij is geen probleem meer? Dat is indrukwekkend. Heel indrukwekkend. Vooral omdat ik je duidelijk te verstaan heb gegeven dat die advocaat een probleem zou blijven zolang hij nog in leven was. Wil je soms zeggen dat ik het mis had?'

Jimmy wist dat hij heel zorgvuldig zijn weg zou moeten zoeken door het mijnenveld van Carlos' vragen. Als hij zei dat Carlos het mis had gehad, zou dat een rechtstreekse uitdaging zijn. Als hij zei dat Carlos gelijk had gehad, zou hij daarmee openlijk toegeven dat hij had gefaald. Net als alles wat de padre deed, was dit een manier om hem op de proef te stellen en hoe moe hij ook was, Jimmy zou alert moeten blijven om voor het examen te slagen. 'Ik heb een andere manier gevonden.'

'Een andere manier?' Carlos liet dat tot zich doordringen. 'Wat knap van je. Wat is dat voor een "manier"?'

'Ik heb hem een bericht gestuurd. Via een van zijn werknemers – een vrouw.'

'Je hebt hem een bericht gestuurd?'

'Een heel duidelijk bericht. We zullen geen problemen meer hebben met de advocaat.'

'Is dat zo? Weet je precies hoe de advocaat op jouw bericht zal reageren?'

'Ik denk van wel, ja.' Jimmy wilde rusten. Hij had een bonkende hoofdpijn en hij had inmiddels geen enkel gevoel in zijn arm meer.

'Denk je dat?'

'Ik weet het.'

'Welke van de twee is het?'

Jimmy zei niets.

'In zaken, net als in oorlog, is niets gevaarlijker dan onzekerheid. Jij bent eropuit gestuurd om deze situatie voor eens en voor altijd de wereld uit te helpen.'

'Ik geloof dat ik dat ook gedaan heb.'

Jimmy besefte dat hij zijn greep op het gesprek aan het verliezen was. Hij was aan het zakken voor het examen. Opnieuw kwam het bij hem op dat hij ervandoor moest gaan, maar hij wist dat het geen zin had. Hij had de kracht niet meer.

Carlos liep naar hem toe en ging naast hem in de bank zitten. 'Ik had hoge verwachtingen van je. Weet je dat?'

'Ja, padre,' zei Jimmy en hij merkte dat hij zat te huilen. 'Het spijt me.'

'Ik had heel hoge verwachtingen van je. Je bent geen Salvadoraan, maar ik dacht dat je sterk was. In sommige opzichten zag ik meer van mezelf in je dan ik ooit in iemand anders heb gezien. In sommige opzichten beschouwde ik je als een zoon. Ik heb ooit een zoon gehad, wist je dat?'

Jimmy schudde zijn hoofd, zodat de tranen die nu over zijn wangen liepen, even een paar kleine bochtjes maakten.

'Hij is weg. Hij is er niet meer, maar je deed me aan hem denken.'

'Padre, het spijt me zo…'

Carlos gaf Jimmy een klopje op zijn knie, en bracht hem daarmee tot zwijgen. 'Maak je niet druk. Uiteindelijk zijn we allemaal in Gods hand.'

Hij keek op naar het glas-in-loodraam dat oprees achter het altaar. Het ochtendlicht stroomde erdoorheen en wierp een veelkleurige gloed over Carlos zwaar getatoeëerde gezicht. Het effect daarvan was caleidoscopisch, en Jimmy voelde zich duizelig worden toen hij de man aankeek.

'Ben je gelovig opgevoed, Jimmy?'

'Nee. Mijn moeder was… ze was niet godsdienstig. Mijn vader was een Amerikaan.'

Carlos knikte begrijpend. 'Ken je het verhaal van Abraham?'

Jimmy schudde zijn hoofd.

'Abraham was Gods uitverkoren zoon. Gods dierbaarste zoon. Hij was de mens die God boven alle anderen liefhad. Maar toch wist God dat Abraham op de proef gesteld diende te worden. Hij moest zijn vertrouwen en zijn toewijding aan de Heer bewijzen. En dus stuurde God Abraham de bergen in en zei hem dat hij zijn oudste zoon moest meenemen.'

Carlos stond op, nam Jimmy bij de hand en liep met hem naar het altaar toe.

'God liet Abraham een groot altaar bouwen. Daarna zei hij tegen Abraham dat hij zijn zoon op het altaar moest leggen.' Carlos duwde Jimmy zachtjes op zijn knieën. 'En toen zei God tegen Abraham dat hij zijn zwaard moest nemen en zijn eigen zoon moest doden als teken van zijn gehoorzaamheid aan God.'

Carlos bracht zijn hand naar achteren, pakte een schuin tegen de muur gezette machete en bracht het lange mes omhoog totdat hij het hoog boven zijn hoofd hield. 'Abraham hief het zwaard en stond gereed om zijn eigen vlees en bloed te doden in de naam van God. Maar God zag dat Abraham zijn vertrouwen waardig was en toonde genade. Want toen Abraham zijn zwaard omlaag bracht, reikte de hand van God neer en hield het zwaard tegen, zodat zijn zoon gespaard bleef.'

Jimmy zat op zijn knieën en terwijl het licht door het glas-in-lood-raam naar binnen scheen, keek hij door zijn tranen naar Carlos op. In Jimmy's ogen leek de man een goddelijke verschijning.

'Dus voor ons tweeën is er vandaag eigenlijk maar één vraag.'

'Welke dan?' snikte Jimmy.

Carlos keek Jimmy rustig aan. 'Of God ons genadig zal zijn.' En met die woorden bracht hij de machete met een snelle gelijkmatige bewe-ging omlaag. Jimmy zag het mes komen en kromp in elkaar, zodat zijn bovenlijf vijftien centimeter naar achteren schoot. Die actie redde zijn leven, maar verder schoot hij er niet veel mee op. De machete zonk diep weg in het vlees van zijn linkerarm, vlak onder de schotwond. Het mes gleed door de spieren en sloeg het bot doormidden, zodat Jimmy's arm voor hem op het altaar viel.

'Nee!' schreeuwde Jimmy. Hij bracht zijn overblijvende hand omhoog en greep zijn losse arm vast. Alle redelijke gedachten verlieten hem. 'Nee!' schreeuwde hij nogmaals, en hij probeerde weg te rennen van het altaar, naar de kerkdeur toe. Al zijn gedachten waren gereduceerd tot een enkel woord: rennen!

Helaas was het altaar glibberig geworden van het bloed dat uit de wond onder zijn schouder gutste. Hij verloor zijn evenwicht, gleed uit en zakte weer op zijn knieën. Zijn afgehakte arm rolde weg over de vloer.

Carlos kwam achter hem aan. Hij stond nu naast Jimmy, die languit voor hem aan zijn voeten lag. Hij hield het mes met beide handen vast en bracht het weer omhoog.

Jimmy keek naar hem op. 'Nee, alstublieft!'

Carlos deed een stap naar voren en bracht het kapmes met een lage, stevige uithaal omlaag, zodat het Jimmy vlak onder zijn ribbenkast raak-te en zijn maag werd opengesneden. Jimmy keek omlaag en zag hoe zijn ingewanden op de vloer vielen. De stank was afschuwelijk. Hij probeer-de weg te kruipen, maar de bovenste en onderste helft van zijn lichaam waren niet langer in staat om met ook maar iets van coördinatie te func-tioneren; hij kon alleen nog maar heen en weer glibberen door zijn ei-gen ingewanden.

Carlos keek op hem neer. 'Het spijt me, Jimmy,' zei hij. 'God heeft geen genade meer over.' Hij bracht de machete opnieuw omhoog en Jimmy keek hulpeloos toe terwijl het kapmes op zijn hals af schoot. Hij kon niets doen en het mes raakte hem keurig in zijn keel, zodat zijn hoofd van zijn romp werd gescheiden.

Misschien toonde God toch wel enige genade, want Jimmy voelde nu helemaal niets meer.

32

Nadat ze het ziekenhuis uit waren gelopen stapte Finn in zijn auto en startte de motor. De sneeuwschuivers hadden inmiddels zulke hoge stapels sneeuw tegen het kleine autootje geduwd, dat het even had geduurd voordat ze het piepkleine wagentje terugvonden.

'Waar gaan we eerst naartoe?' vroeg Finn. 'Naar Macintyre? Die vormt waarschijnlijk de spin in dit hele web?'

'Waarschijnlijk wel,' zei Kozlowski instemmend. 'Maar het zal niet makkelijk zijn informatie uit hem los te krijgen; hij doet dit al veel te lang, en hij weet hoe het spel gespeeld wordt. Macintyre legt echt zijn kaarten niet op tafel als wij niet in staat zijn hem te overtroeven. En op dit moment hebben we niets wat we als inzet kunnen gebruiken.'

'Fornier dan? Dat is een doortrapte angsthaas. Een klein beetje druk en hij vertelt ons alles.'

'Zou kunnen. Maar dat is de tweede op onze lijst. Er is iemand anders die we eerst moeten spreken.'

'Wie dan?' Finn draaide de straat op, strekte zijn nek en keek zover mogelijk om de hoge bergen sneeuw heen en om niet het risico te lopen geramd te worden door achteropkomend verkeer.

'Madeline Steele.'

'Steele? Je zei toch dat die niet ging praten? Je dacht zelfs dat ze me in plaats daarvan zou neerschieten.'

'Dat doet ze misschien ook wel. Maar ík krijg haar wel aan de praat.'

Finn keek de privédetective zijdelings aan, maar Kozlowski's gezicht verried geen enkele emotie. 'Zou je me misschien willen vertellen wat je gaat zeggen, voordat we bij haar voor de deur staan?'

Kozlowski schudde zijn hoofd. 'Het is beter dat je het van haar hoort.'

Finn en Kozlowski reden naar het hoofdbureau van politie in Roxbury om met Steele te praten, maar kregen daar te horen dat ze een paar dagen vrij had genomen voor de kerst. Daarom reden ze naar de wijk waar Steele was opgegroeid en waar ze nog steeds woonde.

Het kleine flatje waar ze een appartement huurde, was vanaf de straat makkelijk te zien. In Southie stonden de huizen dicht op elkaar en dicht op de trottoirs, zodat er voor voetgangers maar weinig ruimte overbleef. Het ruimtegebrek was voor Steeles huis nog veel groter, want een lange betonnen helling met een ijzeren hekje erlangs leidde naar de voordeur.

Kozlowski belde aan en ze bleven geduldig staan wachten.

Twee minuten later zwaaide de deur open en Madeline Steele keek naar hen op vanuit haar rolstoel. Ze zag er heel wat minder intimiderend uit dan op het hoofdbureau van politie. Ze droeg een roze sweater en een paar leggings die goed lieten zien hoezeer haar benen geatrofieerd waren. In deze omgeving vond Finn haar meer op een hulpeloos klein meisje lijken dan op een stoere politiebeambte.

'Wat moeten jullie hier, verdomme, stelletje klootzakken?' zei ze boos. Hoezo hulpeloos klein meisje. Maar Finn meende onder dat stoere uiterlijk iets anders te bespeuren. Het leek op angst.

'We willen met u praten over Vincente Salazar,' zei hij.

'Ik heb u al gezegd dat ik genoeg gepraat heb.' Steele wilde de deur dichtslaan.

Finn stak zijn voet ertussen. De deur was van zwaar eikenhout en ontworpen om weerstand te bieden aan alles wat er in deze stedelijke omgeving maar op losgelaten kon worden en een ogenblik dacht Finn dat deze actie hem zijn voet zou kosten. Met een schreeuw sprong hij naar achteren. 'Au! Dat doet pijn!'

'Mooi zo.' Steele maakte aanstalten om de deur opnieuw dicht te gooien. 'Zet dan de volgende keer je voet er niet tussen.'

'Alstublieft,' zei Finn. 'We moeten weten met welk onderzoek u bezig was op de avond waarop u bent neergeschoten.'

'Ik was nergens mee bezig,' zei ze. 'Blijf verdomme bij me uit de buurt.' Ze trok de deur naar achteren en smeet hem toen met nog meer energie dicht.

Kozlowski ging in de deuropening staan, met zijn schouder naar voren. Zwaar schuddend en met een dof kreunend geratel kwam de deur tot stilstand en zwaaide toen weer terug. Kozlowski zag eruit alsof hij het niet eens gevoeld had. Hij bleef haar strak aankijken en de angst die Finn in Steele had opgemerkt, leek te groeien.

'Zoals deze man hier al heeft gezegd, Maddy, we moeten je spreken. Het blijkt dat de vingerafdrukken vals waren; dat kunnen we bewijzen. Je hebt een valse verklaring afgelegd voor de rechter. Jij en ik wisten dat al. Een onschuldige is de bak in gedraaid, en nu beginnen er andere mensen gewond te raken. Dat is niet goed.'

Terwijl hij dat zei, ging de angst op Steeles gezicht over in hevig verdriet. 'Nee,' zei ze zachtjes. 'Hij heeft het gedaan. Dat weet ik. Ze hebben het me verteld. Ik zie zijn gezicht nog voor me.' Het kwam eruit als een zacht gefluister, met weinig kracht en zonder overtuiging. En toen begon ze te snikken.

Kozlowski liet haar even huilen. Toen duwde hij de deur verder open, boog zich over haar heen en zei zachtjes: 'Het is hoog tijd dat we alles eerlijk opbiechten, Maddy.'

★★★

Madeline Steele voelde zich verslagen, en erger nog, verraden. Maar het ergste van alles was dat ze zich verantwoordelijk voelde. 'Hij zei dat Salazar de dader was. Hij zei dat ze vingerafdrukken hadden. Hij zei dat er geen enkele twijfel bestond.'

'Macintyre?' vroeg Kozlowski. 'Was hij degene van wie je hebt gehoord dat ze Salazars vingerafdrukken hadden?'

Ze knikte. 'Het was Mac. Hij was degene die contact hield met de eenheid Latente Vingerafdrukken. Hij was ook degene die het eerste deel van het bewijsmateriaal had verzameld.'

'Wat heeft hij dan precies gezegd?' vroeg Finn.

'Hij kwam naar mijn kamer in het ziekenhuis,' zei ze. 'Op een van de eerste dagen, ik weet niet precies meer wanneer. Een groot deel van de tijd was ik buiten bewustzijn, en als ik wel bij kennis was, zat ik zo vol met pijnstillers dat ik nauwelijks wist wat er gebeurde. Hij vertelde me dat ze de dader te pakken hadden, dat de vingerafdrukken klopten, maar dat de officier van justitie nog meer bewijsmateriaal zou willen. Hij zei dat de officier een ooggetuigenverslag nodig had. Toen haalde hij een foto van Salazar uit zijn zak, die tijdens zijn arrestatie genomen was, en zei dat ik eens goed moest kijken. Hij zei dat ik Salazars gezicht goed moest onthouden. Hij zei tegen me dat ik me moest herinneren dat dit het gezicht was van de man die me dit had aangedaan.'

'Maar daar was u niet zeker van?' suggereerde Finn.

Ze keek hem aan en staarde toen met een afwezige blik uit het raam. 'Ik weet het niet. Vijftien jaar lang is dat het gezicht geweest dat ik in mijn dromen voor me heb gezien. Als ik 's nachts snikkend wakker word, is dat het gezicht dat ik nog steeds voor me zie.'

'Maar…' zei Kozlowski. Het kwam er heel doelbewust en krachtig uit en bracht haar duidelijk van haar stuk.

'Maar toen ik werd aangevallen,' zei ze, 'heb ik zijn gezicht nooit gezien.' Het kostte haar duidelijk grote moeite om die woorden uit te brengen, en zodra ze dat had gedaan, bleven ze daar in de kamer liggen als een dood dier, als iets grotesks, iets waar je wel naar móést kijken, ook al wilde je het niet.

'Maar voor de rechtbank hebt u…' begon Finn.

Ze viel hem in de rede. 'Ze zeiden tegen me dat ze de dader hadden gepakt, en dat ze zeker wisten dat hij het was. Het klopte allemaal precies… Ik probeerde al een hele tijd die vent te laten uitzetten. Ik kon toch niet het risico lopen dat hij vrijuit zou gaan, of wel soms?'

Finn keek Kozlowski aan. 'Je wist het.' Kozlowski knikte en Finn liet zijn hoofd in zijn handen zakken. 'Je hebt het al die tijd geweten.'

Kozlowski zei niets.

'Hij is het pas te weten gekomen toen het proces voorbij was,' kwam Steele tussenbeide. 'Ik heb het hem maanden later verteld en hij zei tegen me dat ik daarmee naar de rechter moest stappen. Maar dat kon toch niet? Moesten ze dan de man die mij zo veel had afgenomen, vrijlaten? Moest ik dan dat hele proces opnieuw doormaken? Dat kon ik niet opbrengen.'

'Maar het was hem helemaal niet!' schreeuwde Finn. 'Hij was het niet, en jullie hebben hem allebei gewoon in de gevangenis laten zitten!'

'Dat kon ik niet weten,' zei Steele, die zich duidelijk in de verdediging gedrongen voelde. Maar het was duidelijk dat zelfs zij dat niet overtuigend vond klinken. 'Probeert u zich eens in mijn situatie te verplaatsen. Dat is ook wat ik tegen Kozlowski heb gezegd. Hij dreigde dat hij het aan andere mensen zou vertellen, maar ik zei tegen hem dat ik dan gewoon zou zeggen dat hij loog, en dat hij alle vrienden die hij ooit bij de politiemacht had gehad, onmiddellijk kwijt zou zijn. Dat was het einde van onze vriendschap.' Ze voelde zich misselijk worden. 'Het spijt me, Koz.'

De radiator in de hoek van de kamer gaf een piepend geluid, dat de afschuwelijke stilte echter alleen maar leek te onderstrepen.

'Waar was u destijds mee bezig?' vroeg Finn plotseling.

Ze keek Kozlowski aan.

'Wist je dat ook al?' vroeg de advocaat aan de voormalige politieman.

'Een klein beetje maar,' antwoordde Kozlowski. 'Niet de details.'

Finn richtte zijn aandacht weer op Steele. 'Nou?'

'Ik maakte deel uit van een gemeenschappelijke taakgroep van de politie en de IND. We joegen op illegalen. In de loop van mijn werk stuitte ik steeds weer op een nieuwe straatbende. Het was een bende die op dat moment net macht en invloed begon te krijgen in Boston en omgeving.'

'Laat me eens raden,' zei Finn. 'De VDS?'

Ze knikte. 'Ik kende ze destijds nog niet, maar de geruchten gingen dat zij degenen waren die een groot deel van de illegalen uit Zuid- en Midden-Amerika hiernaartoe smokkelden. Er werd beweerd dat ze een hele slavenhandel hadden opgezet.'

'Slavenhandel?'

'Ja, slavenhandel. Ze boden aan mensen Amerika binnen te smokkelen en vroegen daar meer voor dan die mensen zich konden veroorloven. Als bleek dat ze niet konden betalen, bood de bende aan om werk voor hen te vinden, maar zodra de mensen hier eenmaal waren, werden ze doorgestuurd naar allerlei schimmige bedrijfjes die niet genoeg betaalden om ze in staat te stellen hun schuld af te lossen. Uiteindelijk werden ze letterlijk slaven: de VDS ontving een aanbetaling van de werkgevers, plus een gestage stroom inkomsten uit de rente op de schuld. Het was een mooie handel.'

'Wat is er nadat u werd neergeschoten met het onderzoek gebeurd?' vroeg Finn.

'Dat is een stille dood gestorven. Ik heb meer dan zeven maanden in het ziekenhuis gelegen en toen ik eindelijk weer aan de slag kon, was de hele operatie afgesloten. De bende had vanuit een avondwinkel in Roxbury gewerkt, maar die was gesloten. Er waren geen aanwijzingen meer, en als die er wel waren geweest, had ik ze toen toch niet meer kunnen natrekken.'

'En daaruit hebt u nooit opgemaakt dat de VDS misschien verantwoordelijk is geweest voor die aanval op u?'

'Waarom zou ik? Voor zover ik wist, zat de man die me had neergeschoten in de gevangenis, en had hij nauwelijks banden met de VDS.'

Ze zaten met z'n drieën een paar minuten zwijgend tegenover elkaar. Toen stond Finn op. Bij de deur draaide hij zich om. 'Ik wil dat u dit allemaal in een beëdigde getuigenverklaring zet. Die haal ik dan later op de middag wel op.'

'Ik weet niet of ik dat wel kan,' antwoordde ze.

'Onzin. U doet het gewoon.'

'Ik zou mijn baan kunnen kwijtraken.'

'Door uw toedoen heeft een onschuldige man jarenlang zitten wegrotten in de gevangenis. Uw baan is op dit moment wel het laatste waar ik me druk om maak. U doet het uit vrije wil, en anders zorg ik dat er een aanklacht tegen u wordt ingediend. Dan bent u niet alleen uw baan kwijt, maar kunt u ook de gevangenis indraaien wegens meineed.'

Ze was daar duidelijk niet blij mee, maar ze knikte. 'Ik zal het doen.'

Kozlowski stond op en liep naar Finn. Toen hij zich omdraaide, vond ze het moeilijk om hem in de ogen te kijken.

'Zo te zien heb ik het verknald, Koz. Ik had naar je moeten luisteren.'

'We hebben het allemaal verknald,' zei Kozlowski. 'En nu is het tijd dat we dit gaan rechtzetten. 'Wij allemaal.'

Finn zat al in de auto, met de motor aan, en nadat Kozlowski zich moei-zaam op de passagiersstoel had laten zakken, gaf hij gas. Het autootje schoot snel de straat in.

'Drie weken,' zei Finn, en zijn stem sneed door de kou. 'Drie weken zijn we hier verdomme al mee bezig. Het is drie weken geleden dat Dobson voor het eerst naar ons toe kwam, en tien dagen geleden sinds hij in stukken is gehakt. En al die tijd is het nooit bij je opgekomen om tegen me te zeggen dat je wíst dat die man onschuldig was?'

'Ik wíst niet dat hij onschuldig was. Ik dácht dat hij schuldig was, en ik wíst alleen maar dat Maddy hem niet goed had gezien. Ik dacht dat die vingerafdrukken gewoon klopten.'

'Je had het me moeten vertellen. We werken samen aan deze zaak. En meer dan dat: ik ben je baas.' Kozlowski keek hem spottend aan. 'Oké,' krabbelde Finn terug, 'maar we zijn in ieder geval zakenpartners. Zoiets als dit kun je niet achterhouden voor een partner.'

'Ik kon het je niet vertellen.'

'Waarom niet?'

'Ik had haar mijn woord gegeven. Ik kan mijn woord niet breken.' Finn zuchtte. 'Al die regels van jou zijn allemaal onzin. Je doet net of ze gebaseerd zijn op een stel onaantastbare principes, die ergens zwart op wit staan, maar dat is helemaal niet zo. Dat is allemaal onzin.'

'Ik doe mijn best,' zei Kozlowski.

'De wereld bestaat uit grijstinten, Koz. Daar moet je mee leren leven.'

'Zou kunnen,' zei Kozlowski. 'Zoals ik al zei, doe ik gewoon mijn best.'

'Juist,' zei Finn. Hij zette de auto langs de kant van de weg.

'Wat doe je nou?' vroeg Kozlowski.

'Het dringt net tot me door dat ik geen idee heb waar we naartoe moeten. Wil jij bij Macintyre langsgaan? Eens kijken wat we uit hem los kunnen krijgen?'

Kozlowski schudde zijn hoofd. 'We hebben nog steeds niet veel be-lastend materiaal. Zelfs al is hij toen met Steele zijn boekje te buiten ge-gaan, dan zal hij nu toch beweren dat hij destijds te goeder trouw was. Tenzij we kunnen bewijzen dat hij verantwoordelijk is voor die valse vingerafdrukken, krijgen we nooit grip op hem. We hebben echt meer nodig om hem klem te zetten.'

'Fornier?' vroeg Finn. 'Dat is degene die zijn handtekening onder het onderzoeksverslag heeft gezet.'

'Fornier,' bevestigde Kozlowski. 'Maar nu nog niet. We moeten hem buiten het politiebureau te pakken zien te krijgen. Daarbinnen voelt hij zich te veilig. We moeten hem duidelijk maken dat hij níét veilig is, niet als het om deze zaak gaat. We moeten hem bang maken, dan krijgen we het hele verhaal uit hem los... Dat kan ik wel zo'n beetje garanderen.'

'Geweldig. En hoe zorgen we ervoor dat hij zich niet veilig voelt?'

Kozlowski haalde zijn schouders op. 'Er is eigenlijk maar één manier om dat te bereiken.'

'Dat dacht ik wel,' zei Finn, en hij draaide de straat weer op. 'Zo te horen worden die heldere lijnen van jou steeds grijzer en grijzer.'

33

Die avond om acht uur zat Fornier op een barkruk in een kroeg aan Columbus Avenue. Er waren maar twee andere klanten in het aftandse café, en die zaten aan het andere uiteinde van de zwaar gehavende houten bar en bemoeiden zich met hun eigen zaken. De barkeeper was een lange, stevig uitziende man van achter in de veertig, met gemillimeterd haar, een sikje en een stel verschoten zwarte tatoeages op zijn bovenarmen die Fornier herkende als afkomstig uit de gevangenis. De man was attent genoeg om Forniers glas telkens weer tijdig bij te vullen zonder opdringerig te zijn. Met zijn donkere ruiten, gele lampen en de scheuren in de zittingen van de krukken en stoelen leek het kroegje nog het meeste op de wachtkamer van de hel. Kortom, het was precies het soort omgeving waarin Fornier zich het beste thuis voelde.

Ooit had hij de voorkeur gegeven aan de lawaaiige drukte van de politiekroegen wat dichter bij het bureau. In die tijd had hij genoten van de kameraadschap van politiemensen onder elkaar en had hij er het leuk gevonden om tijdens een eindeloze reeks drankjes verhalen uit te wisselen met de andere politiemensen die daar stoom zaten af te blazen. Hij had zelfs met genoegen gezien hoe de jongere en steviger gebouwde agenten – grote, agressieve klompen in steroïden gedrenkte spierbundels – vrouwen aantrokken zoals gebedsgenezers kreupelen. Hij vond het altijd weer wonderlijk hoe sommige vrouwen onmiddellijk plat gingen voor die jongens, zonder ook maar enige aandacht te besteden aan de trouwring aan hun linkerhand, of het geweld dat duidelijk op hun gezicht te lezen stond. Het zou wel iets te maken hebben met de macht die ze uitstraalden, veronderstelde hij: het onoverwinnelijke gevoel dat je de wet wás, in plaats van onder de wet te moeten leven.

De vrouwen hadden zich natuurlijk nooit tot hém aangetrokken gevoeld. Met zijn smalle schouders en magere lijf was hij nauwelijks groot genoeg om een politiepenning te kunnen opspelden, hadden ze altijd weer gegrapt. Hij had zich zijn hele leven al een buitenstaander gevoeld, en hij was gaan drinken in een poging ook iets van het zelfvertrouwen te bemachtigen dat de mensen om hem heen schenen te voelen.

Die tijd was nu voorbij. Tegenwoordig was drinken voor hem een doel op zichzelf. Soms leek het wel het enige doel in zijn leven. Drank was het enige waar hij om gaf, en als hij zat te drinken, vond hij het alleen maar storend om mensen om zich heen te hebben.

Hij wurmde zijn portefeuille uit zijn zak en keek erin. Twee verfrommelde briefjes van tien en eentje van vijf staarden hem met treurige berusting aan. Langzaam maakte hij een rekensommetje; hij zat hier al vijf whisky's lang – hij telde de tijd niet meer in minuten, maar in borrels. Het waren allemaal goedkope merken geweest, en twee daarvan waren ingeschonken tijdens het *happy hour*. Hij had genoeg om de rekening te betalen, maar de barkeeper zou bepaald niet blij zijn met zijn fooi. Ach wat, dacht Fornier. De man had duidelijk een strafblad en bovendien had hij nog nooit een rondje gegeven.

Fornier legde zijn geld op de bar en stelde zich in op de weg naar huis. Hij woonde een paar kilometer verderop en hij probeerde uit te rekenen hoe lang hij erover zou doen voordat hij zich thuis een glas goedkope wodka zou kunnen inschenken. Als hij zich haastte, hoefde het niet al te lang te duren.

Hij deed tien stappen in de richting van Washington Street en tuurde naar de grond om niet in de half gesmolten sneeuwsmurrie te stappen waar zijn schoenen en sokken doornat van zouden worden. Hij sjokte nog met gebogen hoofd over straat toen de eerste vuist zich diep in zijn maag boorde, vlak onder zijn ribbenkast, zodat alle lucht uit zijn longen werd geperst.

★★★

Finn en Kozlowski keken toe hoe Fornier de bar uit stapte. Ze waren hem gevolgd sinds hij, toen zijn dienst erop zat, het bureau uit was gekomen en hadden meer dan twee uur in Finns auto zitten kleumen.

Kozlowski wachtte totdat Fornier langs een smal steegje kwam, liep toen naar de man toe en stompte hem hard in zijn maag. Fornier zakte onmiddellijk in elkaar en Kozlowski duwde hem het smalle steegje in, zodat ze vanaf de straat niet meer te zien waren. Finn liep snel naar ze toe.

'De zaak-Salazar,' zei Finn, terwijl Kozlowski de kleine en tengere politieman tegen een bakstenen muur duwde. 'Vertel ons alles wat je weet.'

Fornier stond nog steeds dubbelgevouwen, maar hij slaagde erin op te kijken en herkende zijn aanvallers. Er was zowel angst als woede op zijn gezicht te lezen. 'Fuck you!' spuwde hij, nog steeds hoestend.

Finn keek naar Kozlowski. 'Zo te horen moet hij nog een beetje aangemoedigd worden.'

Kozlowski gaf Fornier nog een stomp in zijn maag, maar deze keer wat harder. Forniers ogen puilden uit, en zijn tong hing blauwachtig en gezwollen uit zijn mond. Kozlowski stapte naar achteren, en gaf hem toen een harde stomp op zijn kaak, zodat het mannetje in elkaar zakte.

Fornier lag tegen de muur in een plas ijswater en spuwde een mondvol bloed uit. 'Ik ben politieman!' riep hij met iets van paniek in zijn stem. 'Dit kan je niet maken met een politieman!'

Finn liet zich voor hem op zijn hurken zakken, zodat hun gezichten zich bijna op hetzelfde hoogte bevonden. 'Jij bent een politieman die zijn badge heeft bezoedeld,' zei hij. 'Je hebt het recht op een speciale positie verspeeld. Door jouw toedoen zit een onschuldige man al vijftien jaar in de gevangenis.'

'Ik weet niet waar je het over hebt,' jammerde Fornier. Maar aan de blik in zijn ogen was duidelijk te zien dat hij loog. Kozlowski deed een snelle stap naar voren en gaf hem een harde schop in zijn zij, zodat hij opnieuw begon te piepen.

'Ik zal je even uitleggen hoe je er voorstaat, Fornier,' zei Finn. 'Je hebt niet alleen een onschuldige man de gevangenis in laten draaien, maar er ook voor gezorgd dat de schuldigen vrijuit gingen. En nu zijn die mensen, wie het ook mogen zijn, andere onschuldigen kwaad aan het doen. Een van de mensen die ze onder handen hebben genomen, is een goede vriendin van ons, en die ligt nu in het ziekenhuis. En om het voor jou nog beroerder te maken is het toevallig Koz z'n vriendin. Ik heb hem nog nooit zo boos gezien. Begrijp je dat? Op dit moment wil ik alleen maar van jou horen hoe alles nou precies in zijn werk is gegaan bij de zaak-Salazar. We weten dat je een oude vingerafdruk hebt gebruikt, die bij een eerdere gelegenheid is genomen, om Salazar aan te wijzen als de schuldige. En we weten ook dat dat wil zeggen dat de tweede vingerafdruk naderhand is aangebracht.'

Fornier keek van Finn naar Kozlowski en toen weer naar Finn. Zijn ogen waren groot en rond.

'Zo is het. We weten het allemaal. En we hebben een deskundige die dat voor de rechter wil bevestigen. Je bent erbij. We moeten alleen nog weten wie jou daartoe opdracht heeft gegeven.'

Het zag ernaar uit dat Fornier elk ogenblik kon bezwijken. Maar toen keek hij Finn strak aan en spuwde opnieuw een mondvol bloed uit. 'Fuck you,' zei hij nogmaals. Finn stond op en gaf Kozlowski een knikje.

Kozlowski bukte zich en trok Fornier omhoog. Het mannetje begon te schreeuwen van angst. Kozlowski greep hem bij zijn nek en duwde hem met zijn gezicht voorover in een meer dan twee meter hoge berg sneeuw en ijs die met een sneeuwschuiver tegen de muur was geschoven. Forniers gezicht zakte weg in de ijzige sneeuw, en doordat Kozlowski zijn hoofd er steeds dieper en dieper in duwde, was zijn geschreeuw al snel niet meer te horen. Hij kon geen lucht meer krijgen. In een poging om zich los te rukken, begon hij wild om zich heen te slaan en te trappen. Maar het had geen zin. De weinige kracht die hij nog had, was hij snel aan het verliezen.

Kozlowski trok hem uit de sneeuw, hield hem bij zijn nek omhoog, en draaide hem met zijn gezicht naar Finn toe. De man zag eruit als een half verdronken kat. Zijn neusgaten zaten vol met sneeuw en ijs, en terwijl hij weer op adem probeerde te komen, moest hij voortdurend spuwen en hoesten. Van uit een bijna tien centimeter lange snee in zijn voorhoofd – waarschijnlijk afkomstig van het scherpe ijs in de sneeuwmassa – liep het bloed in zijn ogen.

'Je ziet er niet uit, Fornier,' zei Finn. 'Wil je hier nou echt mee doorgaan?'

Het mannetje bleef maar hoesten en spuwen, maar antwoordde niet. Finn knikte opnieuw. 'Dan de sneeuw maar weer in,' zei hij en Kozlowski duwde Fornier opnieuw in de massa opgehoopte sneeuw.

'Nee! Alsjeblieft!' zei Fornier vlak voordat zijn hoofd opnieuw in de sneeuw werd geduwd.

'Zie je wel,' zei Finn. 'Ik wist wel dat je kon praten. Probeer volgende keer wat minder lang te aarzelen, dan hoef je misschien niet nog een keer met je hoofd daarin. Hij wachtte bijna dertig seconden en gaf Kozlowski toen een tikje op zijn schouder.

Toen hij opnieuw uit de sneeuw tevoorschijn kwam, was Fornier verslagen. Zijn gezicht had een blauwige kleur aangenomen, en een dun, waterig stroompje braaksel droop over zijn kin. 'Mac!' hoestte hij, terwijl hij met een pijnlijk harde klap op zijn knieën viel. 'Het was Macintyre, oké? Hij zei dat ik dat moest doen.'

'Waarom?'

'Ik weet het niet,' jammerde Fornier.

'Wil je er weer in?' vroeg Kozlowski, terwijl hij de man bij zijn kraag optilde en hem opnieuw naar de sneeuwbank duwde.

'Nee! Ik zweer het!' gilde Fornier, terwijl hij met de moed der wanhoop probeerde een volgende verstikkingsronde af te wenden. 'Hij zei dat Steele die vent geïdentificeerd had! Hij zei dat die vent vrijuit zou kunnen gaan als ik het niet deed! Hij zei dat ze er heel zeker van waren, en dat ze alleen maar wat bewijsmateriaal nodig hadden!'

'En je weet niet waarom ze Salazar hebben uitgekozen? Jij wist niet wat hier allemaal achter zat? Hou toch op,' zei Kozlowski.

Kozlowski hield Fornier nog steeds bij zijn kraag, zodat de man bijna boven de sneeuw bungelde. Te oordelen naar de doodsangst in Forniers stem zou Finn gedacht hebben dat hij boven een zwembad vol haaien hing. 'Ik zweer het bij God! Ik zweer het bij mijn moeder!'

'Zou je zweren op je drank?' vroeg Kozlowski.

Fornier zweeg even, heel even maar. 'Ja,' zei hij. 'Op mijn drank. Moge ik nooit meer een slok nemen als ik lieg. Mac heeft me verteld dat die vent het gedaan had. Hij zei dat Steele wist dat hij het was geweest. Ik had geen reden om daaraan te twijfelen. Ik dacht echt dat die vent schuldig was.'

Kozlowski keek naar Finn. Finn knikte en Kozlowski liet de man los. Fornier wankelde op zijn benen en deed twee stappen naar achteren, weg van Kozlowski, die nog steeds tussen hem en de straat in stond. Hij zag er nat en koud uit. Het bloed had zich vermengd met de smeltende sneeuw en een deel van zijn overhemd rood gekleurd, zodat het net leek of hij een roze slabbetje om had. Er zat een scheur in zijn jasje en zijn haar was nat en aan de voorkant platgedrukt.

'Wat nu?' vroeg hij zenuwachtig.

Finn dacht even na. 'Waar woon je?'

Fornier trilde. 'Een paar straten hiervandaan. Hoezo?'

'Omdat,' zei Finn, 'we daar nu met z'n allen naartoe gaan, en thuis ga je alles wat je ons zojuist verteld hebt, netjes opschrijven. En daarna zet je er je handtekening onder.'

'Nee.' Fornier schudde zijn hoofd. 'Mac maakt me af.'

Kozlowski greep de man opnieuw bij zijn revers en duwde hem hard tegen de bakstenen muur. Forniers hoofd sloeg tegen de harde, meedogenloze stenen. 'Luister goed, akelig onderkruipertje dat je bent,' zei Kozlowski. 'Door jouw leugens ligt de beste vrouw die ik ooit heb gekend in elkaar geslagen in een ziekenhuis. Iemand anders is met een machete tot hondenvoer gehakt, en onze cliënt loopt al meer dan tien jaar lang te ijsberen in een cel van twee meter tachtig bij drie voor een misdrijf dat hij niet begaan heeft. En dat alles omdat jij je werk niet goed hebt gedaan. Begrijp me niet verkeerd – jij kan me helemaal geen donder schelen. Maar als ik op dit moment in jouw schoenen stond, zou ik me minder ongerust maken over Mac, en heel wat meer over mij, begrijp je?' Kozlowski hield Fornier nog steeds tegen de muur gedrukt, zo hoog dat zijn voeten als die van een lappenpop in de lucht bungelden terwijl Kozlowski hem zo hard tegen de muur duwde dat hij geen adem meer kreeg.

Terwijl hij zijn uiterste best deed om bij bewustzijn te blijven knikte Fornier moeizaam en Kozlowski liet hem op de grond vallen. Toen hij het cement raakte, bleef de man daar in elkaar gedoken liggen.

Finn stapte naar hem toe en keek op hem neer. 'Kop op, Fornier,' zei hij. 'Neem maar van mij aan dat je je over Mac geen zorgen meer hoeft te maken.'

'Waarom niet?'

Finn keek naar Kozlowski en de voormalige politieman beantwoordde zijn blik. Er was geen enkele aarzeling in zijn ogen. 'Omdat,' zei Finn tegen Fornier, 'wij straks bij hém langsgaan.'

★★★

Finn las de verklaring door die Fornier in zijn flat had opgesteld. De man had twee keer opnieuw moeten beginnen, en al die tijd waren zijn handen blijven trillen. Pas met behulp van een tweede glas wodka was hij erin geslaagd iets leesbaars op papier te krijgen. Erg fraai geschreven was het nog steeds niet, maar het stond wel zwart op wit. Samen met de verklaring van Madeline Steele zou dat waarschijnlijk voldoende zijn om Salazar uit de gevangenis krijgen. Als je daar dan ook Smitties onderzoeksverslag over de vingerafdrukken en het verslag van het DNA-onderzoek bijvoegde, dat elk ogenblik kon binnenkomen, leed het vrijwel geen twijfel meer dat Salazar de kerst samen met zijn familie bij zijn broer zou doorbrengen.

Maar dat was niet genoeg meer. Het was te persoonlijk geworden.

'Het is waardeloos,' zei Kozlowski, die daarmee Finns overpeinzingen ruw verstoorde.

Finn keek naar Kozlowski. Ze zaten in Finns auto, die nog steeds voor Forniers flat stond. 'Wat?'

'Forniers verklaring. Die is niet onder ede afgelegd. En bovendien is die alleen maar gebaseerd op informatie uit de tweede hand. De rechtbank mag zoiets niet eens in overweging nemen.'

'Hij heeft een verklaring afgelegd waarmee hij zijn eigen belangen schaadt, en dergelijke verklaringen vormen een uitzondering op de regel dat indirecte informatie niet wordt toegelaten,' zei Finn. 'Rechter Cavanaugh zal die verklaring wel toelaten.'

'Fornier kan nog steeds beweren dat hij die verklaring onder dwang heeft getekend. Dat zou niet eens gelogen zijn; we hebben hem behoorlijk te grazen genomen.'

'Dat zou hij inderdaad kunnen beweren en daar zou hij gelijk in hebben, maar volgens mij doet hij dat niet. Ik heb hem dit alleen maar op schrift laten stellen om hem het gevoel te geven dat hij geen kant uit kan. Meer kunnen we onder deze omstandigheden niet doen en in ieder geval hebben we nu iets waarmee we Macintyre kunnen confronteren als die moeilijk gaat doen.'

Kozlowski krabde op zijn achterhoofd. 'O, reken maar dat hij moeilijk gaat doen. Weet je zeker dat je hierbij betrokken wilt raken? Misschien is het verstandiger als ik alleen naar hem toe ga.'

Finn startte de motor. 'Waar woont hij?'

'Oké,' zei Kozlowski. 'Maar denk eraan: ik heb je gewaarschuwd. Hij woont in Quincy.' Finn draaide de straat op en Kozlowski bukte zich en trok een .38-kaliber pistool uit een enkelholster. 'Hier, neem deze maar. Dat is mijn reserve-exemplaar.'

Finn keek even naar het pistool, nam het ding toen van hem over en duwde het in de zak van zijn jasje. 'Denk je echt dat het zo akelig zou kunnen worden?'

Kozlowski haalde zijn schouders op. 'Je weet maar nooit.'

34

Het huis van Macintyre lag vlak bij Wollaston Beach, in een rustige, traditionele wijk met keurige huisjes aan smalle, keurige straten. De bewoners waren over het algemeen hardwerkende, eerzame lieden, die dat minuscule deel van het politiek-maatschappelijke spectrum besloegen dat zowel katholieke, op de democraten stemmende vakbondsleden omvatte als republikeinse arbeiders die erg op traditionele gezinswaarden waren gericht. Het was geen wijk waarin onruststokers goed verdragen werden.

Macintyres huis was niet moeilijk te vinden. Zo te zien brandde er nergens licht – binnen noch buiten – en daarom viel het in een straat vol met vrolijke kerstverlichting erg uit de toon.

Finn zette de auto een paar honderd meter verderop. Kozlowski en hij stapten uit en liepen rustig over het trottoir totdat ze het ongeveegde pad naar Macintyres voordeur hadden bereikt. Finn was zich onprettig bewust van de revolver in zijn zak – zijn jas kwam daardoor nogal uit het lood te hangen – en hij vroeg zich af hoe iemand er ooit aan gewend kon raken zo'n wapen met zich mee te sjouwen. Ook wist hij niet zeker of het wel verstandig was geweest om het ding aan te nemen. Zijn harde jeugd in de straten van Charlestown lag al ver achter hem en hij dacht zonder veel heimwee terug aan het geweld uit zijn verleden.

Ze bleven zwijgend even op de veranda staan voordat Kozlowski zijn hand omhoog bracht en aanbelde. Het geluid kwam van diep in het huis: het was net een reusachtige boze bromvlieg, ruw en schel. Kozlowski wachtte een paar seconden en belde toen opnieuw.

Toen er werd opengedaan, trok hij bijna zijn pistool. Macintyre was zo veranderd dat Finn hem aanvankelijk niet herkende. Hij stond voor hen in een openhangende badjas, en daaronder droeg hij niets anders dan een nogal vlekkerige kakikleurige onderbroek en een dun T-shirt met gele plekken onder de oksels. Zijn hals en gezicht waren overdekt met dikke, onregelmatige stoppels.

Macintyre staarde hen aan, en er verscheen iets van herkenning op zijn gezicht. Toen draaide hij zich zonder ook maar een woord te zeggen om en liet de deur open terwijl hij doelloos weer zijn huis binnen sjokte.

Finn en Kozlowski liepen achter hem aan, allebei erg op hun hoede omdat ze bang waren voor een hinderlaag. Zodra ze zich echter in de woonkamer bevonden, nam die angst sterk af, want zo te zien was de man op dit moment niet in staat om op welke manier dan ook gevaarlijk te worden.

Het was duidelijk dat Macintyre het grootste deel van zijn tijd in zijn woonkamer doorbracht. Hier en daar stonden hoge stapels schots en scheef opgestapelde pizzadozen, en de salontafel werd geheel in beslag genomen door een verzameling bierblikjes en lege drankflessen.

Macintyre zat op de bank achter de salontafel, diep weggezonken in de zachte kussens. Kozlowski trok een stoeltje bij en ging aan de andere kant van de salontafel tegenover hem zitten. Finn bleef staan. Het enige licht in het vertrek was afkomstig van de televisie in de hoek; de Celtics speelden tegen de Lakers, en Finn merkte met een half oog op dat Boston tien punten achter stond.

'Heb je je pistool meegenomen?' vroeg Macintyre aan Kozlowski.

Kozlowski stak zijn hand in zijn jaszak, trok zijn pistool uit de holster en legde het voor zich op tafel. 'En dat van jou?'

Macintyre trok zijn dienstpistool uit de zak van zijn badjas, hield die omhoog en tuurde er aandachtig naar. 'Dit was mijn eerste,' zei hij. 'Ik heb het gekregen toen ik bij de politie ging. Zevenentwintig jaar geleden, dat is toch niet te geloven? Het is nog steeds het betrouwbaarste wapen dat ik ooit heb gehad. Zo was alles in die tijd, weet je nog wel? Solide. Betrouwbaar. Weet je dat nog?'

Kozlowski knikte. 'Dat weet ik nog, ja.'

'In die tijd wist je nog waar je aan toe was. De politie werd gerund door politiemensen, niet door die stomme bureaucraten, en wij, de agenten, waren de baas... We wisten hoe we een klus geklaard moesten krijgen, weet je nog wel? Wij zorgden ervoor dat de mensen veilig waren, en gaven de foute types flink op hun lazer. Het was simpel en het werkte. Het wilde zeggen dat je zo nu en dan de regels een beetje moest oprekken, maar dat hoorde gewoon bij het vak. Als je tegenwoordig een of andere dader zelfs maar even aanraakt, ben jij degene die de bak in draait. Dat is toch niet te geloven?' De man praatte maar door.

Kozlowski haalde een dictafoontje tevoorschijn, drukte op de opnameknop en legde het ding tussen hen in op tafel. 'Ik moet het opnemen,' zei hij. 'Dat begrijp je wel, hè?'

'Jij ook al?'

'We zijn hier om over Vincente Salazar te praten.'

Macintyre maakte een afwerend handgebaar. 'God wat is dat een ongelooflijke puinhoop geworden. Voor ons allemaal.'

Finn merkte op dat Macintyre nog steeds zijn pistool vasthield, en er zo nu en dan mee zwaaide om zijn woorden kracht bij te zetten.

'Inderdaad,' zei Kozlowski. 'Wil je me daar wat meer over vertellen? Wat is er verdomme allemaal gebeurd? Hoe heeft het ooit zo uit de hand kunnen lopen?'

Macintyre bracht de hand met het pistool omhoog en krabde met zijn wijsvinger even aan zijn hoofdhuid. Finn vroeg zich af of hij wel in de gaten had dat hij nog steeds zijn pistool vasthield.

'Wie hebben jullie gesproken?' vroeg Macintyre.

'Steele en Fornier,' antwoordde Kozlowski.

Macintyre knikte berustend. 'Dan weet je waarschijnlijk al zo'n beetje alles wat er maar te weten valt.' Hij keek Kozlowski lang en indringend aan, maar zonder woede. Er lag alleen maar verdriet in zijn blik. 'Ik heb altijd gedacht dat ze het mis hadden toen ze jou de dienst uit schopten, Koz. Ik dacht dat dat een verkeerde zet was. Shit, we hebben juist meer mensen zoals jij nodig, niet minder.' Terwijl hij dat zei, wees hij met zijn pistool naar Kozlowski. Finn stak zijn hand in zijn jaszak en pakte het pistool dat Kozlowski hem gegeven had stevig vast.

'Mensen zoals wij, wij maakten echt werk van ons werk,' ging Macintyre verder. 'Shit, mensen zoals wij wáren het werk.'

'Maar toch moet ik de rest weten,' zei Kozlowski. 'En ik moet het van jou horen.'

'Ja, ja, dat weet ik. Jij blijft altijd zakelijk, hè? Tot aan het bittere einde. Maar voordat we daaraan toekomen, kunnen we eerst beter wat drinken.' Macintyre leunde voorover en zocht op de tast tussen de flessen op tafel totdat hij een halflege fles Amerikaanse whisky had gevonden. Daarna zocht hij zorgvuldig twee vuile glazen uit, zette die voor zich neer en schonk ze tot aan de rand toe vol. 'Ik zou er ook wel een voor die vriend van je willen inschenken,' zei hij terwijl hij zonder op te kijken naar Finn knikte. 'Maar hij ziet eruit als een softie.'

'Bedankt,' zei Finn. 'Maar ik hoef niet.'

Mac pakte een van de glazen op en gaf dat aan Kozlowski. 'Waar drinken we op?' Hij glimlachte als een jakhals.

Kozlowski hield het glas omhoog. 'Op de waarheid, rechtvaardigheid en de Amerikaanse manier van leven?'

De glimlach verdween van Macintyres gezicht. 'Zullen we maar gewoon op het werk drinken?'

'Op het werk,' zei Kozlowski, en de beide mannen sloegen hun glas in één teug achterover. Kozlowski zette zijn glas neer en keek Macintyre strak aan. 'Nou, wat is er gebeurd?'

Macintyre leunde achterover tegen de bank en sloot zijn ogen. 'Ik weet niet eens meer hoe het allemaal begonnen is.' Hij wreef met de kolf van het pistool over zijn voorhoofd. 'Het begon allemaal heel klein, weet je? Die stomme allochtonen komen het land binnen in golven, weet je wel? Je kunt er niets tegen beginnen. Niet echt. Er zijn er gewoon te veel. Ze komen het land binnen en nemen een hoop ruimte in, en ze nemen banen in beslag, ze verkloten het hele systeem en ze betalen vrijwel geen belasting, zodat wij voor hen moeten betalen, zo is het toch? Maar het zijn er veel te veel om ze allemaal het land uit te schoppen; dat zou net zoiets zijn als proberen de oceaan leeg te scheppen met een theelepeltje. Dus je krijgt een kans om hier en daar een paar dollar aan ze te verdienen, en je denkt: ach, wat maakt het ook uit? Het is per slot van rekening niet alsof je echte Amerikanen oplicht.'

'Je liet je betalen,' zei Kozlowski.

'Ik kreeg heus niet veel van ze.' Macintyre lachte. 'In het begin van de jaren negentig begon de VDS illegalen het land binnen te smokkelen. Ze brachten ze de grens over, reden daarna het hele land met ze door en dumpten ze hier in Boston. Maar wat maakte dat nou eigenlijk uit? Shit, dit is toch het land van onbegrensde mogelijkheden? Dus ja, ik kreeg een deel van de opbrengst in ruil voor wat bescherming. Daar werd toch iedereen alleen maar beter van? Of niet soms?'

'Nee, dus,' zei Kozlowski.

Macintyre tuurde mismoedig naar zijn tafel. 'Inderdaad, nee dus. Bij deze figuren gaat dat niet op. Het zijn nare klootzakken. De naarste die ik ooit heb gezien.'

'Waarom smokkelden ze illegalen? Zouden drugs niet winstgevender zijn geweest?'

'Die komen er zelfs niet in de buurt. Begrijp me niet verkeerd: zo nu en dan brachten ze ook wel drugs het land binnen. En wapens. Maar het echte geld verdienden ze met mensensmokkel. Iedereen ten zuiden van de Amerikaanse grens die ook maar een beetje geld heeft, is bereid dat allemaal af te dragen in ruil voor een reisje naar het beloofde land. Godallemachtig man, de mensen daar moeten wel denken dat wij geld schijten en dat iedereen een dure auto cadeau krijgt alleen maar omdat hij hier toevallig woont. Ze doen een kleine aanbetaling en voor de rest van het bedrag neemt de bende genoegen met een schuldbekentenis. Als ze eenmaal in Boston zijn, doet de VDS ze over aan werkgevers die illegalen een schijntje betalen voor de kloterigste baantjes. De bende krijgt een aanbetaling van de werkgevers, en omdat die arme sloebers vrijwel niets verdienen, blijven ze maar rente betalen over het bedrag dat ze de VDS nog schuldig zijn voor de reis hiernaartoe. Zolang je mensen niet in de boeien sluit, is het niet mogelijk om nog dichter bij een toestand van slavernij te komen dan op deze manier... en als het zo uitkomt, gebruiken ze trouwens ook wel boeien.'

'Waarom gaan die immigranten er dan niet gewoon vandoor?'

Er verscheen een ernstige uitdrukking op Macintyres gezicht. 'Je hebt geen idee waar die klootzakken van de VDS toe in staat zijn. Niemand durft ze tegen zich in het harnas te jagen. Hun leider is een zieke klootzak die Carlos heet. Ze noemen hem de padre. "De vader" betekent dat, God nog an toe. Zijn hele lijf zit onder de tatoeages – ik zweer het, elke vierkante centimeter – en ik heb nog nooit zo'n ijskoude, gestoorde klootzak gezien. Een paar mensen hebben het geprobeerd. Ze zijn er gewoon vandoor gegaan. Een tijdje later zijn ze teruggevonden. Ze waren helemaal aan stukken gehakt, maar Carlos had hun hoofd met rust gelaten, zodat ze herkend zouden worden en alle anderen zouden zien wat er gebeurt met mensen die ervandoor gaan.'

'Wat is er met Steele gebeurd?' vroeg Kozlowski, terwijl hij zich naar de man toe boog.

Macintyre haalde zijn schouders op. 'Ze had gewoon pech. Er was niks aan de hand totdat ze bij die verdomde werkgroep van de IND werd ingedeeld. Ze wilde haar pappie met alle geweld laten zien wat een goede agent ze wel was, en ze kwam te dichtbij. Maar voordat zij kwam opdagen, ging iedereen ervan uit dat de illegalen hier op eigen kracht naartoe kwamen. Iedereen die van het bestaan van de VDS wist, deed alsof zijn neus bloedde. Maar zij niet. Zij begon in zaken te wroeten die haar helemaal niet aangingen. Volgens mij hebben ze besloten dat ze moest verdwijnen.'

'Denk je dat of weet je dat?'

'Denk je dat ze ooit tegenover mij zouden toegeven dat het hun werk is geweest? Maar ik wist het. En ik wist ook dat als het onderzoek ooit werkelijk resultaten zou opleveren, het spoor naar de VDS zou leiden, en naar Carlos. Carlos is niet het soort man die dat goed zou opnemen en in ieder geval zouden mijn contacten met de VDS dan aan het licht komen, en dan had ik op straat gestaan. Misschien was ik zelfs wel de bak in gedraaid. Ik moest in die tijd een ex en twee kinderen onderhouden; dat kon ik niet laten gebeuren.'

'En dus heb je Salazar ten onrechte laten veroordelen.'

'Ja. Ik wist dat Steele individuele illegalen toegewezen kreeg, met de opdracht ervoor te zorgen dat die uitgezet zouden worden. Ik keek eens wie dat waren en zag dat Salazar hoog op haar prioriteitenlijstje stond. En toen dacht ik: what the fuck? Salazar was net zo goed als wie dan ook. Dat maakte helemaal niets uit. Dus ik stapte naar Fornier en zei tegen hem dat Steele had verklaard dat Salazar het gedaan had, maar dat we die vent nooit te pakken zouden krijgen als we niet over de vinger-afdrukken beschikten. Toen Fornier zijn toverkunstje eenmaal had gedaan, ben ik met Steele gaan praten en heb haar gezegd dat we een vingerafdruk hadden gevonden die overeenkwam met de vingerafdrukken van Salazar, maar dat dat niet voldoende zou zijn als zij niet een getuigenverklaring zou afleggen. Meer hoefde ik niet te doen en hocus-pocus-pilatus-pas… De zaak was rond. Al mijn problemen waren in één klap opgelost, of niet soms?'

'Zo eenvoudig is het nooit,' zei Kozlowski.

'Het is vijftien jaar lang wel degelijk zo eenvoudig geweest. Alleen was het wel zo dat Carlos en zijn jongens nu meer belastend materiaal over mij hadden dan ik over hen, en het zijn geen verlegen en terughoudende jongens. Toen ze hun werkzaamheden steeds verder uitbreidden, wilden ze ook steeds meer en meer van mij, en daar kon ik helemaal niets tegen beginnen. En toen het allemaal om ons heen in elkaar stortte, besloten ze dat ze mij niet meer nodig hebben. Dus zit ik hier in het donker te wachten tot ze komen. Ik voel me een beetje zoals Butch Cassidy en de Sundance Kid, die zitten te wachten totdat het hele verdomde Mexicaanse leger het vuur op ze opent.'

'Het Nicaraguaanse leger,' zei Finn.

Macintyre keek naar Finn. Het was de eerste keer dat hij hem een blik waardig keurde. 'Waar heb je die mafkees vandaan?'

Kozlowski negeerde die vraag. 'Hoe zit het met Dobson?'

'De andere advocaat?' Macintyre liet zijn hoofd zakken. 'Ik heb hem gewaarschuwd, maar hij wilde niet luisteren. Op een of andere manier is hij erachter gekomen dat Carlos en zijn jongens hun hoofdkwartier hadden in een kerkje niet ver van Logan Avenue in East Boston. En hij is ernaartoe gegaan.' Macintyres gezicht zag nu krijtwit. 'Ik was erbij, Koz. Ik heb nog nooit zoiets gezien. Je kunt beter geen ruzie krijgen met die lui.'

'Zitten ze nog steeds in die kerk?' vroeg Kozlowski.

Macintyre knikte. 'Onder normale omstandigheden zouden ze inmiddels een andere plek als hoofdkwartier gekozen hebben, maar morgenavond komt er een grote zending binnen, en ze hadden niet genoeg tijd om een heel nieuw hoofdkwartier in te richten.'

'Een grote zending?'

'Ja, ze hebben hun smokkeloperatie uitgebreid. Vroeger brachten ze alleen maar doodgewone illegalen het land binnen, mensen die op zoek waren naar een beter leven. Maar de afgelopen paar jaar hebben ze ontdekt dat er ook geld zit in het smokkelen van Arabieren.'

'Terroristen?'

Macintyre haalde zijn schouders op. 'Ik weet het niet zeker. Ze dragen per slot van rekening geen uniformen, maar daar ga ik wel van uit.'

'En morgenavond brengen ze een stel van die mensen het land binnen?'

'Ja. Samen met een paar anderen die zo "gelukkig" waren om het geld bij elkaar te kunnen schrapen voor een enkele reis slavernij.'

Kozlowski dacht daar diep over na. 'Hoeveel handlangers heeft Carlos?'

'Dat weet ik niet precies,' zei Mac. 'Voor een zending heeft hij over het algemeen vier of vijf mannen bij zich.'

'Bewapend?'

'Zwaar bewapend.'

'Hoeveel illegalen zullen er zijn?'

Macintyre kneep zijn ogen halfdicht en deed zijn uiterste best om het zich te herinneren. 'Volgens mij waren het vier Arabieren en vijf of zes gewone sukkels.'

'Zijn de Arabieren gewapend?'

'Wat denk je? Carlos is wel bereid om zaken met die lui te doen, maar dat wil niet zeggen dat hij het goed vindt dat ze met wapens rondlopen. Zo slim is hij wel.'

Kozlowski staarde naar Macintyre alsof hij probeerde tot een besluit komen. Toen zette hij de dictafoon uit. 'Ik heb nog een vraag, Mac.'

'Heb ik je nog niet genoeg verteld dan?' Niet dat het ook maar iets uitmaakt. Ik ben toch al dood.'

'Voor mij maakt het wel uit,' zei Kozlowski. 'Heb je iets te maken gehad met de aanval op Lissa Krantz van gisteravond?'

'Wie?'

Kozlowski observeerde de man aandachtig en Finn besefte dat hij probeerde te zien of Macintyre loog. 'Lissa Krantz. Ze werkt met ons samen en is de afgelopen nacht aangevallen. Weet jij daar iets van?'

'Kijk eens om je heen, Koz,' zei Macintyre. 'Ziet het eruit alsof ik de afgelopen dagen veel de deur uit bent geweest?'

'Had jij daar iets mee te maken?'

'Nee.' Kozlowski keek de man nog een paar seconden strak aan en stond toen op.

'Wat nu?' vroeg Macintyre

'Nu gaan we de rommel opruimen die je gemaakt hebt,' zei Kozlowski terwijl hij naar de deur liep.

'Nee, ik bedoel wat gebeurt er nu met mij? Wat moet ik nou doen, verdomme? Ze komen achter me aan, dat weet je best.'

'Ja,' zei Kozlowski. 'Dat weet ik.'

'Ik kan niet naar de politie stappen.'

'Dat weet ik ook.'

'Dus wat moet ik nou, verdomme?'

Kozlowski wierp Macintyre een kille blik toe. 'Je hebt je eigen graf gegraven, Mac. Als ik jou was, zou ik daar maar vrede mee zien te krijgen.' Hij trok de deur open en keek toen nog even achterom. 'En Mac?'

'Ja?'

'Ik zou maar geen tijd meer verspillen.'

★★★

Walt Piersall liet de Schotse terriër van zijn vrouw uit in de rustige buurt waar hij woonde. Het vroor dat het kraakte en hij had er gloeiend spijt van dat hij het goed had gevonden dat zijn vrouw zo'n stom keffertje in huis haalde. Hij was te oud om nog met een plastic zakje in zijn hand in de vrieskou rond te sjouwen totdat het stomme beest eindelijk eens de moeite nam om te poepen.

Toen hij langs het donkere huis een eindje verderop in de straat kwam, zag hij twee mannen naar buiten lopen. Een van hen was een stevig gebouwde kerel met een hard gezicht, die een dunne regenjas om zijn lijf had getrokken, die heen en weer flapperde op zijn rug. De ander was lang, mager en goed gekleed, en minstens tien jaar jonger dan zijn metgezel. De manier waarop ze over het besneeuwde tuinpad sjokten en daarna over de stoep naar een oude Europese convertible liepen had iets onheilspellends. Walt keek toe hoe ze in de auto stapten en daar met elkaar bleven praten.

Plotseling klonk vanuit het huis de scherpe, onmiskenbare knal van een pistoolschot. Walt schrok zich wezenloos, en deed snel een paar kleine stappen naar het huis toe, zonder te merken dat hij een hondje achter zich aan sleepte. Toen bleef hij staan en bedacht zich. Hij was te oud om zich hiermee te bemoeien; hij zou de politie wel bellen vanuit zijn veilige keuken. Hij keek opnieuw naar de auto een eindje verderop. De twee mannen hadden inmiddels de motor gestart en de koplampen aangezet. Als ze het schot al hadden gehoord, schenen ze zich daar niet om te bekommeren. Toen zette de auto zich in beweging en reed het keurige straatje uit.

35

Finn en Kozlowski zaten in hun kleine kantoortje in Charlestown. Het sneeuwde weer en terwijl de inwoners van Boston zich hadden verschanst in hun knusse huizen en appartementen om daar te wachten tot het echt kerst zou worden, was er een diepe stilte over de stad neergedaald. Overal in de straat gingen in de vensters gekleurde lichtjes aan en uit, en uit veel gebouwen klonken de gedempte klanken van kerstliederen.

Finn zat aan zijn bureau en Kozlowski op een van de stoelen aan de vergadertafel. 'Je bent gek,' zei Finn.

'Zou kunnen,' antwoordde Kozlowski. 'Maar dat kan me niet schelen. Ik doe het gewoon.'

'Mac zei dat ze met z'n vijven zouden zijn. Zwaarbewapend. En dan had hij de nieuwe mensen nog niet eens meegerekend. Dat is toch een enorme overmacht? Of niet soms?'

'Ik ga,' zei Kozlowski eenvoudig.

'Ja hoor.'

'Zolang Carlos nog ademhaalt is Lissa in gevaar. En dat wil zeggen dat er helemaal niets te besluiten valt.'

'Wil je jouw leven geven voor het hare?'

'Dat ben ik niet van plan. Maar, ja, als het erop aankomt, zou ik inderdaad mijn leven voor haar willen geven. Daar hoef ik geen seconde over na te denken.'

Finn krabde nerveus aan zijn oor. 'We zouden het in ieder geval aan de politie moeten melden. Misschien kunnen we hier wel wat hulp bij krijgen.'

'Denk je dat de politie naar ons luistert? Voor de politie van Boston zou het veel beter zijn als we hier niet levend uitkomen. Dat geeft minder rommel om op te ruimen. En bovendien: die lui hadden Macintyre in hun macht en ze hebben hem zomaar opgegeven. Dat zouden ze nooit gedaan hebben als ze niet al een andere mol hadden. Als we naar de politie stappen, krijgen we zeker geen hulp en bovendien lopen we dan het risico dat Carlos getipt wordt. Denk je dat het er dan minder gevaarlijk op wordt?'

'Maar wat moeten we dan? Gewoon schietend naar binnen lopen?

'Nee, eerst mikken we. Schieten heeft alleen zin als je iemand weet te raken.'

'Grappig hoor. Reuze grappig.' Finn boog zich voorover totdat hij met zijn voorhoofd op het bureaublad lag. 'Hier hebben we verdomme een heel leger voor nodig. Dat snap je toch wel?'

'Zoals ik al zei: ik heb geen andere keuze.' Kozlowski stond op. 'Hoor eens, dit is jouw strijd niet. Je hoeft niet mee te gaan.'

Finn keek op. 'Dit is mijn strijd niet? Ze hebben mijn cliënt laten opsluiten. Ze hebben geprobeerd mij te vermoorden en ze hebben Lissa mishandeld, een van de weinige mensen op de hele wereld die zelfs maar een beetje beleefd tegen me is.' Hij dacht even na. '"Beleefd" is trouwens niet helemaal het juiste woord.' Hij nam de hoorn van de haak en toetste een nummer in.

'Wie bel je? vroeg Kozlowski.

'Ik probeer een leger voor ons te regelen.

36

Zaterdag 22 december 2007

'Hoeveel?' vroeg Linda Flaherty.

'Dat heb je me al gevraagd,' zei Finn. 'Al een paar keer.'

'En nu vraag ik het je nog een keer. Hoeveel?'

'Vijf, denk ik.'

'Vijf, denk je. Ik moet mijn hoofd eens laten nakijken.' Flaherty, Finn en Kozlowski zaten dicht op elkaar gepakt in een onopvallend bedrijfs-busje dat niet ver van St. Judes langs de stoeprand geparkeerd stond. Max Seldon, hoofd van het Bureau Homeland Security Boston zat voor in het busje een geweer te laden. Twee soortgelijke bestelwagentjes stonden op andere punten niet ver van de kerk: ver weg genoeg om discreet te blijven en dichtbij genoeg om als uitvalsbasis voor een zwaarbewapend arrestatieteam te kunnen fungeren.

'Dat zijn vijf van Carlos' mannen,' merkte Kozlowski op. 'Er zijn waarschijnlijk ook vier of vijf Al-Qaida-types en nog een stuk of zes Zuid-Amerikanen. Die Zuid-Amerikanen zullen waarschijnlijk geen probleem vormen, maar met de jongens van Osama weet je dat nooit zeker.'

Flaherty's gezicht betrok. 'We weten niet eens of ze lid zijn van Al-Qaida,' zei ze. 'We weten alleen maar dat ze hier niet horen te zijn. En volgens jou zouden ze ongewapend zijn.'

'Dat heeft Mac ons verteld.'

'Vlak voordat hij zich een kogel door zijn kop joeg?'

'Ja, zo ongeveer.'

Ze wreef in haar handen. 'Zoals ik al zei, ik moet me nodig eens laten nakijken. Wat denk jij ervan, Max?' vroeg ze aan de man die voorin zat. 'Jij kan de actie altijd nog afblazen.'

Seldon duwde nog een patroon in het geweer. 'Wat? En dan een uitje als dit mijn neus voorbij laten gaan? Ik dacht het niet.'

'Juist,' zei Flaherty. Ze draaide zich weer om naar Finn. 'Dus jij bent er zo goed als zeker van dat er maar vijf gewapende mensen bij zijn?'

'Vraag je me dat nou echt nóg een keer?'

'Maak het haar niet zo moeilijk,' zei Kozlowski. 'Dat hoort erbij.'

'Mij ergeren hoort erbij?'

'Ik weet niet of jullie nog steeds een relatie hebben!'

'Hoor eens,' zei Flaherty scherp. 'We houden de VDS al drie jaar in de gaten. Die klootzakken zijn echt levensgevaarlijk. Volgens onze informatie heeft meer dan de helft van alle terroristische cellen die actief zijn in de Verenigde Staten, deze mensen gebruikt om het land binnen te komen. Jij belt me om één uur 's nachts op en geeft me achttien uur de tijd om een operatie als deze op te zetten, en dat nog wel op een zaterdag drie dagen voor kerst. Nou, hier ben ik dan, maar we zijn maar met z'n zessen: Seldon en ik, plus de twee FBI-teams in de andere bestelwagens. Dat wil zeggen dat we veel te weinig mensen hebben voor zo'n razzia als deze, dus ik hoop dat je me niet kwalijk neemt dat ik de details telkens weer opnieuw doorneem.'

'Kun je niet meer agenten oproepen?' vroeg Finn.

'Niet op zo korte termijn. En niet als de enige informatie waarop we ons baseren, afkomstig is van een corrupte politieman die gisteravond zelfmoord heeft gepleegd, een advocaat die eropuit is iemand die veroordeeld is wegens poging tot moord op een politiebeambte weer op vrije voeten te krijgen, en een gewezen rechercheur die erop gebrand lijkt elke politiebeambte in heel New England tegen zich in het harnas te jagen. Als mijn chef erachter komt dat ik op grond van dergelijke informatie in actie ben gekomen, kan dat me mijn baan kosten. Seldon en de vier anderen hebben zich als vrijwilliger gemeld, als een persoonlijke gunst aan mij.'

Terwijl ze dat zei, hield Finn zijn ogen strak op haar gezicht gericht. Ze had nog steeds het vermogen hem te betoveren; alleen al het feit dat hij nu vlak naast haar zat, had een opwindende uitwerking op hem. Dat ze ook nog het vermogen had hem vreselijk te irriteren, maakte haar alleen maar aantrekkelijker.

'Jullie zijn met z'n zevenen,' zei Kozlowski.

Ze keek hem aan. 'Wat?'

'Ik ga met jullie mee.'

'Met zijn achten,' zei Finn.

Flaherty rolde met haar ogen. 'Koz, jij bent geen politieman meer. En jij Finn... Christus, jij bent zelfs nooit politieman gewéést. Goed, je hebt een crimineel verleden, maar, hé, wat kan ons dat schelen?'

'Toen was ik nog maar een kind,' merkte Finn op.

'Geweldig. Daar voel ik me nou echt een heel stuk beter door. Nee, jullie blijven hier. Alleen de politie mag hierbij betrokken zijn, en dat wil zeggen dat jullie je hier buiten houden.'

'Ik ga mee,' herhaalde Kozlowski. 'Jullie hebben geen keuze.'

Ze trok haar wenkbrauwen op. 'Nee?' Ze draaide zich om. 'Seldon, geef me je radio.' Hij gaf haar een radiozendertje aan. 'Blandis, Grossman, zijn jullie in positie?' zei ze in de microfoon.

Er kwamen een krakend geluid uit het zendertje, waarin met enige moeite twee stemmen die "Roger" zeiden, te herkennen vielen.

'Oké, we zijn in positie. Misschien breken we de missie af.' Ze keek Kozlowski aan. 'Jij mag het zeggen, Koz. Of je blijft hier, of ik trek onze mensen terug. Wat wordt het?'

Kozlowski keek haar woedend aan. Toen liet hij zijn hoofd hangen en spuugde op de metalen vloer van het bestelwagentje. 'Jij bent de baas,' zei hij. 'Ja, wat is de wereld toch veranderd.'

'Daar zeg je wat,' zei Finn.

Ze pakte het zendertje weer op. 'Oké, we gaan beginnen. Blijf alert.' Op dat moment staken twee middelgrote bestelwagens de kruising bij de kerk over.

'Iedereen, blijven waar je bent,' zei ze zachtjes. De bestelwagens reden het parkeerterrein van de kerk op en verdwenen toen achter het kerkgebouw, waar ze de garage onder de pastorie in reden. 'Het is zover,' zei Flaherty in de radio. 'Team twee, jullie benaderen het gebouw vanaf de achterkant; team drie, jullie nemen de toegangsweg aan de zijkant. Seldon en ik komen het terrein op langs de kerk. Doe allemaal jullie kogelvrije vesten aan; ik wil niet dat we per ongeluk elkaar overhoop schieten.'

De andere teams bevestigden dat ze haar bevel hadden ontvangen en daarna kwam er geen geluid meer uit de radio. Flaherty keek naar Seldon, die al een kevlar-vest had aangetrokken en daar nu een fel oranje hes waar met grote letters FBI op stond, overheen trok. Hij hield het geweer in de aanslag en knikte naar haar toe ze het achterportier open duwde. Flaherty stapte geruisloos uit de wagen en keek achterom naar Finn en Kozlowski. 'Ik meen het,' zei ze. 'Als jullie niet in de truck blijven zitten, laat ik jullie arresteren zodra dit allemaal voorbij is. Begrepen?'

Kozlowski zei niets.

'Wees voorzichtig,' zei Finn.

Ze sloeg het portier dicht en liep haastig de straat over in de richting van de kerk.

***

Flaherty bewoog zich geruisloos voort. De kerk stond op de hoek van een kruispunt. Links ervan stond een pakhuis dat van het kerkterrein werd afgescheiden door een hek van prikkeldraad. Er waren ooit bomen langs het hek geplant, waarschijnlijk in een poging de buurt wat minder op een industrieterrein te laten lijken, en langs de straatkant van het kerkterrein waren struiken geplant. Daardoor was een groot gedeelte van de kerk vanaf de straat niet te zien.

Dat maakte het moeilijk om het kerkgebouw te benaderen, maar op grond van de informatie waarover ze beschikte, vermoedde ze dat het grootste deel van de activiteiten plaatsvond in het achterste gedeelte ervan. Het viel natuurlijk niet uit te sluiten dat een bewaker het voorste gedeelte in de gaten hield, maar gezien het kleine aantal bendeleden waarmee ze te maken hadden, leek dat niet waarschijnlijk. Ze konden daar echter op geen enkele manier zeker van zijn en daarom slopen Seldon en zij gebukt door het struikgewas.

Fijn om Finn weer te zien.

Die gedachte kwam plotseling in haar op, onverwacht en onwelkom. Ze had al haar aandacht nodig voor de klus die ze voor de boeg had; haar eigen leven en de levens van haar manschappen hingen daarvan af. Het was niet het juiste moment om over haar persoonlijke leven na te denken.

Maar toch was het fijn om Finn weer te zien. Onwillekeurig moest ze dat toegeven. Ze had niet beseft hoezeer ze hem had gemist totdat ze naast hem zat, en nu werd ze plotseling overspoeld door gevoelens die ze al die maanden onderdrukt had. Plotseling vroeg ze zich af of het wel zo'n goed idee was geweest om haar hele leven hier in Boston op te geven en naar Washington te verhuizen. Het leven bestond per slot van rekening niet alleen maar uit politiewerk.

'Ben je klaar?' fluisterde Seldon.

Ze zette alle gedachten aan Finn van zich af. 'Vooruit,' zei ze. 'We gaan langs de linkerkant. Over het speelterrein.'

En toen liepen ze gebukt door het struikgewas. De volle maan wierp een helderblauw schijnsel over de ononderbroken strook wit tussen hen en de voorkant van het kerkgebouw. Zodra ze die overstaken, hadden ze in ieder geval voor een paar seconden geen enkele dekking meer.

Flaherty en Seldon bevonden zich ter hoogte van de voorgevel van het kerkgebouw. Ze knikten naar elkaar en renden zo snel ze konden naar de hoek van het gebouw. Ze hadden hun wapen in de aanslag en speurden aandachtig het terrein af op iets wat erop zou wijzen dat ze waren opgemerkt. Het zag er verlaten uit en voelde ook zo aan, en het duurde maar een paar seconden voordat ze werden verzwolgen door de schaduw van het kerkgebouw. Moeizaam baanden ze zich een weg door de sneeuw totdat ze met hun rug tegen de muur stonden. Flaherty ge-

baarde naar Seldon en met zijn tweeën renden ze langs de zijmuur van
de kerk naar de plek waar de drie gebouwen elkaar bijna raakten. Ze
hadden nog steeds niemand gezien, en dat voelde niet goed. Helemaal
niet goed. Maar ze hadden geen andere keuze meer. Ze waren hiermee
begonnen en nu moesten ze het afmaken.

Terwijl ze zich schuilhielden om de hoek van het kerkgebouw knikte
Flaherty naar Seldon. Samen renden ze over de galerij die de kerk verbond met de pastorie, en liepen daarna snel om het huisje heen naar de
garage onder hen.

★★★

'Je blijft hier toch niet?' vroeg Finn.

'Nee,' zei Kozlowski terwijl hij zijn pistool controleerde en weer in
de holster duwde.

'Dat had ik ook niet verwacht.' Finn trok het pistool dat Kozlowski
hem gegeven had en keek ernaar. Het was jaren geleden sinds hij een
schot had gelost.

'Jij kunt wel hier blijven,' zei Kozlowski. 'Ik ben een grote jongen.'

'Ik ga mee,' zei Finn. 'En jij bent niet degene om wie ik me ongerust
maak.'

'Flaherty?'

'Nee, Seldon. Het lijkt me een aardige man.'

Kozlowski liet een vreugdeloos gegrinnik horen. 'Hij had geen
trouwring om. Ik weet zeker dat jullie samen heel gelukkig zullen worden.' Hij schoof het zijluik van het bestelwagentje open en stapte de
nacht in.

Finn haalde diep adem en volgde hem.

★★★

Kozlowski volgde de voetsporen die Flaherty en Seldon hadden achtergelaten in de sneeuw. Hij liep gebukt en geruisloos, net als zij. Achter zich
hoorde hij Finn binnensmonds vloeken toen hij over een kei op het kerk-
plein struikelde. Toen hij de voorkant van het kerkgebouw had bereikt,
bleef Kozlowski gehurkt naast het gebouw wachten tot Finn hem had ingehaald. Even later liet Finn zich naast hem in de sneeuw zakken, waarbij zijn schouder tegen de muur sloeg en hij een licht gekreun liet horen.

'Nog steeds last van je arm?'

'Alleen als ik wakker ben,' antwoordde Finn. 'Het gaat prima. Met al
die pijnstillers en al die angst merk ik er bijna niets meer van.'

'Jij blijft hier,' zei Kozlowski.

'Wat?' zei Finn. 'Waarom?'

'Dit is politiewerk, Finn. Jij bent geen politieman.'

'Jij ook niet.'

'Dat ben ik wel,' zei Kozlowski rustig. 'Dat ben ik altijd geweest en dat zal ik ook altijd zijn.'

Finn keek hem aan. 'Dus jij wilt dat ik blijf wachten?'

'Wil je iets nuttigs doen? Kijk dan even in de kerk of daar geen mensen zitten die ons in een hinderlaag willen laten lopen. Ik heb geen zin om met die lui daar af te rekenen en dan overhoop geschoten te worden, net als ik denk dat het allemaal achter de rug is.'

Finn blies zijn ingehouden adem uit en keek peinzend naar de rookpluim die dat opleverde. 'Best,' zei hij. 'Maar zodra ik er zeker van ben dat de kust veilig is, kom ik achter je aan om je te helpen.'

'Prima,' zei Kozlowski. 'Mooi zo. Ik reken op je. Maar wees voorzichtig. Als jij wordt doodgeschoten, moet ik een nieuw kantoor zien te vinden. En ik hou niet van veranderingen.'

'Wat ben je toch een aardige man,' zei Finn.

★★★

Haastig liep Finn de hoek om naar de voorkant van het kerkgebouw. Kozlowski had niet helemaal ongelijk gehad; Finn was geen politieman en was dat ook nooit geweest. Dit was politiewerk, hield Finn zichzelf voor, en op dat gebied beschikte hij over geen enkele ervaring. Hij wist dat hij waarschijnlijk weinig hulp zou kunnen bieden bij de inval, en dat hij de anderen zelfs voor de voeten zou kunnen lopen. Maar toch vond hij het niet prettig dat Kozlowski hem daar zo nadrukkelijk op had gewezen, en het idee dat hij niet in staat zou zijn om een beetje op Linda te passen, beviel hem nog veel minder.

Finn duwde tegen de voordeur van de kerk en tot zijn verrassing zwaaide die met een zacht krakend geluid open. Hij klemde zijn hand stevig om de kolf van Kozlowski's pistool, stak zijn arm naar binnen en zwaaide die in het donker heen en weer. Dat sloeg eigenlijk nergens op, want hij zag geen hand voor ogen, maar op een of andere manier voelde het veiliger om het vuurwapen de weg te laten wijzen.

Hij sloop de kerk binnen en liet de deur achter zich dicht vallen. Het was pikdonker en hij voelde zich volkomen verloren. Met zijn rug naar de deur begon hij voorzichtig met zijn armen te zwaaien. Zo liep hij langzaam het gebouw binnen. Zijn ogen raakten langzaam gewend aan het donker en overal om zich heen zag hij silhouetten opdoemen, al bleven de details voor hem verborgen. Voor zich zag hij een paar dikke gordijnen die de ingang afscheidden van de rest van het kerkgebouw. Het gordijn was helemaal dichtgetrokken, zodat het weinige maanlicht dat misschien door de kerkramen naar binnen scheen, hier niet kon doordringen. Aan zijn rechterhand zag hij een trap naar het balkon achter in de kerk.

Toen hij naar links keek, ving hij daar een glimp op van een lange gestalte die aan de andere kant van de muur stond, met zijn arm opgeheven, terwijl hij zijn pistool recht op Finns hoofd gericht hield. Finn gaf een schreeuw en liet zich plat op de grond vallen, rolde naar rechts en kwam op één knie overeind. 'Staan blijven!' brulde hij. 'Laat dat pistool vallen!'

De ander vertrok geen spier en bleef zijn pistool recht op Finn gericht houden. Finn wachtte niet langer dan een paar seconden voordat hij twee keer achter snel elkaar een schot loste. Tot zijn genoegen merkte hij dat hij nog steeds goed kon mikken, zelfs in het donker, zelfs na al die jaren, want hij kon zien dat de twee kogels de man recht in zijn borst raakten. De man zwaaide twee keer heen en weer, nog steeds met zijn pistool in de aanslag, en sloeg toen met een stijve beweging tegen de vloer. Toen zijn lichaam de tegels raakte, gaf dat zo'n enorme dreun dat de hele kerk ervan trilde, en onder Finns ogen viel de man in drie stukken uit elkaar.

Verward stond Finn op en liep voorzichtig naar de man toe die hij zojuist had neergeschoten. Toen hij naast hem neerknielde, zag hij het gezicht, uitgehakt in steen, met ogen vol hoop en medelijden. Om zijn schouders hing een granieten sjaal met een inscriptie erop. ST. JUDE THADDEUS: 'HIJ TOONT ZICH GAARNE BEREID OM TE HELPEN.' Toen hij aandachtiger keek, zag Finn dat het standbeeld zijn arm opgeheven hield om allen die de kerk betraden zijn zegen te geven.

Terwijl Finn over het gebroken lichaam van de schutspatroon van verloren zaken gebogen zat, fluisterde hij tegen zichzelf: 'Shit, dit kan geen goed teken zijn.' En een paar seconden later hoorde hij een enorm salvo van schoten vanuit de pastorie achter het kerkgebouw.

37

Linda Flaherty zat in elkaar gedoken achter een rij struiken die het lage dagverblijf afscheidden van de pastorie en tuurde naar de inrit van de ondergrondse garage. De groenpartijen rondom het perceel zorgden ervoor dat die vanaf de straat niet te zien was, maar van hieruit had ze duidelijk zicht op de garagedeuren. Een zwak licht scheen op de rand van de inrit, en in de garage stonden een stuk of twaalf mensen onrustig in enkele kleine groepjes bij elkaar. Voor zover ze kon zien waren het drie groepjes. Het eerste was voor haar het minst van belang: drie nogal verfomfaaide vrouwen, een uitgemergelde jongeman en twee meisjes die niet ouder dan zeven of acht konden zijn. Ze stonden angstig achter in de garage en werden nonchalant bewaakt door een ruig aandoende man van halverwege de twintig. De man was getatoeëerd en had een automatisch geweer in zijn handen. Die mensen waren duidelijk precies wat ze leken: angstige en hulpeloze vluchtelingen, zojuist gearriveerd in een land waarvan ze dachten dat het een oord van onbegrensde overvloed en mogelijkheden was.

De tatoeages van de man die hen bewaakte maakten duidelijk dat hij bij de tweede groep behoorde: de vds-strijders. Die waren met z'n vijven, allemaal zwaarbewapend. Ze liepen arrogant heen en weer op de inrit en hielden duidelijk toezicht op de hele operatie. Een van hen, een oudere man – mager, pezig en volkomen bedekt met tatoeages – stond hen rond te commanderen en de vier anderen deden zonder aarzelen of vragen te stellen wat hun gezegd werd.

De derde groep interesseerde haar het meest. Ze waren met z'n vieren, allemaal mannen, maar niet zichtbaar bewapend. Ze hadden alle vier een donkere, olijfkleurige huid en een dikke, zwarte baard. De langste van hen leek de leider, en hij overlegde op voet van gelijkheid met de vds-commandant. Zijn stem was zelfs waar Linda zat nog te horen, en hij had een zwaar Arabisch accent. De vds-leden bewaakten deze groep op een heel andere manier dan de vluchtelingen. Hoewel de vds-mannen hen leken te behandelen met een soort zakelijk respect, voelden de twee groepjes duidelijk een zekere argwaan tegenover elkaar.

Snel keek ze even naar Seldon, die samen met haar verscholen zat in het struikgewas. Ze knikte naar hem. Het was zover. Dit was waar ze op gehoopt hadden. Ze wist dat de vier andere federale agenten zich verspreid zouden hebben langs de randen van het perceel, net uit het zicht. Het was perfect. Ze hadden hun verdachten in een positie van waaruit ze een kruisvuur konden openen, en wat nog belangrijker was: ze hadden het voordeel van de verrassing. Te oordelen naar de manier waarop de mannen hier rondhingen, hadden ze geen idee dat er elk ogenblik een inval kon plaatsvinden, en zolang dat zo bleef zou deze operatie een succes worden.

Ze stak haar gebalde vuist op naar Seldon en gaf hem daarmee een teken dat ze gereed was. Over een paar seconden zou het allemaal voorbij zijn.

Op dat ogenblik hoorde ze de schoten. Twee harde, scherpe knallen vanuit de omgeving van de kerk, die met een zinderende helderheid de stilte verbraken. Ze kromp in elkaar en haar hart sloeg plotseling twee keer zo snel toen ze zag hoe iedereen onder haar plotseling zijn wapen in de aanslag bracht en snel naar de beschutting van de garage rende.

Nu waren ze niet langer in het voordeel, besefte ze. De operatie, die een snelle en eenvoudige tegenactie had kunnen worden, was plotseling veranderd in een belegering. Ze vloekte binnensmonds. Toen stond ze op van achter het struikgewas, bracht haar pistool in de aanslag en riep met luide en heldere stem: 'FBI! Leg jullie wapens neer!'

★★★

Kozlowski liep op zijn gemak langs de pastorie toen hij de eerste twee schoten hoorde. Hij keek op naar de kerk, die door het donker boven de andere twee gebouwen van het complex uit leek te torenen.

Finn!

Kozlowski had zich niet eerder zorgen gemaakt om het feit dat de advocaat geen politie-ervaring had. Finn was slim en nuchter, en Kozlowski had gezien hoe hij onder druk reageerde. Hij wist dat Finn de juiste persoon was om bij je te hebben in vrijwel ieder gevecht. Behalve nu. In dit gevecht had Kozlowski maar één doel: Carlos doden. Kozlowski kon niet terug naar Lissa gaan en haar vertellen dat de man die haar door een hel had laten gaan nog steeds in leven was. En als het zijn eigen leven zou kosten om Carlos te doden... tja, zijn leven had uiteindelijk altijd al om opoffering gedraaid.

Finn zou het niet begrijpen, en zelfs als hij dat wel zou doen dan wilde Kozlowski hem er niet bij betrekken. Het was zijn opoffering, niet

die van Finn, en daarom had hij Finn naar de veiligheid van de kerk gestuurd.

Toen hij de schoten hoorde, voelde Kozlowski zich vreselijk. Terwijl
hij zijn persoonlijke vete wilde uitvechten had hij Finn een hinderlaag
in gestuurd. Hij deed twee stappen terug naar de kerk, keek toen beslui-
teloos weer naar de garage beneden. Voor hij de kans kreeg om zijn mogelijkheden na te gaan hoorde hij Flaherty's stem: 'FBI! Leg jullie wapens
neer!'

Enkele seconden later begon het vuurgevecht pas echt.

★★★

Flaherty had daar nog geen twee seconden gestaan toen een spervuur
van schoten de struiken voor haar aan flarden reet. Ze liet zich plat voorover vallen en klauwde met haar handen door de sneeuw terwijl ze probeerde zich nog dieper de grond in te werken. Had ze maar een plek gekozen die wat meer dekking bood, maar daar viel nu niet veel meer aan
te doen.

En bovendien, ze had er alle vertrouwen in dat dit vuurgevecht niet
lang zou duren. De eerste twee schoten hadden de aandacht van degenen onder haar op de inrit en in de garage op de kerk gericht, en met
haar geroep had ze ervoor gezorgd dat hun aandacht op het kinderdagverblijf werd gevestigd. Dat zorgde ervoor dat de inrit vrij bleef, en ze
wist dat andere agenten daar zonder aarzelen gebruik van zouden
maken.

Ze draaide haar hoofd, tuurde door het struikgewas voor haar naar de
inrit en slaakte een zucht van opluchting toen ze zag dat ze het bij het
rechte eind had gehad. Drie van haar mannen liepen snel over de inrit
naar beneden en naderden de VDS-leden van achteren. Ze namen niet
eens de moeite zich bekend te maken, maar legden aan en schoten twee
van de schutters zonder enige waarschuwing neer.

Nog drie, dacht Flaherty terwijl ze de plotselinge pauze in de beschie-
ting gebruikte om overeind te komen en Seldon te wenken dat hij met
haar mee moest komen. Zolang de Arabieren niet gewapend waren – en
ze kon zich niet voorstellen dat de VDS een stel terroristen van Al-Qaida
zou bewapenen, hoeveel ze ook betaald kregen om die lui het land
binnen te smokkelen – was het twee tegen een.

Terwijl Seldon en Flaherty de heuvel af liepen naar de inrit, kon ze
zien dat andere FBI-agenten al verder oprukten. Ze waren nu op alle vier
de plekken en probeerden het de bendeleden onmogelijk te maken zich
terug te trekken in de garage. Want dat was waar de terroristen en de

bendeleden op uit waren; ze probeerden zich terug te trekken om zich beter te kunnen verschansen. Achter hen zag Flaherty de vluchtelingen in elkaar gedoken bij elkaar in een hoekje zitten. Ze probeerden wanhopig dekking te zoeken en de strijdende partijen niet voor de voeten te lopen. De terroristen waren ongewapend en leken op zoek te zijn naar een manier om zich in de strijd te mengen, maar waarschijnlijk wisten ze uit eigen ervaring hoe weinig je met keien en stokken tegen moderne politiewapens kon uitrichten.

Flaherty hoorde Carlos, de leider, iets roepen in het Spaans, en een van de twee resterende vds-soldaten rende vanuit de garage naar voren en stak zijn hand op om de garagedeuren dicht te trekken. Flaherty liet zich op een knie zakken, loste snel twee schoten en raakte de man recht in zijn borst, zodat hij languit achterover sloeg. De garagedeur zakte halfdicht en bleef toen hangen. De man was er niet in geslaagd de deur helemaal te sluiten, maar de vuurlinie was gedeeltelijk geblokkeerd, en dat zou de belegering nog moeilijker maken.

Flaherty en Seldon sloten zich aan bij de andere agenten die dekking hadden gezocht achter de bestelwagens en de garagedeuren nu vol gaten schoten. 'Zijn er nog maar twee?' riep ze om haar telling te laten bevestigen.

'Volgens mij wel, riep een van de andere agenten terug. 'Maar dat weten we natuurlijk nooit zeker.'

'Goed,' zei ze. 'Maar voorzichtig met schieten. Als het even kan, willen we ze gevangen nemen. Lijken zeggen niet veel.'

'Ja hoor,' zei de agent. 'Als je dan ook kunt vertellen hoe we voorzichtig moeten zijn met schieten zonder zelf overhoop geschoten te worden, hoor ik dat graag van je.'

Ze dacht even na. 'Jullie blijven hier en zorgen ervoor dat ze de garage niet uit kunnen.' Ze keek naar Seldon. 'Denk je dat dit je geluksdag is?'

Hij lachte haar moedig toe. 'Ik heb altijd geluk.'

'Mooi. Kom mee.

★★★

Carlos stond met de lange Syriër te praten toen de eerste twee schoten klonken. De man noemde zich Hassan, maar Carlos wist dat het zijn echte naam niet was. Die was hij al meer dan tien jaar eerder kwijtgeraakt en zijn sponsors hadden hem van een uitstekende dekmantel voorzien, zodat het vrijwel onmogelijk was zijn spoor terug te volgen of zelfs maar te achterhalen wie hij werkelijk was. Niet dat het Carlos ook maar iets kon schelen met wie hij te maken had. Hassan was bereid te betalen voor diensten die de VDS kon leveren, en als het erop aankwam, geloofde Carlos in het rauwe kapitalisme. De twijfels die hij koesterde over deze operatie, voor zover daar sprake van was, hadden te maken met de sterk toegenomen risico's die het over de grens smokkelen van mensen als Hassan en zijn medewerkers tegenwoordig met zich meebracht. De smokkeloperatie die de VDS inmiddels al weer bijna twintig jaar geleden had opgezet, was erg winstgevend, en soms vreesde Carlos dat hij het risico liep dat allemaal te verliezen. Maar de Arabieren betaalden twintig keer zoveel als de vluchtelingen konden opbrengen. Zo veel geld sloeg je niet snel af, hoe groot de risico's ook waren.

Toen Carlos de schoten hoorde, kwam het bij hem op dat hij misschien een beoordelingsfout had gemaakt. '*Adentro! Adentro!* riep hij naar zijn mannen. Die waren goed getraind, maar toen de vrouw op de heuvel zich bekend maakte, hadden ze zich omgedraaid en het vuur op haar geopend. Dat was een dodelijke vergissing, besefte hij. '*No! Al garage!*' Hij gaf ze opdracht zich terug te trekken in de garage, maar het was al te laat. Twee van zijn mannen waren bijna onmiddellijk doodgeschoten, en lagen in hun eigen bloed op de inrit, terwijl een aantal politiemensen vanaf de straat het terrein op kwam lopen. Nu hadden ze nog maar drie schutters over en hij besefte dat dit een strijd was die hij niet kon winnen.

'*Cierra la puerta!*' riep hij naar een van zijn mensen. Van achter in de garage keek Carlos toe hoe de man zijn hand uitstak om de garagedeur dicht te trekken, maar nog voordat hij daar kans toe had gezien, spatte zijn rug uit elkaar doordat een van de kogels van de federale agenten hem in de borst raakte, zich een weg door zijn lichaam scheurde en in een fontein van bloed zijn lichaam weer verliet.

In gedachten ging Carlos de verschillende mogelijkheden af. Het drong tot hem door dat een ontsnappingspoging de enige mogelijkheid was die ook maar enige kans van slagen had. Hij draaide zich om naar Hassan en stak hem zijn automatische geweer toe.

'Wat ga jij dan gebruiken?' vroeg Hassan, die het geweer van hem overnam zonder op antwoord te wachten.

Carlos trok een pistool uit zijn jaszak en hield het omhoog, zodat Hassan het goed kon zien. 'We hebben zo veel mogelijk schutters nodig.'

Hassan knikte en liep naar de mannen in het voorste deel van de garage.

Dit was Carlos' enige kans. Als iemand anders hem zag, zou die in de verleiding komen hem te volgen, en hoewel een enkele man er misschien in zou slagen door het kordon heen te dringen dat de politie inmiddels ongetwijfeld al gelegd had, zou een hele groep volkomen kansloos zijn.

Hij liep naar de achterwand van de garage, naar de hoek tegenover die waarin de vluchtelingen hun toevlucht hadden gezocht. Ze lagen daar in elkaar gedoken als ratten op de vloer en probeerden allemaal zo diep mogelijk weg te kruipen onder de anderen, omdat dat nog de meeste veiligheid bood. Achter een stapel kartonnen dozen bevond zich de deur naar de keukentrap van de pastorie.

Carlos ging met zijn rug tegen de deur staan en keek nog een keer de garage rond. Pedro, een jonge soldaat die meer dan twee jaar voor Carlos had gewerkt, was nog steeds aan het schieten en probeerde tevergeefs de aanval af te slaan. Het was een prima jongen, goed getraind en loyaal. Het zou misschien niet onmogelijk zijn hem ook te redden, maar het risico was te groot. Zonder verder nadenken dook Carlos de deuropening door en verdween uit het zicht.

★★★

Finn verstijfde toen hij de schoten in de pastorie hoorde. Hij kon alleen nog maar aan Linda Flaherty denken. Er waren zo veel dingen die hij niet tegen haar had gezegd... maar die hij haar beslist nog moest zeggen. Het duurde even voordat hij erin slaagde overeind te krabbelen, en toen hij eenmaal op zijn voeten stond, wist hij niet zeker waar hij naartoe moest. Het eerste wat in hem opkwam, was om door de voordeur de kerk weer uit te lopen en dan haastig de hoek om te rennen en zich in het vuurgevecht te mengen. Terwijl hij daar stond, drong het echter tot hem door dat er misschien een kortere weg was: dwars door de kerk. Misschien zou hij zo een positie kunnen bereiken waarin hij Linda veel eerder te hulp kon schieten, want op die manier zou hij de schietpartij vanaf de achterzijde kunnen benaderen, en dan was hij strategisch in het voordeel.

Hij zette een paar aarzelende stappen naar het zware gordijn dat de ingang scheidde van het schip. Toen trok hij zo zacht hij maar kon de stof opzij en stapte door de zo ontstane kier het onbekende in.

★★★

Kozlowski stond nog steeds te aarzelen en vroeg zich af of hij terug moest rennen naar de kerk om Finn te helpen, toen er achter de pastorie een hele reeks schoten klonk. Op dat moment had hij maar één seconde nodig om te beslissen. Het was duidelijk dat het werkelijke gevecht zich bij de garage afspeelde; in de kerk waren niet meer dan twee snelle schoten gelost, dus kennelijk was de confrontatie die daar had plaatsgevonden, kort en beslissend geweest. Finn had het overleefd of was dood, en in dat laatste geval kon Kozlowski daar toch weinig meer aan doen.

Hij kroop de laatste tien meter langs de zijmuur van de gedeeltelijk ondergrondse garage van de pastorie, totdat hij de hoek van het gebouw had bereikt. Van daaruit, op de helling naast de afrit naar de garagedeuren, zag hij Flaherty en haar mannen op de inrit. Kennelijk waren ze in het voordeel. Er lagen twee lijken op het asfalt, en toen hij dichterbij kwam, zag Kozlowski dat het geen agenten waren. Hij zag ook dat Carlos er niet bij was, want hoewel de doden allebei veel tatoeages hadden, was er op hun handen, hals en gezicht ook nog steeds veel ongetatoeeerde huid te zien.

Kozlowski keek naar rechts en besefte dat hij door de bovenste ruitjes in de garagedeur rechtstreeks de garage in kon kijken. Zo te zien waren er daarbinnen niet meer dan twee gewapende mannen over om de strijd voort te zetten, al beschikten die allebei over automatische geweren, wat betekende dat een frontale aanval op de garage op hetzelfde neer zou komen als in een houtversnipperaar springen. In de hoek probeerden weerloze mensen allemaal zo diep mogelijk onder elkaar weg te kruipen en niet ver van de garagedeur lag een lijk in een grote plas bloed. Carlos was nergens te bekennen.

Kozlowski keek achterom naar de inrit en zag de federale agenten een ware kogelregen op de garage afvuren – dekkingsvuur, vermoedde hij. Toen kwamen Flaherty en Seldon tevoorschijn van achter een van de bestelwagens en renden rechtstreeks naar de garage toe.

Het had geen enkele zin, dat zag Kozlowski meteen. Hoewel het dekkingsvuur vanaf de inrit gezien waarschijnlijk overweldigend leek, werd een van de schutters in de garage goed beschermd door de garagedeur, terwijl hij nog steeds goed zicht had op de twee federale agenten die nu naar hem toe renden. Hij legde aan, haalde de trekker over en Seldon sloeg met een misselijkmakende klap tegen de grond. Terwijl Kozlowski stond toe te kijken richtte de schutter zijn geweer op Flaherty, zijn wang tegen de kolf van het pistool.

Kozlowski reageerde zonder nadenken. Hij bracht zijn eigen pistool omhoog en haalde in één beweging door de trekker over. Het venster in de garagedeur spatte aan stukken en terwijl het bloed uit zijn keel stroomde trok de schutter zijn hoofd met een ruk naar achteren. Zijn ogen waren groot en rond van schrik. Hij keek vol angst en verwarring om zich heen en zakte toen voorover.

Kozlowski was bijna net zo verrast als de man die hij had neerge-schoten. Alsof hij in trance was, stond hij daar op die helling te kijken hoe de man stierf. Hij kwam pas weer bij zijn positieven toen een andere ruit in de garagedeur aan stukken spatte en hij een kogel rakelings langs zijn oor hoorde fluiten. Hij draaide zich om en zag dat de laatste reste-rende schutter in de garage zijn geweer rechtstreeks op zijn hoofd ge-richt hield. Terwijl overal om hem heen witte fonteintjes opspatten liet hij zich plat in de sneeuw vallen. De vuurstoten waren oorverdovend en Kozlowski besefte dat de schutter, al mikte hij nog zo beroerd, hem op een gegeven moment zeker zou raken. Toen hoorde hij drie harde, scherpe knallen, die duidelijk afkomstig waren van een pistool, en het geweervuur hield abrupt op. De stilte was echter van korte duur, want nu rende het hele federale team luid roepend de garage binnen.

Alles wees erop dat de situatie onder controle was.

Kozlowski ging rechtop zitten en streek met zijn handen over zijn borstkas om te controleren of hij gewond was geraakt. Hij hield zijn handen op om te zien of er bloed op zat, maar het enige wat hij zag, was de smeltende sneeuw op zijn vingertoppen. Haastig keek hij nog even in de garage, en toen hij er zeker van was dat het schieten werkelijk voorbij was, hees hij zichzelf overeind en rende terug naar de kerk.

★★★

Carlos liep net de zijdeur van de pastorie uit toen het schieten plotseling ophield. Hij vervloekte zijn mannen; hij had gehoopt dat ze het langer zouden volhouden. In de toekomst zou hij ze beter moeten opleiden. Hij bleef even bij de deur staan, keek om zich heen en luisterde of hij ergens politie hoorde. Hij hoorde niets, maar nu de schietpartij voorbij was, zouden ze elk ogenblik achter hem aan kunnen komen. Hij kon hier niet blijven staan.

Met getrokken pistool rende hij over de overdekte galerij. Toen hij langs de kerk kwam, drong het tot hem door dat hij weinig andere mo-gelijkheden had. Hij draaide zich om en rende over de trap naar de achterdeur.

★★★

Vergeleken met de ingang was het schip van de kerk helverlicht. Daar was Finn blij om. De gloed van de volle maan stroomde naar binnen door het eenvoudige glas-in-loodraam achter het altaar en verleende de ruimte een zwakke, onwereldse gloed. Het had zelfs vredig kunnen zijn als in de verte geen schoten hadden geklonken, zodat de gekleurde stukjes glas ratelden in hun loden sponningen terwijl de heiligen die ze uitbeeldden onverstoorbaar voor zich uit keken. Een zoete stank van verrotting hing in de lucht, en Finn vroeg zich af of er onder de houten vloer misschien een dode wasbeer lag.

Om er zeker van te zijn dat de kerk leeg was zwaaide hij wild met zijn pistool naar alle hoeken van het schip en de kansel. Toen hij zichzelf daarvan overtuigd had, liep hij snel over het middenpad naar het altaar en keek intussen aandachtig of hij ergens een achterdeur zag. Net toen hij die had opgemerkt, hield het schieten op. Met zijn hand op de deurkruk bleef hij staan. Was het mogelijk dat het allemaal voorbij was? Het was meer dan tien jaar geleden sinds hij een kerk vanbinnen had gezien en over het algemeen was hij niet iemand die veel aan gebed deed, maar plotseling voelde hij een overweldigende angst dat Linda Flaherty misschien gedood was, terwijl hij niets had gedaan om haar te beschermen. Hij draaide zich om, keek naar het glas-in-loodraam en richtte zijn aandacht op de Christusfiguur in het midden daarvan, die dreigend boven hen uittorende. Alstublieft, dacht hij, ik beloof u alles wat u maar wilt – ik zal elk offer brengen waar u maar om vraagt – als ze nog maar leeft. En toen hij zich ervan had overtuigd dat hij alles had gedaan wat binnen zijn macht lag, bracht hij zijn hand opnieuw naar de deurkruk.

38

Carlos liep snel maar geruisloos naar de deur toe en gaf die een harde duw. De deur zwaaide open en kwam trillend tot stilstand terwijl hij het gebouw binnenglipte en toen plotseling oog in oog stond met een lange man met donker haar, die goed gekleed ging en een pistool in zijn hand hield. De twee mannen keken elkaar geschrokken aan en toen bracht de ander zijn pistool omhoog en richtte het op Carlos. Carlos besefte dat hij geen tijd meer had om zijn eigen pistool in de aanslag te brengen en deed een stap naar voren om met zijn elleboog een harde stoot tegen de arm van de andere man te geven terwijl die nog bezig was om zijn pistool te richten.

Ze stonden een centimeter of dertig van elkaar vandaan, en toen Carlos' elleboog zich hard in het zachte weefsel van de binnenkant van de bovenarm van de ander boorde, schoot het pistool met een ruk naar achteren. Het vloog door de lucht, kwam met een harde klap op de vloer terecht en schoof onder een van de kerkbanken. De man kon weinig anders doen dan werkloos toezien hoe zijn pistool uit het zicht verdween. Toen draaide hij zich om en zag het pistool in Carlos' hand. Zijn gezicht werd bleek toen Carlos naar hem glimlachte.

'Wacht!' zei de man, maar dat maakte Carlos' glimlach er alleen maar breder op en hij richtte het pistool op de borst van de onbekende man. Hij genoot altijd van opwinding die het doden met zich mee bracht.

'Wacht!' Meer kon Finn op dat moment niet uitbrengen. Zijn geest draaide op volle toeren terwijl hij wanhopig een uitweg zocht. Maar hij had geen tijd, en een coherente strategie was duidelijk een luxe die hij zich niet kon veroorloven. Dus deed hij het enige wat er in de fractie van een seconde in hem opkwam voordat Carlos kans zag de trekker over te halen: hij boog zijn hoofd en rende zo snel als hij maar kon op hem af. Finn voelde zijn schouder wegzinken in het middenrif van de getatoeëerde man terwijl hij hem terug duwde naar de kansel.

Carlos werd verrast en Finn was minstens twaalf kilo zwaarder, dus de bendeleider moest wel toelaten dat hij achteruit werd geduwd. Na een meter of drie raakten Carlos' voeten de verhoging waarop het altaar zich bevond en hij viel languit achterover, met Finn over zich heen. Finn hoorde hoe Carlos' pistool het altaar raakte. Het drong tot hem door dat hij weer een kans had. Zijn optimisme was echter van korte duur, want de ander stompte hem snel drie keer achter elkaar hard in zijn maag. Het waren scherpe, goedgeplaatste stompen die alle lucht uit zijn longen persten. Finn probeerde terug te slaan, maar de pijn in zijn gewonde arm bracht hem sterk in het nadeel en hij besefte onmiddellijk dat hij hier moest zien weg te komen.

Finn rolde opzij en krabbelde op handen en voeten naar de deur toe. Hij keek achterom en verwachtte dat de man over de vloer zou kruipen om zijn pistool te zoeken, maar dat was niet het geval. In plaats daarvan stak hij zijn hand uit naar iets wat dichterbij was – een lang metalen voorwerp dat schuin tegen de muur naast het altaar stond. Toen hij het vastpakte, zag Finn wat het was. Hij probeerde nog sneller weg te komen. Dat wilde niet goed lukken. Hij kreeg geen lucht, en dat maakte het lastig om te zorgen dat zijn benen hem gehoorzaamden. Vlak voordat hij de deur had bereikt, wierp het maanlicht een schaduw op de muur – en dit was er te zien: Carlos die zijn armen hoog boven zijn hoofd hield, met een kapmes in zijn handen, en die maar een halve meter achter Finn stond.

Finn greep de deurkruk. Terwijl hij de deur openrukte, bracht Carlos het kapmes snel en hard omlaag. Finn keek op en zag dat Kozlowski voor hem stond.

★★★

Voor Kozlowski was het volkomen duidelijk dat hij Carlos had gevonden. Het gezicht van de man achter Finn was een onbeschrijflijk masker van woede, haat en bloeddorstige vervoering. En het was nog een masker in vele kleuren ook. De ogen brandden hem tegemoet vanuit een levend kunstwerk.

Kozlowski aarzelde niet. Hij greep Finn bij de schouder en gaf een harde ruk, zodat Finn op het moment dat de machete omlaag schoot, naar rechts viel. Het kapmes raakte het metaal van de deurpost zo hard dat er een lange stroom vonken opspatte in het donker. Kozlowski had zijn pistool getrokken, maar door die harde ruk aan Finns schouder raakte hij uit balans en toen Carlos de machete weer een eindje omhoog had gebracht, draaide hij het lemmet om en raakte Kozlowski daarmee op zijn knokkels. De klap was niet hard genoeg om Kozlowski van zijn vingers te beroven, maar wel voldoende om hem het pistool te laten vallen. Hij keek omlaag en zag bloed.

Carlos was nu volkomen uitzinnig en zijn woede was geheel op Kozlowski gericht. Hij haalde opnieuw uit en zwaaide als een waanzinnige Saraceen met zijn machete. Hij bracht het kapmes ver omhoog en was duidelijk van plan om Kozlowski in zijn keel te raken. De privédetective dook weg en stootte hard met zijn schouder tegen Carlos' bovenarm. Doordat ze zo dicht op elkaar stonden, kon Carlos het lange kapmes niet goed meer gebruiken, en terwijl hij verwoed zijn best deed om genoeg ruimte te krijgen om nog een keer te kunnen uithalen, gaf Kozlowski hem een harde kopstoot recht in het gezicht.

De meeste mensen zouden daardoor onmiddellijk buiten westen zijn geslagen, maar de bendeleider was alleen maar een beetje versuft, en deed wankelend een paar stappen naar achteren. Kozlowski maakte daar onmiddellijk gebruik van. Hij sprong op de man af, greep hem bij de arm en duwde hem aan de voet van het altaar hard tegen de vloer. Hij werkte snel. Terwijl hij Carlos' pols met één hand vasthield om te zorgen dat de machete op de grond bleef, stompte hij de man met zijn andere vuist in het gezicht.

Plotseling zat Carlos' gezicht onder het bloed. Zijn neus was in tweeen gespleten. Hij maakte een geluid dat nog het meest op een gekweld gepiep leek, en terwijl er een golf van wraakzuchtige woede in hem opkwam, stompte Kozlowski hem nog een paar keer hard in zijn gezicht.

Hij was er zeker van dat hij onomkeerbaar in het voordeel was, totdat hij voor de vierde keer uithaalde, want toen werden de rollen onverwacht omgedraaid. Carlos' hand schoot omhoog en greep Kozlowski's snel neerdalende vuist. Carlos was ongelooflijk sterk, besefte Kozlowski terwijl hij wanhopig probeerde zijn hand los te rukken. Plotseling merkte Kozlowski dat hij weer in de verdediging was gedrongen, en toen hij Carlos aankeek, drong het tot hem door dat hij zich vergist had. De man schreeuwde niet van de pijn. Hij lachte. Zijn gezicht was een bloederige massa rood vlees, en hij miste twee tanden, maar hij begon steeds harder en harder te lachen. Toen schoot zijn gezicht met een onmogelijk snelheid naar Kozlowski toe. Op het allerlaatste moment boog hij zijn hoofd voorover en gaf Kozlowski's een keiharde kopstoot.

Kozlowski viel van Carlos af, en terwijl hij Carlos' hand losliet – de hand die nog steeds de machete omklemde – rolde hij op zijn zij. Nog steeds hard lachend stond Carlos op, greep Kozlowski bij zijn arm en trok die zo ver op zijn rug dat de privédetective er zeker van was dat zijn arm elk ogenblik kon breken. Kozlowski probeerde de kleinere man te raken met zijn vrije hand, maar het had geen zin; Carlos stond achter hem en dwong hem zich te bukken, zodat Kozlowski voor het altaar knielde. Toen ving Kozlowski vanuit zijn ooghoeken een glimp van flitsend staal op, en hij besefte dat hij niets meer kon doen. Hij stond op het punt zijn lot te aanvaarden toen hij hoorde hoe de haan van een revolver werd overgehaald.

'Laat hem los!' klonk Finns stem door de grote holle ruimte.

★★★

Toen Kozlowski hem opzij duwde, was Finn hard met zijn hoofd tegen de grond geslagen. Hij lag daar als verdoofd. Met zijn wang op de vloer keek hij opzij en zag het pistool dat hij had laten vallen onder de tweede rij kerkbanken liggen.

Hij keek om en zag dat Kozlowski in gevecht was met Carlos, en dat Carlos nog steeds de machete in zijn hand hield. Toen keek Finn weer naar het pistool en begon ernaartoe te kruipen. Hij zag de doffe glans van het geharde staal van de loop. Het pistool lag op de grond. Daarachter zag Finn iets wat zo te zien een hoop kleren was.

Finn zat op zijn knieën en kroop om de hoek van de kerkbank. Al zijn aandacht was op het wapen gericht, en pas toen hij dat binnen handbereik had, keek hij op en richtte zijn aandacht op de bundel lompen daarachter. Nu pas merkte hij op hoe erg het hier stonk. Er kwam een geur van verrotting en bederf uit de bundel. Hij had het ook al geroken toen hij de kerk in was gekomen, maar de lucht werd overweldigend toen hij dichter naar de revolver kroop. In de schaduw van de in het maanlicht gehulde kerkbanken moest Finn lang kijken voordat zijn ogen de details konden waarnemen, en het eerste wat een herkenbare vorm aannam, was een hand die aan één kant uit de lompen stak.

Bij die aanblik deinsde Finn terug. Het eerste wat in hem opkwam was dat een van Carlos' mannen zich hier verborgen hield. Toen hij opkeek en een beetje bijdraaide, herkende hij een gezicht. Dat verwarde hem, want het leek zich tussen de benen van de man te bevinden en Finn kon zich niet voorstellen dat iemand zo lenig kon zijn. Een ogenblik later drong het tot hem door dat het lichaam helemaal niet in een verwrongen houding lag – het hoofd was afgehakt en in de schoot van het lijk geworpen. Toen hij wat aandachtiger keek, herkende hij het gezicht van de man die hem had aangevallen in dat steegje in Roxbury, de man die Lissa later die avond had aangevallen in haar appartement.

Finn kreeg het gevoel dat hij elk ogenblik over zijn nek kon gaan, maar hij wist zijn maag in bedwang te houden. 'Je verdiende loon,' fluisterde hij tegen het hoofd terwijl hij de revolver pakte.

Hij kwam overeind en liep om de kerkbanken heen naar het altaar, waar Kozlowski en Carlos nog steeds met elkaar lagen te worstelen.

Aanvankelijk zag het ernaar uit dat Koz de overhand kreeg, maar toen zag Finn Kozlowski's hoofd met een harde ruk naar achteren schieten. Onmiddellijk zakte de privédetective in elkaar. Carlos zat meteen boven op hem en bracht de machete omhoog voor de genadeslag.

Finn bracht het pistool in de aanslag, maar aarzelde uit angst dat hij Kozlowski zou raken. 'Laat los!' brulde hij.

Carlos keek naar hem op. Zijn gezicht zat onder het bloed, maar was vertrokken in een zieke grijns, zodat goed te zien viel dat hij een paar tanden miste. Met al die tatoeages op zijn gezicht zag hij eruit als een demon uit een van de horrorfilms waar Finn als kind zo van genoten had. Carlos greep Kozlowski bij zijn haar en trok hem overeind om hem als schild te gebruiken. Hij zette zijn gijzelaar het mes op de keel. 'Laat je pistool vallen.'

Finn schudde zijn hoofd. 'Laat hem los.'

Carlos glimlachte en duwde de machete hard tegen Kozlowski's keel. 'Laat die revolver vallen of hij gaat eraan.'

Finn keek naar Kozlowski. Op de plek waar Carlos hem een kopstoot had gegeven, zat een grote snee. Het bloed droop van de punt van zijn neus. 'Schiet!' riep Kozlowski zonder omhaal.

Finn mikte heel zorgvuldig op het deel van Carlos' hoofd dat achter Kozlowski nog te zien viel. Hij voelde zijn hand trillen terwijl zijn vinger zich om de trekker kromde. Plotseling, zonder enige waarschuwing, spatte de bovenste helft van Carlos' schedel uit elkaar en er smakte een flinke kluit bloed, bot en hersenweefsel tegen het altaar.

Finn keek neer op zijn pistool. Het was nog steeds koud; hij had geen schot gelost. Hij keek verward om zich heen en zag Linda Flaherty op één knie in de deuropening zitten, met haar geweer op de ruimte achter Kozlowski gericht, waar Carlos zojuist nog had gestaan. 'Is er verder nog iemand in de kerk?' vroeg ze zakelijk, terwijl ze haar blik door het kerkgebouw liet gaan.

'Nee,' zei Finn.

'Weet je dat zeker?' drong ze aan.

'De vent die heeft geprobeerd mij te vermoorden en Lissa zo heeft toegetakeld, ligt te rotten onder een van de kerkbanken,' antwoordde Finn. 'Zijn hoofd ligt ondersteboven in zijn schoot, dus ik denk niet dat we nog iets van hem te vrezen hebben. De rest van de kerk heb ik al gecontroleerd. Die is leeg.'

Flaherty stond op en liep naar Kozlowski. Hij was al die tijd blijven staan waar hij stond, en had alleen maar even omgekeken om Carlos' lijk te kunnen zien, dat vlak achter zijn voeten lag. 'Ik heb je toch gezegd dat je je hier niet mee mocht bemoeien?' zei ze tegen Kozlowski.

Hij knikte. 'Maar daarnet, bij de garage, heb ik je leven gered.'

'Dat is waar. Volgens mij staan we quitte.'

'Meer dan,' zei hij instemmend. 'Je wist best dat ik niet in de auto zou blijven zitten.'

'Ik had al zo'n vermoeden.' Ze keek naar Finn. 'Ik hoopte eigenlijk dat jij slim genoeg zou zijn om in de bestelwagen te blijven.'

'Je moet mijn intelligentie nooit te hoog inschatten,' antwoordde hij. 'Dat moet je intussen toch wel weten.'

'Het is een vergissing waar ik kennelijk nogal toe geneigd ben.' Ze keek hem aan, en hij zag iets in haar blik. Het was een blik die zei dat zij net zo ongerust was geweest over hem als hij over haar. Het was een blik die hem duidelijk maakte dat ze samen nog steeds iets hadden wat de moeite van het redden waard was.

In de verte klonk het geloei van naderende politiesirenes. Ze werden met de seconde luider. 'De cavalerie?' vroeg Finn.

'Beter laat dan nooit,' zei ze. 'We hebben hier een hoop rommel op te ruimen. Een paar van de mensen die door die lui het land zijn binnengesmokkeld, hebben we gevangengenomen. Die houden we bij ons, al gaat de plaatselijke politie er nog zo over zeuren.'

'Wie zijn het?' vroeg Finn.

'Geen commentaar,' antwoordde ze. 'Het zou kunnen dat ze hier officieel nooit geweest zijn. Hebben jullie dat begrepen?'

'Willen we dat begrijpen?'

'Waarschijnlijk niet.'

'Laat maar zitten dan.'

'Jullie hebben hier vanavond goed werk verricht.'

'Lissa is veilig,' zei Kozlowski. 'En dat is voor mij voldoende. Wat de rest betreft, laat ik aan jullie over om uit te zoeken wat daar goed aan is en wat niet.'

De sirenes bereikten een climax toen ze voor de kerk tot stilstand kwamen. Flaherty keek naar Finn. 'Morgen neem ik het vliegtuig terug naar Washington,' zei ze. 'En vanavond heb ik nog een hoop te doen.'

'Ik begrijp het.' Maar in werkelijkheid begreep Finn het niet. Niet echt. Soms vroeg hij zich af of hij het ooit wél zou begrijpen. 'Het gaat goed komen met ons,' zei hij, en dat optimisme was gemeend. 'Op een of andere manier komt het goed met ons.'

39

Zondag 23 december 2007

Kozlowski zat in een stoel dicht naast Lissa's bed. De plastisch chirurgen hadden de avond ervoor hun toverkunsten op haar uitgevoerd, en ze was nog steeds niet bijgekomen uit de narcose. Haar gezicht ging schuil onder een dikke laag verband, maar de artsen en verpleegsters hadden hem verzekerd dat de operatie goed was verlopen.

Zijn hele lichaam deed pijn. Hij had een lange nacht op het politiebureau achter de rug, en al uren geleden had hij zijn laatste druppel adrenaline verbruikt. Er zat een lange snee in zijn voorhoofd en hij had ook nog verschillende andere kleine snij- en schaafwonden overgehouden aan zijn gevecht met Carlos. De artsen hadden geprobeerd die te behandelen, tot hij ze grommend te kennen gegeven had dat hij daar niet van gediend was. Hij voelde zich krachteloos en doodmoe, en zijn spieren schreeuwden om slaap, maar hij weigerde daaraan toe te geven. Hij wilde niet rusten voordat hij er zeker van was dat het goed ging met Lissa.

Het was negen uur toen ze wakker werd, en zelfs toen was dat een geleidelijk proces. Eerst verschoof ze haar hoofd, om een gemakkelijker houding te vinden terwijl de pijnstillers hun greep op haar begonnen te verliezen. Daarna begonnen haar vingers onrustig te bewegen, alsof ze iets zocht.

Hij legde zijn hand op de hare en toen sloeg ze eindelijk haar ogen op. Van onder het verband keek ze hem een tijdje zonder iets te zeggen aan. Toen sprak ze moeizaam en onduidelijk, zowel door de nawerking van de narcose als door de pijn van de operatie: 'Je ziet er niet uit.'

Hij glimlachte naar haar. 'Inderdaad.'

'Hoe ziet die andere vent eruit?'

'Dood,' zei Kozlowski. 'Ze zien er allemaal erg dood uit.'

Ze wendde haar hoofd af, en staarde nietsziend voor zich uit terwijl ze dat tot zich liet doordringen. Toen ze hem weer aankeek, zag hij dat iets van de angst in haar blik verdwenen was. 'Hoe gaat het met jou?' vroeg ze.

'Met mij gaat het goed,' zei hij. 'Zodra ik jou zie, voel ik me goed.'

'Fijn om te horen. En hoe gaat het met mij?'

Hij gaf haar een kneepje in de hand. 'Je ziet er beeldschoon uit.'

Hij zag dat ze onder het verbandgaas probeerde te glimlachen en meteen ineenkromp van de pijn. 'Echt waar? Ik voel me beroerd.' Ze knipperde met haar ogen terwijl ze haar best deed om de nawerking van de verdovende middelen te boven te komen.

'De artsen zeggen dat het heel goed is gegaan,' stelde hij haar gerust. 'Nog een paar dagen en je kunt naar huis.'

Bij die gedachte sprongen de tranen haar in de ogen. 'Breng jij me dan naar huis?' vroeg ze.

Hij kneep opnieuw zachtjes in haar hand. 'Als dat mag van jou.'

'Dank je wel.' Haar ogen vielen dicht en het was duidelijk dat ze de strijd om wakker te blijven aan het verliezen was. 'Jij bent...' Haar stem stierf weg en haar ademhaling werd dieper en regelmatiger. Nog één keer wist ze zichzelf bijna wakker te schudden. 'Het spijt me,' zei ze, en haar stem was niet meer dan gefluister. 'Ik ben zo moe.'

'Het is goed,' zei hij. 'Het gaat goed met je. Slaap maar. Als je wakker wordt, zit ik naast je.' Ze zuchtte lang en diep en haar hele lichaam ontspande zich. Hij keek hoe ze langzaam in slaap viel. 'Ik zal altijd bij je zijn,' zei hij zachtjes.

Hij leunde achterover in zijn stoel en zat nog een paar minuten naar haar te kijken. Toen sloot hij zijn ogen en sliep binnen een paar seconden.

★★★

Aan het begin van de middag zat Finn in zijn kantoor. Hij was uitgeput, zowel geestelijk als lichamelijk. Hij had tot 's ochtends vroeg op het politiebureau moeten blijven, en daar hadden ze hem telkens weer dezelfde vragen laten beantwoorden. En toen het bijna vijf uur 's ochtends was had hij eindelijk te horen gekregen dat hij wel kon gaan. Kennelijk had hij de politie er tegen die tijd in ieder geval van weten te overtuigen dat hij zijn verklaring niet meer zou veranderen.

Omdat het weinig zin had om toen nog te gaan slapen, was Finn rechtstreeks naar kantoor gegaan. Hij had nog een berg werk te verzetten voordat hij gereed zou zijn voor de rechtszitting van morgen, waarbij Salazar voor rechter Cavanaugh moest verschijnen. Vóór de zitting wilde hij een uitgebreide schriftelijke verklaring overleggen, waarin tot in de details werd uitgelegd wat zich precies had afgespeeld – zowel vijftien jaar geleden als in de afgelopen twee weken – zodat de rechter als hij in de rechtszaal verscheen mentaal al voorbereid zou zijn op de vrijlating van Salazar. Maar om zo'n verklaring te kunnen opstellen, moest

Finn alle stukjes van de legpuzzel bij elkaar zien te krijgen: de beëdigde verklaringen van Steele en Fornier; het onderzoeksverslag, waarin Smittie duidelijk maakte dat de als bewijsmateriaal gebruikte vingerafdrukken waarschijnlijk vervalst waren, en een transcriptie van het bandje met Macintyres bekentenis. Als dat alles op de juiste wijze gepresenteerd werd, zou het meer dan voldoende zijn om ervoor te zorgen dat zijn cliënt werd vrijgelaten.

Toen hij het memorandum nog eens doorlas, had Finn er alle vertrouwen in dat hij in zijn opzet was geslaagd. Nog een uurtje werken en dan zou hij misschien zelfs even vrij kunnen nemen om Linda Flaherty op te zoeken voordat ze terugging naar Washington. De vorige avond was een rommeltje geweest; de spanningen tussen hen waren ondraaglijk geweest, zowel in gunstige als in ongunstige zin. Hoezeer ze het ook met elkaar oneens waren, en soms helemaal gek van elkaar werden, toch oefenden ze een onmiskenbare aantrekkingskracht op elkaar uit, waaraan ze geen van beiden weerstand konden bieden. Als hij nou maar een manier zou weten te vinden om een tijdje met haar alleen te zijn, al was het maar even, dan zou hij alles weer goed kunnen maken. Hij zou misschien niet in staat zijn al hun problemen op te lossen, maar voorlopig zou dat voldoende zijn. En daarna… nou, dat zouden ze stapje voor stapje moeten aanpakken.

Zijn romantische overpeinzingen werden onderbroken doordat de telefoon ging. Hij nam op. 'Met Finn.'

'Finn, met Tony Horowitz van Identech.'

Finn glimlachte. Dit was het laatste stukje van de legpuzzel. 'Tony, goed dat je belt. Ik ben bezig met de verklaringen die ik moet overleggen aan de rechtbank, en ik heb een plekje open gelaten voor de resultaten van jouw onderzoek. Ik weet niet eens zeker of we die wel nodig zullen hebben, maar we kunnen maar beter alle ammunitie gebruiken die we hebben. Ben je klaar met je onderzoek?'

'Inderdaad.' Er lag een vreemde aarzeling in Horowitz' stem, maar Finn was te moe om daar aandacht aan te besteden.

'Uitstekend,' zei Finn. 'Dan hebben we dat ook weer gehad. Vertel het maar, dan maak ik het af en dan kan ik weg hier.'

'Ik had je eerder willen bellen, weet je,' zei Tony. 'Ik heb het voor me uit geschoven, denk ik. Ik weet hoeveel je in deze zaak geïnvesteerd hebt.'

Finn voelde hoe een ijskoude hand zich om zijn hart klemde. 'Waar héb je het over, Tony? Vertel me nou maar wat je te weten ben gekomen.'

'Het spijt me, man. Maar om een positieve bevestiging kun je gewoon niet heen.'

'Een positieve bevestiging van wat?'

'Wat denk je? Die cliënt van jou... Salazar. Het DNA dat vijftien jaar geleden is aangetroffen onder de vingernagels van de vrouw, stemt volkomen overeen met het DNA-monster dat afkomstig is van jouw cliënt.'

Finn voelde zich duizelig worden. 'Dat kan niet.'

'Ik weet dat je dat liever niet wilt horen, maar neem maar van mij aan dat het waar is.'

'Nee. Jij bent degene die het niet begrijpt. De politie heeft al toegegeven dat ze hem erbij gelapt hebben. Hij was het niet.'

Tony liet een korte stilte vallen. 'Ik weet niet wat ik daarop moet zeggen, Finn. De wetenschap liegt niet, en de wetenschap zegt mij dat Vincente Salazar de man is die vijftien jaar geleden in dat steegje door agent Steele is gekrabd.'

DEEL IV

40

Scott Finn zat aan tafel in het kleine bezoekkamertje voor advocaten in Billerica, toen Salazar werd binnengebracht. Het was laat en de normale zondagse bezoekuren waren al voorbij, maar Finn had de cipiers uitgelegd dat zijn cliënt de volgende dag voor de rechter moest verschijnen. Toen ze aarzelden, had hij gedreigd een aanklacht in te dienen omdat zijn cliënt het recht op een adequate verdediging werd onthouden, en na een paar telefoontjes met iemand wat hoger in de hiërarchie, hadden ze toegegeven en hem gezegd dat hij zijn cliënt tien minuten kon spreken.

Finn had eerder die dag al met Salazar gebeld, en hem alles verteld wat er de afgelopen twee dagen was voorgevallen. Hij had zijn cliënt verzekerd dat zondagavond zijn laatste avond in de gevangenis zou zijn, vanwege alles wat ze tot nu toe te weten waren gekomen – maar dat was voordat hij de uitslag van het DNA-onderzoek had gekregen.

Salazar ging tegenover hem aan tafel zitten en wachtte geduldig totdat de cipier de kamer uit was gelopen. Toen boog hij zich voorover en greep Finns handen vast. 'Dank u wel,' zei hij. Hij legde zijn hoofd op de tafel en toen hij weer opkeek, lag er een uitdrukking van uitputting en opluchting op zijn gezicht. Het was het gezicht van iemand wiens gebeden verhoord waren. 'Dank u wel voor alles.'

Finn trok zijn handen weg. 'Hebt u uw spullen gepakt?' Er lag een scherpe klank in zijn stem en hij zag iets van ongerustheid in Salazars glimlach verschijnen.

'Ik heb hier maar heel weinig wat ik mee wil nemen,' zei Salazar.

'Hebt u uw familie gebeld? Hebt u verteld dat thuis zou komen?'

'Ja. Onmiddellijk nadat we elkaar vanochtend gesproken hebben, al heb ik gezegd dat het waarschijnlijk was maar nog niet zeker. Ik ben bijgelovig in die dingen.'

Finn zweeg. Hij wist niet goed wat hij moest zeggen.

'Meneer Finn, is er iets mis?'

'Ja.' Finn keek Salazar nu aandachtig aan. Er lag een ernstige uitdrukking op zijn gezicht.

'Wat is er?'

Finn lachte bitter. 'Ik weet niet eens waar ik moet beginnen. Ik geloof dat ik er helemaal niets meer van begrijp. Het enige wat ik weet, is dat ik het mis heb gehad, de hele tijd al. Ik had nooit naar Mark Dobson moeten luisteren; ik had deze zaak nooit op me moeten nemen; ik had het mis toen ik dacht dat ik dit zou kunnen redden, maar mijn grootste vergissing was dat ik u geloofde.'

Salazar keek hem bijna angstig aan. 'Alstublieft, meneer Finn, ik begrijp het niet.'

'Ja, u begrijpt me best. U hoeft niet langer toneel te spelen, meneer Salazar. Ik weet het. Ik weet het, en het maakt niet uit, want ik ben uw advocaat, en dus ben ik de enige tegen wie u niet hoeft te liegen. Zelfs als ik dat wilde, zou ik u niet kunnen verraden.'

'Maar hoe zou u mij dan verraden?'

Finn zuchtte. 'Wilt u dit dan werkelijk helemaal uitspelen? Prima. Ik heb vandaag de uitslagen van het DNA-onderzoek gekregen. U weet wel, dat onderzoek waarbij uw DNA werd vergeleken met het DNA-monster van het materiaal onder de nagels van Madeline Steele? Het onderzoek waarmee we uw onschuld hadden willen vaststellen?'

'Ja? En?'

'Ik weet dat u het gedaan hebt. U bent degene die daar die avond in het steegje was. U bent de man die zij gekrabd heeft.'

'Maar dat is onmogelijk. Ik heb het niet gedaan. Dat zweer ik.'

'U zweert maar raak, maar zoals de onderzoeker vanmiddag tegen me gezegd heeft: de wetenschap liegt niet. Wat is er gebeurd? Dacht u nou werkelijk dat u het land niet uit gezet zou worden als u haar vermoordde? Of zit er nog meer achter? Bent u in het geheim lid van de VDS? Laat maar, geef maar geen antwoord. Ik wil het niet weten.'

Salazar leek diep geschokt. Hij leunde achterover in zijn stoel en staarde in de verte. Toen keek hij weer naar Finn. 'Wat bent u van plan?'

'Ik weet het niet,' zei Finn. 'Ik weet het echt niet. Wat zou u doen als u in mijn schoenen stond?'

Salazar dacht even na voordat hij antwoordde. 'Toen ik arts werd, heb ik de eed van Hippocrates afgelegd. Dat wil zeggen dat ik gezworen heb dat ik de zieken zal behandelen en de gewonden zal verzorgen, ongeacht wie het zijn, ongeacht wat ik persoonlijk van hen vind. Ik heb begrepen dat u een soort gelijke eed hebt gezworen toen u advocaat werd. Zo was het toch? Dat u uw cliënten zo goed zult verdedigen als u maar kunt, of u ze nou gelooft of niet.'

'Ik heb ook een eed afgelegd als medewerker van de rechtbank en lid van de balie. Ik kan niet liegen in de rechtszaal en ik kan niet toelaten dat u liegt als ik de waarheid ken.'

'Ik vraag u niet om te liegen,' zei Salazar. 'Ik vraag u mij naar beste vermogen te vertegenwoordigen in de rechtszaal, binnen de grenzen van de wet. Bent u daartoe nog steeds in staat?'

'Ik weet het niet,' antwoordde Finn. 'Ik weet dat u schuldig bent, dus waarom zou u nog willen dat ik u vertegenwoordig?'

'Als er één ding is wat ik in mijn leven wel heb geleerd,' zei Salazar met een trieste glimlach, 'is dat we altijd veel minder weten dan we denken. En of u nou wel of niet in mij gelooft, ik geloof in u. Ik denk dat dat voldoende is, en ik weet zeker dat u in uw leven wel eerder mensen hebt vertegenwoordigd van wie u geloofde dat ze schuldig waren. Heeft dat u ervan weerhouden de zaak te winnen?'

Finn stond op en liep naar de deur. Hij tikte op het glas om de cipier te laten weten dat hij weg wilde.

'Nou, meneer Finn?' zei Salazar terwijl hij Finn bezorgd aankeek. 'Bent u nog steeds mijn raadsman?'

De cipier deed de deur open en Finn bleef nadenkend in de deuropening staan. Toen keek hij om naar Salazar. 'Scheert u zich morgenochtend,' zei hij. 'U zult geen toestemming krijgen om iets anders te dragen dan een gevangenispak, maar zorg ervoor dat u uw haren kamt en er zo netjes mogelijk uitziet. Tegenover rechter Cavanaugh kan dat alleen maar in ons voordeel werken.' Toen liep hij weg zonder nog om te kijken.

★★★

Toen Salazar terugliep naar zijn cel, trilde hij over zijn hele lichaam. De vrijheid die zo dichtbij had geschenen, leek weer onbereikbaar, en het leven dat hij samen met zijn gezin had willen opbouwen, scheen voor zijn ogen in rook op te gaan. Terwijl hij op zijn brits zat, probeerde hij zich weer te oriënteren, maar hij kon alleen nog maar aan zijn dochter denken. Hij herinnerde zich haar nog als zuigeling. Hij herinnerde zich nog dat hij haar in zijn armen had gehouden toen het verdriet over de dood van zijn vrouw nog steeds een oorverdovende schreeuw in zijn hoofd vormde, een brullende pijn die alles overstemde, alles behalve zijn liefde voor dit prachtige, hulpeloze wezentje. In die eerste moeilijke maanden had hij zich aan haar vastgeklampt en in haar bestaan voldoende reden gevonden om door te gaan met ademhalen. Op die dag, waarop zijn vrouw en zijn dochtertje elkaar maar zo kort hadden kunnen ontmoeten, had hij een gelofte afgelegd: hij zou haar altijd beschermen. Hij was er niet in geslaagd die gelofte na te komen, en net nu hij dacht dat hij de rest van zijn leven zou kunnen gebruiken om het goed te maken, stortte alles weer in elkaar.

Hij stak zijn hand in de plooi in de matras en haalde het mobieltje te-voorschijn terwijl hij hoopte en smeekte dat dit de laatste keer zou zijn dat hij het hoefde te gebruiken. Hij toetste het nummer in en toen er werd opgenomen zei hij zachtjes: 'De uitslagen van het DNA-onderzoek zijn teruggekomen,' zei hij. 'Ze waren positief. We weten allebei wat dat betekent.'

'Het spijt me,' zei de stem aan de andere kant van de lijn.

'Mij spijt het ook,' antwoordde Salazar. 'Ben je bereid te doen wat er gedaan moet worden?' Zijn vraag werd beantwoord met een stilte die een verkillende uitwerking op hem had. 'Zul je doen wat gedaan moet worden?' vroeg hij nog eens.

'Zal de advocaat daarmee akkoord gaan?'

'Ik weet het niet. Hij heeft geen vertrouwen meer in me. Maar het maakt niet uit als jij niet sterk zult zijn.'

Er viel opnieuw een stilte. Ten slotte antwoordde de stem: 'Ik zal doen wat gedaan moet worden. Voor jou.'

'Niet voor mij.'

'Nee, niet voor jou. Maar omdat ik moet.'

'Goed,' zei Salazar, al voelde hij maar weinig opluchting.

'Het spijt me.'

Salazar kon de waarheid in die stem horen. 'Ik weet het.' Hij klapte het mobieltje dicht en liet het weer in de matras zakken. Hij ging op de brits liggen en staarde naar het plafond. Hij zou niet slapen, wist hij, en het zou een lange nacht worden. Maar hij was altijd al een geduldig mens geweest.

★★★

Kozlowski strekte zijn benen onder de tafel in Finns kantoor. 'Dus je vertegenwoordigt hem nog steeds?'

Finn zat aan zijn bureau en terwijl hij naar de dikke stapel papier keek die voor hem op tafel lag, deed hij zijn best om te doen alsof hij zich voorbereidde op de zitting van de volgende dag. 'Ik denk het wel. Het voelt een beetje raar, maar wat moet ik anders?'

'Voor zover ik kan zien heb je geen keus.' Kozlowski krabde op zijn hoofd. 'Uiteindelijk lijkt het me ook niet zo heel moeilijk, toch? Ik be-doel, je hebt per slot van rekening wel eerder een schuldige cliënt ver-dedigd. Shit, volgens mij is negentig procent van onze cliënten zo schul-dig als wat.

'En ik heb dan ook nooit in die lui geloofd. Maar bij Salazar...' Finn zuchtte diep en probeerde de juiste woorden te vinden, maar zonder succes.

'Je dacht dat je deze keer echt iets goeds deed?'

'Ja,' zei Finn. 'Dat zal het wel zijn.'

'Je dacht dat je jezelf schoon kon wassen? Dat je misschien zelfs een deel van je tijd in het vagevuur kon afkopen?'

'Dat zal het wel zijn, ja.'

'Dat kan ik begrijpen,' zei Kozlowski. 'Maar dat kun je wel vergeten. Zo gaat het er in de wereld niet aan toe, en dat weet je best. Je bent een goede advocaat. Dat wil zeggen dat negen van de tien mensen die jou inhuren, iets op hun kerfstok hebben. Als je alle flauwekul moet geloven die die lui je verkopen, word je gek. Je bent advocaat, dus doe nou maar gewoon je werk.'

Finn schudde zijn hoofd. 'Ik begrijp het gewoon niet. Macintyre heeft toegegeven dat hij Salazar erbij heeft gelapt. Steele en Fornier hebben dat bevestigd. Hoe kan hij dan schuldig zijn? Dat klopt gewoon niet.'

'Waarom niet? Denk je soms dat politiemensen nooit iemand erbij lappen die schuldig is? Kijk maar eens naar O.J. Simpson! Over het algemeen zijn de mensen die het werkelijk gedaan hebben het makkelijkst veroordeeld te krijgen, ook als daarbij bedrog wordt gebruikt. In dit geval dacht Macintyre toevallig dat hij iemand liet veroordelen die onschuldig was. Hij dacht dat de VDS dit had gedaan, en hij had het mis. Dus in plaats van een onschuldige erbij te lappen, had hij geluk en heeft hij ervoor gezorgd dat degene die Madeline Steele heeft aangevallen ook werkelijk werd veroordeeld. Zorg dat je daar alles uithaalt wat erin zit... zoals een advocaat dat nou eenmaal doet. Zo'n verschrikkelijke zaak is dit per slot van rekening nou ook weer niet.'

'Ik denk van niet,' gaf Finn toe. 'Maar wat moet ik nou beginnen met het resultaat van dat DNA-onderzoek?'

'Als Salazar gewoon de zoveelste cliënt was en je had nooit in hem geloofd, wat zou je er dan mee doen?'

'Ik weet het niet,' zei Finn. 'Waarschijnlijk zou ik proberen het verborgen te houden. Horowitz heeft zijn onderzoeksverslag nog niet af, en ik heb hem gezegd dat er geen haast bij was. Ik neem aan dat ik alles kan overleggen waarover ik beschik – de verklaringen van Macintyre, Smittie, Steele en Fornier. Ik bedoel, schuldig of niet, de manier waarop ze het bewijsmateriaal hebben vervalst, is nog steeds een grof schandaal. Dat zou toch in ieder geval voldoende moeten zijn om de aandacht van de rechter te trekken.'

'Nou, dan is het dus duidelijk.'

'Maar als rechter Cavanaugh ook maar één rechtstreekse vraag stelt over de uitslag van het DNA-onderzoek, ga ik niet liegen. Ik heb geen zin om mijn bevoegdheid als advocaat voor deze figuur op het spel te zetten.'

'Natuurlijk niet,' zei Kozlowski instemmend. 'Zolang je deze schuldige klootzak maar niet anders behandelt dan al die andere schuldige klootzakken die je hebt verdedigd. Je kunt die vent niet laten vallen uit woede omdat je die man hebt geloofd.'

'Maar ik bén kwaad.'

'Dat weet ik, maar je bent advocaat. Als je er inmiddels nog niet aan gewend bent dat je cliënten je voorliegen, kun je er misschien maar beter mee kappen en bloemist worden of zo.'

'Dat is waar, maar het is gewoon…'

'Het is gewoon zo,' hield Kozlowski aan. 'Of je bent geschikt voor dit werk of je bent het niet. Zo eenvoudig ligt het.'

Finn staarde naar de documenten die hij eerder die dag zo zorgvuldig had opgesteld. Het was uitstekend werk. Als je even buiten beschouwing liet dat zijn cliënt schuldig was, zou het misschien wel genoeg zijn om Salazar vrij te krijgen. Hij zou niet de eerste schuldige zijn die Finn had gered van een lange gevangenisstraf, en ook niet de laatste.

'Hoe gaat het met Lissa?' vroeg hij, om even zijn aandacht af te leiden van de morele dilemma's in zijn werk.

'Ze begint weer op krachten te komen.'

'Ze is heel sterk en veerkrachtig,' zei Finn.

Kozlowski knikte.

'Zorg dat je het niet verknalt.'

'Dat zou ik ook tegen jou kunnen zeggen. Heb je nog kans gezien om Flaherty vandaag te spreken?'

Finn gebaarde naar zijn met papier bezaaide bureau. 'Die documenten hebben zichzelf niet geschreven. Ik had er geen tijd voor, en Linda heeft een vroege vlucht naar Washington genomen.'

'Linda is ook heel sterk en veerkrachtig,' zei Kozlowski. Hij stond op en liep terug naar zijn kantoor.

'Ja,' zei Finn zodra Kozlowski verdwenen was. 'Ik weet het.'

41

Maandag 24 december 2007

Die maandag sneeuwde het weer. Dat betekende dat het vijftien dagen
achter elkaar had gesneeuwd, en dat was zelfs in een stad als Boston, waar
de mensen echt wel gewend waren aan strenge winters, een nieuw re-
cord. Terwijl hij naar de rechtbank liep, bleef Finn even staan om te kijken hoe een groepje kinderen op sleetjes door het steegje aan de achterkant van Beacon Hill naar beneden gleed. Aan het andere uiteinde van
het steegje, midden in het centrum van Boston, lag de districtsrechtbank
van Suffolk County. Het gelach en geroep van de sleeënde kinderen
wekte een in hem een weemoedig verlangen naar een kindertijd die hij
nooit had gehad. Hij vroeg zich af hoe het zou zijn geweest om over zoveel vrijheid te beschikken.

Het was druk in de rechtszaal, zeker voor een maandag voor kerst.
Cavanaugh was de enige rechter die vandaag in functie was, maar de
krantenkoppen over de inval van zaterdagavond in de kerk van St. Jude
– en de geruchten dat er een connectie bestond met de zaak-Salazar –
hadden de nieuwsgierigheid zozeer geprikkeld dat de meeste stoelen
bezet werden door journalisten, advocaten en politiemensen. Finn zag
de familie Salazar – Miguel, Rosita en Salazars moeder – zenuwachtig
en vol verwachting dicht naast elkaar op de eerste rij zitten, en dat tafereeltje bezorgde hem een ellendig gevoel. Wat Vincente Salazar ook gedaan mocht hebben, deze mensen hadden al het verdriet dat ze hadden
moeten doormaken niet verdiend. Hij liep naar ze toe. 'Goedemiddag,'
zei hij beleefd.

Ze waren stil en leken bijna bang, en gezien hun ervaringen met het
Amerikaanse rechtssysteem kon Finn zich dat goed voorstellen. 'Meneer
Finn,' zei Miguel. 'Het voelt aan alsof het een goede dag zal worden.'

'Met een beetje geluk,' antwoordde Finn. 'Als je eenmaal de rechtszaal
binnen stapt, weet je nooit wat er allemaal kan gebeuren. Hoe gaat het
met jullie?'

Miguel haalde zijn schouders op. 'Ik geloof niet dat u mijn moeder
en mijn nichtje Rosita al hebt ontmoet.'

'Nee,' zei Finn. 'Maar Vincente heeft me voldoende verteld om me een gevoel te geven dat ik ze al ken.' Hij stak Salazars moeder zijn hand toe, en ze pakte die met beide handen vast.

'Dank u voor alles wat u voor mijn zoon hebt gedaan. Ik bid voor u.'

'Dat stel ik zeer op prijs,' zei Finn. 'We zullen het nodig hebben.' Hij stak zijn hand uit naar Rosita, maar die verroerde zich niet. Het duurde even voordat het tot hem doordrong dat ze hem niet kon zien. 'Aangenaam kennis te maken, Rosita.'

Toen stak ze haar hand voor zich uit, en hij bracht zijn hand naar de hare. 'Dank u wel, meneer Finn. Komt mijn vader vandaag werkelijk thuis?'

Finn voelde zich nu echt afschuwelijk. 'Ik hoop het,' antwoordde hij, en hij vroeg zich af of hij dat wel meende. 'Ik zal mijn best doen.' Dat was in ieder geval waar.

Naast de familie Salazar zat Joe Cocca, een advocaat die Finn van gezicht kende. 'Joe,' zei hij. Hij liet zijn blik de rechtszaal rondgaan en trok zijn wenkbrauwen op. 'Het verbaast me dat het zo druk is op de dag voor kerst.'

'Het is een interessante zaak,' antwoordde Cocca. 'Is het waar dat jij betrokken was bij het vuurwerk van gisteravond?'

'Je moet niet alles geloven wat je in de krant leest,' waarschuwde Finn. 'Ben je hier alleen maar voor je vertier?'

'Min of meer,' antwoordde Cocca. 'Maar Miguel is mijn buurman, en ik dacht dat ik maar mee moest komen om een beetje steun te bieden.'

Er klonk geroezemoes voor in de rechtszaal toen de griffier en twee klerken binnenkwamen en gingen zitten. Het was een teken dat de rechter elk ogenblik kon arriveren.

'Ik moet ervandoor,' zei Finn.

'Ja, veel geluk,' zei Cocca. 'Het zijn aardige mensen.'

Finn vond het moeilijk om Cocca recht in de ogen te kijken. 'Dank je wel. Ik zal mijn best doen.'

Hij draaide zich om en legde zijn aantekeningen en documenten voor zich op tafel. De vraag waar het werkelijk om ging was of zijn best doen wel voldoende zou zijn.

42

Vincente Salazar werd vanuit een cel in de kelder van het gerechtshof de rechtszaal binnen geleid. Voor hem was het grootste deel van de ochtend voorbijgegaan met het vervoer van de gevangenis naar het gerechtshof en alle administratieve procedures die daarbij hoorden. De procedures hadden de meeste tijd gekost, maar dat was een deel van het gevangenisleven waaraan hij inmiddels wel gewend was geraakt. Hij droeg een fel oranje overall en had boeien om zijn polsen en enkels. De boeien werden pas losgemaakt toen hij naast zijn advocaat aan tafel zat, en twee stevig gebouwde en zwaarbewapende gerechtsdienaren bleven achter hem staan en hielden hem aandachtig in de gaten.

Hij draaide zich om naar zijn familie en zwaaide. 'Ik ben hier,' riep hij naar zijn dochter, en haar glimlach onthulde een hoopvolle verwachting die zijn hart brak. 'Ik hou van je!' riep hij. Dit is allemaal voor haar, hielp hij zichzelf herinneren. Daarna draaide hij zich om naar Scott Finn. 'Ik wist niet of u zou komen opdagen of niet.'

'Dat geldt dan voor ons allebei.'

'Er is iets wat u moet weten.'

'Nee, dat is er niet.'

'We moeten praten. Heel kort maar.'

De advocaat draaide zich om en keek hem aan. 'Ik wil helemaal niets van u horen,' zei hij. 'Hoe minder ik weet, hoe beter. Hoe meer ik weet, hoe moeilijker het voor mij wordt om mijn werk te doen.'

'Maar…'

'Geen gemaar. Als u nog twee seconden zo doorgaat, sta ik op en laat ik u hier alleen achter. U wilt dat ik u vertegenwoordig? Prima. Maar ik doe dit op mijn manier. Ik zal mijn best doen om u vrij te krijgen zonder aan mijn eigen wettelijke of ethische verplichtingen voorbij te gaan, maar probeert u nou niet mij onder druk te zetten.'

Salazar keek zwijgend toe hoe Finn zijn koffertje openmaakte en stapeltjes documenten, officiële verklaringen en notitieblokken op tafel legde. Salazar vroeg zich af of hij het risico moest nemen om te proberen de man te dwingen om hem aan te horen, maar bedacht zich toen.

Deze advocaat was iemand die zijn medewerking zou weigeren als hij het vermoeden kreeg dat er een plan gereed lag. En erger nog, hij zou de rechtbank op de hoogte stellen en daarmee alles onmogelijk maken. Salazar zou er gewoon maar op moeten vertrouwen dat Finn zo'n goede advocaat was dat hij zelf het antwoord wel zou vinden.

Hij vroeg zich nog steeds af of hij daar wel goed aan had gedaan toen de deur achter de stoel van de rechter openging. Een korte, zwaargebouwde vrouw waggelde naar het bureau voor de stoel van de rechter, klapte een map open en las een paar aantekeningen door. Toen knikte ze naar de gerechtsbode die naast de tafel stond. De man knikte terug en keek de zaal in.

'Dames en heren, iedereen opstaan!'

★★★

Tom Kozlowski zat achter in de rechtszaal. Tegen de tijd dat hij was aangekomen, waren er vooraan geen plaatsen meer vrij geweest. Dat kwam goed uit. Hij wilde er zijn voor het geval Finn iets nodig had, maar dat kon hij ook wel op een derderangs plaats. Wat hem betrof was zijn persoonlijke en professionele betrokkenheid bij de zaak-Salazar geëindigd toen Carlos' hersenen op de vloer van de kerk smakten. Lissa was nu veilig en het lot van Salazar lag in Finns handen. Kozlowski zelf was op dit moment weinig meer dan een toeschouwer.

'Ik heb jou hier nog niet eerder gezien,' zei een stem links van hem. Kozlowski keek opzij naar een grijze veteraan met een oude krant op schoot. De man rook naar verschaald bier en goedkope sigaretten, en het werktenue dat hij droeg zag eruit alsof het niet gewassen was sinds hij voor het laatst op het slagveld was geweest. Kozlowski zei niets.

'Ik ben hier elke dag,' ging de man onbekommerd verder. 'Het is de beste show in de hele stad waar je niks voor hoeft te betalen, vooral als die vent er is.' De man wees naar Finn en onwillekeurig raakte Kozlowski geïnteresseerd. 'Dat is de beste die er is. Zijn manier van werken is soms een beetje ruig, maar hij weet je tot op het allerlaatste moment altijd weer te verrassen.' De man grijnsde breed en plotseling vond Kozlowski hem een stuk sympathieker, ondanks de donkere gaten waar zich tanden hadden moeten bevinden.

'Dan zal ik hem goed in de gaten houden,' zei hij.

De man lachte. 'Dat zou ik maar doen als ik jou was!' Zijn ogen glinsterden alsof hij de enige was die door God op de hoogte was gebracht van een of andere geweldige kosmische grap.

'Iedereen opstaan!'

Kozlowski keek nog even naar de man naast hem. De zwerver glimlachte opgewonden, als een jongetje dat de eerste beelden van een geliefde tekenfilm ziet. Hij keek Kozlowski aan en knipoogde. 'Geniet er maar van!'

★★★

De edelachtbare John B. Cavanaugh liep met meer energie naar zijn rechtbank dan hij in jaren had gevoeld. Hoe krom zijn rug ook was, vandaag voelde die sterker en rechter aan dan ooit, en er stroomde een zinderende energie door zijn aderen die hij in lang niet had gevoeld. Zo was het geweest toen hij voor het eerst zijn rechtersmantel om had geslagen. Hij leek een instrument van rechtvaardigheid. Het was lang geleden sinds hij zich veel meer had gevoeld dan een onmachtige bureaucraat die de allerellendigste menselijke conflicten door de kapotte gehaktmolen van de rechtspraak moest werken.

Hij stapte naar zijn stoel en lette niet op de pijn die vanuit zijn schouderbladen naar zijn bekken schoot. 'Gaat u zitten!' brulde hij. En daarna ging hij zelf ook zitten en keek neer op degenen die zich voor hem verzameld hadden. Hij besteedde daarbij bijzondere aandacht aan Vincente Salazar, die naast Scott Finn zat. Daarna richtte hij zijn aandacht op Albert Jackson, de adjunct-officier van justitie. 'Ik heb de verklaringen gelezen die de heer Finn heeft overlegd,' zei hij langzaam. 'Zo te zien is dit een enorme puinhoop, denkt u niet? Als bij deze zitting geen griffier aanwezig was, zou ik sterk in de verleiding komen krachtiger taal te gebruiken, maar vanwege het decorum zal ik het laten bij "een puinhoop". Maar wel een heel grote puinhoop.'

Jackson stond op en wilde iets zeggen. 'Edelachtbare, als ik mag...'

Cavanaugh viel hem in de rede. 'Nee, u mag niet, meneer Jackson. Neemt u maar van mij aan dat u nog wel aan de beurt komt, en ik kan u verzekeren dat we heel wat te bespreken hebben. Maar tot het zover is, wil ik dat u gaat zitten en uw mond houdt.'

Het deed hem een bescheiden genoegen om te zien hoe angstig de adjunct-officier met de grote hangwangen er plotseling uitzag.

Terwijl hij zich nadrukkelijk tot Finn richtte, ging Cavanaugh verder: 'Zoals ik al heb gezegd, meneer Finn, heb ik de door u overgelegde verklaringen gelezen. Ze bevatten een overtuigend relaas, maar het viel me op dat er niets in stond over DNA-onderzoek. Voor zover ik me kan herinneren, was dat toch waar het in deze zaak om draaide?'

Finn stond op. 'Jawel, edelachtbare. Toen dit hele gedoe begon, geloofden we dat DNA-analyse de enige manier zou zijn waarop we kon-

347

den aantonen dat meneer Salazar ten onrechte is veroordeeld. Maar zoals u uit de door ons overgelegde documenten al weet, zijn we in de loop van ons onderzoek op het spoor gekomen van een wijdverbreide samenzwering om meneer Salazar ten onrechte te laten veroordelen. Naar onze mening is dit bewijsmateriaal op zichzelf al voldoende om zijn veroordeling ongedaan te maken, zelfs zonder het DNA-onderzoek.'

'En hoe staat het met de uitslag daarvan?'

'We beschikken op dit moment nog niet over een officieel verslag, edelachtbare.'

Cavanaugh nam Finn aandachtig op. 'Wilt u daarmee zeggen dat u er de voorkeur aan zou geven om deze zitting voort te zetten zonder de resultaten van het DNA-onderzoek te overleggen?'

'Jawel, edelachtbare. We zijn van mening dat het reeds door ons overgelegde bewijsmateriaal toereikend is.'

Cavanaugh keek Finn nog een keer strak aan, als een pokerspeler die probeert te zien of zijn tegenstander bluft. Toen bladerde hij de documenten door die hij voor zich op tafel had liggen. 'Dat kan ik u eigenlijk niet kwalijk nemen,' zei hij. 'Het bewijsmateriaal is bijzonder overtuigend.' Hij richtte zijn blik op Jackson, en zijn gezicht versmalde, zodat hij plotseling net een havik leek. 'Meneer Jackson, kunt u mij ook maar een reden geven om de veroordeling van de heer Salazar níét nietig te verklaren en géén disciplinair onderzoek te gelasten naar de handel en wandel van het Openbaar Ministerie om vast te stellen wie destijds van deze kwalijke praktijken op de hoogte is geweest?'

Jackson stond op en schraapte zijn keel. 'Ten eerste, edelachtbare, zou ik met betrekking tot het instellen van een disciplinair onderzoek willen opmerken dat u er rekening mee dient te houden dat ik nog in de collegebanken zat toen meneer Salazar werd veroordeeld en de gebeurtenissen die in de door de heer Finn overgelegde documenten worden beschreven hebben plaatsgevonden.' Hij glimlachte, maar die glimlach was bijna net zo zwak als zijn poging tot humor.

Cavanaugh zette zijn bril af. 'Jongeman, kijk me nou eens goed aan. Ziet u ook maar iets op mijn gezicht dat erop zou kunnen wijzen dat ik in de stemming ben voor grappen en grollen?'

'Nee, edelachtbare.'

'Is er iets wat erop duidt dat ik deze puinhoop op enigerlei wijze amusant vind?'

'Nee, edelachtbare.'

'Als ik u was, zou ik daar maar rekening mee houden terwijl u zich tot deze rechtbank richt.'

'Jawel, edelachtbare.'

'Gaat u verder, meneer de adjunct-officier.'

'Dank u wel, edelachtbare.' Jackson keek als een brandweerman die op het punt staat een brandend gebouw binnen te gaan. 'Ten eerste heb ik eveneens de door de heer Finn overgelegde documenten gelezen, en ik kan de rechtbank verzekeren dat het Openbaar Ministerie al een eigen intern onderzoek heeft ingesteld om te bepalen of er medewerkers van het OM op de hoogte zijn geweest van de kwalijke praktijken die zich volgens de door de heer Finn overgelegde verklaringen zouden hebben voorgedaan. Ik heb inmiddels ook vernomen dat het Openbaar Ministerie zijn onderzoek zal coördineren met een onderzoek dat zal worden ingesteld door de afdeling Interne Aangelegenheden van de gemeentepolitie van Boston, om vast te stellen of er sprake is van een structureel en aanhoudend probleem binnen de politiemacht.'

'Of daar sprake van is?' zei Cavanaugh sarcastisch.

Jackson haalde eens diep adem. 'Jawel, edelachtbare. Ondanks dit alles is het Openbaar Ministerie echter sterk gekant tegen het nietig verklaren van de veroordeling van meneer Salazar.'

'Op welke gronden dan wel?' vroeg Cavanaugh boos. 'Alles wijst erop, meneer Jackson, dat bepaalde medewerkers van politie en justitie het bewijsmateriaal vervalst hebben dat is gebruikt om meneer Salazar veroordeeld te krijgen. Hoe kunt u dan in vredesnaam nog bezwaar hebben tegen de vrijlating van deze man?'

'Een onschuldige vergissing, edelachtbare.'

'Wát?'

'Wij voeren aan dat hier sprake is van een onschuldige vergissing, edelachtbare. We zijn van mening dat meneer Salazar ook zonder dit bewijsmateriaal veroordeeld zou zijn.'

'Ik weet wat "onschuldige vergissing" betekent, meneer Jackson,' sneerde Cavanaugh, die voelde hoe zijn gezicht langzaam paars aanliep. 'Maar ik kan niet begrijpen hoe u het in uw hoofd durft te halen met zo'n argument aan te komen.'

'Dat kan ik, edelachtbare, omdat het DNA-onderzoek waartoe u zelf opdracht hebt gegeven, met absolute zekerheid uitwijst dat meneer Salazar schuldig is aan het misdrijf waarvoor hij is veroordeeld.'

Cavanaugh keek Finn strak aan. 'Volgens mij heeft meneer Finn zojuist aangegeven dat er geen onderzoeksverslag is,' zei hij langzaam. Zijn geloof in Finn was geschokt.

'Dat is correct,' vervolgde Jackson. 'Er is op dit moment nog geen onderzoeksverslag beschikbaar. Het onderzoek is echter reeds voltooid en de resultaten zijn onmiskenbaar.'

Cavanaugh schudde vol ongeloof zijn hoofd. 'Hebt u iemand die daarover een getuigenverklaring kan afleggen?'

'Inderdaad,' antwoordde Jackson. 'Met uw welnemen wil ik Anthony Horowitz oproepen om in het getuigenbankje plaats te nemen.'

43

Finns hart klopte in zijn keel toen Horowitz in het getuigenbankje plaatsnam. Hij had gehoopt dat het Openbaar Ministerie geen contact had opgenomen met het DNA-laboratorium om naar de uitslag van het onderzoek te vragen, maar hij had beseft dat het mogelijk was. Zonder DNA-bewijsmateriaal zou Cavanaugh Salazar wel moeten vrijlaten. Maar zodra Jackson eenmaal had aangetoond dat Salazar werkelijk schuldig was, leek de hoop daarop vervlogen. Terwijl Horowitz de eed aflegde, kon Finn de blik van de rechter voelen.

'Dr. Horowitz, wilt u de rechter willen vertellen wat uw beroep is?' begon Jackson.

'Ik ben chef-technicus bij Identech Labs,' antwoordde Horowitz. 'We zijn gespecialiseerd in DNA-onderzoek.'

'En bent u ingehuurd om in deze zaak onderzoek te doen naar dergelijk bewijsmateriaal?'

'Inderdaad. Mark Dobson, de eerste advocaat van de beklaagde, belde ons een paar weken geleden en vroeg ons een onderzoek in te stellen naar DNA-materiaal dat afkomstig is uit de huid- en bloedmonsters die destijds zijn aangetroffen onder de vingernagels van agent Steele, en om dat materiaal te vergelijken met het DNA van de beklaagde, de heer Salazar. Ongeveer een week later heeft meneer Finn daarover opnieuw contact met me opgenomen.' Horowitz keek naar Finn, en het leek alsof hij zich schuldig voelde. Finn had tot op zekere hoogte met de man te doen; hij was per slot van rekening een wetenschappelijk onderzoeker en hij kon weinig anders doen dan de resultaten van zijn onderzoek bekendmaken, ongeacht de gevolgen daarvan.

'Wat heeft meneer Finn tegen u gezegd toen hij u sprak?'

'Hij zei: "Die vent is onschuldig."'

'En hoe hebt u die uitspraak geïnterpreteerd?' vroeg Jackson. De man was goed, dat moest Finn hem nageven. De getuigenverklaring had in drie of vier vragen afgedaan kunnen worden, maar hij maakte er een hele vertoning van, zodat er een enorme spanning werd gewekt. Dat was precies hoe Finn het zelf ook aangepakt zou hebben.

'Ik weet niet zeker of ik begrijp wat u bedoelt,' antwoordde Horowitz aarzelend.

'Hebt u dat opgevat als een verzoek van meneer Finn om alles te doen wat binnen uw macht lag om ervoor te zorgen dat de onderzoeksresultaten negatief zouden zijn en zijn cliënt zouden vrijpleiten?'

'Bezwaar, edelachtbare,' zei Finn terwijl hij opstond. Er klonk voldoende verontwaardiging in zijn stem om duidelijk te maken dat Jackson geen enkele reden had om dat te vragen, maar verder bleef hij rustig. Dit hoorde gewoon bij het spel, en dat wist hij.

'Aanvaard,' zei Cavanaugh.

'Nee,' zei Horowitz zonder acht te slaan op wat de rechter zojuist had bepaald. 'Zo is Finn niet.'

'Natuurlijk niet,' zei Jackson. 'En dat weet u omdat u in het verleden wel vaker voor meneer Finn heb gewerkt, toch?'

'Ik heb wel eerder werk voor hem gedaan,' gaf Horowitz toe. 'Hij heeft een paar vaderschapszaken behandeld, waarmee we hem hebben geholpen.'

'En u bent voor uw zakelijke voortbestaan afhankelijk van advocaten als meneer Finn, die u telkens weer nieuwe zaken toeschuiven. Heb ik dat goed begrepen?'

Dat was een goede zet, besefte Finn. Die vragen waren niet geoorloofd, maar door ze te stellen wist Jackson toch de indruk te wekken dat als het maar enigszins mogelijk was, Tony liever met de resultaten zou komen waarop Finn had gehoopt.

'Bezwaar,' zei Finn nogmaals, maar deze keer met minder verontwaardiging. Het had in dit stadium geen zin om zich op te stellen als slachtoffer.

'Aanvaard,' zei Cavanaugh, maar aan de manier waarop hij het zei was duidelijk te horen dat hij had begrepen waar Jackson op doelde.

'Hoe het ook zij,' ging Jackson onverstoorbaar verder, 'hebt u het onderzoek verricht?'

'Dat hebben we gedaan.'

'En wat bent u te weten gekomen?'

'We zijn tot de conclusie gekomen dat het DNA van meneer Salazar op alle zeven variabele locaties waarvoor het DNA geïsoleerd kon worden, overeenkwam met het DNA dat is aangetroffen in de monsters die afkomstig waren van onder de vingernagels van agent Steele.'

'Dr. Horowitz, is dat in het jargon van uw beroep hetzelfde als zeggen dat de twee monsters exact overeenstemmen?'

'Inderdaad,' antwoordde Horowitz met enige tegenzin. Finn wist dat hij duidelijk probeerde te maken dat hij deze getuigenverklaring liever niet had afgelegd, maar het effect daarvan was alleen maar dat het bewijsmateriaal voor het Openbaar Ministerie des te overtuigender werd.

'Hebt u nadat u tot die conclusie was gekomen, nog aanvullend onderzoek gedaan om uw onderzoeksresultaten te verifiëren?'

'Inderdaad. We hebben niet alleen een STR-onderzoek gedaan, maar ook een vergelijkend onderzoek naar het mitochondriaal-DNA.'

'Kunt u uitleggen wat dat voor een onderzoek is?'

'Jawel. Dat is een onderzoek dat gebruikt kan worden bij monsters waarbij, zoals hier het geval was, het DNA-monster tot op zekere hoogte is aangetast. De uitslag van zo'n mitochondriaalonderzoek is wat minder doorslaggevend dan de STR-onderzoeken die we aanvankelijk hebben gedaan, maar het is een goede manier om te controleren of de uitslagen daarvan correct zijn.'

'En wat was het resultaat van dat tweede onderzoek?'

'Ook dit bleek te bevestigen dat het hier om het DNA van meneer Salazar ging.'

Jackson liet het antwoord in de lucht hangen terwijl hij terugliep naar zijn tafel. Hij verlegde een paar documenten, maar Finn kon zien dat hij dat alleen maar deed uit effectbejag. Toen keek Jackson eindelijk op naar de getuige. 'Dr. Horowitz, zou u op grond van deze onderzoeksresultaten conclusies kunnen trekken ten aanzien van de schuld of onschuld van de heer Salazar aan de aanval op agent Steele van vijftien jaar geleden?'

'Dat kan ik,' antwoordde Horowitz. Hij keek op naar de rechter. 'Op grond van dit onderzoek kan ik concluderen dat meneer Salazar degene is die op die avond door agent Steele is gekrabd, en dat hij daarom ook de man moet zijn die haar heeft aangevallen en neergeschoten.'

★★★

Finn stond op. Omdat hij had voorzien dat hij in deze positie gemanoeuvreerd zou kunnen worden als het Openbaar Ministerie op de hoogte zou blijken van de uitslag van het DNA-onderzoek, was hij gedurende de eerste helft van een slapeloze nacht bezig geweest om alle manieren door te werken waarop hij Horowitz' getuigenverklaring onder vuur zou kunnen nemen. Uiteindelijk had dat hem maar weinig opgeleverd, en de tweede helft van de nacht had hij liggen hopen dat de man niet als getuige zou worden opgeroepen.

'Meneer Finn?'

Het was Cavanaugh. Hij keek Finn woedend aan, en zo te zien was een restantje sympathie voor zijn vroegere student het enige wat hem ervan weerhield om Finn in het openbaar op zijn donder te geven. 'Was u op de hoogte van deze onderzoekresultaten?' vroeg de rechter.

Finn rechtte zijn rug en keek Cavanaugh in de ogen, al kostte dat hem flinke moeite. 'Jawel, edelachtbare. Daarvan was ik op de hoogte.'

'Toen u antwoord gaf op mijn vraag waarom de door u overgelegde verklaringen geen informatie bevatten over het DNA-onderzoek, hebt u uw woorden zeer zorgvuldig gekozen.'

'Inderdaad, edelachtbare.'

'Zoals mijn vader zei: zorgvuldig gekozen woorden zijn het werk van de duivel.'

'Zo te horen was uw vader een wijs man, edelachtbare.'

'U bent gewaarschuwd, meneer Finn. Ik zal de zittingsverslagen naderhand zeer zorgvuldig doorlezen. Zorg dat u me geen excuus geeft om de tuchtcommissie een disciplinair onderzoek te laten instellen.'

'Ik zal ervoor zorgen, edelachtbare. Dank u wel.'

'Gaat u verder.'

Finn haalde diep adem. Langzaam stapte hij naar Horowitz toe. 'Dr. Horowitz, kunt u de rechtbank vertellen hoe u in het bezit bent gekomen van de DNA-monsters die afkomstig zouden zijn van het materiaal dat is aangetroffen onder de vingernagels van agent Steele?'

'Meneer Dobson heeft me een kopie van het gerechtelijk bevel overhandigd waarin de politie en het Openbaar Ministerie gelast werden om DNA-monsters beschikbaar te stellen, plus een brief waarin de heer Finn, in zijn hoedanigheid van wettelijk vertegenwoordiger van de heer Salazar, gemachtigd werd een dergelijk onderzoek te verrichten. Ik ben met deze brieven naar het politiebureau gegaan en daar heeft het hoofd van de afdeling Technische Inspectie mij deze monsters overhandigd. Ik heb ervoor getekend en ze daarna meegenomen naar het laboratorium om onderzoek te doen.'

'Dus deze monsters zijn u overhandigd door de politie?'

'Natuurlijk. Waar had ik ze anders vandaan moeten halen?'

'Gaat het daarbij om dezelfde politiemacht die destijds de vingerafdrukken heeft vervalst op grond waarvan meneer Salazar is veroordeeld?'

Jackson sprong op. 'Bezwaar.'

'Afgewezen,' antwoordde Cavanaugh zonder zelfs maar te luisteren op grond waarvan de adjunct-officier bezwaar maakte.

Horowitz haalde zijn schouders op. 'Dat zou ik niet weten. Ik weet alleen maar wat de wetenschap mij zegt, en de wetenschap zegt mij dat de monsters met elkaar overeenstemmen.'

'Maar u weet niet waar het DNA dat u is overhandigd werkelijk vandaan kwam, of wel soms?'

'Ik weet niet goed of ik wel begrijp wat u mij nu eigenlijk vraagt.'
Horowitz vond het duidelijk niet prettig dat zijn verklaring op deze manier werd aangevochten, en hij schoot in de verdediging.

'Is het bijvoorbeeld mogelijk dat het DNA van meneer Salazar een paar weken geleden tussen het destijds verzamelde bewijsmateriaal is geplaatst, nadat de rechtbank de politiemacht opdracht had gegeven het destijds verzamelde bewijsmateriaal over te dragen?'

Horowitz liet dat even goed tot zich doordringen. 'Nee, eigenlijk niet,' zei hij toen. 'Dat is niet mogelijk.'

'Hoe kunt u dat zeker weten?' vroeg Finn dringend. Dit was de enige overtuigende manier waarop hij de onderzoeksresultaten kon aanvechten, en die liet hij zich niet zomaar afnemen. 'Nadat de politie vijftien jaar geleden de vingerafdrukken van de heer Salazar op bewijsmateriaal heeft achtergelaten, nadat politiemensen in deze zaak meineed hebben gepleegd? Hoe kunt u er nu zeker van zijn dat de politie u deze keer geen DNA-materiaal van meneer Salazar heeft toegespeeld dat helemaal niet is aangetroffen onder de vingernagels van agent Steele?'

'Omdat ik de monsters persoonlijk heb onderzocht,' antwoordde Horowitz. 'Wat hun motivatie ook mag zijn, zelfs politiemensen kunnen de natuurwetten niet eigenhandig veranderen. Toen agent Steele haar aanvaller krabde, zijn de stukjes huid en bloed die onder haar vingernagels zijn terechtgekomen, daar door de kracht waarmee haar nagels in de huid van de dader drongen, heel diep onder geperst. Tijdens het medisch onderzoek zijn haar vingernagels geknipt en bij het bewijsmateriaal gedeponeerd. Naar verloop van tijd zijn de aanwezige huid- en bloedsporen versmolten met de cellen van de vingernagels zelf. Toen we het monster onderzochten, leverde dat ons DNA-materiaal van twee individuen op: van agent Steele en van Vincente Salazar. In beide gevallen vertoonde zowel het DNA als de rest van het celmateriaal duidelijke tekenen van verval, die overeenstemmen met een significant tijdsverloop. Het is onmogelijk dat dit bewijsmateriaal drie weken geleden pas van de verdachte is afgenomen.'

'Maar het zou hem natuurlijk wel vijftien jaar geleden al afgenomen kunnen zijn, toch?' Finn klampte zich vast aan alles wat maar enig houvast leek te bieden, en hij wist zeker dat hem dat aan te zien was, maar verder stond hij met lege handen.

'Eigenlijk niet,' zei Horowitz, en aan zijn stem was duidelijk te horen dat zijn zelfvertrouwen inmiddels sterk was toegenomen. 'Zoals al zei, zijn de huid en bloedmonsters diep onder de vingernagels geperst. Het zou vrijwel onmogelijk zijn geweest om een dergelijk effect te bereiken nadat de vingernagels eenmaal waren geknipt.'

'Vrijwel onmogelijk?' vroeg Finn, terwijl hij sterk de nadruk legde op 'vrijwel'. Het was een zwaktebod, maar dat was het enige wat hij te bieden had.

'Als je een hypothetische veronderstelling tot in het absurde gaat uitwerken, is volgens mij alles mogelijk,' zei Horowitz.

Finn keek naar de getuige. Hij had al zijn kruit verschoten, en had niet de indruk dat hij zelfs maar een deukje had weten te slaan in Horowitz' getuigenverklaring.

'Verder nog iets te vragen, meneer Finn?' vroeg Cavanaugh.

'Kan ik even mijn aantekeningen inzien, edelachtbare?'

'Natuurlijk, gaat u vooral uw gang. Maar wel snel graag. Mijn feeststemming begint in rap tempo te verdwijnen.'

Finn liep terug naar zijn tafel. Hij had daar geen aantekeningen liggen waar hij ook maar iets aan zou hebben, maar hij had tijd nodig om na te denken. De zaak was hem door de vingers aan het glippen. Hoewel hij inmiddels was gaan geloven dat Salazar schuldig was, was de man nog steeds zijn cliënt, en nu hij dit gevecht eenmaal was aangegaan, was hij vastbesloten het niet te verliezen. Hij was per slot van rekening advocaat.

Finn stond voor zijn tafeltje, met zijn rug naar de rechter, en keek naar de toehoorders. Hij hoorde hoe de mensen onrustig gingen verzitten terwijl ze wachtten totdat Salazar zo dadelijk zou worden teruggestuurd naar de gevangenis. Als hij het publiek al niet had weten te overtuigen, dacht Finn, dan kon hij er zeker van zijn dat hij de rechter ook niet had overtuigd.

Terwijl hij zijn blik over de aanwezigen liet gaan, zag hij de familie Salazar op de eerste rij zitten. Mevrouw Salazar liet haar hoofd hangen, en telde de kralen van de rozenkrans die ze op schoot had liggen. Rosita zat stil en met kaarsrechte rug. Met haar roerloze, blinde ogen leek ze wel een porseleinen pop. Miguel Salazar leek erg gespannen en hij keek Finn strak aan. Terwijl hij terugkeek, voelde Finn zich hulpeloos en verloren. Het viel hem op hoe sterk Miguel op zijn broer leek, en hij vroeg zich af hoe de levens van de twee broers eruitgezien zouden hebben als ze niet zoveel hadden moeten doormaken.

Terwijl hij naar Miguel keek, voelde Finn een lichte twijfel in zich opkomen. Het was niet meer dan een vaag gevoel, maar hij besefte dat er wellicht iets reëels achter zat. Nu keek hij naar zijn cliënt. Ook Vincente staarde hem aan. Zijn gezicht leek wel uit graniet gehouwen. Toen hij naar Vincente keek, nam zijn twijfel steeds meer vorm aan, en plotseling merkte Finn dat hij het benauwd kreeg. Hij keek van de ene broer naar de andere.

En toen knikten de twee mannen hem toe. Het was een identieke beweging, heel licht en subtiel, en onmogelijk op te merken als je niet, zoals Finn, aandachtig naar hen beiden stond te kijken. Finn voelde hoe het plotselinge besef van wat zich werkelijk had afgespeeld zich als een drug door zijn lijf verspreidde. Hij keek de twee broers aan, en op hun gezicht stond duidelijk te lezen dat hij het bij het rechte eind had.

'Meneer Finn?' zei Cavanaugh ongeduldig. De uitspraak was wat hem betreft nu wel duidelijk, en de rechter wilde een beetje voortmaken.

'Jawel, edelachtbare,' antwoordde Finn. Zijn geest draaide op volle toeren en hij probeerde zich te herinneren wat hij had gelezen toen hij de week daarvoor bezig was geweest met zijn onderzoek naar DNA-bewijsmateriaal. Hij draaide zich om en keek de getuige aan. 'Dr. Horowitz, u hebt verklaard dat u erin geslaagd bent op zeven variabele DNA-identificatiepunten een overeenkomst vast te stellen. Heb ik dat goed begrepen?'

'Dat is correct.'

'Kunt u ons uitleggen wat dat betekent?'

'Zeker. Al is het wel een beetje ingewikkeld.' Horowitz keek Finn aan alsof hij wilde weten of de advocaat nou werkelijk wilde dat hij hierop doorging.

'Dat begrijp ik,' zei Finn. 'Dat risico nemen we.'

Horowitz keek hem vermoeid aan. 'Nou, zoals de meeste mensen weten, is DNA de elementaire code – de chemische code zou je ook kunnen zeggen – van het leven, die bepaalt hoe een organisme eruit zal zien. Het DNA zelf zit vrij eenvoudig in elkaar; het bestaat uit vier eiwitten die in een zeer bepaalde volgorde paarsgewijs gerangschikt zijn in lange slierten die we chromosomen noemen. Die chromosomen bestaan letterlijk uit miljoenen en miljoenen eiwittenparen, en de verschillen in de volgorde van de eiwitten zorgen voor de verschillen tussen dieren en planten, tussen twee verschillende species of tussen twee verschillende individuen binnen een bepaalde species. Het DNA is wat ervoor zorgt dat die allemaal van elkaar verschillen. We hebben allemaal een ander DNA. Ons DNA is uniek voor ons, en dat maakt het zo nuttig bij het identificeren van individuen die DNA-sporen hebben achtergelaten, zoals de heer Salazar toen hij door agent Steele werd gekrabd.'

'Dank u wel, doctor, maar ik zou het op prijs stellen als u zich voorlopig wilt bepalen tot een uitleg van de wijze waarop DNA-identificatie in het algemeen in zijn werk gaat,' zei Finn. 'We gaan dadelijk nader in op het specifieke geval van meneer Salazar.'

Horowitz' gezicht betrok, maar hij ging verder. 'Wat soms moeilijk te begrijpen valt, is dat hoewel iedereen over DNA beschikt dat net iets anders is dan dat van iemand anders, het DNA van twee afzonderlijke individuen toch heel sterk op elkaar lijkt. Als u even tot u laat doordringen hoe ingewikkeld een mens in elkaar zit, compleet met hart en longen, organen, armen en benen, alles in het hele lichaam dus, is het feit dat we allemaal zo sterk op elkaar lijken werkelijk een wonder van chemisch ingenieurschap. In dat licht zijn verschillen in lengte of oogkleur vrijwel te verwaarlozen. Als we het menselijk DNA-onderzoek nemen, dan is 99,9 procent van alle menselijk DNA volstrekt identiek. De verschillen worden alleen maar aangetroffen op een paar uiterst beperkte en zeer nauw omlijnde gebieden, maar binnen die gebieden kunnen de verschillen ingrijpend zijn. Dergelijke gebieden staan bekend als identificatiepunten. De FBI heeft vijftien van dergelijke gebieden officieel erkend en aangewezen als punten waarop DNA-monsters tijdens een onderzoek naar iemands identiteit met elkaar vergeleken dienen te worden. Als de patronen van de eiwitten in twee verschillende DNA-monsters op die plekken met elkaar overeenstemmen, weet je dat je te maken hebt met DNA van een en dezelfde persoon.'

Finn knikte. Door dit korte hoorcollege wist hij zich veel van wat hij de afgelopen week had gelezen, weer te herinneren. 'Juist,' zei hij. 'Er zijn vijftien van dergelijke identificatiepunten. Heb ik dat goed begrepen?'

'Dat is correct.'

'Maar u hebt zojuist verklaard dat u erin geslaagd bent op niet meer dan zeven identificatiepunten overeenkomst vast te stellen tussen het DNA van meneer Salazar en het DNA dat afkomstig is uit het materiaal onder de vingernagels van agent Steele. Is dat correct?'

'Dat is correct.'

'Kunt u ons uitleggen waarom u er niet in bent geslaagd op alle vijftien identificatiepunten overeenkomst vast te stellen?'

'Ja. Het DNA-monster waarmee we moesten werken, was meer dan vijftien jaar oud. Bovendien hadden we te maken met zeer kleine hoeveelheden, die afkomstig waren uit een heel klein beetje weefsel dat was versmolten met het weefsel van de vingernagels zelf. Dientengevolge is een deel van het DNA-materiaal bedorven of besmet geraakt. Daardoor zijn we er niet in geslaagd voldoende monsters te nemen om alle vijftien vergelijkingspunten bij ons onderzoek te betrekken.'

'Dus,' zei Finn, 'de monsters stemmen niet op alle punten met elkaar overeen.'

Horowitz schudde zijn hoofd. 'Nee, daarin hebt u ongelijk. U moet goed begrijpen dat deze identificatiepunten van individu tot individu sterk verschillen, en dat ze uit duizenden eiwittenparen bestaan. De kans dat bij iemand die op volkomen willekeurige wijze uit de algemene populatie is geselecteerd, op zeven verschillende identificatiepunten dezelfde patronen worden aangetroffen, is astronomisch klein. Volgens de FBI is het om iemand te kunnen identificeren dan ook voldoende om op vijf identificatiepunten overeenkomst vast te stellen. Naar wetenschappelijke maatstaven is dit een exacte overeenkomst.'

Finn waagde zich op glad ijs, en moest zijn vragen dan ook zorgvuldig formuleren. 'Als u verklaart dat de kans dat het DNA van iemand die op lukrake wijze uit de algemene populatie is geselecteerd, op zeven identificatiepunten overeenkomt met dat van iemand anders, astronomisch klein is, hoe zou u dan de uitdrukking "astronomisch klein" willen definiëren?'

'Dat weet ik niet zeker,' zei Horowitz. 'Een op de honderd miljoen misschien.'

'En, doctor, hoeveel groter is de kans dat een familielid van meneer Salazar over DNA beschikt dat op zeven identificatiepunten met dat van hemzelf overeenstemt?'

Toen hij die vraag hoorde, wist Horowitz duidelijk niet wat hij moest zeggen, en het bleef dan ook even stil. 'Dat zou ik zo niet weten,' zei hij, duidelijk in de verdediging gedrongen.

Finn greep zijn kans. 'Dat zou u zo niet weten?' vroeg hij verontwaardigd. 'Dr. Horowitz, u legt hier een getuigenis af die ervoor kan zorgen dat een onschuldige man voor de rest van zijn leven in de gevangenis moet blijven. En als u gevraagd wordt hoe groot de kans is dat het DNA van de verdachte overeenstemt met dat van iemand anders, antwoordt u doodleuk: "Dat zou ik zo niet weten?"'

'Zo heb ik het niet bedoeld,' sputterde Horowitz. 'Het is zeker dat de kansen op een overeenkomst groter zijn als het om verwanten gaat, maar ik zou niet precies weten hoeveel groter.'

'Hoeveel groter, dr. Horowitz?'

'Ik heb u zojuist al gezegd dat ik dat niet precies weet.'

'Wat dacht u van een op de honderd?'

Horowitz dacht even na. 'Dat zou kunnen.'

'Zou de kans nog groter kunnen zijn?' Drong Finn aan. 'Een op de vijftig bijvoorbeeld?'

'Dat weet ik niet.'

'Een op de tien?'

'Nee.'

'Hoe weet u dat zo zeker? U hebt zojuist tegenover de rechtbank verklaard dat u niet weet hoe groot de kansen zijn, maar nu beweert u dat u dat wel weet? Wat is er zo plotseling veranderd, doctor? Hebt u op een of andere manier onderzoek weten te verrichten terwijl u hier in het getuigenbankje een verklaring stond af te leggen?'

'Nee, natuurlijk niet! Een op de tien lijkt me gewoon te klein.'

Horowitz' gezicht zag zo rood dat Finn bedacht dat hij rap het punt naderde waarop de man nooit meer met hem zou willen samenwerken. Hij kon echter niet meer terug. 'Dat líjkt u te klein? U bent bereid iemand de gevangenis in te sturen omdat de kans u te klein líjkt?'

'Dat bedoelde ik niet.'

'De waarheid is, doctor, dat u de eerste keer dat ik u dit vroeg wel degelijk de waarheid hebt gesproken, toch? U hebt werkelijk geen flauw benul hoe groot de kans is dat het DNA van een naaste bloedverwant van meneer Salazar op zeven identificatiepunten overeenkomt met het zijne.'

Horowitz klemde zijn lippen stijf op elkaar. 'Dat is correct,' zei hij toen. Het kwam er nauwelijks hoorbaar uit, maar het was voldoende.

Finn draaide zich om, liep terug naar zijn tafel en maakte daar een aantekening op een blanco vel papier. 'Hebt u ook een tweede onderzoek verricht? Een onderzoek naar het mitochondriale DNA, doctor?'

'Jawel.'

'Kunt u de rechter vertellen hoe groot de kans is dat een dergelijk onderzoek uitwijst dat het DNA van een broer of zus van de heer Salazar identiek is aan dat van de heer Salazar?'

'Ik heb dat onderzoek alleen maar gedaan om het eerste onderzoek te bevestigen,' sputterde Horowitz tegen. 'Dat weet u best.'

'Wilt u alstublieft antwoord geven op mijn vraag, doctor?' zei Finn.

'Maar...'

'Geeft u alstublieft antwoord op de vraag, doctor,' zei Cavanaugh. Dat was een goed teken, besefte Finn. In ieder geval zat de rechter aandachtig te luisteren.

'Dat onderzoek houdt in dat er een analyse wordt gemaakt van het van de moeder afkomstige DNA-materiaal in de cellen. Daar vloeit uit voort dat alle broers en zussen over hetzelfde mitochondriale DNA beschikken,' legde Horowitz uit.

'Dus,' zei Finn, 'zo te horen is de kans dat u met dat onderzoek een overeenkomst vaststelt tussen het DNA van broers en zussen honderd procent, of heb ik dat verkeerd begrepen?'

'Dat hebt u goed begrepen,' gaf Horowitz vermoeid toe.

'Dank u wel, doctor. Verder geen vragen.' Finn liep om zijn tafel heen en ging zitten.

Jackson stond op. 'Mag ik van onderwerp veranderen, edelachtbare?' Cavanaugh knikte en Jackson kwam in actie. 'Dr. Horowitz, hebt u vastgesteld dat het DNA dat is aangetroffen onder de vingernagels van agent

Steele afkomstig is van Vincente Salazar? En is het resultaat van uw on-derzoek boven elke redelijke twijfel verheven?' De adjunct-officier speelde ook alles of niets. Finn had wel verwacht dat Jackson zou pro-beren zijn getuige opnieuw geloofwaardig te maken, maar met deze vraag zette de man alles op het spel, en hij kon van tevoren niet weten hoever Horowitz zijn nek wilde uitsteken. Finn hield zijn adem in ter-wijl iedereen in de rechtszaal op het antwoord wachtte.

'Hoe zou u "redelijke twijfel"willen omschrijven?' vroeg Horowitz verslagen. Het was misschien een poging tot humor, maar Finn had zich geen betere reactie kunnen wensen.

'Alstublieft, doctor,' zei Jackson, die duidelijk geschokt was. 'Wilt u gewoon antwoord geven op de vraag?'

'Dat weet ik niet. Zou het een broer of zus van de heer Salazar ge-weest kunnen zijn? Ik neem aan dat dat mogelijk is. Maar afgezien daar-van weet ik zeker dat het door mij onderzochte DNA-materiaal afkom-stig is van Vincente Salazar.' Zo te zien wilde Horowitz alleen nog maar weg uit het getuigenbankje.

Jackson liet zich in zijn stoel zakken. Dat was duidelijk niet het ant-woord waar hij op uit was geweest. 'Dank u wel, doctor.' En tegen de rechter zei hij, 'Verder geen vragen, edelachtbare.'

Vanaf zijn stoel keek Cavanaugh neer op Horowitz in het getuigen-bankje, en ook hij leek de gelaatsuitdrukking en de algehele manier van doen van de getuige goed in zich op te nemen. 'Meneer Finn?' vroeg hij. 'Verder nog iets te vragen?'

'Nee, edelachtbare, niet aan deze getuige. Maar met uw permissie zou ik graag een getuige à decharge willen oproepen.'

Cavanaugh keek naar Jackson, die een volkomen verslagen indruk maakte. 'Meneer Jackson, hebt u vandaag verder nog getuigen voor ons?'

'Nee.'

'Ga uw gang, meneer Finn.'

'Dank u wel, edelachtbare.' Finn kwam weer overeind. 'Dan wil ik nu Miguel Salazar verzoeken om in de getuigenbank plaats te nemen.'

44

Vincente kon gewoon niet aanzien hoe zijn broer door de klapdeurtjes het voorste deel van de rechtszaal binnen stapte en naar het getuigenbankje liep. Hij kon het al evenmin opbrengen zich om te draaien om de rest van zijn familie aan te kijken. Hij had een drukkend gevoel op zijn borst en het kostte hem moeite om te ademen.

Het was de juiste beslissing, hield hij zichzelf voor. Vijftien jaar was voldoende, en zijn broer had gezegd dat hij het daarmee eens was. Miguel wist heel goed wat hij deed, maar nadat hij zijn hele leven lang zijn familie had beschermd, voelde Vincente zich plotseling enorm schuldig. Hij tuurde naar het tafeltje voor hem. Het duurt nog maar even, hield hij zichzelf voor. Dan zou dit allemaal voorbij zijn.

★★★

Finn schond een van de grondregels van het procesrecht: roep nooit een getuige op als je niet weet wat hij gaat zeggen. Maar in dit geval had Finn geen keus. Hij moest het risico nemen.

Miguel ging in het getuigenbankje staan en werd ingezworen door de bode. Daarna ging hij zitten en keek Finn zwijgend aan. Er was niet te zien wat er in hem omging. Finn kon niet uitmaken of de man hem beschouwde als vijand, of als een of ander soort medesamenzweerder, maar daar zou hij snel achter komen.

'Wilt u uw naam zeggen voor de griffie, alstublieft?'

'Miguel Paulo Salazar.'

'Meneer Salazar, bent u familie van de beklaagde in deze zaak, Vincente Salazar?'

'Ja. Hij is mijn broer.'

'Bent u samen met hem opgegroeid?' ·

'In sommige opzichten wel, ja,' antwoordde Miguel. 'Hij is meer dan tien jaar ouder dan ik, maar we hebben altijd een goede band gehad. In sommige opzichten is hij meer een vader voor me dan een broer.'

'Bent u in 1991 samen met uw broer naar dit land gekomen?'

'Ja, we moesten hier wel naartoe komen. Anders hadden de doodseskaders onze hele familie uitgemoord.' Miguels gezicht verried geen
enkele emotie.

'Hoe oud was u destijds?'

'Zestien.'

'Woonde u bij uw broer toen die gearresteerd werd na de aanval op
agent Steele?'

'Ja.'

'Wist u destijds dat agent Steele bezig was met een onderzoek naar
uw broer? Wist u dat agent Steele probeerde uw familie te laten depor-
teren, en dat als ze in haar opzet zou slagen, u allemaal zou worden
teruggestuurd naar El Salvador?'

Miguel zei niets. Hij keek Finn alleen maar strak aan, en Finn voelde
hoe zijn hart plotseling zwaar en nadrukkelijk begon te kloppen, langzaam en vol verwachting. Toen wendde Miguel zijn ogen af, en keek
naar zijn broer die schuin achter Finn zat. Dwars door de hele rechtszaal
keken de twee broers elkaar aan.

'Meneer Salazar?' spoorde rechter Cavanaugh Miguel aan.

Miguel keek op naar de rechter. 'Neemt u me niet kwalijk, edelachtbare.' Hij richtte zijn aandacht weer op Finn. 'Wat was de vraag ook alweer?'

'Wist u destijds dat agent Steele probeerde uw broer te laten uitzetten?'

Miguel Salazar haalde diep adem. 'Op advies van mijn raadsman wei-
ger ik die vraag te beantwoorden en ik maak hierbij aanspraak op mijn
rechten krachtens het vijfde amendement op de Amerikaanse grondwet,
dat inhoudt dat niemand gedwongen kan worden voor de rechter verklaringen af te leggen die belastend kunnen zijn voor hemzelf.'

Overal in de rechtszaal hapten mensen hoorbaar naar adem, en al snel
ging dat geluid over in een zacht geroezemoes dat aanzwol tot een kako-
fonie van luid door elkaar pratende stemmen. Om de zaal weer tot de
orde te roepen gaf Cavanaugh met zijn hamer een paar harde klappen
op de tafel voor hem en Jackson sprong overeind. 'Bezwaar!' Edelachtbare, dit is duidelijk een of andere goedkope stunt van de verdediging!
U kunt gewoon niet toelaten dat ze hiermee wegkomen.'

Cavanaugh keek Finn woedend aan. 'Meneer de advocaat, wilt u beweren dat u beide gebroeders Salazar vertegenwoordigt? Want als u
doorgaat op de lijn die u nu lijkt te willen uitzetten, raakt u in een
enorm belangenconflict verzeild, een belangenconflict dat ongetwijfeld
aanleiding zal vormen tot strenge tuchtmaatregelen.'

'Edelachtbare, Miguel Salazar wordt niet door mij vertegenwoordigd.

Ik was me er niet van bewust dat hij door wie dan ook vertegenwoordigd werd. Voor mij is dit allemaal volkomen nieuw.'

Cavanaugh boog zich over de rand van het getuigenbankje. 'Meneer Salazar, wie heeft u aangeraden geen antwoord te geven op vragen die hier gesteld worden?'

Er klonk een stem uit de zaal. 'Edelachtbare, ik ben de raadsman van meneer Salazar.'

Finn draaide zich om en zag Joe Cocca achter de balustrade staan. 'Joseph Cocca, edelachtbare. Kan ik mij in deze zaak mengen?'

De rechter keek Cocca eens aan. 'Als u in staat bent antwoord te geven op onze vragen, doet u dat dan vooral, meneer Cocca.'

Cocca stapte door de klapdeurtjes en ging tussen de tafels van de verdediging en het Openbaar Ministerie staan, zodat hij zich in een soort niemandsland bevond. 'Edelachtbare, ik kan u melden dat ik door dr. Miguel Salazar ben ingehuurd, en dat ik hem juridisch advies heb gegeven met betrekking tot bepaalde rechten waarover hij beschikt. Ik kan u ook melden dat ik niet met de heer Finn over deze zaak heb gesproken, en dat mijn cliënt dat voor zover ik weet evenmin heeft gedaan.'

Cavanaugh trok zijn wenkbrauwen op en zijn neusvleugels trilden alsof hij zojuist een bijzonder smerig luchtje had opgesnoven.

'Ik maak nog steeds bezwaar, edelachtbare,' zei Jackson, die opsprong. Zijn hangwangen trilden van verontwaardiging. 'Dit is duidelijk een slinkse truc om verwarring te scheppen in deze zaak.'

'Meneer Jackson, gaat u zitten. Die verwarring is al ontstaan toen het Openbaar Ministerie vijftien jaar geleden getuigen heeft opgeroepen die meineed hebben gepleegd om een verdachte veroordeeld te krijgen. Houdt u dat vooral in gedachten als u de splinter in het oog van de heer Finn ziet.'

Jackson ging zitten en Cavanaugh keek opnieuw aandachtig naar Finn en Cocca. 'Meneer Finn, geeft u mij uw erewoord dat u tot nu toe met niemand over de getuigenverklaring van dr. Salazar hebt gesproken?'

'U hebt mijn erewoord,' zei Finn.

Cavanaugh legde zijn hoofd in zijn handen en wreef verbijsterd in zijn ogen. Toen keek hij op. 'U kunt verdergaan met uw verhoor, meneer Finn.'

Jackson stond aarzelend op. 'Edelachtbare?'

'Wat nou?' snauwde Cavanaugh. 'Meneer Salazar heeft het grondwettelijk recht om zijn raadsman vragen te laten stellen, en dr. Salazar heeft het grondwettelijk recht om daar geen antwoord op te geven. Wat zou ik daar volgens u nou aan moeten doen?'

'Ik zou u willen vragen om de geloofwaardigheid van deze farce te betrekken bij uw oordeel, edelachtbare.'

'U hoeft niet te vertellen hoe ik mijn werk moet doen, meneer Jackson. Ik zal alles wat tijdens deze zitting aan de orde is gekomen in beschouwing nemen voordat ik uitspraak doe.'

Cavanaugh bleef Jackson woedend aankijken totdat de adjunct-officier zich verslagen weer in zijn stoel liet zakken. 'Gaat u verder, meneer Finn.'

Finn liep naar Miguel Salazar toe. 'Dr. Salazar, u was zich er toch van bewust dat agent Steele eropuit was om uw broer te laten uitzetten?'

'Op advies van mijn raadsman geef ik op dit moment geen antwoord op deze vraag.'

'U was daar toch zeker boos om, of niet soms?'

'Op advies van mijn raadsman geef ik op dit moment geen antwoord op deze vraag.' Miguels gezicht verried nog steeds geen enkele emotie. Hij leek Finn als niet meer dan een rechtbankmedewerker te beschouwen.

'Kunt u ons vertellen waar u zich bevond op de avond dat agent Steele is aangevallen?'

'Op advies van mijn raadsman geef ik op dit moment geen antwoord op deze vraag.'

Finn liep terug naar zijn tafel, ging erachter staan en maakte aanstalten om naast zijn cliënt te gaan zitten. 'Nog een laatste vraag, dr. Salazar: hebt u Madeline Steele neergeschoten?'

Je kon nu een speld horen vallen in de rechtszaal. Iedereen wist al wat Salazar zou gaan zeggen, maar toch hing er een zinderende spanning. Verslaggevers die de hele zitting lang als gekken in hun aantekenboekjes hadden zitten krabbelen, zaten op het puntje van hun stoel en keken van Finn naar de twee gebroeders Salazar. Toen boog Miguel Salazar zich naar de microfoon voor het getuigenbankje en zei met heldere en krachtige stem: 'Op advies van mijn raadsman geef ik op dit moment geen antwoord op deze vraag.'

★★★

In de gang buiten de rechtszaal stond Finn tegen de muur geleund. Kozlowski stond naast hem, met zijn handen in zijn zakken. Het was druk in de gang, al bleef er een lege ruimte rondom de twee mannen. De advocaten en verslaggevers, die wat doelloos rondliepen, wierpen Finn zo nu en dan een heimelijke blik toe, alsof hij een of andere gevaarlijke tovenaar was. Na Miguels getuigenverklaring was de rest van de zitting snel afgehandeld. Cavanaugh had zowel de verdediging als het Openbaar Ministerie nog even aan het woord gelaten, maar ze allebei na een paar minuten al tot zwijgen gebracht. Daarna was hij opgestaan en had ieder-een in zijn rechtszaal met onmiskenbare minachting aangekeken. 'Ik trek me terug in mijn werkkamer om alles wat ik vandaag gezien en gehoord heb te overdenken,' had hij gezegd. 'Over een minuut of twintig heb ik een uitspraak voor u.'

Nu kon Finn alleen nog maar wachten.

'Wat denk je ervan?' vroeg Kozlowski.

'Ik denk dat ik misselijk word.' Finn liet zijn hoofd hangen en tuurde naar de versleten tegelvloer.

'Je had een taak en die heb je verricht.'

'Maar wat een manier om mijn leven te leiden, hè? Het is nog steeds mogelijk dat mijn cliënt schuldig is, weet je. Ze zouden allebei kunnen liegen, alleen maar om hem eruit te krijgen.'

'Denk je dat zijn broer dat voor jouw cliënt zou doen?'

'Ik weet het niet. Ik heb nooit een broer gehad.'

Miguel Salazar drong zich door de muur van vreemden die om hen heen stond, en liep naar hen toe. 'Meneer Finn, ik wil u graag spreken.' Cocca kwam haastig achter hem aan gelopen, en probeerde hem de pas af te snijden.

'Dit is geen goed idee,' zei Finn zonder op te kijken.

'Meneer Finn, het spijt me als dit u in een vervelende positie...'

Finn viel Miguel in de rede en zei: 'Joe, wil je je cliënt duidelijk maken dat hij en ik niet met elkaar praten. Alles wat hij tegen mij zegt, valt niet onder de bescherming van de grondwet, en waarschijnlijk ben ik volgens de gedragscode zelfs verplicht om het meteen door te geven aan de rechter.'

'Ik heb uw leven gered in dat steegje,' zei Miguel.

'Als u ook de reden bent waarom mijn leven überhaupt gevaar liep, weet ik niet zeker of u nog steeds het recht hebt om daarover te juichen.'

Terwijl Cocca zijn cliënt wegtrok, zei hij tegen Finn: 'Na oud en nieuw gaan wij een biertje drinken en bijpraten, oké?'

'Prima,' antwoordde Finn, en hij keek de twee mannen na terwijl ze in de menigte uit het zicht verdwenen.

Kozlowski schraapte zijn keel. 'Zijn jullie verplicht om je zelfrespect af te staan als je lid wordt van de balie?'

'Als je eenmaal zover gekomen bent, heb je meestal niet veel zelfres-pect meer in te leveren. Dat is allang voordat je examen doet volkomen verdwenen.'

Kozlowski grinnikte. 'Waar is de cliënt?'

'Die zit in een cel hier in het gerechtsgebouw.'

'Moet je hem daar dan geen gezelschap houden?'

Misschien wel. Maar ik heb geen zin om met hem te praten. 'Finn schopte tegen een pluisje op de vloer. 'Ik weet niet goed wat ik tegen hem zou moeten zeggen.'

'Weet je zeker dat je niet gewoon je eigen geweten probeert te ontlopen?'

'Waarschijnlijk wel.'

'Kies je de gemakkelijke uitweg?'

'Reken maar.' Het stukje pluis wist niet van wijken en zweefde naar Kozlowski's voet toe. Kozlowski maakte een korte beweging met de neus van zijn schoen en het pluisje vloog de lucht in, werd meegevoerd door een tochtvlaag en verdween tussen de mensen in de gang.

'Hij heeft geluk gehad,' zei Kozlowski.

'Wie?'

'Salazar. Vincente. Hij heeft geluk gehad.'

'Hoezo?'

'Hij had jou als advocaat. Los van de vraag of je dacht dat hij misschien wel schuldig zou kunnen zijn, heb je keihard voor hem gevochten. Als ik in zijn schoenen stond, zou ik jou als advocaat willen, zelfs als je dacht dat ik het gedaan had.'

'Is dat een compliment?'

'Dat weet ik niet.'

De deur van de rechtszaal zwaaide open en een bode stak zijn hoofd de gang in. 'Rechter Cavanaugh gaat de zitting dadelijk weer openen,' waarschuwde hij. Daarna trok hij zich terug in de rechtszaal en de toeschouwers stroomden weer naar binnen.

'Het uur van de waarheid,' zei Kozlowski.

Finn keek hem aan. 'Ik heb nooit geweten dat jij over ironie beschikte.'

'Het is een gave. Ik probeer het niet overdrijven.'

'Dat lukt je over het algemeen heel goed.' Finn rechtte zijn rug, trok zijn schouders naar achteren en maakte zich los van de muur. 'Dus nu gaan we erachter komen of ik werkelijk goed werk heb geleverd.'

★★★

'Iedereen opstaan!' De gerechtsbode keek woedend om zich heen terwijl hij de zaal tot de orde riep, alsof hij alle toehoorders duidelijk wilde maken dat ze het niet moesten wagen de heiligheid van dit tribunaal te schenden. Terwijl hij naast zijn cliënt stond hoorde Finn achter zich het geroezemoes van het publiek dat overeind kwam.

Toen Cavanaugh terugkeerde, leek het alsof hij in twintig minuten tien jaar ouder was geworden. Zijn zwarte ambtsgewaad vormde een vreemd contrast met zijn asgrauwe gezicht, zodat hij net een personificatie van de dood leek. Als een bejaarde alpinist die met zijn laatste beklimming bezig is, liep hij met zichtbare moeite het trapje op naar de verhoging waarop zijn tafel stond. 'Gaat u zitten,' zei hij zo zachtjes dat een aantal mensen niet goed leek te weten of hij nu wel of niet iets had gezegd. 'Meneer Salazar, u kunt blijven staan.' Het was meer dan een uitnodiging, en ook Finn bleef staan.

'Er zijn momenten waarop dit werk zo veel voldoening schenkt dat het alle begrip te boven gaat,' begon Cavanaugh. Hij liet zijn blik de zaal ronddwalen, en keek kort even naar Jackson, en toen naar Finn, voordat hij zijn blik liet rusten op Salazar. 'Dit is niet een van die momenten,' ging hij verder, en Finn had het gevoel dat de steen in zijn maag hem dreigde te vermorzelen.

'Ons rechtsstelsel is streng, zo nu en dan zelfs rigide. Dat dient het ook te zijn. Als de maatschappij er niet zeker van kan zijn dat onze vonnissen zeker en afdoende zijn, zou ze het geloof in onze rechtbanken verliezen, en het verlies van dat geloof zou ons hele rechtsstelsel ondermijnen, en zelfs ons democratisch bestel in gevaar brengen. Dientengevolge wordt een vonnis als het eenmaal is geveld, en nadat alle beroepsmogelijkheden zijn uitgeput, als definitief en onherroepelijk beschouwd. Het kan in zo'n geval niet opnieuw worden aangevochten.' Zijn blik naar Salazar werd nog woedender. 'U, meneer, bent veroordeeld voor een afschuwelijk misdrijf. Er zijn maar weinig misdrijven zo ernstig als een aanval op degenen die hun leven in de waagschaal stellen om onze wetten te handhaven en onze burgers te beschermen. U bent veroordeeld door een jury van twaalf gewone burgers, die unaniem hebben bepaald dat het boven elke redelijke twijfel verheven was dat u dit misdrijf hebt begaan. U hebt rechtsbijstand gekregen, en tijdens deze zitting is niet aangevochten dat die rechtsbijstand niet deugdelijk of toereikend is geweest. Hoewel het duidelijk is dat het Openbaar Ministerie zich schuldig heeft gemaakt aan significante inbreuken op de procedure staat daarmee niet vast dat het destijds buiten de macht van uw raadsman heeft gelegen om die onregelmatigheden aan te vechten. Bovendien lijkt recent bewijsmateriaal, dat nota bene op verzoek van uw eigen raadsman is verkregen, uit te wijzen dat u inderdaad degene bent die dit misdrijf heeft gepleegd. Als we dat stichtelijke toneelstukje dat uw broer en de advocaten zojuist hebben opgevoerd even buiten beschouwing laten, ben ik niet overtuigd van uw onschuld, en komt het mij voor dat er niet meer dan een zeer minuscule mogelijkheid is dat het DNA-onderzoek uw schuld niet overtuigend heeft uitgewezen.'

Cavanaugh liet een korte stilte vallen om goed tot iedereen te laten doordringen wat hij zojuist had gezegd, en de stilte in de zaal leek erop te wijzen dat hij de uitwerking van zijn woorden niet had overschat. 'We dienen echter ook te erkennen,' ging hij verder, 'dat hoewel ons rechtsstelsel streng dient te zijn, het niet zo rigide dient te worden dat het alle flexibiliteit verliest. Zonder een zekere mate van flexibiliteit zouden onze rechtbanken dat element van menselijkheid verliezen dat juist de kern van hun kracht vormt. In dit geval is er bewijs, bijzonder overtuigend bewijs zelfs, van een actieve samenzwering om door middel van het vervalsen van bewijsmateriaal en het afleggen van valse verklaringen door de politie een veroordeling te bewerkstelligen. En hoewel de maatschappij er zeker van dient te zijn dat onze vonnissen zeker en afdoende zijn, dient zij er ook op te kunnen vertrouwen dat onze vonnissen zijn gestoeld op eerlijkheid en waarheid. Want als de overheid ongestraft inbreuk kan maken op de regels als zij een vervolging instelt tegen burgers die zij van een misdrijf beschuldigt, is geen van onze burgers nog veilig voor de gevaren van tirannie.'

Cavanaugh steunde met zijn ellebogen op de tafel voor hem, bracht zijn handen naar zijn gezicht en zette zijn bril af. 'Dit zijn de twee concurrerende belangen die ik vandaag tegen elkaar dien af te wegen. Dus waar staan we nu?'

Finn keek aandachtig naar Cavanaughs gezicht, maar daarop stond niets te lezen. Er hing een ademloze stilte in de rechtszaal. De spanning was zo intens dat Finn het gevoel kreeg dat hij nu elk ogenblik in elkaar kon zakken, en hij legde zijn hand op tafel om steun te zoeken.

Voor het eerst sinds de rechter de zitting had geopend, permitteerde Finn zich een korte zijdelingse blik op zijn cliënt. Salazar stond als verstard op de scheidslijn tussen twee heel verschillende toekomsten en voor het eerst in vierentwintig uur voelde Finn oprecht medelijden met hem.

Cavanaugh haalde diep adem. 'Helaas heb ik geen keuze. U bent veroordeeld, meneer Salazar, en ik geloof dat u schuldig bent. Gezien de onmiskenbare misdragingen van de politie, die vervalst bewijsmateriaal en valse verklaringen heeft gebruikt om uw veroordeling te verzekeren, zijn die onmiskenbare feiten voor mij echter niet voldoende om uw veroordeling te bevestigen. Meneer Finn heeft mij ervan weten te overtuigen dat er nog steeds enige twijfel resteert, en onder deze omstandigheden ben ik niet bereid om mijn eigen oordeel in de plaats te stellen van dat van een onpartijdige jury die al het bewijsmateriaal op eerlijke wijze voorgelegd heeft gekregen. Dat is niet de wijze waarop ons rechtsstelsel wordt verondersteld te functioneren.'

Geen van de toehoorders leek er helemaal zeker van te zijn wat de rechter precies bedoelde. Niemand bewoog en alle aanwezigen keken als gebiologeerd naar de oude, vermoeide man in zijn zwarte mantel die tegenover hen zat. Alsof hij iedere twijfel wilde wegnemen, nam Cavanaugh nogmaals het woord. 'Hierbij maak ik de veroordeling van Vincente Salazar in deze zaak ongedaan, en geef ik opdracht tot zijn vrijlating.'

Overal in de rechtszaal klonk luid geroezemoes en de journalisten renden naar de achterdeur om snel het nieuws door te bellen. 'Ik schep geen vreugde in deze beslissing,' vervolgde Cavanaugh, 'en mijn besluit is zonder prejudicie. Het staat het Openbaar Ministerie vrij om opnieuw een aanklacht in te dienen en meneer Salazar opnieuw terecht te laten staan.' Niemand luisterde echter nog, en zijn laatste woorden bleven ongehoord boven de immense commotie hangen. 'Moge God mij vergeven als ik een vergissing heb begaan.' Hij gaf een klap met de hamer, stond op en terwijl hij zich zo te zien diep verslagen voelde, verliet hij de rechtszaal.

Salazar, die zich niet had bewogen sinds Cavanaugh het woord had genomen, stond met zijn mond open en tuurde nog steeds naar de hoge, zwartleren stoel waaruit de rechter zojuist was opgestaan. Toen draaide hij zich om en keek hij naar zijn gezin. Hij deed twee stappen naar hen toe, leunde over het hekje, omhelsde zijn dochter en terwijl de tranen over zijn wangen stroomden, trok hij haar dicht tegen zich aan. Een gerechtsbode probeerde de twee uit elkaar te halen en uit te leggen dat Salazars vrijlating officieel nog verwerkt moest worden voordat hij daadwerkelijk vrij zou komen, maar geen van hen beiden wilde loslaten en terwijl hij stond te kijken vermoedde Finn dat dat nog wel even zo zou blijven ook.

Finn stapelde zijn aantekeningen op en legde die in zijn koffertje, sloeg het dicht en klikte de slotjes vast. Hij wierp nog een laatste blik op Vincente en Rosita Salazar die probeerden de pijn van vijftien jaar afwezigheid met een omhelzing iets te verzachten. Toen pakte hij zijn koffertje en verliet zonder nog iets te zeggen de rechtszaal.

45

EERSTE KERSTDAG 2007

Het licht van de nieuwe kerstdag daalde over Boston neer alsof het de verlossing zelf was. De zon wierp zijn stralen door een kristalheldere hemel en voor het eerst in twee weken voorspelden de meteorologen een dag zonder sneeuw. Overal in de stad sprongen kinderen vol koortsachtige opwinding uit bed, renden trappen af en kwamen woonkamers binnen die baadden in de gloed van het zonlicht dat in de met rood en goud papier verpakte kerstcadeautjes weerspiegelde. Zelfs in de opvanghuizen voor daklozen werd de trieste werkelijkheid voor een paar uur verdreven door de feestelijke geuren van speciale ontbijten met pannenkoeken en gebakken ham. Het leek wel alsof de wereld was bevrijd uit een loodgrijze gevangenschap, en degenen die uit hun slaap ontwaakten, zagen een dag vol prettige mogelijkheden tegemoet.

Finn werd die ochtend niet wakker. Dat was niet nodig. Hij had geen oog dichtgedaan. Om vijf uur 's ochtends, nadat hij voor de derde keer Linda's voicemail had ingesproken, nam hij een douche, trok een trui en een jasje aan, pakte zijn overjas en ging naar buiten. Hij ging nergens naartoe. Hij wilde alleen maar in beweging zijn. Hij liep Bunker Hill af en langs de achterkant van Charlestown naar Cambridge. Hij wandelde langs de noordelijke oever van de Charles-rivier, langs de grote koepel van het Massachusetts Institute of Technology, door de dicht op elkaar staande wirwar van gebouwen van Harvard, en daarna weer de rivier over door Fenway, Back Bay en Beacon Hill.

En terwijl hij daar liep, bezag hij Boston met nieuwe ogen – met een blik van iemand die voor het eerst in zijn leven overwoog de stad te verlaten. Hij had hier zijn hele leven doorgebracht en was nooit verder dan tweehonderd kilometer buiten de stad geweest. Terwijl hij daar liep, drong het tot hem door dat hij van deze stad hield. Hij hield ervan op de manier waarop hij aannam dat mensen die het beter hadden getroffen in het leven dan hij, van hun ouders hielden: zonder er ooit over na te denken, op een volstrekt egoïstische wijze, waarbij al hun warmte en al hun inspirerende eigenschappen als volkomen vanzelfsprekend werden beschouwd, net als al hun fouten en tekortkomingen... totdat de mogelijkheid dat ze er ooit niet meer zouden zijn, méér werd dan alleen maar een vage hypothese. En toen besefte hij dat hij hier nooit weg zou gaan. Alleen hier kon hij leven, en niets kon dat veranderen.

Om tien uur was hij terug in Charlestown en slenterde door Warren Street naar zijn kantoor. Tot zijn verbazing zag hij dat de deur openstond en dat Kozlowski aan de vergadertafel zat met een doos donuts en twee grote bekers koffie voor zich. 'Ik zat op je te wachten,' zei Kozlowski.

'Je bent privédetective. Zo moeilijk ben ik niet te vinden.'

Kozlowski haalde zijn schouders op. 'Ik heb niet gezegd dat ik nou heel hard gezocht heb. Je ging er gisteren behoorlijk snel vandoor. Ik dacht dat je waarschijnlijk wat tijd voor jezelf wilde hebben.'

'Je ziet er niet alleen goed uit, maar je bent ook nog gevoelig. Heeft Lissa even mazzel.'

Kozlowski schoof een van de bekers koffie naar hem toe toen Finn ging zitten. 'Die is voor jou.'

'Dank je wel.'

Zwijgend zaten ze tegenover elkaar en lieten zich verwarmen door de koffie. 'Heeft de kerstman je iets moois gebracht?' vroeg Kozlowski na een tijdje.

Finn schudde zijn hoofd. 'Alleen maar een groot stuk steenkool.'

'Dan ben je zeker stout geweest.'

'Dat spreekt toch vanzelf?'

Kozlowski leunde achterover in zijn stoel. 'Je moet maar zo bedenken, na verloop van tijd verandert steenkool vanzelf in diamant, zo is het toch? Dus misschien is dit wel een eerste aanbetaling van de kerstman.'

'Voordat het zover is gaat er wel een miljoen jaar overheen.'

'Daar heb je gelijk in. Misschien is het ook alleen maar een stuk steenkool.'

Finn stond op en liep naar zijn bureau, ging zitten en legde zijn benen op tafel. 'Nou, wat doe jij hier?'

'Niets eigenlijk. Ik had nog wat te doen op kantoor en ik wilde zeker weten dat je niet van een brug was gesprongen of zo.'

'En dan zeggen de mensen dat jij helemaal geen kerstgevoel hebt?'

'Je weet wel wat ik bedoel.'

'Ja, dat weet ik.'

'Gaat alles goed?'

Finn had het gevoel dat Kozlowski hem aan het analyseren was. Dat hij even tegen de banden schopte om zich ervan te vergewissen of alles nog goed werkte. 'Alles? Nee. Maar het gaat goed genoeg.'

'Ik neem aan dat dat voldoende is.'

'Ik neem aan dat dat maar voldoende zal moeten zijn.'

Op dat moment ging de deur open. Vincente Salazar stond in de deuropening. Hij knikte hun allebei toe. 'Meneer Finn, mag ik binnenkomen?'

Het duurde even voordat Finn antwoord gaf. 'Ja,' zei hij zonder veel overtuiging. 'Ja hoor, wat kan het ook schelen.' Hij keek naar Kozlowski.

'Nou, ik weet zeker dat jullie als advocaat en cliënt een heleboel te bespreken hebben, dus ik ga maar even op mijn kamer zitten. Roep maar als je me nodig hebt.' Kozlowski stond op en liep naar zijn kamer.

'Meneer Kozlowski,' zei Salazar.

Bij de deur draaide Kozlowski zich om. 'Ja?'

'Dank u wel. Ik weet dat u uw leven op het spel hebt gezet.'

'Dat heb ik niet voor u gedaan.'

'Dat weet ik ook. Maar toch bedankt.'

Kozlowski knikte en verdween naar achteren.

'Ik heb gisteren geen kans gezien om u te bedanken,' zei Salazar tegen Finn 'Ik draaide me om en toen was u verdwenen.'

'Ik ben net als de wind. Wonderlijk hè?'

Salazar ging in een stoel tegenover Finn zitten. 'U bent boos. Daar heb ik alle begrip voor. Ik hoopte dat ik de kans zou krijgen om het allemaal uit te leggen.'

Finn wuifde dat weg. 'Zoveel heeft het niet om het lijf. Het was mijn werk, en dat heb ik gedaan. Dat is nou eenmaal wie ik ben. En daar voel ik me goed bij. U bent mij niets verschuldigd.'

'Ik zou graag willen dat u begreep dat u hier goed aan hebt gedaan.'

Finn lachte zachtjes. 'Goed en slecht hebben er niets mee te maken. Ik ben advocaat.'

'Bent u helemaal niet nieuwsgierig?'

Finn haalde zijn schouders op.

'Bent u nog steeds mijn advocaat?'

'Als u mij iets wilt vertellen? Ja. Wat dit gesprek betreft, ben ik nog steeds uw advocaat. Zodra u hier weggaat, denk ik dat u beter af bent met een nieuwe raadsman.'

Salazar wendde zijn blik af, alsof hij nadacht over de mogelijkheden die hem tot zijn beschikking stonden. 'In mijn vaderland was er in de slechte oude tijd geen wet. Niet echt. Er was alleen maar wat de grootgrondbezitters besloten, dát was de wet. Zij hadden de vuurwapens en zij hadden dus ook de macht. Soms brak een van de arbeiders de wetten van de grootgrondbezitters en dan moest hij gestraft worden. Dat plaatste de grootgrondbezitters voor een dilemma. Als een arbeider in elkaar werd geslagen of opgesloten, werkte hij niet en dat kostte de grootgrondbezitter geld. Daarom werd in zo'n geval vaak iemand uit het gezin van de arbeider gekozen om in plaats van hem gestraft te worden. Zijn vrouw misschien, of de zoon of dochter die hem het dierbaarst was. In sommige gevallen, was het zelfs zijn broer.'

Salazar liet een korte stilte vallen om tot Finn te laten doordringen wat hij zojuist gezegd had. 'Toen ik naar dit land vluchtte, was dat de tweede keer dat Miguel ruw uit zijn bestaan werd weggerukt. De eerste keer was toen onze vader stierf en Miguel en mijn moeder bij mij kwamen wonen. Hij was zestien toen we hier aankwamen, jong, heethoofdig en boos.'

'Dat is geen geweldige combinatie,' merkte Finn op.

'Nee,' zei Salazar instemmend. 'Toen Miguel te weten kwam dat we misschien gedeporteerd zouden worden – teruggebracht naar El Salvador dus, om daar overgeleverd te worden aan de genade van de doodseskaders – is er iets in hem geknapt. Hij wilde agent Steele bang maken en hij dacht dat als hij een machete gebruikte, de politie zou aannemen dat de VDS daarvoor verantwoordelijk was.'

'Daar had hij gelijk in. Dat was precies waar Macintyre van uitging. Daarom heeft hij u erbij gelapt.'

'God heeft een merkwaardig gevoel voor rechtvaardigheid,' merkte Salazar op.

'Kennelijk is hij de enige niet. Zelfs als Miguel Madeline Steele alleen maar bang wilde maken, had hij haar nog steeds niet mogen aanvallen.'

'Nee, wat hij heeft gedaan valt niet te rechtvaardigen, maar wel te verklaren. Hij was jong en dwaas, en hij beschouwde het als zelfverdediging. Sterker nog, hij was van mening dat hij zijn familie verdedigde.'

'Wist u het?' Finn hoorde de beschuldigende klank in zijn eigen stem.

'Nee. Ik was er pas zeker van toen u me vertelde over de uitslag van het DNA-onderzoek. Maar ik denk dat ik het op een bepaalde manier altijd heb vermoed.'

'U hebt vijftien jaar in de gevangenis gezeten voor een misdrijf dat hij gepleegd heeft.'

'Dat is waar. Maar misschien was dat ook wel goed. Miguel was als een zoon voor mij. Hij was gedwongen om naar dit land te komen vanwege mijn vergissingen. Misschien draag ik meer verantwoordelijkheid voor zijn misdrijf dan ik graag zou toegeven. Maar hoe dan ook, de afgelopen vijftien jaar heeft mijn broer voortdurend geboet voor zijn zonde. Hij heeft mijn dochter opgevoed. Hij heeft voor onze moeder gezorgd. Hij heeft de zieken geheeld, en zelfs het leven van een veelbelovende jonge advocaat gered. Of niet soms?' Salazar trok zijn wenkbrauwen op en keek Finn vragend aan. 'En nu heeft hij uit vrije wil zijn eigen vrijheid op het spel gezet om die van mij te redden.'

Finn schudde zijn hoofd. 'Ik denk niet dat het ooit zover zal komen.

Het Openbaar Ministerie heeft u al een keer laten veroordelen. En hoewel de rechter die veroordeling heeft vernietigd, bent u nog steeds niet vrijgesproken of van alle blaam gezuiverd. Het DNA-materiaal stemt niet alleen overeen met dat van Miguel, maar ook met dan van u, dus er valt op geen enkele manier te bewijzen wie van u beiden het heeft gedaan. Wrang genoeg wil dat zeggen dat u geen van beiden ooit veroordeeld zult worden, want er zal altijd een redelijk vermoeden blijven bestaan dat de ander het heeft gedaan. En bovendien is dit nu al zo'n schandaal, vooral vanwege de manier waarop de politie tijdens het eerste proces bewijsmateriaal heeft vervalst, dat het me zou verbazen als het Openbaar Ministerie zin heeft om deze vijftien jaar oude zaak nog eens over te doen. Het is voor die lui veel handiger om deze zaak in de doofpot te stoppen en u allebei verder met rust te laten.'

'Wat als ze nog meer DNA-onderzoek laten doen? Als ze nog meer vergelijkingspunten weten te vinden, zullen ze misschien wél kunnen aantonen dat Miguel het gedaan heeft.'

'Dat lijkt me onwaarschijnlijk,' zei Finn. 'Het waren maar kleine monsters, en ik weet niet of ze er nog meer hebben.'

'Het zou kunnen. De technologie van het DNA-onderzoek boekt snelle vorderingen.'

'Daar zou u gelijk in kunnen hebben,' zei Finn. 'Misschien is dat een zwaard van Damocles dat Miguel voor de rest van zijn leven boven het hoofd zal hangen.' Dat idee gaf hem enige voldoening.

'Misschien is dat zijn straf. Misschien is dat ook wel voldoende.'

'U hebt vijftien jaar in de gevangenis gezeten. Denkt u nou werkelijk dat onzekerheid straf genoeg is?'

'Ik weet het niet,' gaf Salazar toe. 'Voor mij, voor mijn rechtvaardigheidsgevoel, is het voldoende. Hebben mijn broer, mijn dochter en ik samen niet voldoende geboet voor de misdaad van mijn broer?'

'Het is niet aan mij om dat te beoordelen,' zei Finn. 'Ik ben geen rechter, en al evenmin de jury. Ik ben advocaat. Het is mijn taak om mijn cliënt te vertegenwoordigen.'

'Ja,' zei Salazar instemmend. 'U bent de advocaat, en een goede.' Hij stond op en stak Finn zijn hand toe. Finn bleef roerloos zitten en keek zijn cliënt zwijgend aan. Toen stond hij op en gaf hem een hand. 'Dank u wel, meneer Finn,' zei Salazar. 'Namens mijn familie, dank u wel.'

Finn knikte, maar zei niets. Salazar draaide zich om en liep de deur uit. Hij keek niet om.

★★★

Kozlowski stond buiten, achter het kleine bakstenen kantoorgebouwtje. Het vroor nog steeds, maar de dakspanen van asfalt werden verwarmd door het zonlicht, zodat er voortdurend gesmolten sneeuw van de overhangende dakrand druppelde. Hij was een paar minuten in zijn kamer blijven zitten, maar eigenlijk had hij niets te doen, en hij had gedacht dat wat koude, frisse winterlucht hem goed zou doen. Hij stond naar de overkant van de straat te kijken toen hij achter zich de deur hoorde opengaan en Finn zonder iets te zeggen naar buiten stapte.

'Geloof je hem?' vroeg Kozlowski.

'Ik denk van wel,' zei Finn. 'Dat is volgens mij het makkelijkste.' Hij pakte een sigaret en stak die op.

'Je rookt om het te vieren?'

'Ik denk van wel, ja,' zei Finn. 'Ik heb er geen vrolijk gevoel bij, maar het is beter dan niets.'

Kozlowski draaide zich naar hem toe. 'Heb je er ook een voor mij?'

'Jij rookt niet.'

'Zo nu en dan een sigaar. Hoeveel erger dan dat kan een sigaret nou helemaal zijn?'

Finn viste het pakje uit zijn zak, tikte er een sigaret uit en gaf die aan Kozlowski. 'Pas maar op. Ik heb wel eens gehoord dat je eraan verslaafd kunt raken.' Hij gooide Kozlowski zijn Zippo toe.

Kozlowski stak de sigaret tussen zijn lippen en klapte de aansteker open. Hij moest het twee keer proberen voordat het hem lukte een vlam uit het apparaatje te krijgen en toen hij die naar het puntje van de sigaret bracht en inhaleerde, drong er een bijtende rookwolk door de ijskoude winterlucht, zodat hij onmiddellijk begon te hoesten.

'Lekker, hè?' zei Finn.

Kozlowski gaf hem de aansteker terug. 'Zijn Linda en jij eruit gekomen?'

Finn schudde van nee. 'Nog niet, maar we blijven het proberen. Hoop ik.'

'Je kunt misschien bij haar intrekken.'

'Nee, dat kan ik niet.'

Kozlowski nam nog een trek en deze keer slaagde hij erin de rook in zijn longen te houden.

Hij blies een lange stroom blauwe rook uit. 'Nee, dat zal wel niet. Maar die baan van haar is toch een politieke benoeming? Dus je kunt altijd hopen op een andere regering. Dan komt ze misschien wel terug.'

'Misschien wel. Je weet maar nooit.' Het was wel duidelijk dat Finn geen zin had om over zijn liefdesleven te praten. 'Hoe zit het met jou? Is alles goed met Lissa?'

'Ik neem aan van wel. Het gaat tijd kosten, maar ze komt er wel bovenop.'

'Het is Kerstmis. Wil je niet bij haar zijn?'

'Ze is joods. Het schijnt dat joden kerstmis helemaal niet zo belangrijk vinden.'

'Dat heb ik nooit geweten,' gromde Finn.

'Ze mag vandaag naar huis. Ik ga haar straks ophalen. En dan zien we verder wel hoe het loopt.' Toen hij aan Lissa dacht, keek Kozlowski naar Finn. Hij herinnerde zich wat Lissa over Finn gezegd had – over hoezeer die hem nodig had – en hij wendde snel zijn ogen af. Hij voelde zich ongemakkelijk toen hij erover dacht om zijn gevoelens onder woorden te brengen, maar hij besefte ook dat Lissa gelijk had. En meer dan dat, hij begon te onderkennen dat hij Finn al net zozeer nodig had als Finn hem. 'Ik ga iets zeggen,' zei hij. En toen zweeg hij, terwijl hij probeerde de juiste woorden te vinden.

'Goed om te weten,' zei Finn. 'Laat het me weten als het zover is.'

'Ik wil niet dat je denkt dat het iets raars is, of dat je er te veel belang aan hecht.'

'Oké, ik neem aan dat het er wel een beetje van afhangt wat je gaat zeggen, maar ik zal er rekening mee houden.'

Kozlowski nam nog een trek van zijn sigaret voordat hij opnieuw sprak. 'Wat zou je denken als ik zei dat ik om je gaf?'

Finn zei niets. Hij stond daar maar en zoog de rook diep in zijn longen, 'Ik weet het niet,' zei hij een tijdje later, en toen glimlachte hij. 'Volgens mij zou ik dan denken dat je homofiele neigingen krijgt.'

'Ja hoor.'

'Niet dat daar iets mis mee is, trouwens. Er zijn mensen in alle soorten en maten.'

'Goed dat je dat er even bij zegt. Dank je wel.'

'Weet Lissa het al?'

'Val dood jij.'

Finns glimlach werd nog breder.

Kozlowski nam nog een trek van zijn sigaret en kreeg toen een enorme hoestbui. 'Ik weet niet hoe je er in slaagt die vuiligheid naar binnen te werken.'

'Je moet het even onder de knie krijgen.'

Zo stonden ze daar nog een paar minuten zwijgend naast elkaar. De zon hing laag aan de horizon en de warme stralen schenen op Kozlowski's gezicht. Het was een prettig gevoel. 'O'Doul's is open met kerst,' zei hij toen.

'Laat het maar aan de Ieren over om ervoor te zorgen dat iedereen op de geboortedag van Onze Lieve Heer strontlazarus is.'

'Heb je plannen of heb je zin om een borrel te gaan halen?'

Finn keek hem aan. 'Jij trakteert?'

'Ja.'

Finn trok zijn wenkbrauwen op. 'Een goed merk?'

Kozlowski deed zijn ogen dicht en genoot van het warme zonlicht op zijn gezicht. 'Ja,' zei hij toen. 'Een goed merk.'

NAWOORD

Onschuld is fictie, en alle overeenkomsten tussen personages uit deze roman en werkelijk bestaande mensen berusten louter en alleen op toeval. Het uitgangspunt van het verhaal is echter geworteld in werkelijke gebeurtenissen. De afgelopen tien jaar zijn in de Verenigde Staten meer dan honderdvijftig veroordelingen vernietigd nadat DNA-onderzoek had uitgewezen dat de veroordeelden de misdrijven waarvoor ze waren gevangengezet niet begaan konden hebben. David Hosp, de auteur van *Onschuld*, is advocaat bij de Bostonse advocatenfirma Goodwin Procter LLP, en besteedt een deel van zijn tijd aan pro-Deowerk voor het New England Innocence Project. De afgelopen twee jaar heeft hij zich samen met een aantal andere advocaten tijdens civiele procedures ingezet voor Stephan Cowans, die in 1997 ten onrechte is veroordeeld voor een moordaanslag op een agent van de gemeentepolitie van Boston. In 2004 is de heer Cowans onschuldig verklaard en vrijgelaten.

Het New England Innocence Project
Het NEIP is begin 2000 opgericht door Joseph F. Savage Jr., Stanley Fisher, Daniel Givelber en David Siegelm, en wordt tegenwoordig op pro-Deobasis gecoördineerd door Goodwin Procter. Het project maakt deel uit van het International Innocence Project, een netwerk van regionale onschuldprojecten, maar wat het uniek maakt is dat dit het eerste door een advocatenfirma gecoördineerde onschuldproject in de hele Verenigde Staten was. De NEIP bestaat uit advocaten van Goodwin Procter, vrij gevestigde advocaten van allerlei snit, mensen die zijn vrijgepleit van een misdrijf en docenten en studenten van de rechtenopleidingen van Boston College, Boston University, het Franklin Pierce Law Center, Harvard University, de New England School of Law, Northeastern University, Suffolk University, de Southern New England School of Law en de Western New England School of Law. Het NEIP werkt samen met advocaten en rechtenstudenten en -docenten om ervaren juristen te koppelen aan unieke klinische ervaring voor toekomstige advocaten. De vol-

379

gende advocatenfirma's en individuele advocaten hebben de afgelopen tijd op pro-deobasis rechtsbijstand geleverd aan het NEIP: Bingham McCutchen LLP; Birnbaum & Godkin LLP; Foley Hoag LLP; Goodwin Procter LLP; Kirkpatrick & Lockhart Nicholson Graham LLP; Mirick O'Connell; Nixon Peabody LLP; Nutter, McClellan & Fish LLP; Wilmer Hale LLP; Betty Ann Waters; Karen Goodrow Esq.; en Albert Scherr Esq. Sinds de start van dit project heeft het NEIP door middel van zijn netwerk van advocaten een bijdrage geleverd aan de rechtsbijstand aan en onschuldigverklaring van zestig ten onrechte veroordeelden individuen in New England.

Marvin Mitchell

Marvin Mitchell werd in april 1997 van alle blaam gezuiverd nadat hij zeven jaar en drie maanden in de gevangenis had gezeten voor een misdrijf dat hij niet had begaan. In 1990 werd hij veroordeeld voor het ontvoeren en verkrachten van een elf jaar oud meisje dat op de bus stond te wachten. Hij werd gevangengezet ondanks het feit dat zijn signalement niet beantwoordde aan de beschrijving van de dader en dat zijn sperma niet overeenkwam met de spermamonsters die waren aangetroffen op het slachtoffer. In 1997 bleek uit aanvullend onderzoek dat het DNA van de heer Mitchell niet overeenkwam met dat van een monster dat op de plaats delict was aangetroffen.

Eric Sarsfield

Eric Sarsfield werd op 1 juni 1999 voorwaardelijk vrijgelaten en in augustus 2000 van alle blaam gezuiverd, nadat hij negen jaar in de gevangenis had gezeten voor een misdrijf dat hij niet had begaan. Hij was veroordeeld voor een verkrachting die in 1986 had plaatsgevonden in Middlesex County. Het OM heeft tijdens het proces geen concreet bewijs overlegd voor de betrokkenheid van de heer Sarsfield, en heeft haar zaak voor een groot gedeelte gebaseerd op het feit dat het slachtoffer hem meende te herkennen. In maart 2000 wees een DNA-onderzoek van de kleding die het slachtoffer destijds droeg, uit dat de heer Sarsfield niet de bron kon zijn van het sperma dat op haar kleding was aangetroffen.

Neil Miller

Neil Miller werd in mei 2000 van alle blaam gezuiverd nadat hij tien jaar in de gevangenis had gezeten. Hij was veroordeeld wegens verkrachting met geweld terwijl hij gewapend en met de intentie om een misdrijf te plegen op 19 december 1990 een huis in Boston was binnengedrongen. De veroordeling van de heer Miller berustte vrijwel uitsluitend op een getuigenverklaring van het slachtoffer, die zijn foto in een smoelenboek had aangewezen. (De foto van de heer Miller was hierin opgenomen vanwege een misdrijf van niet-seksuele aard.) Tijdens het proces verklaarde een wetenschappelijk onderzoeker van het forensisch laboratorium van de politie van Boston dat niet viel uit te sluiten dat de heer Miller de bron vormde van de spermavlekken die in het beddengoed van het slachtoffer waren aangetroffen. Bijna tien jaar later bleek uit aanvullend en meer geavanceerd onderzoek dat Neil Miller niet de bron kon zijn van het aangetroffen sperma.

Kenneth Waters
Kenneth Waters heeft achttien jaar in de gevangenis gezeten voor een moord die hij niet heeft gepleegd. Zijn veroordeling werd vernietigd in 2001, met hulp van zijn zuster, Betty Ann Waters. Op 21 mei 1980 werd het slachtoffer dood aangetroffen in haar bed. De dader had geen vingerafdrukken achtergelaten, maar op de plaats delict was wel haar en bloed aangetroffen. Op grond van de verklaringen van verschillende getuigen, onder wie twee voormalige vriendinnen, werd Kenneth Waters gearresteerd op verdenking van moord. In 1983 werd hij veroordeeld. Nadat de heer Waters zijn hoger beroep had verloren, is zijn zuster rechten gaan studeren om de zaak van haar broer op zich te kunnen nemen. Mevrouw Waters wist het bewijsmateriaal terug te vinden in de kelder van een gerechtshof, waaronder ook DNA-bewijsmateriaal dat ze heeft laten onderzoeken. Uit dit onderzoek bleek dat de heer Waters onmogelijk de dader kon zijn geweest.

Rodriguez Charles
In 1984 werd Rodriguez Charles veroordeeld wegens het verkrachten van drie vrouwelijke kamergenoten in Brighton, Massachusetts. Vervolgens bracht hij achttien jaar in de gevangenis door. In mei 2000 werd hij vrijgesproken van deze misdrijven. Zijn vrijspraak kwam tot stand nadat een onderzoek van het biologische bewijsmateriaal had uitgewezen dat het sperma op de lakens en kamerjas van een van de slachtoffers niet overeenstemde met dat van de heer Charles. De rechter bepaalde ook dat het Openbaar Ministerie onzorgvuldig was geweest door niet bekend te maken dat een van de slachtoffers van mening was dat de verkrachter besneden was. De heer Charles is niet besneden.

Eduardo Velasquez (voorheen bekend als Angel Hernandez)
Angel Hernandez heeft dertien jaar in de gevangenis gezeten voor een misdrijf dat hij niet heeft begaan. Op 23 november 1988 werd de heer

Hernandez veroordeeld door een jury wegens bedreiging en geweldpleging met behulp van een gevaarlijk wapen, handtastelijkheden en verkrachting met verzwarende omstandigheden. Zijn veroordeling werd op 12 augustus 1991 bevestigd. Tijdens het proces in 1991 werd gebruikgemaakt van een onderzoek naar zijn bloedgroep. Uit dit onderzoek bleek dat Hernandez dezelfde bloedgroep had als de aanvaller, maar daar werd ook nadrukkelijk bij gezegd dat ongeveer 11 procent van alle mensen van Latijns-Amerikaanse en Spaans-Portugese afkomst deze bloedgroep hebben. Er werd een verzoek ingediend om toegang te krijgen tot het bewijsmateriaal, zodat er een DNA-onderzoek verricht kon worden. In 2001 werd een DNA-onderzoek verricht op het sperma dat als bewijsmateriaal was verzameld. Het onderzoek wees uit dat de heer Hernandez onmogelijk de dader kon zijn, en daarom werd hij op 15 augustus 2001 van alle blaam gezuiverd en vrijgelaten.

Jeffrey Scott Hornoff

De zevenentwintig jaar oude Jeffrey Scott Hornoff was rechercheur bij de politie van Warwick, Rhode Island totdat hij werd aangeklaagd en veroordeeld wegens moord met voorbedachten rade. In de zomer van 1989 werd Victoria Cushman doodgeslagen met een brandblusser en een porseleinen sieradenkistje. Desgevraagd gaf de heer Hornoff tegenover zijn superieuren onmiddellijk toe dat hij mevrouw Cushman had gekend. Nadat hij had verzocht om een leugendetectoronderzoek om zijn onschuld te bewijzen, heeft een aantal collega's van hem het OM verzocht de staatspolitie van Rhode Island een nader onderzoek te laten instellen naar de heer Hornoff. Hoewel er geen materieel bewijs bestond, en er ook geen enkele getuigenverklaring was die hem met de moord in verband bracht, moest de heer Hornoff jaren na de moord op mevrouw Cushman toch voor de rechter verschijnen, die hem schuldig bevond aan moord met voorbedachten rade en hem tot levenslang veroordeelde. Hij heeft zes jaar, vier maanden en achttien dagen van dit vonnis uitgezeten en werd op 6 november 2002 vrijgelaten, vijftien dagen nadat het voormalige vriendje van mevrouw Cushman, Todd Barry, zich meldde bij de politie en bekende dat hij de moord had gepleegd. In elk stadium heeft het Amerikaanse rechtsstelsel Scott en zijn dierbaren tekortgedaan, al hebben de juristen van het NEIP met grote inzet voor zijn vrijspraak geijverd. Het DNA-onderzoek in deze zaak was het eerste DNA-onderzoek in Rhode Island dat werd verricht in een zaak waarin de betrokkene al veroordeeld was.

Dennis Maher

Dennis Maher werd tijdens twee afzonderlijke processen schuldig bevonden aan geweldsmisdrijven jegens drie vrouwen. In maart 1984 werd hij schuldig bevonden aan verkrachting en mishandeling van twee vrouwen in Lowell, Massachusetts op twee opeenvolgende avonden in november 1983. In april 1984 werd hij veroordeeld wegens de verkrachting in augustus 1983 van een vrouw in het plaatsje Ayer. Tijdens het tweede proces werd Maher tot levenslang veroordeeld. Krachtens de wet die destijds van kracht was in Massachusetts kreeg Maher ook TBS en werd hij opgenomen in het Bridgewater Treatment Center. In 2001 wist het NEIP lang vermist bewijsmateriaal uit de eerste rechtszaak terug te vinden in de kelder van het Middlesex Superior Court. In december 2002 bleek uit DNA-onderzoek dat de heer Maher niet de bron van het sperma in de eerste rechtszaak kon zijn. In februari 2003 vond het OM in het politiebureau van Ayer een monster van het bewijsmateriaal dat was verzameld naar aanleiding van de verkrachting in datzelfde plaatsje. Dit monster werd onderworpen aan een DNA-onderzoek, en ook deze keer bleek dat de heer Maher niet de bron van het aangetroffen sperma kon zijn. Na negentien jaar in de gevangenis werd Dennis Maher in april 2003 van alle blaam gezuiverd.

Stephan Cowans

Wegens het neerschieten van een politieagent in Boston werd Stephan Cowans op 30 mei 1997 ten onrechte veroordeeld wegens gewapende beroving en poging tot moord plus aanverwante misdrijven. Om de heer Cowans veroordeeld te krijgen maakte het Openbaar Ministerie gebruik van een ooggetuigenverklaring en een latente vingerafdruk die was aangetroffen op een glazen beker die door de aanvaller was gebruikt. In 2000 hielp het NEIP de heer Cowans bij het regelen van een DNA-onderzoek. Nadat de kleding van de aanvaller was onderzocht op DNA-sporen bleek dat het DNA van de heer Cowans hier niet mee overeenstemde en heeft het Openbaar Ministerie een nieuw onderzoek gelast naar de vingerafdruk op basis waarvan de heer Cowans destijds was veroordeeld. Dit nieuwe onderzoek wees uit dat de vingerafdruk niet van de heer Cowans afkomstig was. Na meer dan zes en een half jaar in de gevangenis werd de heer Cowans op 1 februari 2004 officieel van alle blaam gezuiverd.

Anthony Powell

Anthony Powell werd in 1992 ten onrechte schuldig bevonden aan het ontvoeren en verkrachten van een tienermeisje, en veroordeeld tot een gevangenisstraf van twaalf tot twintig jaar. Het slachtoffer werd onder bedreiging met een mes ontvoerd terwijl ze op de bus stond te wachten. Haar belager verkrachtte haar in een bebost gebied en eiste daarna van haar dat ze de volgende dag met honderd dollar op zak naar een dicht-gevroren vijver zou komen die als schaatsbaan werd gebruikt. De vol-gende avond schaatste de politie naar de vijver toe en arresteerde daar de heer Powell, die vervolgens door de jonge vrouw werd geïdentificeerd en wegens dit misdrijf in staat van beschuldiging werd gesteld. De heer Powell heeft voortdurend volgehouden dat hij onschuldig was, maar pas toen het Committee for Public Counsel Services de advocaten Julie Boyden en Steve Hrones aan deze zaak toewees, slaagde Powell erin een DNA-onderzoek laten verrichten op het sperma dat in het slachtoffer was aangetroffen. Uit het DNA-onderzoek bleek dat hij de verkrachter niet kon zijn, en in maart 2004, nadat hij twaalf jaar van zijn vonnis had uit-gezeten, werd de heer Powell van alle blaam gezuiverd.